1001 TRUCS
AUTOUR DE LA MAISON

1001 TRUCS
AUTOUR DE LA MAISON

*Dehors, dedans, partout :
entretien, plomberie,
réparations domestiques,
électricité, peinture, chauffage*

Sélection
Reader's Digest

Sélection du Reader's Digest (Canada) Ltée, Montréal

1001 TRUCS AUTOUR DE LA MAISON

ÉQUIPE DE SÉLECTION DU READER'S DIGEST

RÉALISATION DE L'OUVRAGE

Rédaction
Agnès Saint-Laurent

Graphisme
Cécile Germain

Révision-correction
Gilles Humbert

Fabrication
Holger Lorenzen

Coordination
Susan Wong

DIRECTION ÉDITORIALE

Vice-présidente Livres, musique et vidéos
Deirdre Gilbert

Directeur artistique
John McGuffie

Directrice de l'édition
Loraine Taylor

COLLABORATEURS EXTERNES

Traduction
René Raymond

Révision
Lise Parent

Lecture-correction
Joseph Marchetti

Index
Suzanne Govaert-Gauthier

Photographes
Steven Mays
Robert Brantley
Gene et Katie Hamilton
Joel Musler
Bill Zuehlke

Illustrateurs
Ian Worpole
Todd Ferris
Jacques Perrault
Robert Steimle

1001 trucs autour de la maison est
l'adaptation de *1001 Do-It-Yourself Hints & Tips*

Copyright © 1998 The Reader's Digest Association (Canada) Ltd.
Copyright © 1998 The Reader's Digest Association, Inc.

Rédaction
Wayne Kalyn, Philomena Rutherford

Données de catalogage avant publication (Canada)

Vedette principale au titre :

1001 trucs autour de la maison : dehors, dedans, partout : entretien, plomberie, réparations domestiques, électricité, peinture, chauffage

Traduction de : 1001 do-it-yourself hints & tips.
Comprend un index.

ISBN 0-88850-638-4

1. Habitations – Entretien et réparations. I. Sélection du Reader's Digest (Canada) (Firme). II. Titre : Mille un trucs autour de la maison.

TH4817.O5414 1999   643'.7   C98-940557-5

Imprimé au Canada
99 00 01 / 3 2 1

Les crédits et les remerciements de la page 352 sont, par la présente, incorporés à cette notice.

Copyright © 1999 Sélection du Reader's Digest (Canada) Ltée
1100, boul. René-Lévesque Ouest, Montréal (Québec) H3B 5H5

Pour obtenir notre catalogue ou des renseignements sur d'autres produits de Sélection du Reader's Digest, composez le 1-800-465-0780.

Vous pouvez aussi nous rendre visite sur notre site internet : www.selectionrd.ca

AVANT-PROPOS

Ce manuel pratique s'adresse à tous – des « débrouillards », pour qui un couteau à beurre constitue un outil tout usage, aux bricoleurs expérimentés, que l'on peut considérer comme des quasi-professionnels en raison des connaissances et de l'outillage qu'ils possèdent.

C'est aussi un manuel pratique d'un genre différent. Contrairement à bon nombre d'ouvrages où le jargon technique abonde et va de pair avec des travaux que seuls des spécialistes peuvent mener à bien, notre manuel vous indique comment aborder de manière relativement facile 175 des travaux les plus courants et utiles à l'intérieur comme à l'extérieur de la maison. Chacun des travaux est expliqué étape par étape, en termes simples. Des photographies et des illustrations accompagnent le texte. Vous apprendrez comment bien faire les choses du premier coup, qu'il s'agisse d'installer une antenne parabolique, de déboucher un tuyau de renvoi ou de remplacer une planche sur une terrasse.

Mieux encore, un ensemble de conseils et de techniques – plus de 2 500 en tout – accompagnent la présentation de chacun des travaux et mettent les meilleurs résultats à votre portée. Glanés auprès de spécialistes, ces trucs complémentaires vous permettront d'économiser temps et argent et vous aideront à éviter les embûches sur lesquelles butent beaucoup de propriétaires de maison.

1001 trucs autour de la maison se divise en 13 chapitres. Le premier, « Dans la maison », renferme une foule d'idées utiles pour améliorer l'aménagement de votre foyer. On y présente des stratégies visant à vous rendre la vie plus facile et à rehausser la qualité de votre environnement intérieur. Qu'il s'agisse de créer un bureau à la maison, de doubler l'espace de rangement ou d'éliminer des insectes ou des animaux nuisibles, vous trouverez dans ce chapitre une foule de réponses et de suggestions.

Les chapitres suivants sont avant tout axés sur la pratique. Chaque page ou presque porte sur un travail différent, décrit étape par étape. Un travail vous semble-t-il trop ardu ou trop long à réaliser ? Pour savoir à quoi vous en tenir, voyez quel est son degré de difficulté : un système de symboles permet de le connaître en un coup d'œil. Il y a trois degrés de difficulté : relativement faible (un symbole), moyen (deux symboles), plus élevé (trois symboles). Un bricoleur moyen peut néanmoins réaliser tous les travaux.

Les chapitres du manuel englobent presque tous les aspects des réparations et des rénovations domiciliaires que l'on peut devoir effectuer à l'intérieur comme à l'extérieur : fenêtres, portes, peinture, papier peint, remise en état de meubles, plomberie, électricité, chauffage, climatisation, électroménagers, appareils électroniques, etc. Par ailleurs, les sections consacrées au jardinage, à l'aménagement paysager, aux patios et aux allées vous amènent à l'extérieur.

Le dernier chapitre aborde des mesures de sécurité qui touchent tout le monde. Vous y verrez comment protéger votre maison, votre voiture et votre famille et comment rendre votre cadre de vie plus sûr.

Votre sécurité reste en effet l'une de nos préoccupations. Aussi avons-nous intégré à la description de nombreux travaux une liste de conseils sous la rubrique « Sûr et sensé » dans le but de garantir votre protection. Nous avons aussi placé çà et là dans le manuel divers encadrés « À retenir » pouvant être consultés à maintes reprises, que ce soit pour faire face à une urgence telle qu'un incendie ou une inondation dans la maison, ou encore pour déterminer la quantité de peinture qu'il faut acheter afin de repeindre une chambre à coucher.

Nous avons réalisé **1001 trucs autour de la maison** de façon qu'il soit pratique et accessible. Nous espérons que vous le trouverez agréable à consulter et qu'il sera pour vous une source d'idées et un ouvrage utile pendant de nombreuses années.

La rédaction

CHAUFFAGE ET CLIMATISATION 204

RÉPARATION DES ÉLECTROMÉNAGERS ET DES APPAREILS ÉLECTRONIQUES 224

PIERRE, BRIQUE ET BÉTON 246

DANS LA MAISON

À RETENIR

Dispositifs à actionner en cas d'urgence

Quand on sait quels dispositifs actionner en cas d'urgence, on peut sauver sa maison et des vies.

ÉLECTRICITÉ

MISE EN GARDE : Ne touchez pas au coffret de distribution si le plancher ou des fils sont mouillés. C'est votre fournisseur d'électricité qui doit alors couper le courant.

Coffret de fusibles	Abaissez ou tirez le levier pour le placer à *Off*.
Coffret avec blocs enfichables	Retirez les blocs contenant les fusibles à cartouche.
Coffret de distribution	Mettez tous les interrupteurs principaux à *Off*.
Autres coffrets	Mettez tous les interrupteurs à *Off*.

GAZ NATUREL

MISE EN GARDE : S'il y a une odeur de gaz, ouvrez les fenêtres et fermez le robinet d'arrêt principal. N'allumez pas de flamme ; ne vous servez d'aucun interrupteur ni du téléphone. Sortez tout de suite de la maison et signalez la fuite en utilisant le téléphone d'un voisin. S'il s'agit de gaz propane, n'allez pas au sous-sol ; ce gaz, plus lourd que l'air, s'accumule aux étages inférieurs.

Robinet d'arrêt – gaz naturel	Tournez la poignée de façon qu'elle soit perpendiculaire au tuyau.
Robinet d'arrêt – gaz en bouteille	Tournez la poignée vers la droite.

EAU

Maison située dans un pays chaud	Le robinet de sectionnement se trouve souvent à l'extérieur. Tournez la poignée vers la droite.
Régions froides	Le robinet de sectionnement se trouve d'ordinaire au sous-sol. Tournez la poignée vers la droite.
Robinet brisé	Les robinets d'arrêt (eau chaude et eau froide) se trouvent d'ordinaire sous l'appareil sanitaire ou près de celui-ci. Tournez les deux poignées vers la droite.

Électricité

Pour connaître la cause de la mise hors tension d'un circuit, examinez le fusible bouchon qui le protège. Si le verre est noirci, il s'agit d'un court-circuit ; si le verre est propre, il s'agit d'une surcharge.

Problème d'éclairage. Les ampoules produisent-elles une lumière qui papillote ? Si oui, communiquez avec votre fournisseur d'électricité : le fil neutre du circuit est peut-être débranché entre le poteau électrique et votre maison.

Baisse d'intensité. Si l'éclairage baisse brièvement quand plusieurs électroménagers fonctionnent simultanément, la capacité maximale du circuit électrique est peut-être presque atteinte. Si la charge totale des appareils (en watts) n'avoisine pas la capacité maximale du circuit, communiquez avec votre fournisseur d'électricité.

Décharge électrique. Ne touchez jamais à une personne soumise à une décharge électrique tant qu'elle demeure en contact avec la source d'électricité : le courant pourrait passer de son corps au vôtre. Utilisez un objet en bois, un manche de balai par exemple, et jamais un objet en métal, pour la dégager de la source d'électricité. Demandez ensuite de l'aide et administrez les premiers soins à la victime.

Faites un vœu ! Une bougie pour gâteau produira assez de lumière durant une panne d'électricité. Avant de l'allumer, enfoncez-la dans un pot de gelée de pétrole en ne laissant dépasser que son sommet.

Pas de bougie ? Pour vous éclairer durant une panne d'électricité, versez un peu d'huile de cuisson dans une tasse à mesurer en verre placée dans un plat en métal et ajoutez une courte ficelle en guise de mèche. Cette « lampe » demeurera allumée pendant des heures.

Plomberie

Se fier à son nez. Une forte odeur d'égout provenant d'un appareil sanitaire peut indiquer que l'eau du siphon s'est évaporée. Versez un peu d'eau dans le renvoi et attendez un peu ; l'odeur devrait disparaître – sinon, appelez un plombier.

Passer l'éponge. Si l'eau déborde d'une machine à laver ou d'un lave-vaisselle, formez un barrage à l'aide de serviettes de plage, de vieux tapis ou d'autres articles absorbants. Il vous sera plus facile d'éponger l'eau ainsi contenue.

SÛR ET SENSÉ

En cas d'inondation, les consignes suivantes vous aideront à limiter les dégâts.

➤ Fermez le robinet de sectionnement si le bris d'un tuyau est à l'origine de l'inondation.

➤ Coupez le courant dans la zone inondée si vous pouvez atteindre le coffret de distribution sans toucher à de l'eau.

➤ Branchez si possible votre pompe de puisard ou votre aspirateur eau-poussière dans une prise à disjoncteur de fuite de terre.

➤ Portez des bottes et des gants de caoutchouc si l'eau fuit d'un tuyau de vidange ou si des eaux usées l'ont contaminée. Désinfectez la zone inondée après l'avoir lavée et laissée sécher.

➤ Ne marchez pas dans l'eau si elle est en contact avec des prises ou des appareils électriques.

➤ N'utilisez pas dans la maison une pompe à eau dotée d'un moteur à essence.

Protection des tuyaux contre le gel. Pour éviter que des bouchons de glace ne se forment dans les tuyaux, ouvrez légèrement les robinets de façon à laisser couler un mince filet d'eau pendant les temps les plus froids. Tenez compte du facteur de refroidissement éolien pour déterminer si la température passera sous le point de congélation.

Du bon côté. Devez-vous faire fondre un bouchon de glace dans un tuyau ? Progressez du robinet vers la glace pour permettre l'évacuation de l'eau de fonte (ouvrez d'abord le robinet).

Pour repérer un bouchon de glace, voyez d'abord si un tuyau a éclaté ou risque d'éclater tant sa paroi est distendue. Dans les meilleurs cas, la glace bloque simplement le passage de l'eau. Examinez les tuyaux dans les aires non chauffées de votre maison ou dans les murs extérieurs. Pour connaître précisément la position du bouchon de glace, glissez un chiffon humide sur le tuyau : du givre se formera quand vous passerez au-dessus de la glace.

Un lent dégel. Mieux vaut faire fondre lentement un bouchon de glace qui s'est formé dans un tuyau. Utilisez pour cela un sèche-cheveux (à *High*). Les lampes à souder au propane sont à proscrire ; sous l'effet de la chaleur qu'elles produisent, l'eau pourrait se changer en vapeur. En s'accumulant, celle-ci risquerait de faire éclater le tuyau.

Un geste important. L'eau a gelé dans les tuyaux et vous devez quitter votre maison : fermez dans ce cas les robinets ou laissez-les légèrement ouverts. Si la glace venait à fondre pendant votre absence, l'eau qui coulerait de robinets complètement ouverts pourrait provoquer une inondation.

Perdu à tout jamais ? Ne renoncez pas à un bijou tombé dans le renvoi d'un évier. À l'aide d'une clé à tuyau, retirez le bouchon du regard de nettoyage du siphon, sous l'évier. En l'absence de regard, démontez le siphon. Videz le contenu du siphon dans un seau et voyez si le bijou s'y trouve.

Toits
Infiltration d'eau. L'eau s'infiltre par le toit, mais où ? Pour le savoir, repérez de l'intérieur les traces laissées par l'eau sur les planches de toiture, la charpente ou l'isolant. Remontez jusqu'au point le plus élevé du trajet suivi par l'eau et faites-y une marque à l'aide d'un feutre à encre indélébile. À la prochaine pluie, vous pourrez vérifier la présence d'humidité ou d'eau qui goutte au niveau de la marque.

Un toit percé au cours d'une tempête peut être réparé temporairement au moyen d'une feuille de plastique. Placez la feuille par-dessus le trou ; rabattez ensuite les bords et agrafez les autour du trou sur des bardeaux en bon état. *Note :* une bâche est très glissante quand elle est mouillée, surtout si elle est faite de plastique ; soyez prudent.

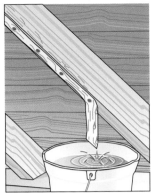

Dérivation. L'eau qui s'infiltre par le toit et qui s'écoule le long d'un chevron peut endommager gravement les solives du grenier et les murs qui se trouvent en dessous. Pour dériver temporairement le filet d'eau jusqu'à ce que vous puissiez réparer le toit, clouez un long chiffon sur le chevron, puis placez un seau à son extrémité (illustration).

Goutte à goutte. Si l'eau s'infiltre par le toit en plusieurs endroits et sur une grande surface, recueillez-la avec une feuille de plastique. Relevez les bords de la feuille, puis fixez-les aux murs à l'aide de ruban adhésif ou d'agrafes de façon à créer une espèce de grand bol peu profond. Épongez l'eau souvent pour éviter tout débordement.

À RETENIR

Lutte contre le feu : caractéristiques des extincteurs

Les extincteurs sont un moyen de défense rapide contre les petits feux domestiques. Leur classification indique les types de feux qu'ils peuvent éteindre. Un extincteur de classe ABC éteint tous les feux qui se déclarent le plus souvent dans les maisons. Lisez le mode d'emploi de votre extincteur. Contrôlez la pression chaque mois ; si elle est basse, remplacez l'extincteur ou faites-le recharger.

A	**Combustibles ordinaires**	Éteint les feux alimentés par le bois, le papier, le caoutchouc et la plupart des plastiques. À utiliser près des foyers et dans la maison.
B	**Liquides inflammables**	Contient des produits chimiques secs qui étouffent les feux alimentés par de l'huile, des solvants, de la graisse, de l'essence ou du pétrole. À utiliser dans la cuisine, l'atelier et le garage.
C	**Électricité**	Contient des produits chimiques secs qui étouffent les feux d'origine électrique. À utiliser dans l'atelier et près du coffret de distribution.

Prévention des incendies

Guide d'achat. Si vous achetez un seul extincteur, choisissez-le de type polyvalent. La capacité d'un tel appareil est toutefois inférieure à celle des extincteurs conçus pour éteindre spécifiquement certains genres de feux. Vous serez mieux armé contre le feu si vous disposez de plusieurs types d'extincteurs.

Des étincelles ? Débranchez sans tarder un appareil duquel jaillissent des étincelles, puis faites-le réparer avant de le réutiliser ou bien remplacez-le. Si l'appareil prend feu, éteignez les flammes avec un extincteur de classe C ou ABC. Ne tentez jamais d'éteindre ce type de feu avec de l'eau.

Technique de base. Pour éteindre un feu à l'aide d'un extincteur, effectuez un mouvement de balayage tout en orientant la buse vers la base des flammes. Ne visez jamais le centre des flammes ni leur sommet.

Feux de cuisson. Ne tentez pas de transporter jusqu'à l'évier un poêlon dont le contenu a pris feu. Coupez plutôt l'alimentation de la cuisinière, éteignez la hotte, mettez un gant de cuisine et déposez un grand couvercle de chaudron ou une plaque de cuisson sur le feu pour l'étouffer. Si un corps gras répandu s'enflamme, jetez une généreuse quantité de bicarbonate de soude ou de sel sur le feu pour l'éteindre.

Ne soyez pas curieux. Tant que le contenu du poêlon ou l'élément chauffant n'est pas complètement refroidi, ne soulevez pas le couvercle utilisé pour éteindre un feu de cuisson. Il suffirait d'un peu d'oxygène pour que le feu reprenne.

Dans un four, le feu s'éteindra au bout d'un certain temps par manque d'oxygène si on laisse la porte fermée. N'oubliez pas de couper promptement l'alimentation du four.

Feu de cheminée. En général, on ne peut détecter un feu de cheminée de l'intérieur de la maison. Toutefois, une chaleur anormale provenant du foyer ou un ronflement sourd peuvent révéler sa présence.

Effet contraire. N'installez une mitre sur la cheminée que si vous devez contrer une infiltration d'eau ou les ruptures de tirage. Si un feu se déclarait dans la cheminée, la mitre pourrait rabattre les flammes sur le toit.

Si un feu de cheminée se déclare, sortez de la maison sans tarder. Fermez le registre de tirage de votre poêle à bois en sortant ; ne fermez celui du foyer que si vous ne risquez pas de vous brûler. Appelez les pompiers de chez un voisin, puis arrosez le toit de votre maison à l'aide d'un tuyau d'arrosage.

À toute vapeur. Pour lutter contre un petit feu de cheminée, jeter deux tasses d'eau sur les charbons ardents. L'eau se changera en vapeur et cette vapeur contribuera à éteindre les flammes dans la cheminée.

Après un feu de cheminée,

faites ramoner la cheminée par un spécialiste. Une partie de la créosote présente dans la cheminée pourrait ne pas avoir été consumée par les flammes et provoquer un autre feu.

Mazout et gaz

Quelle est cette odeur ?
Une odeur de gaz est-elle perceptible ? Reniflez l'air ; si l'odeur est plus forte sous le niveau du nez et vers le plancher, il s'agit de propane. Le gaz naturel flotte dans l'air ; le propane s'accumule près du sol.

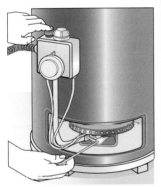

Utilisez votre nez. Une faible odeur de gaz peut indiquer que la veilleuse d'un appareil s'est éteinte. Pour la rallumer, placez le robinet de réglage à *Off*, puis à *Pilot*. Selon le modèle de l'appareil, appuyez sur le bouton rouge ou la poignée pour que le gaz alimente la veilleuse. Allumez celle-ci avec une allumette et continuez d'appuyer sur le bouton ou la poignée pendant au moins une minute. Placez ensuite le robinet de réglage à *On*.

Un réservoir de mazout qui fuit doit être remplacé. Agissez vite. Le mazout contamine gravement l'environnement.

Catastrophes naturelles

Avant un orage, débranchez les appareils électroniques pour les protéger contre les surtensions causées par la foudre. (Un limiteur de surtension offre la même protection.) En présence d'éclairs, évitez de débrancher les appareils.

Si vos cheveux se dressent sur votre tête après qu'un orage vous a surpris, prenez garde : vous êtes peut-être sur le point d'être frappé par la foudre. Par précaution, accroupissez-vous, placez-vous la tête entre les genoux et empoignez ceux-ci.

Coup de foudre. Les bâtons de golf, les cannes à pêche, les bâtons de baseball en aluminium et les raquettes de tennis peuvent devenir des paratonnerres au cours d'un orage. Si vous ne pouvez vous réfugier dans un bâtiment, rangez ces articles dès le premier signe de mauvais temps.

Si la foudre tombe sur votre maison, sortez sur-le-champ et appelez les pompiers. Même si aucun dommage n'est visible, un feu d'origine électrique peut couver dans les murs. Avant de réintégrer votre maison, faites inspecter les circuits électriques par un électricien.

Ça baigne ! Quand une tempête approche, faites-vous une réserve d'eau en vous servant des baignoires et de tous les grands récipients dont vous disposez. Vous pourrez ainsi répondre à vos besoins sanitaires si la pompe à eau cesse de fonctionner en raison d'une panne de courant.

Si une tempête est prévue, faites le plein du réservoir d'essence de vos véhicules. Les pompes à essence sont inutilisables sans courant.

Le temps se gâte ? Si on prévoit du temps suffisamment mauvais pour provoquer une panne de courant, réglez le thermostat de votre réfrigérateur et de votre congélateur à la température la plus froide possible. Si l'électricité manque, vos aliments auront ainsi plus de chance de se conserver jusqu'au retour du courant.

Si vous ne pouvez rester à la maison sans danger, vos animaux de compagnie ne le peuvent pas non plus. Leur présence est interdite dans de nombreux centres d'hébergement et motels. Les refuges pour animaux et les chenils peuvent parfois vous dépanner.

Après une tempête, inspectez les murs de fondation de votre maison sur-le-champ, puis à plusieurs semaines d'intervalle. Voyez si des fentes ou des renflements sont visibles, à l'intérieur comme à l'extérieur. Si des murs intérieurs sont fendus ou si des portes ferment mal, notez-le. Toutes ces anomalies peuvent être le signe d'un affaissement du sol causé par l'eau de pluie sous les semelles.

Propres et nets. Après une inondation, lavez les planchers et les murs avec un désinfectant. L'eau résiduelle peut contenir toutes sortes de bactéries.

Après une catastrophe, un appel interurbain est plus facile à faire qu'un appel local. Demandez d'avance à un ami qui habite hors de votre province de servir d'agent de liaison entre les membres de votre famille au besoin.

Armoires et comptoirs
À la hauteur. Au moment de réaménager votre cuisine, créez des comptoirs de différentes hauteurs. Certains travaux sont plus faciles à réaliser sur un plan de travail bas. Si la hauteur d'un comptoir ne peut être ajustée, placez-vous sur un petit tabouret ou empilez plusieurs planches à découper sur le comptoir pour pouvoir travailler à la hauteur qui vous convient.

Rapiéçage bien pensé.
Des brûlures ou d'autres dommages déparent-ils le stratifié de votre comptoir ? Ôtez complètement la partie endommagée et rapiécez le comptoir avec une plaque d'inox ou une planche à découper encastrables.

Un carreau vernissé peut dissimuler une brûlure et servir de dessous-de-plat. Il suffit de le coller sur la brûlure.

Découpez un trou carré
dans un comptoir-hachoir et placez une poubelle dans l'armoire qui se trouve en dessous. Poussez les pelures et les autres rebuts dans le trou. Vous pouvez placer un hachoir ou une planche à découper au-dessus du trou pour le cacher et empêcher que les odeurs remontent.

Conservez vos recettes
préférées dans un album de photos à anneaux doté de pages plastifiées. Les recettes seront faciles à consulter et à l'abri des taches.

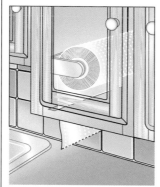

Les essuie-tout seront toujours à portée de la main – sans être visibles – si vous placez le support du rouleau dans une armoire bien située. Découpez une fente dans la dernière tablette et faites-y passer les essuie-tout (illustration).

Découpez une longue
fente dans un comptoir et rangez-y vos couteaux de cuisine. Assurez-vous toutefois qu'on ne puisse se blesser sur les lames qui saillent sous le comptoir.

Revêtements de sol
À éviter. Les stratifiés préfinis et les lames de parquets à chants biseautés ne sont pas à leur place dans la cuisine. Les rainures retiennent les miettes et compliquent la remise à neuf du plancher.

La silicone pour salle de bains peut servir à obturer les petites déchirures d'un revêtement de sol vinylique. Arasez la réparation, essuyez le surplus de silicone avec un chiffon humide, puis appliquez un produit de finition.

Pour décoller un carreau de vinyle, chauffez-le pour amollir l'adhésif (p. 87). Placez un chiffon par-dessus le carreau ; faites-y ensuite glisser un fer à repasser chaud jusqu'à ce que vous puissiez soulever le carreau avec un couteau à mastic.

Pour uniformiser l'usure du vinyle, appliquez une couche de cire ou de produit de finition sur tout le plancher, puis une autre dans les zones passantes.

Du vinaigre versé dans l'eau de rinçage neutralisera les résidus de savon qui peuvent ternir le plancher.

Fixez du feutre sous les pieds des chaises de cuisine pour protéger le revêtement de sol contre les éraflures et les déchirures. Utilisez un coupe-bise ou du feutre autocollant.

Réaménagement
Question de circulation. Avant de placer un îlot dans votre cuisine, délimitez son périmètre avec du ruban adhésif. Voyez ensuite combien de fois vous pénétrez dans ce périmètre. Au bout de quelques jours, vous saurez si l'îlot nuira à vos déplacements.

Îlot étagé. Si vous prévoyez aménager un îlot ou un comptoir en jetée dans votre cuisine, pourquoi ne pas opter pour un modèle à deux niveaux ? Ce type de structure permet d'isoler la cuisine du coin-repas. Une différence de 6 po (15 cm) entre les comptoirs suffit.

Si votre budget est limité, achetez les meilleures armoires que vous puissiez vous permettre et commandez un comptoir recouvert de stratifié plutôt qu'un comptoir à âme pleine. Vous pourrez installer ultérieurement un meilleur comptoir. Entre-temps, vous disposerez des éléments de base d'une belle cuisine.

Les marchands d'électroménagers peuvent vendre à très bas prix les articles légèrement endommagés. Les petits dommages sont faciles à réparer.

Recyclage

Utilisez une bouteille de boisson gazeuse de 2 L pour fabriquer un distributeur de sacs en plastique. Détachez le goulot et le fond avec un couteau universel et vissez la portion restante sur un mur ou une porte d'armoire. Tassez les sacs par le haut et tirez-les par la base.

Pour gagner de l'espace dans le bac de récupération, détachez le fond des conserves vides, puis écrasez les boîtes avec le pied.

À plat. Si vous voulez ménager vos pieds, unissez deux 2 x 4 à l'aide d'une charnière robuste et utilisez-les pour écraser les canettes. Façonnez une poignée au bout du 2 x 4 du dessus.

Les gros contenants de jus encombrent-ils votre bac de récupération ? Nouez le bout d'une longue corde sur la poignée d'un contenant, puis enfilez la corde dans la poignée des autres contenants. Faites une boucle au bout de la corde et suspendez celle-ci à un clou, dans un endroit à l'écart.

Nettoyage

Anti-odeur. Une tasse de café moulu peut éliminer les odeurs dans un réfrigérateur ou un congélateur. Placez la tasse toute une nuit dans l'appareil et évitez d'ouvrir la porte jusqu'au matin. Recommencez au besoin en utilisant du café frais.

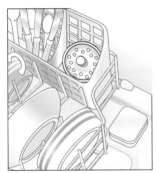

Stérilisez la crapaudine en métal de l'évier pour qu'elle reste propre ; mettez-la au lave-vaisselle à chaque lavage. L'eau chaude tuera les colonies de germes et de bactéries qui s'y logent.

Une serviette placée au fond de l'évier protégera porcelaine et cristal contre le bris quand vous les laverez.

Récupérez les restes de nourriture dans une passoire placée dans l'évier. Les jus s'écouleront dans le renvoi plutôt que de s'accumuler au fond de la poubelle.

Une bonne idée au fond... Un peu de litière pour chat jetée au fond de la poubelle de cuisine absorbera tout liquide répandu et éliminera les odeurs. Changez la litière chaque semaine.

À RETENIR

Tout nouveau, tout chaud : les cuisinières et surfaces de cuisson dernier cri

L'achat d'une nouvelle cuisinière doit être réfléchi. En moyenne, une famille achète une cuisinière ou une surface de cuisson tous les 15 ans. Il peut être avantageux d'opter pour un modèle autonettoyant à ventilateur aspirant, utilisable sans hotte.

Type	Avantages	Désavantages
Éléments électriques	Peu coûteuse ; compatible avec tous les ustensiles	Cuvettes se salissant facilement ; réglage de la température imprécis
Brûleurs à gaz ordinaires	Peu coûteuse ; température facile à régler ; cuisson rapide	Cuvettes se salissant facilement
Surface en céramique vitrifiée	Nettoyage facile ; réglage précis de la température	Cuisson parfois assez lente ; ustensiles lourds à fond plat nécessaires ; coûteuse
Plaques-fonte	Nettoyage facile	Éléments de fonte devant être polis ; ustensiles lourds à fond plat requis
À induction	Réglage précis de la température ; nettoyage facile	Ustensiles magnétiques nécessaires ; très coûteuse
Brûleurs hermétiques	Nettoyage facile ; distribution uniforme de la chaleur	Un peu plus coûteuse qu'une gazinière ordinaire

Salons

Point de mire. Si votre salon est dépourvu d'un point de convergence visuelle naturel, comme un foyer ou une fenêtre panoramique, créez-en un à l'aide d'un meuble exceptionnel ou d'une grande table à café ornée d'objets intéressants. Placez les fauteuils près de cet élément afin que les gens n'aient pas l'impression de s'asseoir en périphérie de la pièce.

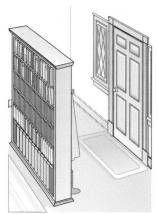

Transition facile. Si la porte principale de la maison donne de plain-pied sur le salon, créez un vestibule en plaçant une bibliothèque ou une unité de rangement à quelques pieds (2 à 3 m) de l'entrée. Cet élément créera une frontière visuelle entre l'entrée et le reste de la pièce et rendra la transition plus plaisante entre l'extérieur et la pièce.

Couleurs et volumes. Pour créer une impression d'espace dans une petite pièce, choisissez des couleurs pâles pour les murs, le plancher, les tapis et le mobilier ; rehaussez l'effet obtenu en ajoutant quelques touches de couleurs plus foncées (*voir aussi* Chaulage, p. 130).

Une prise de plancher installée au milieu d'une pièce offre beaucoup de latitude sur le plan de l'éclairage. On peut par exemple poser une lampe sur une table dégagée des murs ou placer un lampadaire à côté d'un fauteuil au milieu de la pièce. L'autre solution – faire courir des rallonges sur le plancher ou sous le tapis – est plus risquée.

Gain d'espace. Aux lampes de table ou aux lampadaires, encombrants, préférez les appliques murales. Offerts dans plusieurs modèles, ces luminaires peuvent éclairer et rehausser un coin sombre ou une entrée. Posez-les par paire pour mettre un tableau ou un manteau de cheminée en valeur. Utilisez-en plusieurs pour éclairer de grandes surfaces.

La lumière réfléchie par le plafond agrandit les pièces de petites dimensions. Pour obtenir le meilleur effet, installez plusieurs appliques murales éclairant vers le haut ou encore une rangée de lampes dissimulées derrière une cantonnière ou une moulure, environ 2 pi (60 cm) sous le plafond.

Dans une cage d'escalier, posez des appliques murales qui dissimulent les ampoules de façon qu'on ne puisse les voir ni en montant ni en descendant.

Ni vu ni connu. Si votre téléviseur et votre magnétoscope sont dans le salon, posez-les sur une base à roulettes facile à déplacer ou dissimulez-les dans un meuble élégant. Ils seront ainsi moins encombrants quand vous recevrez.

Place assise. En rangeant des poufs sous une longue table étroite placée contre un mur, vous disposerez de sièges supplémentaires au moment de recevoir de nombreuses personnes. Couvrez les poufs d'un tissu voyant si la pièce manque de vie. Utilisez la table pour mettre différents objets en valeur ou encore pour servir le pousse-café à la fin d'un repas.

À RETENIR

Choisir un tapis

Bon nombre de gens délaissent les moquettes au profit des parquets de bois franc agrémentés de carpettes. Les conseils suivants vous aideront à choisir vos couvre-sols.

Fibre	Avantages	Coût
Laine	Belle, résiliente, durable	Très coûteuse
Nylon	Très résilient, extrêmement durable	Coûteux
Oléfine	Conserve sa couleur, résiste à la saleté, moins durable que le nylon	Moins coûteuse
Polyester	Couleurs vives mais fibres molles ; moins durable	Moins coûteux

Conseils d'achat

Fils	Préférez le fil à double torsion : sa résistance est supérieure à celle d'un fil à torsion simple.
Tapis orientaux	Plus un tapis à points noués présente un nombre élevé de nœuds par unité de surface, plus sa qualité est élevée.
Reconnaître un tapis tissé main	Si les arêtes sous le tapis sont parallèles aux franges, il s'agit probablement d'un tapis fait à la main.

Recherchez la qualité.

Achetez des meubles rembourrés dont les coussins sont faits d'un matériau haute densité durable. Truc : voyez si les coussins sont bombés. Un renflement (qui s'aplatira à la longue) révèle la présence de mousse de polyuréthanne ferme.

Foyers

Installez-vous un nouvel âtre ?

Consultez d'abord un inspecteur en bâtiments. Le code du bâtiment précise habituellement quelles dimensions l'âtre doit avoir. Certains codes exigent qu'il saille de 8 à 12 po (20-30 cm) de chaque côté de la chambre de combustion et de 16 à 20 po (40-50 cm) devant.

Les foyers à dégagement nul peuvent être installés contre n'importe quel mur sans trop de difficulté, en général sans qu'il soit nécessaire de renforcer le plancher. Les modèles préfabriqués présentent une efficacité énergétique supérieure à celle des foyers en maçonnerie et leur prix est raisonnable. Communiquez avec le service du bâtiment de votre municipalité pour savoir si l'installation de ce type de foyer est permise.

Les foyers à gaz naturel préfabriqués à échappement direct peuvent être installés contre n'importe quel mur où passe une conduite de gaz et raccordés à une cheminée métallique. Communiquez avec votre fournisseur de gaz naturel et le service du bâtiment de votre municipalité pour savoir si l'installation de ce type de foyer est permise.

Les poêles à granulés

remplacent avantageusement les poêles à bois classiques. Le combustible utilisé consiste en des granulés faits de sciure et de copeaux, vendus en sacs. On n'a donc pas à acheter de bois. Autre avantage : les granulés brûlent plus proprement que le bois.

Cure de rajeunissement.

On trouve chez les marchands spécialisés des trousses conçues pour refaire le devant des foyers. Vendues à prix raisonnable, elles contiennent des matériaux faciles à poser imitant la brique, le marbre ou l'ardoise. Alors, si votre foyer a mauvaise mine.

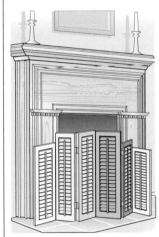

Disposez devant le foyer un assortiment de vieilles persiennes provenant de magasins d'antiquités, de ventes-débarras ou d'entrepôts de récupération. Peignez-les de différentes couleurs et unissez-les avec des charnières pour assurer leur stabilité.

Adaptez un treillage peint à l'âtre d'un foyer inutilisé, puis laissez les tiges d'un lierre ou d'une autre plante grimpante s'y enrouler.

Décorez l'âtre d'un foyer inutilisé durant l'été en y plaçant des plantes en pots. Veillez à la rotation des pots afin qu'aucune plante ne manque de soleil pendant une trop longue période. Au besoin, glissez des soucoupes sous les pots.

Salles à manger

Frontières discrètes.

Si un manque d'espace vous empêche de placer une séparation entre le salon et la salle à manger, créez une frontière visuelle en utilisant de part et d'autre de la démarcation voulue des revêtements de sol, des peintures ou des papiers peints diffférents.

Un simple paravent peut servir de séparation entre le salon et la salle à manger. Pour en fabriquer un rapidement, posez des charnières sur trois portes-persiennes étroites ; des portes à panneaux peintes ou recouvertes de papier-peint conviennent aussi. Veillez à la stabilité du paravent.

Espace vital. Devez-vous remplacer vos chaises de cuisine ? Mesurez soigneusement les nouvelles chaises et voyez si leurs dimensions sont adaptées à la longueur de votre vieille table. Prévoyez environ 6 po (15 cm) entre les chaises elles-mêmes et entre les chaises et les pieds de la table afin que les convives puissent s'asseoir sans être tassés.

Rehaussez l'aspect d'un buffet en utilisant en guise de poignées des couverts d'argent achetés lors de ventes-débarras. Vaporisez du polyuréthanne ou de la laque sur les couverts pour ne pas avoir à les polir.

Double identité. Si une partie du salon fait office de salle à manger, installez une séparation pour accentuer les différentes fonctions de chaque aire. Un meuble, par exemple un buffet ou une armoire basse faisant face à la salle à manger, fera l'affaire. Vous pourriez également disposer un large canapé face au salon ou encore adosser deux meubles si l'espace le permet (illustration).

Armoire audio-vidéo. Placez le téléviseur, le magnétoscope et la chaîne stéréo de votre chambre à coucher dans une armoire dotée de prises électriques intérieures, de plateaux tournants et de portes pouvant être escamotées dans l'armoire ou rabattues sur les côtés une fois ouvertes.

Solution économique. Si votre budget est restreint, achetez une armoire usagée et faites passer les cordons des appareils dans un trou découpé dans la paroi arrière. Assurez-vous simplement que les rayons supporteront le poids des appareils.

Effet apaisant. En installant un gradateur dans la chambre à coucher, vous pourrez varier l'éclairage selon vos besoins et créer une atmosphère propice à la détente.

Disposez vos meubles de façon à laisser un peu d'espace de chaque côté du lit. Cet espace vous permettra de vous habiller, de faire le lit et de passer l'aspirateur.

Tête de lit. Ne renoncez pas à une belle tête de lit ancienne simplement parce qu'elle est un peu plus étroite que le lit auquel vous voudriez l'adapter. Fixez-la sur le mur et appuyez-y le lit.

Aimez-vous lire au lit ?
Fixez sur le mur, de chaque côté du lit, une boîte de bois peint rectangulaire dotée de séparateurs et vous disposerez d'un rangement pouvant recevoir vos livres et une lampe de chevet.

Pour mettre du relief dans une chambre à coucher qui manque d'originalité, utilisez en guise de tête de lit un papier peint ou un tissu encadré d'une moulure. Un manteau ajoute aussi une touche d'élégance ; il est facile d'en créer un à partir de moulures préfabriquées.

Le goût de la variété.
N'hésitez pas à combiner les dessins géométriques, les rayures et les motifs floraux dans une même pièce. Les imprimés s'harmoniseront s'ils ont au moins une couleur en commun.

Choix des motifs. Si vous souhaitez utiliser différents motifs, variez leur grosseur. La combinaison de plusieurs gros motifs peut facilement alourdir un décor, alors qu'un mélange de petits motifs ne peut que créer une impression de monotonie.

Question de proportions. Les petits motifs ont meilleure apparence sur les petits objets (abat-jour, couvre-oreillers...), et les gros motifs sur les grandes surfaces (couvre-lit, habillages de fenêtres...).

Au moment d'acheter le tapis à poils coupés de votre chambre à coucher, vérifiez la torsion des fils. Plus le nombre de torsions de chaque fil sera grand, plus le tapis sera moelleux et mieux il reprendra sa forme après que vous aurez marché dessus.

Chambres d'amis

Double avantage. Facile à rabattre au besoin et pouvant être escamoté le reste du temps, le lit clos permet de transformer la chambre d'amis en une pièce polyvalente. Ce type de lit est coûteux, mais le gain d'espace qu'il vous procurera compensera largement vos frais.

À RETENIR

Décoration de pièces attenantes
Voici comment unifier le décor de deux pièces attenantes sans perdre le caractère propre à chaque pièce.

Choisissez une couleur de peinture différente dans chaque pièce ; les deux couleurs doivent être complémentaires. Appliquez une troisième couleur sur toutes les moulures dans les deux pièces.

Servez-vous du même tissu pour réaliser l'habillage des fenêtres dans les deux pièces, mais optez pour un style de rideau ou de store différent dans chaque pièce.

Utilisez dans la salle de bains une peinture dont la teinte correspond à celle de la couleur dominante de la chambre à coucher.

Posez du papier peint dans les deux pièces ; utilisez la même gamme de couleurs mais des motifs différents.

À RETENIR

Choisir un tapis

En sachant ce qui différencie les divers types de tapis, vous aurez plus de facilité à choisir judicieusement celui qui vous convient. Voici une liste des types de tapis courants.

Type		Description	Avantages
Poil coupé		Chaque boucle est coupée, ce qui donne deux fils distincts.	Vaste gamme de couleurs et de styles. Ne marque pas.
Poil bouclé		Boucles de fil durable non coupées.	Résistant ; très bon dans les lieux passants.
Poil coupé bouclé		Seules certaines boucles sont coupées pour créer motifs et tons variés.	Choix varié, dissimule la saleté.

Double usage. Installez un futon ou une banquette-lit à traversins dans la chambre d'amis qui pourra ainsi servir de coin-télé ou informatique ou encore de bureau. Vous ne pouvez vous défaire du lit ? Retirez alors la tête et le pied, poussez le lit contre un mur et ajoutez de nombreux coussins pour que la pièce n'ait plus l'air d'une chambre à coucher.

Chambres d'enfants

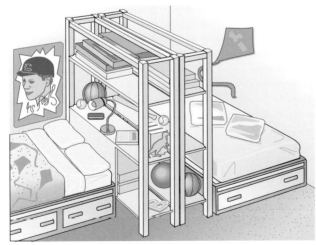

Créez un espace pour chaque enfant dans une chambre double en utilisant des bibliothèques hautes adossées en guise de séparations. Les bibliothèques assureront l'intimité des enfants tout en leur servant de rangements.

Au gré du vent. Pour créer un habillage de fenêtre unique, découpez des mobiles dans des blocs de mousse, recouvrez-les de tissu coloré et accrochez-les à une tringle à rideau. Concevez la forme des mobiles en tenant compte de l'âge des enfants. Ainsi, des animaux amuseront les plus jeunes et des étoiles ou des lunes plairont aux plus âgés.

Posez des carreaux de liège sur un mur ; ainsi, les enfants pourront accrocher dessins, affiches et notes ailleurs que sur les murs peints.

Coup de pinceau. Une ou deux couches de peinture à tableau derrière une porte : voilà tout ce qu'il faut pour que les jeunes enfants puissent jouer à l'école ou pour que les enfants plus âgés disposent d'un planificateur.

Achetez des meubles non peints et utilisez de la peinture non toxique pour les finir. Vos enfants pourront les repeindre à leur goût quand ils seront plus vieux.

Le jaune et les jeunes. Évitez le jaune dans les chambres d'enfants. Les études indiquent que le jaune (même les tons pastel) incite les nourrissons à pleurer plus souvent et rend les enfants revêches.

Les carpettes dans les chambres doivent être antidérapantes. Si les vôtres ne le sont pas, placez-les sur une base antidérapante. Optez pour un matériau mince (entre 1/8 et 1/16 po [3-1,5 mm] d'épaisseur), tel du caoutchouc naturel ou du latex ; les autres matériaux peuvent tacher ou décolorer les parquets.

Poignées rigolotes. Des balles de tennis coupées en deux, des lettres ou des blocs en bois et même de petites figurines peuvent fort bien servir de poignées de tiroirs. Retirez les poignées qui sont en place et vissez les nouvelles sur les tiroirs.

Murale. Votre enfant apprécie les murales et vous habitez près d'une université ? Soumettez un projet de murale au département des arts. Une équipe pourrait le réaliser de façon professionnelle sans qu'il vous en coûte trop cher.

Baignoires, carreaux de céramique et meubles-lavabos

Question de couleur. Les baignoires, les toilettes et les lavabos coûtent moins cher s'ils sont blancs. De plus, le blanc est indémodable.

Bon à savoir... Il est difficile de conserver l'éclat du coulis blanc ; la céramique noire fait ressortir les taches.

Pour un meuble-lavabo d'apparence luxueuse mais économique, achetez un modèle courant et dotez-le d'un plateau à âme pleine et d'accessoires en laiton.

Affaires pendantes. Avez-vous besoin de porte-serviettes supplémentaires ? Posez de longues poignées de tiroirs sur la paroi décorative du meuble-lavabo et suspendez-y vos serviettes.

Vous passerez moins de temps à carreler les murs autour de la baignoire si vous posez un encadrement mural vendu en kit. Chaque kit contient quatre panneaux carrelés et jointoyés devant être collés et vissés, ainsi que des moulures servant à dissimuler les joints.

Rénovation

Avant de remplacer un meuble-lavabo par un lavabo sur pied, assurez-vous que le plancher est fini sous le meuble. S'il ne l'est pas, il faudra aussi le remplacer ou le finir.

Pour l'œil. Posez une cimaise sur les murs de la salle de bains pour que la baignoire paraisse plus volumineuse. Pour amplifier l'effet, peignez les murs sous la cimaise de même couleur que le plancher et utilisez un ton plus pâle au-dessus de la cimaise.

Les cloisons de briques de verre agrandissent la salle de bains, mais leur mise en place peut s'avérer difficile. Pour faciliter le travail, utilisez des briques se posant sans mortier ou des grilles d'aluminium conçues pour recevoir les briques. Dans les deux cas, le jointoiement se fait à la silicone.

Un plateau tournant peut doubler l'espace de rangement dans un meuble-lavabo. Mesurez l'aire intérieure du meuble et prévoyez un dégagement pour les tuyaux de renvoi.

Rideau ! Confectionnez une jupe en tissu pour créer un espace de rangement sous un lavabo mural soutenu par des pieds de métal. Fixez la jupe sous le lavabo au moyen de bandes velcro.

Miroir, miroir... Une petite salle de bains dotée de fenêtres aura l'air plus grande si vous recouvrez d'un miroir le mur opposé ou adjacent aux fenêtres pour réfléchir la lumière.

Nettoyage
Propreté à bon compte.
Une fois que le distributeur automatique de nettoyant pour cuvette est vide, lavez-le à fond et remplissez-le d'eau de Javel. En utilisant de l'eau de Javel, vous paierez moins cher pour préserver la blancheur de la cuvette.

Après la douche, passez une raclette sur les parois de la cabine de douche pour réduire l'accumulation des résidus de savon. Cela amusera les enfants !

Désembuage. Pour éviter que le miroir de la salle de bains ne s'embue par temps froid, recouvrez-le d'un peu de mousse à raser, puis essuyez-le avec un mouchoir ou un essuie-tout.

Nette plus ultra. C'est aller à l'encontre du but poursuivi que de verser un nettoyant liquide dans l'eau de la cuvette. Il faut plutôt fermer le robinet d'arrêt, tirer la chasse, verser le nettoyant sur une brosse et frotter la paroi de la cuvette vide.

Salle de lavage
Lieux stratégiques. Installez vos nouveaux appareils de lavage près des lieux où s'accumule le linge sale : dans la cuisine, dans un placard de la salle familiale ou près des chambres à coucher à l'étage.

Si la salle de lavage est à l'étage, placez la machine à laver dans un bac conçu expressément pour protéger le plancher (et les plafonds du dessous) contre les dégâts d'eau.

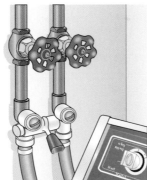

Ajout utile. Lors de l'installation d'une nouvelle machine à laver, faites raccorder les conduites d'alimentation à un robinet à tournant sphérique doté d'un seul levier. Il vous suffira de couper l'eau en cas de débordement. De plus, en fermant le robinet après chaque usage, vous limiterez l'entartrage des conduites (le tartre contribue à amoindrir le débit d'eau).

Un bon tuyau. Placez la sécheuse contre un mur extérieur, si possible. Vous consacrerez moins d'argent à l'achat de conduites d'évacuation.

Solution ergonomique.
Vous vous pencherez moins pour accéder au tambour de la sécheuse si vous posez celle-ci sur une plateforme d'environ 15 po (38 cm) de hauteur. En intégrant un tiroir à la plateforme, vous disposerez d'un espace où ranger l'assouplissant en feuilles et d'autres produits.

Une machine à laver et une sécheuse superposées de dimensions standard occupent un espace de 31 po (79 cm) de profondeur (un dégagement doit être prévu pour les tuyaux) sur 27 po (68 cm) de largeur et 73 po (1,85 m) de hauteur. Les modèles plus petits limitent le volume des brassées.

Si vous manquez d'assouplissant, ajoutez une tasse (250 ml) de vinaigre blanc à l'eau de rinçage. Le résultat sera le même et, ce, sans odeur résiduelle.

Installez un babillard de liège dans la salle de lavage et épinglez-y les étiquettes d'entretien et les boutons supplémentaires fournis avec les vêtements neufs.

Une descente de linge limite les déplacements. Ménagez la trappe dans une pièce ou un couloir ; s'il y a de jeunes enfants dans la maison, placez-la assez haut et prévoyez une ouverture ayant 12 po (30 cm) de largeur tout au plus.

Vous éliminerez une étape de tri en utilisant deux paniers à linge – un panier blanc pour le blanc et un panier de couleur pour les couleurs.

Une flaque d'eau se forme souvent sous les vêtements mis à sécher dans la salle de bains. Fixez une seconde tringle au-dessus du centre de la baignoire pour que l'eau tombe dans celle-ci.

Posez une tringle au-dessus de la sécheuse et suspendez-y les vêtements à séchage rapide ou infroissables sortant de la sécheuse.

La planche à repasser pliante illustrée ici est moins encombrante qu'une planche ordinaire. Certains modèles peuvent être posés sans attache ; il suffit de les accrocher dans le haut de la porte. Des ventouses prenant appui sur la porte assurent leur stabilité en position horizontale.

Aménagement d'un bureau à la maison

Pour délimiter la pièce. Si vous ne pouvez vous offrir le luxe de consacrer une pièce entière à votre bureau, créez l'illusion d'un espace distinct en utilisant des paravents, des rayonnages ou des armoires en guise de séparations. Disposez ces éléments de façon à isoler le plus possible votre bureau des aires les plus passantes.

Changement de décor. Utilisez une carpette pour mieux circonscrire les limites d'un bureau aménagé dans une pièce déjà utilisée. Servez-vous aussi de lampes de travail pour créer une atmosphère tranchant par rapport à l'ambiance du reste de la pièce.

De visu. La création de repères visuels permet aussi de délimiter une aire de travail dans une pièce double. Sur les murs du bureau, appliquez une peinture ou posez un papier peint qui s'harmonise avec l'habillage des autres murs tout en tranchant sur celui-ci.

À RETENIR

Le plan d'aménagement
Voici comment mettre vos idées sur papier et vous assurer que l'espace disponible sera suffisant pour les réaliser.

1. Mesurez l'espace nécessaire ; dessinez ensuite les murs sur du papier quadrillé à ¼ po (6 mm) ; utilisez l'échelle ½ po (12 mm) = 1 pi (30 cm). (Utilisez l'échelle ¼ po [6 mm] = 1 pi [30 cm] si la pièce est grande.)

2. Dessinez les portes, les fenêtres, les armoires et tous les éléments déjà intégrés.

3. Notez la position des prises de courant, des prises de téléphone, du climatiseur et des appareils de chauffage.

4. Faites plusieurs photocopies du plan d'aménagement.

5. Crayonnez divers aménagements. Marquez l'emplacement du mobilier, des appareils et des accessoires.

6. Créez, puis corrigez autant d'aménagements qu'il en faudra pour obtenir un plan alliant confort et efficacité.

Mieux vaut aménager votre bureau hors de votre chambre à coucher. Sinon, chaque fois qu'un contrat ou un retard vous tracassera, vous pourrez difficilement cesser d'y songer et vous détendre le soir venu.

Mieux vaut prévenir... Si vous construisez ou rénovez une pièce pour y aménager un bureau, prévoyez de nombreuses prises électriques ; il sera plus facile de brancher des appareils supplémentaires au besoin.

Un peu d'intimité. Choisissez l'emplacement de votre bureau en tenant compte de la fréquence de vos rencontres d'affaires. Si vous prévoyez recevoir régulièrement des clients ou des collègues, aménagez votre bureau près d'une porte d'entrée. Ainsi, vos visiteurs ne traverseront pas les aires familiales pour accéder à votre bureau.

Si vous n'avez qu'une ligne téléphonique, ayez recours au service de sonnerie distinctive offert par les compagnies de téléphone. Ce service permet d'utiliser plusieurs numéros de téléphone sur une même ligne. Chaque numéro a sa propre sonnerie.

Le téléphone est un lien vital entre le travailleur autonome et l'extérieur. Il faut donc le positionner avec soin. Si vous êtes droitier, placez-le à gauche sur votre bureau. Ainsi, le cordon ne sera pas devant vous quand vous prendrez des notes en parlant au téléphone et vous garderez la main droite libre. Optez pour le positionnement inverse si vous êtes gaucher.

Votre lampe de travail doit éclairer le bureau par-dessus l'épaule gauche si vous écrivez de la main droite, de façon que celle-ci ne jette pas de l'ombre sur les documents. Inversez le positionnement de la lampe si vous êtes gaucher. *Note:* un tube fluorescent produit moins d'ombre qu'une ampoule à incandescence.

Frais de chauffage. Dans un grenier ou un sous-sol converti en bureau, utilisez un appareil de chauffage autonome. Si vous reliez le bureau au système de chauffage central, créez une zone réservée et coupez-y le chauffage à votre départ.

Si vous travaillez en dehors du bureau, achetez un ordinateur portatif plutôt qu'un compact ; le clavier et l'écran de l'ordinateur portatif sont de plus ergonomiques et faciles à utiliser.

Meubles et ergonomie

Forme du bureau. Le bureau en L classique permet d'accomplir avec efficacité des travaux qui nécessitent la consultation de nombreux documents. Placez l'ordinateur et les autres appareils sur un des segments du L, les papiers, les fournitures de bureau et le téléphone sur l'autre.

Le bureau en coin est un bon substitut du bureau en L dans les pièces exiguës. Les accessoires et les papiers peuvent être placés de part et d'autre de l'élément central, réservé à l'ordinateur. La profondeur du plan de travail rend possible l'utilisation d'un gros moniteur. Le bureau en coin présente toutefois un désavantage : vous devrez toujours travailler face au coin.

Bureau escamotable. Il existe des armoires et des crédences permettant d'escamoter le mobilier de bureau à la fin de la journée de travail. Ces meubles (dont il existe divers modèles) peuvent contenir un bureau, un support à clavier et parfois même des chaises pliables.

Fatigue oculaire. Évitez de peindre les murs du bureau en blanc ; choisissez plutôt une couleur pâle qui sera moins éblouissante. Un plafond blanc ne pose pas de problème puisqu'il se situe hors du champ de vision.

La position du clavier doit être adaptée à votre taille. Alors que vous êtes assis à votre bureau, les pieds à plat sur le sol, vos coudes et vos genoux doivent former un angle droit. Sinon, vous risquez de vous fatiguer à la longue et de subir des blessures au dos, aux bras et aux jambes.

Pour prévenir le syndrome du canal carpien (une affection douloureuse, parfois invalidante, causée par un mouvement répétitif sollicitant les mains et les poignets), faites une pause de 10 minutes après chaque heure de saisie.

Les premiers symptômes du syndrome du canal carpien peuvent facilement passer inaperçus puisqu'ils surviennent habituellement plusieurs heures après la fin de la journée de travail. Des picotements dans les doigts peuvent être symptomatiques du syndrome. En l'absence de traitement, une raideur, un engourdissement et, finalement, une douleur grave peuvent succéder aux picotements.

De la cuisine au bureau. Les armoires de cuisine vendues couramment dans les centres de rénovation peuvent constituer des rangements muraux fonctionnels et attrayants dans un bureau. Moins chères que les armoires de bureau faites sur demande, elles se prêtent à divers agencements.

Des ergonomes et des optométristes soutiennent qu'il est préférable de placer le moniteur des ordinateurs sous le plan de travail plutôt que sur celui-ci. Quelques fabricants de meubles offrent des bureaux à dessus vitré, percé d'une ouverture donnant accès à un support pour moniteur placé sous le plan de travail.

Ajustez l'éclairage ambiant de façon que son intensité n'excède pas celle de l'écran de votre ordinateur : vous préviendrez ainsi la fatigue oculaire. Installez un gradateur pour pouvoir ajuster l'éclairage ambiant à votre travail (éclairage fort pour la lecture de documents, éclairage réduit pour le travail à l'ordinateur), ou utilisez une lampe de travail là où vous en avez besoin.

À RETENIR

Choix d'un fauteuil de bureau

En utilisant un fauteuil ergonomique doté des caractéristiques suivantes, vous risquerez moins de souffrir de douleurs aux épaules et au dos ou aux bras.

Levier de réglage de la hauteur du siège (mécanisme pneumatique)

Dossier profilé ajustable

Accoudoirs ajustables

Base pivotante à cinq roulettes

Base stable facilitant les déplacements

Facultatif : mécanisme de réglage de l'inclinaison avant (permet de se pencher vers le clavier sans compromettre le support du dos)

Aménagement d'un cinéma maison

Améliorez l'acoustique d'une pièce en y mettant un tapis, quelques meubles rembourrés, des peintures sur toile et des rideaux. Outre qu'ils créent une ambiance chaleureuse, ces éléments mous absorbent les ondes sonores, rehaussant la qualité du son.

Choix rapide. Si plusieurs pièces peuvent servir de salle de cinéma maison, choisissez-en une rectangulaire. Dans une pièce carrée, l'acoustique est moins bonne.

Clair-obscur. Installez des gradateurs dans la salle audio-vidéo afin que l'intensité de l'éclairage ambiant soit légèrement moindre que celle de l'écran. Posez aussi des stores ou des rideaux.

Le sous-sol peut servir de salle de cinéma maison. Sous le niveau du sol, il est plus facile d'intercepter la lumière qui peut compromettre la qualité de l'image à l'écran. Pour étouffer les bruits du rez-de-chaussée, posez un isolant sur les murs et au plafond.

La qualité de l'image sera optimale si vous prévoyez une distance suffisante entre l'aire de visionnement et l'écran : au moins 6 pi (1,80 m) devant un écran de 27 à 31 po (68-78 cm) ; au moins 8 pi (2,40 m) devant un écran de 32 à 40 po (80-100 cm) ; au moins 10 pi (3 m) devant un écran de plus de 40 po (100 cm).

Trop, c'est trop. Vous risquez d'endommager les têtes de lecture de votre magnétoscope en les nettoyant trop souvent. Certains spécialistes suggèrent de ne pas les nettoyer si l'image est nette.

Mieux vaut savoir... Apportez des vidéocassettes au magasin lors de l'achat d'un téléviseur à grand écran. Vous aurez une juste idée de ce que donnera l'agrandissement de l'image.

Il faut six enceintes acoustiques pour reproduire l'ambiance sonore d'un cinéma. Orientez les trois enceintes principales (une au centre de l'écran et une de chaque côté de celui-ci) vers l'aire de visionnement. Installez les deux enceintes d'ambiance de part et d'autre de la pièce et le caisson d'extrêmes graves sur le plancher, près de l'écran.

Fin des émissions. Si une télécommande ne fonctionne pas après que vous avez changé les piles, nettoyez délicatement les contacts avec une gomme à effacer, appliquez-y un nettoyeur de contacts, remettez les piles en place, puis faites un nouvel essai.

Chaînes stéréo
Si votre budget est limité, pensez à acheter une minichaîne stéréo ou consacrez le gros de votre budget à l'achat des enceintes acoustiques.

À RETENIR

Caractéristiques des téléviseurs pour cinéma maison

L'image de la plupart des téléviseurs à grand écran (plus de 41 po [102 cm]) est produite par un projecteur plutôt que par un tube-écran ordinaire. Le projecteur est situé devant ou derrière l'écran.

	Devant l'écran	Derrière l'écran
Facilité d'installation	Projecteur suspendu au plafond ; on peut installer l'appareil sans ouvrir le mur.	Projecteur placé derrière l'écran ; on doit parfois ouvrir le mur pour disposer de l'espace nécessaire.
Niveau de luminosité	Pour une bonne image, l'obscurité doit être totale.	L'image demeure nette même en présence d'un peu de lumière ambiante.
Niveau de bruit	Le bruit du ventilateur peut être gênant.	Les murs ou les armoires étouffent le bruit du ventilateur.

À la page. Des livres placés de chaque côté des enceintes acoustiques posées sur des rayons aident à équilibrer et à absorber le son.

Pour une qualité sonore

maximale, laissez la même distance entre vous et chacune des enceintes acoustiques et au moins 6 pi (1,80 m) entre elles.

Extrêmement grave...

Pour rehausser la qualité sonore d'une chaîne audio de qualité moyenne, ajoutez-y un caisson d'extrêmes graves.

Évitez de nettoyer un disque compact en effectuant un mouvement circulaire : la poussière risquerait de rayer le disque et de rendre ainsi certaines pistes illisibles. Essuyez plutôt le disque en allant du centre vers le pourtour.

Terrasses
Notions fondamentales.

Achetez le bois traité sous pression deux semaines avant les travaux. Ainsi, il aura le temps de sécher et de s'adapter à l'humidité ambiante. Les planches se fendront après un certain temps si vous les clouez ou les vissez alors qu'elles sont humides.

Pour empêcher la formation de moisissures, le pelage de la peinture, l'accumulation de glace et le pourrissement du bois sous les corniches, posez une gouttière (voir p. 54) ou encastrez des grilles là où tombe l'eau.

Un clou sorti de son trou

tendra toujours à en ressortir après que vous l'aurez renfoncé ; remplacez-le. Enfoncez le nouveau clou selon un angle légèrement différent. Mieux encore, posez une vis galvanisée pour terrasses dans le trou du vieux clou.

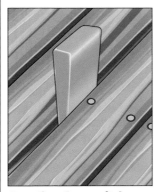

Question de symétrie.
Pour aligner parfaitement les planches d'une terrasse, utilisez un coin d'abattage en nylon. Placez le coin entre les planches tout en l'appuyant sur une solive. Ses côtés lisses ne marqueront pas les bois les plus mous.

Recyclage et économie.
Plutôt que de les remplacer, retournez les planches dont seule la surface est abîmée. Fixez les planches retournées avec des vis galvanisées pour terrasses.

Finition des terrasses
Si vous préférez

appliquer un produit de finition sur une terrasse en bois, choisissez une teinture semitransparente pour terrasses. Utilisez une teinture résistant au piétinement (lisez l'étiquette). Une application suffit d'ordinaire ; une seconde couche peut créer un film qui se fendillera et pèlera à la longue.

Avant de teindre du bois pour terrasses neuf, mieux vaut vous assurer qu'il est suffisamment sec. À cet effet, appliquez un peu de teinture sur une petite surface non visible. Après 15 minutes environ, le gros de la teinture devrait avoir été absorbé. Si la teinture perle, laissez passer quelques jours, puis refaites un essai.

Accessoires pour terrasses
Éclairez les escaliers

extérieurs au moyen de lampes basse tension pour terrasses. Fixez simplement les lampes dans l'escalier et reliez le cordon à un transformateur branché dans une prise électrique extérieure à disjoncteur de fuite de terre.

Les moustiques envahissent-ils votre porche ou votre terrasse malgré la présence d'une moustiquaire ? Ajoutez de la moustiquaire sous le plancher, entre les solives ; agrafez-la aux planches et aux solives.

Éclairez l'allée de la terrasse au moyen de lampes à énergie solaire. Les nouveaux modèles sont dépourvus de cordon ; il suffit de les ficher en terre. L'énergie accumulée le jour par le biais de leurs petits panneaux solaires alimente les lampes durant environ six heures. La mise sous tension a lieu automatiquement à la tombée de la nuit.

Treillissez la base de la terrasse pour former un espace clos destiné au rangement des outils servant à l'entretien de la pelouse. Utilisez du treillis de ⅜ po (9 mm) d'épaisseur ou plus.

Avant de rénover le sous-sol, consultez un inspecteur en bâtiments. Les codes du bâtiment ne sont pas les mêmes d'une région à l'autre et on doit les observer soigneusement pour travailler en toute sécurité et éviter des réparations coûteuses et des amendes. Consultez aussi un spécialiste avant de toucher aux murs porteurs pour éviter de compromettre l'intégrité des murs de fondation.

Une autre allure. Plutôt que de placer les poteaux d'acier dans un caisson de placoplâtre, habillez-les d'un revêtement à claire-voie constitué de lattes de chêne fixées sur un fond de toile. Vendu dans la plupart des centres de rénovation, ce revêtement (PoleWrap) a belle apparence et se pose rapidement avec un adhésif de construction.

Incontournables?
L'espace habitable d'un sous-sol peut être rempli d'obstacles divers: tuyaux et conduites au plafond, colonnes, poteaux... Qu'à cela ne tienne! Concevez un décor où des détails architecturaux inhabituels dissimuleront ces éléments. Vous pouvez aussi les peindre de couleurs vives pour souligner leurs formes sculpturales.

Savoir choisir. Compte tenu des dimensions et de l'état de votre sous-sol, vous pourriez n'effectuer des travaux de rénovation que dans une portion de l'espace disponible. Privilégiez l'endroit le mieux éclairé et le plus accessible.

Rénovez votre sous-sol
selon les étapes suivantes:
(1) élimination des infiltrations d'eau et de l'humidité;
(2) ajout de fenêtres et de portes extérieures;
(3) clouage de la charpente;
(4) mise en place de la tuyauterie, des circuits de chauffage et des circuits électriques;
(5) ajout d'isolant;
(6) pose du placoplâtre;
(7) finition du plafond et du plancher;
(8) finition de la plomberie, du chauffage et de l'électricité;
(9) ajout de rangements.

Treillages en trop. Deux treillages peuvent servir de supports de rangement au sous-sol. Il vous suffit de les clouer en vis-à-vis sur des solives de plafond, puis de le fixer aux poteaux adjacents. Les ouvertures des treillages vous permettront de ranger des objets longs et étroits (moulures, tuyaux, skis, bâtons...).

Cave à vin. Un coin du sous-sol est-il libre? Vous disposez alors de l'endroit parfait pour aménager une cave à vin. Construisez des casiers en contreplaqué ou en pin. Couchez-y les bouteilles: les bouchons de liège demeureront humides et gonflés et l'air ne pourra pénétrer dans les bouteilles et gâter le vin.

Carrelage. Si le plancher de ciment du sous-sol est sec et de niveau, appliquez-y un enduit étanche, puis posez des carreaux d'asphalte ou de vinyle directement sur le ciment.

Du solide. Les attaches qui assujettissent les unités de rangement et les supports doivent toujours être logées dans un élément de maçonnerie plein et non dans les joints de mortier.

À RETENIR

Réparations et améliorations pour un sous-sol où il fait bon vivre

Un sous-sol peut être moins que confortable. Les conseils suivants vous aideront à rendre plus accueillantes les pièces que vous y aménagerez.

Accessibilité	Prévoyez percer au moins une fenêtre ou une porte. La plupart des codes exigent une fenêtre par chambre. Une entrée permet de profiter d'un éclairage naturel et de la chaleur solaire et facilite l'accès au sous-sol.
Chauffage	On recommande d'aménager un nouveau circuit électrique et d'y relier des plinthes chauffantes, car le chauffage d'une aire supplémentaire pourrait provoquer une surcharge du système de chauffage central.
Éclairage	Agrandissez les caisses des soupiraux ou élargissez les fenêtres pour avoir un éclairage naturel. Assurez-vous de respecter les normes de sécurité si vous installez des circuits électriques: consultez un électricien.
Hauteur libre	La hauteur minimale du plafond varie selon le code du bâtiment en vigueur, mais la plus courante est 7½ pi (2,25 m).
Humidité	Pour diriger l'eau de pluie à l'écart de la maison, améliorez l'efficacité des gouttières et augmentez la pente du sol à partir des murs de fondation. Placez un drain autour de la maison pour mettre un terme à l'infiltration de l'eau souterraine. (Une pompe peut convenir dans un sous-sol inhabité.)
Isolation	Isolez les murs et le plancher: le sous-sol demeurera sec et confortable.

Le comble de l'ordre. Si votre garage possède un haut plafond, aménagez une plate-forme par-dessus les sablières. Placez-y toutes ces choses qui habituellement sont appuyées contre les murs et encombrent le plancher. Un dégagement de 96 po (2,40 m) ou plus au-dessus du sol est amplement suffisant, tant pour vous que pour vos véhicules.

Tout ce qui monte... Vous risquerez moins de tomber si pour accéder à une plate-forme située dans le comble du garage vous empruntez une échelle coulissante au lieu d'un escalier raide.

Établi à abattant. Si vous ne disposez pas de l'espace nécessaire pour aménager un atelier, installez un établi à abattant dans le garage. L'abattant peut être une porte à âme pleine et à surface lisse. Fixez-le à un mur au moyen d'une charnière piano, à peu près au niveau des hanches. Utilisez deux 2 x 4 en guise de pieds. Fixez-les sous les coins avant à l'aide de charnières de portes : vous pourrez les escamoter sous l'abattant après le travail.

Un plancher de béton recouvert d'un enduit étanche ne demande en général qu'un nettoyage par an, suivi d'une nouvelle application d'enduit étanche. Si vous peignez le plancher, utilisez une peinture acrylique.

Nouvelles frontières. Le désordre tend-il à prendre le dessus dans votre garage ? Le cas échéant, rangez chaque chose à sa place, puis tracez son profil sur le plancher et les murs avec de la peinture jaune en aérosol. Vous et votre famille pourrez aisément replacer chaque chose dans son aire de rangement par la suite.

Limiter les dégâts. En attendant de faire réparer une fuite sous votre voiture, protégez le plancher du garage à l'aide d'une plaque de cuisson contenant un morceau de carton ondulé. Glissez la plaque sous l'élément qui fuit et remplacez le carton au besoin.

Autodiagnostic. Placez des journaux sur le plancher du garage, puis garez-y votre voiture. La prochaine fois que vous sortirez la voiture du garage, voyez si les journaux présentent des taches pouvant révéler une fuite. *Gouttelettes graisseuses sombres :* huile. *Taches huileuses claires :* liquide pour freins. *Gouttes rouges :* liquide pour transmission. *Flaques verdâtres :* antigel.

Tout bien réfléchi... En plaçant un miroir dans un coin à l'avant et au fond du garage, vous pourrez vérifier le fonctionnement des phares et des feux arrière de votre voiture avant chaque sortie nocturne. Positionnez les miroirs de façon que les phares et les feux arrière soient visibles par paire dans chacun d'eux.

Clouez des retailles de tapis ou des morceaux de vieux pneu sur les poteaux et les autres obstacles du garage pour protéger votre voiture en cas de heurt ou de frottement.

Ah ! le progrès. Au moment d'acheter un ouvre-porte automatique, pourquoi ne pas opter pour un modèle à clavier intégré ? La mise en marche de ce type d'appareil ne nécessite ni transmetteur ni clé. Pour ouvrir la porte et accéder au garage, il vous suffit de composer un code sur le clavier.

Communications ciblées. Plutôt que de jeter une vieille cible de jeu de fléchettes, utilisez-la comme babillard dans le garage. Toute famille qui va et vient constamment en voiture la trouvera des plus pratiques. Utilisez les fléchettes pour épingler vos messages.

À RETENIR

Réparation d'une porte de garage qui coulisse mal

Si la porte de garage ne s'ouvre pas en douceur, l'un des éléments suivants est sans doute défectueux.

Ferrures	Les boulons ou les vis des galets se sont-ils desserrés ? Le cas échéant, la porte peut se coincer ou jouer dans le rail.
Galets	Les galets sont-ils sortis du rail fixé au plafond ? Le rail est peut-être tordu.
Lubrification	Les pièces mobiles (charnières, galets...) sont-elles corrodées ? Huilez-les.
Ressorts	Les ressorts sont-ils détendus ? Faites réparer la porte par des spécialistes.

Libérez de l'espace de rangement en réduisant le nombre de choses que vous conservez. Débarrassez-vous de tout ce qui demeure inutilisé pendant deux ans.

Moins de bagages. Vous gagnerez de l'espace au moment de ranger des valises en plaçant les petites dans les grandes.

Fin de saison. Placez dans des valises les vêtements hors saison. Gardez les valises sous le lit. Vous les défairez temporairement pour un voyage.

Gain de temps. Ouvrez le courrier à côté de la poubelle ou du bac de récupération et jetez-y la publicité importune.

Une place au soleil. Fixez une tringle à rideau au-dessus d'un appui de fenêtre et utilisez-la pour caler les plantes en pots.

Pense-bête. Achetez un rouleau d'essuie-tout ou de papier hygiénique d'une couleur inhabituelle et placez-le au fond de l'armoire. Vous saurez qu'il est temps de refaire votre réserve si le rouleau vient à se retrouver dans la salle de bains ou la cuisine !

Rassemblez les papiers qui traînent dans l'entrée et la cuisine et placez-les dans un classeur ou un vieux support pour serviettes de table rangé dans une armoire.

Avis aux collectionneurs. Qu'il s'agisse de chaises miniatures, de vaisselle ou de salières et de poivrières, vos objets de collection prendront moins de place si vous les exposez sur des supports fixés aux murs.

Fini, le fouillis ! Compartimentez les tiroirs à l'aide de séparations et de bacs. Chaque chose restera à sa place quand vous ouvrirez et refermerez les tiroirs.

Sous presse. Rangez entre un matelas et un sommier les couvertures et les jetés inutilisés.

Rangement. Au moment d'acheter des meubles, recherchez des poufs à coussin amovible, des tables de salon intégrant un casier à revues et un plateau de service escamotable, des têtes de lit pouvant servir de rangements ou de bibliothèques et des bancs de pin dotés d'un siège relevable.

Dans l'entrée, vous augmenterez l'espace de rangement en substituant une crédence à une console. La crédence a belle apparence et on peut y dissimuler une foule de choses. Pour encore plus d'espace de rangement, placez une huche ou un support sur la crédence.

Salles de bains

Beau et utile. Disposez-vous d'un coin vide dans la salle de bains ? Placez-y un grand panier rempli de serviettes roulées. Outre qu'il produira un bel effet, cet élément de décoration vous permettra de libérer de l'espace dans la lingerie.

Ex æquo. Si plusieurs personnes partagent la même salle de bains, attribuez-leur chacune un tiroir du meuble-lavabo. Cette façon de faire incitera tout le monde à ranger ses choses soi-même.

Haut les mains ! Vous gagnerez de l'espace dans la salle de bains en plaçant un rayonnage au-dessus de la toilette. Les rayonnages peu coûteux en bois, en osier, en plastique ou en acier conviennent parfaitement au rangement des serviettes et des produits de toilette.

En suspens. Les rasoirs électriques, les sèche-cheveux et bon nombre d'autres appareils sont dotés d'un anneau de suspension. Posez un support à crochets dans la salle de bains et suspendez-y ces appareils.

Les vieilles armoires de cuisine peuvent fort bien servir de rangements dans les greniers, les sous-sols ou les garages. La combinaison de tiroirs et de rayons permet de ranger un grand nombre d'articles de maison.

Rangez les articles de toilette dans des sacs à chaussures en vinyle et des paniers treillissés et sur des rayonnages placés sur un mur de la salle de bains plutôt que dans la douche.

En cale sèche. Rangez les jouets pour la baignoire dans un sac-filet à cordonnet. Suspendez le sac-filet à la pomme de douche pour égoutter les jouets après que les enfants sont sortis de la baignoire.

Chambres à coucher
Garnissez un vieux tiroir de quatre roulettes et utilisez-le pour ranger différentes choses sous le lit.

Posez un porte-serviettes sur une porte de chambre à coucher et faites-y sécher votre serviette de bain. La salle de bains sera moins encombrée et l'air sera moins sec dans la chambre.

De bas en haut. Vous disposerez de rangements attrayants et spacieux si vous substituez des armoires et des rayonnages à la tête de lit et aux tables de chevet. Les armoires qui se vendent couramment dans les centres de rénovation sont moins coûteuses que celles qui sont faites sur demande et peuvent être combinées au goût.

Rayonnages
Le poids des mots. Avant d'installer une bibliothèque qui occupera tout un mur du plancher au plafond, consultez un inspecteur en bâtiments, un menuisier ou un ingénieur pour savoir si le plancher doit être renforcé. Un plancher ne supporte pas d'ordinaire plus de 50 lb/pi^2 (245 kg/m^2). Une bibliothèque pleine de livres peut être très lourde !

Bon support. Pour éviter qu'un rayon de ¾ po (19 mm) d'épaisseur ne gauchisse, il faut en général placer un support tous les 30 po (75 cm). Plus la charge est lourde, plus les supports doivent être rapprochés.

Le portemanteau d'entrée illustré ici consiste en une série de boutons de porte décoratifs fixés sur une planchette de bois. Pour le fabriquer, insérez d'abord un goujon dans le corps de chaque bouton ; percez ensuite dans la planchette les trous où vous logerez les goujons encollés.

À RETENIR

Fabrication de rayonnages
Voici les matériaux à rayonnages les plus utilisés. Chacun a ses avantages et ses désavantages. Le bois franc coûte toujours plus cher que le bois tendre. Si vous utilisez du contreplaqué, achetez des panneaux de 4 x 8 pi (1,20 x 2,40 m).

Type	Avantages	Désavantages
Planches de pin de catégorie n° 2	Facile à travailler (appliquez un apprêt sur les nœuds avant de peindre).	Parfois gauchies. Choisissez des planches planes et droites peu noueuses.
Pin sans défauts	Identique au pin de catégorie n° 2, mais sans nœuds.	Plus coûteux que le pin de catégorie n° 2.
Planches de bois franc	Belle apparence, surtout avec une finition incolore. Le bouleau et l'érable peuvent être peints.	Plus difficile à travailler que le bois tendre.
Contreplaqué de bouleau	Facile à travailler ; peut être peint ou enduit d'une finition incolore.	Difficile à teindre. Bords grossièrement finis devant être moulurés ou plaqués.
Contreplaqué de chêne	Facile à travailler et à teindre.	Difficile à peindre. Bords à moulurer ou à plaquer.
Contreplaqué de sapin	Facile à travailler. Les panneaux de catégorie G/So peuvent être peints ou teints.	Finition difficile avec les catégories So2 et So1. Bords à moulurer ou à plaquer.

Cuisines

Les armoires anciennes peuvent fort bien servir de rangements dans les cuisines possédant un décor d'époque ou campagnard. Assurez-vous toutefois de la solidité des rayons.

Garde-bouteilles. Retirez tous les rayons d'une de vos armoires de cuisine (choisissez-la éloignée de toute source de chaleur, y compris des appareils de cuisson). Remplacez les rayons par deux panneaux de contreplaqué assemblés à mi-bois en croix. Chacun des quatre espaces pourra recevoir des bouteilles couchées.

Les collectionneurs de livres de recettes peuvent gagner de l'espace en rangeant bien en vue – sur des rayons placés au-dessus des portes et des fenêtres par exemple – les volumes les moins consultés.

Éviter les emboîtements. L'emboîtement des chaudrons et des bols procure un gain d'espace, mais il se traduit par une perte de temps quand l'ustensile dont on a besoin se trouve sous les autres... Pour une cuisine fonctionnelle, mieux vaut ranger les contenants de façon qu'ils soient immédiatement accessibles.

Logique. Pourquoi ranger tous les ustensiles au même endroit ? Placez les chaudrons que vous remplissez souvent d'eau près de l'évier plutôt que de la cuisinière.

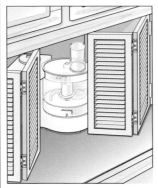

Sur mesure. Aucune armoire ne peut servir au rangement des petits électroménagers ? Peignez alors plusieurs petites persiennes, unissez-les avec des charnières et cachez les appareils derrière elles.

Les mains pleines ? Un interrupteur de porte est le summum de la commodité dans un garde-manger spacieux. Une lampe s'allume dès qu'on ouvre la porte et s'éteint lorsqu'on la referme.

Et le numéro est... Utilisez un code numérique pour assortir aisément les contenants emboîtables en plastique et leurs couvercles.

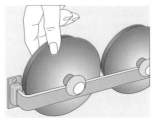

En rang d'oignons. Les couvercles des casseroles sont-ils rangés pêle-mêle dans une armoire ? Fixez un porte-serviettes ordinaire derrière la porte de l'armoire et utilisez-le comme râtelier.

Ça tourne sur le plateau ! Un plateau tournant permet d'accéder aux produits rangés dans les coins difficiles d'accès d'une armoire, sans qu'il faille retirer les produits placés devant !

Rangez les rouleaux de papier ciré, de pellimoulante et de papier d'aluminium dans un contenant de boisson gazeuse placé sous l'évier ou dans un tiroir basculant sous une armoire.

À RETENIR

Armoires : une nouvelle génération fonctionnelle

Les armoires préfabriquées maximisent l'espace et leur installation présente un degré de difficulté minime. Voici un bref aperçu des éléments de rangement offerts. Vous trouverez d'autres accessoires dans les catalogues des fabricants et les centres de rénovation.

Rayon pivotant pour armoires en coin

Rangement en coin pour petits électroménagers

Panier double sur roulettes à placer sous l'évier (certains paniers se placent de chaque côté du siphon)

Supports escamotables pour petits électroménagers

Minigarde-manger coulissants

Bac de récupération double sur roulettes

Desserte encastrée

Rayonnages tournants (plateaux tournants)

Bacs treillissés pour oignons et pommes de terre

Les tiroirs n'offrent pas assez de rangement ? Regroupez les couverts dans un pichet large et lourd plutôt que de les ranger pêle-mêle dans un tiroir.

Un treillis mural recouvert de vinyle est non seulement imperméable – une caractéristique tout indiquée dans la cuisine –, mais aussi plus attrayant que les panneaux perforés ordinaires. On peut y fixer divers crochets, paniers et autres accessoires à clips.

Des sacs... Tassez les sacs d'épicerie pour fruits et légumes dans le tube d'un rouleau d'essuie-tout. Un tube a plus belle apparence qu'une pile et il peut contenir un nombre surprenant de sacs.

... et encore des sacs ! Un cintre pour pantalons permet de ranger proprement les sacs d'épicerie en papier dans un placard.

Placards

Planifier d'abord. Avant de réaménager un placard, videz-le. Mesurez toutes les choses que vous voudrez y conserver, puis utilisez les mesures pour tracer un plan sur du papier quadrillé. *Une fois le plan terminé,* achetez un rayonnage pour placard adapté à vos besoins.

À l'écart dans un placard. Rangez les décorations des fêtes dans un placard, sur le plus haut des rayons.

Massacre à la scie. Bon nombre de rayonnages treillissés ont une structure modulaire de 12 pi (3,60 m). Ne tentez pas de scier les rayons pour les raccourcir : vous vous retrouveriez avec des extrémités tranchantes et inégales. Demandez à votre fournisseur de les couper à la longueur utile.

Pas cher, dites-vous ? Le prix des rayonnages n'inclut pas toujours les fixations. Sachez à quoi vous en tenir à ce chapitre au moment de comparer des prix.

Bon pli à prendre. Les vêtements pliés occupent généralement moins d'espace. Pliez-en le plus possible, empilez-les, puis mesurez les piles pour savoir combien de rayons seront nécessaires pour les ranger.

Haut et court. Une bande velcro fixée au bout d'un cintre retiendra les bretelles étroites. Un enfant aura davantage tendance à accrocher son paletot si une grosse ganse est cousue au col.

Vous gagnerez du temps si les articles les plus utilisés sont rangés au niveau des yeux dans un placard.

Vue en plongée. Pour voir à partir du plancher ce qui se trouve sur la tablette du haut dans un placard, collez un carreau-miroir au plafond.

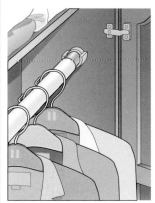

Prendre du poids. Si une tringle ploie sous le poids des vêtements suspendus dans un placard, remplacez-la par un tuyau d'acier galvanisé gainé d'un tuyau de PVC. Utilisez du diluant à laque pour effacer le nom du fabricant imprimé sur le tuyau de PVC.

De toutes les couleurs. Réservez à chaque membre de la famille du linge de lit présentant une couleur ou des motifs distinctifs. Le linge sera ainsi facile à repérer dans le placard.

Au sec. Placez un plateau-égouttoir dans le placard de l'entrée. Les contenants en osier laissent l'air circuler ; les gants et les chapeaux y sèchent plus rapidement. (Accrochez un panier treillissé rabattable sur la porte pour économiser l'espace disponible.) Garnissez la porte du placard d'une grille d'aération ou remplacez-la par une porte-persienne.

Addition et division. Si les cintres glissent et s'entassent sur une tringle de bois, pratiquez à la lime dans celle-ci de petits crans espacés de 1 po (2,5 cm).

Sous-sols

Installez des rayons étroits entre les poteaux apparents du sous-sol et placez-y de petits objets. Posez les rayons sur des tasseaux de bois cloués aux poteaux. Ne rangez pas au sous-sol des articles que l'humidité pourrait endommager (l'humidité est un problème dans de nombreux sous-sols).

Un rayon profond et large peut être installé entre des poteaux apparents. À cette fin, entaillez un morceau de contreplaqué de ¾ po (19 mm) d'épaisseur de façon à l'emboîter sur deux ou trois poteaux ; posez-le sur des consoles fabriquées avec des 2 x 4. Utilisez des vis à placoplâtre pour réaliser l'assemblage.

Contre l'humidité. Pour protéger un meuble de rangement contre l'humidité au sous-sol, placez-le sur des blocs de bois traité sous pression. Fixez aussi des 1 x 2 sur un mur de béton afin de ne pas y clouer directement l'armoire. Placez une toile de polyéthylène derrière et sous le meuble avant de l'installer.

Aménager une soupente. L'espace qui se trouve sous l'escalier est souvent sous-utilisé au sous-sol. Divisez-le à l'aide de travées et installez-y rayonnages et tiroirs. Essayez d'occuper l'espace sur toute sa profondeur.

Escalier ajouré? Placez des bacs en plastique ou des bassines à vaisselle sur des guides en bois fixés sous les marches. Rangez-y de petites attaches. Assurez-vous que les contenants ne saillent pas devant le nez des marches.

Sur le long. L'intervalle entre les solives de plafond au sous-sol se prête à merveille au rangement de longs objets. Clouez aux solives des supports fabriqués à partir de bois de rebut.

Support aimanté. Dans l'atelier, rangez les ciseaux à bois et différents petits outils en métal sur un support magnétique pour couteaux. Fixez le support au-dessus de l'établi.

Un coup d'œil suffit. Les meubles de rangement dotés de plusieurs tiroirs peuvent contenir les écrous et les boulons ; mais comment savoir ce que renferme chaque tiroir ? Fixez simplement, avec du ruban adhésif ou de la colle, un échantillon de chaque attache sur le devant des tiroirs.

Les crochets pour panneau perforé sortent parfois facilement de leurs trous. Pour solutionner ce problème irritant, procurez-vous des crochets à deux éléments (un crochet et un ergot), conçus pour demeurer en place quand on saisit ce qu'ils supportent.

À l'abri. Si vous sciez beaucoup de bois, rangez vos outils dans des armoires fermées plutôt que sur des panneaux perforés ou des rayonnages ouverts. Les outils laissés à découvert ramassent la sciure et doivent être nettoyés fréquemment.

Petit à-côté. Si la machine à laver se trouve dans la cave, placez dans une boîte magnétique pour clés les boutons qui se détachent des vêtements ; vous éviterez ainsi de les perdre à tout jamais. Fixez la boîte sur un côté de la machine.

Garages
Rangement raisonné. La prochaine fois que vous ferez le ménage dans le garage, ne vous contentez pas de ranger vos choses « là où il y a de l'espace ». Procédez à des regroupements logiques (sports, jardinage, mécanique, menuiserie...), comme vous le faites avec vos ustensiles de cuisine.

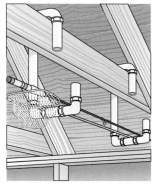

Ces crochets fabriqués avec des tronçons de tuyau de PVC raccordés et collés permettent de ranger près du plafond les outils de jardinage, les cannes à pêche et d'autres objets encombrants. Accrochez-les à un entrait ou à une corde pendant du plafond.

Durant l'hiver, suspendez votre vélo à deux ou trois crochets vissés dans des poteaux ou des solives. Les pneus risqueraient de se fendiller et de s'aplatir s'ils passaient l'hiver sur du béton froid.

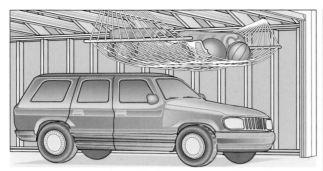

Rangement astucieux. Un hamac suspendu au-dessus de la voiture dans le garage peut servir à ranger les ballons, les sacs marins vides et d'autres articles encombrants mais légers. Attachez-le à des pitons vissés dans les solives.

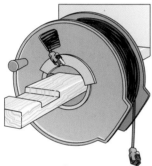

Nouveau rôle.
Pratiquez deux rainures dans un tronçon de 2 x 4 et fixez-le sur un mur du garage. Glissez ensuite deux ou trois dévidoirs pour tuyau d'arrosage sur le tronçon et utilisez-les pour enrouler les longues rallonges électriques. Les rallonges peuvent ainsi être aisément déroulées et les dévidoirs sont assujettis par les rainures. De plus, vous pouvez retirer et déplacer les dévidoirs au besoin.

Salmigondis. Accrochez un sac pour chaussures sur un mur du garage ou derrière une porte d'armoire et rangez-y les petits articles. Vous pouvez aussi vous servir d'une reliure à anneaux pour accrocher divers petits objets légers.

Bandes à part. Pour mettre un peu d'ordre dans le garage, utilisez des jeux de bandes velcro autocollantes robustes conçues pour suspendre des outils manuels, des outils de jardinage et autres gros objets.

Seau en hauteur. Vissez un seau de peinture de 5 gal. ou de 20 litres vide sur un mur du garage et enroulez-y le tuyau d'arrosage. (Posez les vis à travers le fond.)

Ça roule ! Posez de robustes roulettes sous les coffres d'outils, l'établi, les tables d'empotage et les armoires modulaires se trouvant dans le garage. Les roulettes vous permettront de déplacer ces éléments à volonté et de libérer l'aire de stationnement au besoin.

Port d'attache. Attachez la poubelle sur le côté du garage avec des sandows pour empêcher le vent de l'emporter ou de la renverser. Vissez deux pitons dans le mur, de chaque côté de la poubelle. Placez le sandow au centre de la poubelle et accrochez-le aux pitons.

Greniers

Choix sensés. Comme le sous-sol et le garage sont en général plus faciles d'accès que le grenier, rangez-y les articles fréquemment utilisés. Placez au grenier tous les articles saisonniers, ou ceux auxquels vous êtes attaché... mais dont vous ne vous servirez probablement jamais !

Les bacs en plastique conviennent parfaitement au rangement des vêtements dans le grenier, et pas seulement en raison de leur transparence : les souris font leur nid dans les boîtes de carton et les sacs à ordures.

De premier ordre. N'empilez pas les articles que vous rangez au grenier. Placez-les plutôt dans des boîtes et des bacs disposés en rangées perpendiculairement au plafond du grenier. Laissez entre les rangées un intervalle suffisant pour vous déplacer. Étiquetez tous les contenants.

Des hauts et des bas. Les écarts de température tendent à être plus marqués au grenier, au-dessus de l'aire isolée de la maison. De tels écarts ruinent les livres, les vidéos et les photos ; trouvez un autre endroit pour les ranger.

À RETENIR

Garage bien conçu
Voici quelques points à considérer au moment de concevoir ou de réaménager les rangements du garage.

Dégagements. Il faut prévoir au moins 3 pi (90 cm) entre les voitures dans un garage double, 3 pi (90 cm) entre les murs latéraux et une voiture, 2 pi (60 cm) entre le véhicule et la porte de garage et 1 pi (30 cm) à l'avant.

Rangements. Placez des rayons suspendus ou des armoires murales autour du capot et du toit de la voiture. Par précaution, utilisez un repère de stationnement, comme une balle de caoutchouc suspendue au plafond par une corde. La balle doit toucher le pare-brise quand la voiture est stationnée au bon endroit.

Portes. Si l'espace est restreint, remplacez les portes à charnières par des portes coulissantes, des stores (devant les rangements) ou des bacs basculants.

À RETENIR

Outillage de base

Voici une bonne trousse de base ; ajoutez-y les outils dont les noms sont en italique si votre budget le permet.

Mesurage et marquage	Frappe et extraction
Ruban à mesurer standard	Marteau standard
Équerre combinée	Maillet en caoutchouc
Niveau de menuisier	Chasse-clous
Cordeau	Pied-de-biche plat
Pointe à tracer	*Marteau à démolir*
Équerre à chevron en acier	*Arrache-clou*
Fil à plomb	*Pince-monseigneur*
Ruban à mesurer extra-long	

Coupe et façonnage	Fixation
Couteau universel	Tournevis à pointe plate, Robertson et Phillips
Scie à tronçonner	Pince à bec long
Scie à métaux	Clés à molette
Scie à chantourner	Jeu de clés hexagonales
Rabot de coupe	Clé à douilles et douilles
Ciseau à bois de ½ po (13 mm)	Serre-joints
Papier de verre	Pince multiprise
Lime plate	Pince coupante diagonale
Couteau à mastic	Perceuse électrique
Spatules de finition des joints	*Pince-étau*
Pistolet à calfeutrer	*Agrafeuse*
Brosse métallique	*Tourne-écrous de ³⁄₁₆ et ½ po (4,5-13 mm)*
Pierre et huile à affûter	*Serre-joints supplémentaires*
Ciseaux à bois de 1 et 1½ po (2,54-3,80 cm)	*Clés à fourches et clés polygonales*

Outils manuels

Antirouille. Placez quelques fusains ou bâtons de craie dans votre coffre à outils ; ils absorberont l'humidité et protégeront le métal contre la rouille.

Différence visible. Rangez les attaches (clous, vis...) dans des pots de verre transparents plutôt que dans des boîtes opaques. Un coup d'œil suffira pour repérer une attache.

Plongez la pointe d'un tournevis dans de la poudre à récurer pour accroître son adhérence dans une fente de vis glissante.

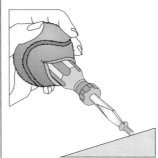

Quelle poigne ! Glissez une balle de tennis fendue par-dessus la poignée d'un tournevis pour augmenter la fermeté de votre prise.

À sec. Devez-vous remplacer un manche de bois ? Faites sécher le manche de rechange dans un four chaud, puis mettez-le en place. Par la suite, l'humidité de l'air ambiant le fera gonfler, ce qui assurera un ajustement serré.

Irrésistible attirance. Pour maintenir un clou à la verticale pendant que vous l'enfoncez, appuyez-le contre une des extrémités d'un aimant en forme de fer à cheval.

Un long clou est plus facile à arracher si la tête du marteau prend appui sur un bloc de bois (le bloc procure le bras de levier nécessaire pour arracher le clou).

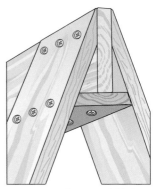

Peu encombrants. Fabriquez quelques chevalets empilables avec du bois de ¾ po (19 mm) d'épaisseur, des vis à placoplâtre et de la colle jaune. Ajoutez un bloc de bois franc pour renforcer l'assemblage (illustration).

Double avantage. Mettez une mince couche de cire en pâte sur les lames d'égoïnes pour protéger les dents et faciliter la coupe.

Pour protéger les dents d'une égoïne, couvrez-les d'une reliure de protège-documents en plastique.

Du doigté. Tendez la lame d'une scie à métaux avec les doigts plutôt qu'avec une pince ou une clé. Trop tendue, la lame se brisera dans le trait de scie.

Notion clé. Pour desserrer un écrou ou un boulon très serré, poussez sur la clé avec la paume de la main tout en gardant la main ouverte. Si l'attache se desserre soudainement ou si l'outil glisse, vous éviterez de vous blesser aux jointures.

Vaincre les résistances. Glissez un tuyau court sur la poignée d'une clé à molette pour l'allonger et accroître l'effet de levier quand une attache résiste.

De niveau. Allongez un niveau en le fixant sur une planche droite avec du ruban isolant d'électricien.

Plus qu'un crayon. Faites des marques tous les pouces (2,5 cm) sur un crayon de menuisier et utilisez-les pour prendre rapidement des mesures approximatives. Par comparaison, une estimation visuelle est moins précise et l'emploi d'un ruban à mesurer ou d'une règle est plus long.

Fine lame. Vous pourrez couper ficelle, corde ou ruban en un tournemain si vous clouez la lame d'une boîte de pellimoulante à une extrémité de l'établi. Assurez-vous que la pointe des dents se trouve à égalité du plateau.

Outils électriques

Pas d'accident. Fixez la clé du mandrin près de la fiche avec du ruban adhésif. Ainsi, vous saurez toujours où elle se trouve et diminuerez les risques d'accident puisque vous devrez débrancher la perceuse au moment de changer le foret.

Acte d'union. Si vous devez allonger le cordon d'un outil, faites un nœud dans la rallonge près des fiches avant de la brancher.

Ajustement serré. Si la fiche de votre outil se débranche d'une rallonge, ployez légèrement une des lames pour resserrer l'ajustement.

Rompue à la tâche. Une courroie de ponçage ordinaire peut céder au niveau du joint si vous l'installez à l'envers. Les courroies sans joint récemment mises au point peuvent être installées dans les deux sens.

En mal d'inspiration. Pour augmenter la succion d'un aspirateur d'atelier, posez un coupe-bise autocollant de ⅜ po (9 mm) de largeur et de ¼ po (6 mm) d'épaisseur sous le couvercle, là où il s'emboîte dans le réservoir.

Pour percer un trou oblique, percez d'abord un trou dans un bloc de bois franc, puis sciez la base du bloc à l'angle voulu. Tenez le bloc d'une main sur la pièce à percer et effectuez le perçage de l'autre main.

Dans le sac. Pour recueillir la poussière produite par le perçage du plâtre ou du placoplâtre, fixez, avec du ruban adhésif, un sac à ordures sous la surface à percer. Travaillez au-dessus du ruban : les débris tomberont dans le sac.

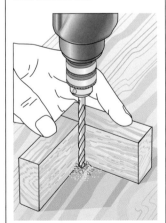

Ce gabarit sert à percer des trous droits. Pour le fabriquer, assemblez deux blocs de bois (¾ po [19 mm] d'épaisseur x 1½ po [3,80 cm] de hauteur x 2 po [5 cm] de longueur) avec des clous. Durant le perçage, le foret doit longer le coin intérieur.

Droit devant. Avant de percer un trou à l'horizontale, passez la queue du foret dans une rondelle de ¼ po (6 mm). Si la rondelle vient à glisser vers l'avant ou l'arrière, c'est que le foret n'est pas placé horizontalement.

Dur, dur... Si vous devez poser des clous ou des vis dans du bois franc, percez au préalable les trous où ils seront logés. Vous éviterez ainsi de fendre le bois. Un clou ayant le diamètre voulu peut servir de foret. Étêtez-le avec des tenailles avant de le placer dans le mandrin.

Après avoir enroulé un long cordon d'outil, glissez-le dans un tronçon de tuyau de PVC pour bloquer les spires et ainsi éviter qu'elles se défassent.

Insectes piqueurs

Contrée désertique. Pour vous débarrasser des moustiques, enlevez tout ce qui peut contenir de l'eau stagnante (pots de fleurs, brouette, pataugeoire, vieux pneus...).

Paradis des moustiques. Un terrain où persistent des flaques d'eau durant deux ou trois jours après une pluie d'orage est propice à une infestation de moustiques. Remblayez les dépressions, puis semez du gazon, ou encore versez quelques gouttes de détergent à vaisselle dans les flaques pour tuer les œufs de moustiques.

Zzzzz. Pour empêcher les moustiques de vous piquer durant votre sommeil, appliquez un peu d'essence de citronnelle sur la tête du lit.

Pour détacher un petit nid de guêpes sous un avant-toit, frappez-le avec un long bâton *le soir* (les guêpes sont alors inactives). Une fois le nid détaché, les guêpes iront loger ailleurs.

Tout doux... Percez un petit trou dans le couvercle d'un pot de margarine vide. Versez de l'eau sucrée dans le pot ; fermez le couvercle. Placez le pot loin de la table à pique-nique. Leurrées par l'eau sucrée, les guêpes entreront dans le pot et n'en ressortiront pas.

Pour détruire une colonie de guêpes fouisseuses, versez une casserole d'eau chaude savonneuse dans l'entrée de leur nid souterrain. *Attendez le soir avant d'agir*, pour être sûr que tous les insectes sont dans le nid.

Insectes nuisibles

Un vent qui fait mouche. Pour que les mouches demeurent hors d'une pièce, tournez un ventilateur vers l'entrée. La mouche commune a sur le corps des poils ultrasensibles aux courants d'air, où elle ne s'aventure pas en général.

Vlan ! La mouche commune recule légèrement lorsqu'elle prend son envol. Il faut donc rabattre la tapette juste derrière la mouche qu'on veut tuer : en s'envolant, elle entrera vraisemblablement en collision avec la tapette.

Logement vacant. Les mouches s'enfuiront de votre poubelle si vous placez quelques boules à mites au fond de celle-ci.

Gage de fraîcheur. Un revêtement de cèdre posé dans un placard protégera son contenu contre les mites tout en exhalant une fraîche odeur de cèdre. Pour faciliter la pose, choisissez un revêtement de cèdre en rouleau. Ce revêtement mince peut être taillé avec des ciseaux ordinaires, puis fixé aux murs avec de la colle contact ou de la colle jaune de menuiserie.

Comme avant. Si le revêtement de cèdre d'un placard n'exhale plus sa bonne odeur, poncez-le légèrement pour ouvrir les pores du bois ; vous raviverez ainsi l'odeur.

Répulsifs. Écartez de votre maison insectes et animaux nuisibles avant qu'ils ne s'y soient installés. Voici les points où ils entrent habituellement ; bouchez-les avec du calfeutrage, des parements, de la tôle ou des grillages métalliques.

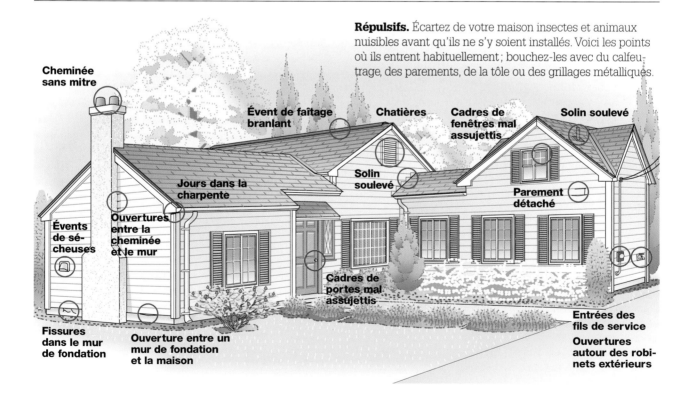

Cheminée sans mitre

Évent de faîtage branlant

Chatières

Cadres de fenêtres mal assujettis

Solin soulevé

Jours dans la charpente

Solin soulevé

Parement détaché

Évents de sécheuses

Ouvertures entre la cheminée et le mur

Cadres de portes mal assujettis

Entrées des fils de service

Fissures dans le mur de fondation

Ouverture entre un mur de fondation et la maison

Ouvertures autour des robinets extérieurs

SÛR ET SENSÉ

Quel que soit le poison utilisé, respectez toujours les consignes suivantes.

➤ Rangez le poison sur une tablette haute, loin des aliments et des vêtements, ou dans une armoire sous clé, jamais sous l'évier de la cuisine.

➤ Veillez à ne pas contaminer les aliments et les ustensiles quand vous vaporisez un poison.

➤ Portez un masque et des vêtements protecteurs. Lavez sans tarder la peau exposée au poison après toute vaporisation.

➤ Placez les appâts empoisonnés hors de la portée de vos animaux et des enfants.

➤ Éteignez la veilleuse de la gazinière avant d'utiliser une bombe à insecticide.

Méfiance. Ne conservez pas les sacs (ou les cartons) provenant des épiceries : des blattes pourraient s'y cacher. Comme ces insectes se nourrissent de papier et de colle, les sacs sont souvent infestés d'œufs, sinon de blattes bien vivantes.

Dans les petits pots... Un pot vide contenant un peu de bière, quelques tranches de banane et deux ou trois gouttes d'extrait d'anis constitue un piège à blattes efficace. Recouvrez le pourtour du pot de papier-cache et enduisez le rebord intérieur de gelée de pétrole : les blattes pourront ainsi pénétrer aisément dans le pot, mais non en ressortir.

Roulés dans la farine. Pour éliminer les lépismes argentés, fixez un morceau de ruban adhésif sur un petit verre droit, puis secouez environ ¼ de tasse (60 ml) de farine dans ce verre. Les insectes monteront sur le ruban, tomberont dans la farine et ne ressortiront pas.

Pour déparasiter vos plantes, fichez une gousse d'ail dans la terre près des racines. Coupez les pousses si l'ail vient à germer.

Insectes xylophages

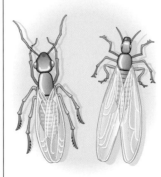

Identification. La fourmi charpentière (à gauche) et le termite (à droite) sont tous les deux noirs. La première a un corps segmenté et des antennes coudées ; le second ressemble à un grain de riz noir sur pattes et possède des antennes droites.

La première mesure à prendre pour lutter contre les fourmis charpentières ou les termites consiste à réparer le toit ou la plomberie en cas d'infiltration d'eau ou de fuite. Ces insectes n'infesteront pas votre maison en l'absence d'une source d'humidité.

Entrée interdite. On peut souvent réprimer une infestation de fourmis charpentières en bloquant le point d'accès à la maison. Vous pourriez par exemple créer une barrière non toxique avec du chili en poudre, de la poudre d'os ou du charbon de bois pulvérisé.

Dernier repas. Pour empoisonner toute une colonie de fourmis charpentières, mélangez une pincée d'acide borique et une cuillerée de gelée « menthe et pomme » sur un carton, puis placez le carton près de la fourmilière mais hors de la portée des animaux et des enfants. Quelques jours plus tard, les fourmis devraient être moins nombreuses.

Ratons laveurs et rongeurs

Halte-là ! Les ratons laveurs détestent l'odeur de l'ammoniaque. Pour les rebuter, déposez quelques gouttes d'ammoniaque sur les sacs à ordures avant de fermer le couvercle de la poubelle la veille du ramassage des ordures ménagères.

Des écureuils pillent-ils sans arrêt votre mangeoire d'oiseaux ? Achetez une mangeoire conçue pour leur infliger une faible décharge électrique. Le dispositif est inoffensif pour les oiseaux et il ne blesse pas les écureuils.

Si un écureuil a fait son nid dans la cheminée, déposez dans l'âtre un grand plat rempli d'ammoniaque. Les vapeurs qui monteront vers le nid feront déguerpir l'écureuil (et ses petits). Une fois le nid vide, placez une mitre sur la cheminée.

Par ici les souris. Lavez les pièges à souris à l'eau et laissez-les sécher durant 24 heures. Portez des gants de caoutchouc lorsque vous appâtez les pièges pour ne pas y laisser votre odeur.

L'appât du repas. Placez quelques pièges près des murs afin que les souris les voient quand elles trottinent. Comme leur vue est faible, les souris longent les murs et s'orientent en les effleurant de leur long poil.

Miam ! Le beurre d'arachide, les jujubes et le bacon croustillant sont des appâts tentants pour les souris. Pour augmenter leur attrait, saupoudrez-les d'un peu de gruau ou de semoule de maïs.

Parasites des animaux

Radical ! Les vétérinaires prescrivent de nouveaux médicaments oraux servant à épouiller les animaux domestiques. Les puces absorbent une partie de ces médicaments – conçus pour les rendre stériles – quand elles sucent le sang d'un animal traité. Elles meurent sans avoir pu se reproduire et leur population s'éteint à la longue.

Pour limiter la population des puces, passez chaque semaine l'aspirateur sur les tapis et les planchers. Placez un bout de collier antipuces dans le sac de l'aspirateur pour tuer les insectes qui peuvent s'y trouver ; activez d'abord le collier en l'étirant.

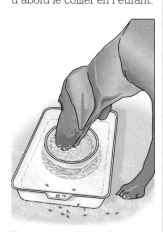

Tromper la faim. Durant la saison des fourmis, placez le plat de votre animal au centre d'un autre plat rempli d'eau : les fourmis ne pourront accéder à la nourriture.

Couic, les tiques ! Si votre région est infestée de tiques, vérifiez chaque soir si votre animal en est porteur (et ne le laissez pas se coucher sur votre lit). Si votre animal souffre de la maladie de Lyme, débarrassez-le de ses tiques sans tarder.

Bain fatal. À mesure que vous débarrassez votre animal de ses tiques, déposez celles-ci dans une petite tasse contenant de l'eau de Javel : elles mourront sur-le-champ.

Taches et odeurs

Pour dissiper l'odeur d'un animal dans une pièce, faites chauffer un peu de café moulu dans un poêlon de fonte, à feu doux, jusqu'à ce que le café exhale son arôme, puis placez sans tarder le poêlon dans la pièce. Une fois le café refroidi, l'odeur de l'animal devrait avoir disparu.

Odeur de mouffette. Si votre animal a été arrosé par une mouffette, faites-lui prendre un bain de vinaigre blanc et d'eau chaude (1:1) plutôt qu'un bain de jus de tomate. Le vinaigre coûte beaucoup moins cher et dissipe l'odeur tout aussi bien.

Placez la litière de votre animal dans une pièce sans tapis. Contrairement aux revêtements non absorbants (bois, linoléum...), les tapis retiennent les odeurs.

Sans tache. Si un animal a fait ses besoins sur un parquet fini avec de la teinture à action pénétrante, frottez d'abord la tache avec un chiffon humecté de vinaigre blanc. Frottez-la ensuite légèrement avec de la laine d'acier fine. Appliquez enfin une cire à plancher ; astiquez la surface cirée avec un chiffon de flanelle. Recommencez au besoin.

Toilette et soins

Les fruits de bardane se détacheront plus aisément du poil long d'un chat ou d'un chien si vous mettez un peu d'huile légère tout autour. Laissez-la pénétrer, puis passez un peigne à dents larges dans le poil.

Au poil. Si votre chien ou votre chat ne craint pas le bruit de l'aspirateur, débarrassez son pelage des poils morts avec le suceur pour meubles. N'approchez pas le suceur de la face ou des oreilles de l'animal.

Hydrophobe ? Si votre animal craint l'eau, essayez de le laver à sec. Frottez le pelage avec du bicarbonate de soude, vigoureusement, jusqu'à la peau. Brossez ensuite le poil à fond.

Eau de toilette. Pour que votre animal sente bon après le bain, rincez son poil avec de l'eau additionnée de bicarbonate de soude.

Service assuré. Demandez à votre vétérinaire s'il accepte de traiter les animaux à moindre coût, moyennant des frais annuels. Aux États-Unis, les assureurs gèrent ce type d'entente. Contactez votre assureur à ce sujet.

Nouvelle génération. Placez des chiots ou des chatons naissants dans une pataugeoire tapissée de vieilles serviettes.

SÛR ET SENSÉ

Certains préparatifs s'imposent si vous décidez de voyager avec votre animal de compagnie.

➤ Communiquez avec les hôtels, les motels, les pensions ou les parcs pour savoir s'ils acceptent les animaux.

➤ Emportez le dossier médical de votre animal.

➤ Emportez la nourriture habituelle de votre animal, ses médicaments, sa litière, ses jouets préférés et de l'eau.

➤ Assurez-vous que votre animal porte une plaque d'identité et que vos nom et numéro de téléphone (y compris l'indicatif régional) figurent sur son collier.

➤ Dans la voiture, placez votre chat ou votre chien dans une cage. Ne lui permettez pas de sortir la tête hors des fenêtres.

Pour empêcher un chat de vous griffer pendant que vous lui administrez des comprimés, enveloppez-le dans une serviette, les pattes bien rentrées. Soufflez doucement sur la face de l'animal après avoir placé les comprimés au fond de la gueule : surpris, le chat aura le réflexe de les avaler.

Holà ! Si vous placez son plat sur un tapis de caoutchouc, votre animal ne pourra le pousser devant lui quand il y mangera.

Mettez la niche de votre chien à l'abri des éléments : accrochez dans le haut de l'entrée un tapis de caoutchouc fendu en lamelles. Le chien pourra entrer et sortir librement, tout en étant bien au sec une fois à l'intérieur.

En cavale. Si votre oiseau s'est échappé de sa cage, tirez les rideaux et éteignez toutes les lampes dans la pièce. En général, les oiseaux ne volent pas dans le noir. Le vôtre devrait donc demeurer au même endroit et être ainsi facile à capturer.

Discipline

Sur les dents. Pour dissuader un animal de se mordiller les pattes, la queue ou le poil, appliquez de l'essence de girofle là où il concentre ses morsures. Le goût rebutant de l'essence l'incitera à abandonner son habitude.

Votre chien creuse-t-il toujours un trou au même endroit dans la cour ? Répandez-y des miettes de bloc sanitaire pour toilette ; l'odeur éloignera le chien.

Poser le bon zeste. Accumulez les écorces d'oranges, de pamplemousses et de citrons dans le congélateur durant l'hiver. Au cours du printemps et de l'été, enfoncez-les dans la terre de vos planches de culture, puis couvrez-les d'une mince couche de terre. Elles empêcheront vos chats de déterrer les jeunes plantes.

Rappel odorant. Un chat qui a délaissé sa litière pour se soulager ailleurs dans la maison peut être subtilement rappelé à l'ordre au moyen d'un tampon d'ouate mouillé d'un peu de jus de citron. Placez le tampon dans une boule à thé ; fermez la boule et suspendez-la à l'endroit où le chat a décidé d'uriner : l'odeur du citron devrait repousser le chat vers sa litière.

Petit cadeau. Après avoir nettoyé le « petit cadeau » que vous a laissé un chat, essuyez la surface avec un linge humecté d'ammoniaque. Vous éliminerez ainsi l'odeur d'urine qui inciterait le chat à retourner au même endroit pour se soulager.

Bas les pattes ! Fixez des bandes de ruban adhésif double face sur les surfaces interdites à votre chat. Les chats détestent sentir un adhésif sous leurs pattes ; le vôtre apprendra vite à respecter vos frontières.

Grrrr ! Pour empêcher un chat de grimper sur un canapé, couvrez les coussins de papier d'aluminium.

À RETENIR

Retrouver un animal perdu

Accrochez une plaque d'identité et une plaque de vaccination contre la rage au collier de votre animal.

Distribuez un avis de recherche dans votre quartier. Mettez-y une photo et une description de l'animal, votre numéro de téléphone et une offre de récompense. Couvrez un territoire deux fois plus grand que celui où vous promenez normalement votre animal.

Affichez votre avis de recherche là où se trouvent les babillards publics de votre région : cliniques vétérinaires, animaleries, refuges pour animaux, laveries, YMCA, etc.

Passez souvent au refuge pour animaux de votre région, et rendez-vous aussi dans les refuges des villes voisines.

Demandez au facteur et aux éboueurs s'ils ont vu l'animal.

Affichez votre avis de recherche près des écoles. Les enfants semblent porter beaucoup d'attention aux animaux qu'ils croisent et ils se promènent dans le quartier.

RÉPARATIONS ET RÉNOVATIONS EXTÉRIEURES

Degré de difficulté des travaux :   Faible   Moyen   Élevé

Stabilité. Pour éviter qu'une échelle ne soit renversée par le vent, attachez-la à un piton ou à tout objet fixe, par exemple à un arbre situé de l'autre côté de la maison.

Tout bien pesé. Choisissez votre échelle en tenant compte de sa charge nominale, c'est-à-dire du poids qu'elle peut supporter. Cette charge inclut le poids de l'utilisateur plus celui des outils et des matériaux.

De pied ferme. Sur les surfaces lisses, placez les patins de l'échelle dans de vieilles bottes de caoutchouc. Vous disposerez ainsi d'une base antidérapante.

Si le sol est mou, posez les patins sur un morceau de contreplaqué de ¾ po (19 mm) d'épaisseur dont la largeur et la profondeur excèdent d'environ 8 po (20 cm) la base de l'échelle. Fichez des piquets en terre des quatre côtés du contreplaqué pour le stabiliser.

Bloquez la base de votre échelle coulissante en la lestant de sacs de sable ou en l'attachant à un piquet ou à un autre objet fixe. Une fourche fichée dans le sol suivant l'angle d'inclinaison de l'échelle peut aussi servir d'ancrage si elle est bien fixe.

En douceur. Pour éviter de marquer les bardeaux ou le parement, enveloppez l'extrémité des montants avec des bas, des gants ou des mitaines fixés à l'aide d'une cordelette.

L'air du temps. Ne montez pas sur une échelle par temps mauvais ou venteux. Veillez aussi à assujettir l'échelle si le sol est gelé. Un dégel pourrait compromettre la stabilité des patins.

Risqué. Il est dangereux d'utiliser une échelle d'aluminium ou de bois humide près des lignes électriques. Utilisez plutôt une échelle en fibre de verre, non conductrice, ou demandez à la compagnie d'électricité de couper le courant.

Avant de dresser une échelle contre un mur près d'une porte, bloquez la porte. Informez-en vos proches de vive voix et par un avis affiché. Placez une couverture par-dessus les portes vitrées pour éviter tout bris au cas où un objet tomberait.

Sage précaution. Travaillez avec un ami ou dites à vos proches que vous monterez sur une échelle en leur donnant une idée du temps que durera le travail. En cas d'accident, vous saurez qu'on vous viendra en aide.

Portez une ceinture d'outils latérale ou dorsale : elle ne s'accrochera pas aux échelons de l'échelle.

Idée sensascensionnelle. Ne montez pas sur une échelle en ayant des outils dans les mains. Attachez un seau au bout d'une corde, mettez-y vos outils et hissez-les jusqu'à vous.

Utilisez des outils sans fil quand vous travaillez sur un toit ou sur une échelle pour éviter de trébucher sur une longue rallonge.

Le pied au tapis. Une retaille de tapis d'extérieur enroulée sur le premier échelon d'une échelle (ou la première marche d'un escabeau) permet de s'essuyer les pieds en début de montée et de savoir que le dernier échelon est atteint lors de la descente. Une autre retaille de tapis peut servir de tampon entre les tibias et un échelon.

SÛR ET SENSÉ

➤ Portez des chaussures sèches et propres, à semelles souples et adhérentes, ainsi qu'une chemise à manches longues et un pantalon.

➤ Si vous devez monter sur le toit, assurez-vous que les trois ou quatre derniers échelons de l'échelle le surplombent. Les deux segments de l'échelle doivent se chevaucher sur au moins quatre échelons.

➤ Tenez l'échelle à deux mains en montant. Assurez-vous que votre poids est en tout temps bien centré : la plupart des accidents surviennent quand on se penche trop d'un côté.

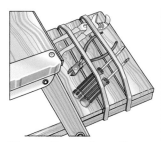

Vos outils tombent-ils sans arrêt lorsque vous travaillez sur un escabeau ? Glissez-les sous de gros élastiques placés autour du plateau repliable.

Collez un aimant en forme de lame sur la dernière marche de votre escabeau pour retenir les vis et les autres attaches qui pourraient en tomber.

Sécurité d'abord. Ne tentez pas les cambrioleurs : si vous devez laisser une échelle dehors, enchaînez-la à un arbre ou déposez-la sur des supports verrouillables fixés à un mur.

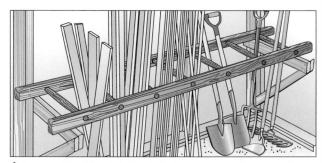

À la retraite. Une échelle de bois que vous n'utilisez plus peut servir de rangement. Il suffit de fixer un de ses montants au mur de l'atelier. Utilisez l'espace entre les échelons pour ranger des planches ou des outils à long manche.

Avant d'utiliser une échelle qui est rangée dehors, voyez si elle présente des dommages (échelons mal assujettis, fissures, bosses, pourriture, rouille, corde effilochée, charnières affaiblies) et réparez-la au besoin.

Vices cachés. Des défauts structuraux pouvant provoquer une grave chute risquent de passer inaperçus si vous peignez votre échelle de bois. Protégez plutôt le bois avec du polyuréthanne incolore, puis passez un papier de verre sur les échelons pour les rendre rugueux.

Fixation ajustée. Vous gagnerez de l'espace si vous suspendez votre échelle horizontalement sur des clous. Pour un meilleur soutien, vissez une vieille ceinture au mur et bouclez-la au centre de l'échelle.

Si l'espace de rangement est restreint dans une pièce, déployez-y un escabeau, placez-le dans un coin et utilisez ses marches en guise de rayons. Rangez-y des plantes ou divers articles de maison.

Positionnement d'une échelle coulissante

À PRÉVOIR :

Échelle coulissante

1 Pour dresser l'échelle, butez ses patins contre le mur, soulevez-la par-dessous, d'échelon en échelon, puis écartez les patins du mur. Hissez et bloquez le segment supérieur ; il doit dominer d'au moins 3 pi (0,9 m) la hauteur utile.

2 Orientez les patins à environ 75 degrés ; placez-les sur une surface dure et plane. Vous devez pouvoir vous tenir debout, les orteils placés contre les patins, bras et dos droits, les mains posées sur les échelons à hauteur d'épaules.

3 Pour déplacer l'échelle, abaissez-la jusqu'au sol, d'échelon en échelon, après avoir débloqué le segment supérieur. Transportez-la parallèlement au sol jusqu'à l'endroit voulu, puis dressez-la comme à la première étape.

Vu de loin. Inspectez le toit au printemps et à l'automne et après de fortes tempêtes. Une inspection rapide, à l'aide de jumelles, est souvent suffisante. Sinon, utilisez une échelle.

Orienter ses efforts. Examinez bien les parties du toit faisant face au sud ou à l'ouest. Ce sont les plus exposées aux dommages.

Longue vie. Appliquez un produit de préservation et un ignifuge sur les bardeaux de bois tous les 3 à 5 ans, vous prolongerez leur vie utile.

Jupes collées. Pour séparer des bardeaux d'asphalte sans les briser, glissez une truelle (ou un pied-de-biche) sous les jupes et frappez-la avec un marteau.

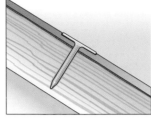

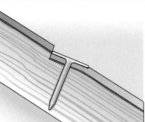

Clouage. La tête des clous doit affleurer la surface des bardeaux (en haut). Une tête placée de biais (en bas) peut couper le bardeau et réduire sa résistance aux déchirures et au soulèvement en présence de fortes bourrasques.

Vite fait, bien fait. Pour réparer une infiltration d'eau rapidement, fixez un morceau de solin ou de tôle sous le bardeau brisé avec une colle à toiture. Si la couverture est constituée de tuiles ou d'ardoises, ne procédez ainsi que si vous n'avez pas à marcher sur le toit.

Mauvais augure. L'accumulation de granulés minéraux dans la gouttière ou sous la descente pluviale est un signe que les bardeaux sont usés. Remplacez dès que possible les bardeaux retroussés ou dégarnis. Recollez avec de la colle à toiture les bords légèrement ondulés avant qu'ils n'occasionnent une infiltration d'eau.

Reculez ! Par une température de plus de 80 °F (26 °C), vous risquez de détacher les gravillons des bardeaux en marchant sur la couverture. Sous 50 °F (10 °C), les bardeaux sont cassants et tendent à se fissurer.

Calcul utile. Les bardeaux d'asphalte ou de fibre de verre à trois jupes standards sont livrés en paquets de 27 ; trois paquets couvrent 100 pi^2 (9,3 m^2). Pour évaluer le nombre de paquets nécessaires, calculez l'aire du toit en pieds carrés et divisez-la par 100. Prévoyez 10 p. 100 de perte.

Les outils et les attaches glissent-ils sur un toit en pente ? Placez-les sur de la mousse de polystyrène.

Enfoncez les nouveaux clous dans les trous des vieux clous quand vous remplacez un bardeau. Sinon, bouchez les trous avec de la colle à toiture.

Duo du toit. Pour renforcer un clou sans endommager la couverture, utilisez un pied-de-biche et un marteau. Glissez la partie plate du pied-de-biche sous le bardeau qui recouvre le clou, positionnez-la sur la tête du clou, puis frappez le pied-de-biche avec le marteau, près du bord du bardeau.

On n'y voit goutte. Afin de réduire au minimum les risques d'infiltration d'eau, mettez un peu de colle à toiture sur la tige des clous avant de les enfoncer dans les bardeaux. Mettez-en aussi sur les têtes de clous.

Coup sur clous. Avant de poser un bardeau de fente, enfoncez-y les clous à mi-longueur. Positionnez les clous de façon que leur tête se trouve 1½ po (3,8 cm) sous le bardeau du rang du dessus.

Si de l'eau s'infiltre par le toit, montez au grenier et suivez le trajet de l'eau jusqu'au point d'infiltration (souvent situé en amont de l'endroit où l'eau goutte quand le toit est en pente). Enfoncez un clou à travers la surface endommagée : vous pourrez ainsi la repérer sur le toit quand vous serez prêt à la réparer.

Pour faire disparaître les taches qu'une infiltration d'eau a laissées au plafond, frottez-les avec une éponge humectée d'une solution d'eau et de blanc de lessive au chlore (1:1). Recouvrez les taches rebelles d'un apprêt ou d'une peinture conçue à cet effet, puis repeignez le plafond.

Technique de patinage. Pour imiter la patine des vieux bardeaux de fente, plongez les bardeaux de rechange dans une solution composée de 1 lb (450 g) de bicarbonate de soude dans 1 pte (1 litre) d'eau. Ils deviendront gris en quelques heures. Pour finir, appliquez un produit de préservation du bois sur les bardeaux avant de les poser sur le toit.

Myco... logique. Si les moisissures abondent sur un toit de bois, voici la solution parfaite. Mélangez 3 oz (90 g) de phosphate trisodique, 1 oz (30 g) de détergent à lessive, 1 pte (1 litre) d'eau de Javel à 5 p. 100 et 3 pte (3 litres) d'eau chaude. Appliquez la solution sur le toit, laissez-la agir de 5 à 10 minutes, puis rincez au tuyau d'arrosage.

Plantez les arbres fruitiers ou à noix loin de la maison. Une chute régulière de pommes ou de noix peut endommager la couverture et inciter les écureuils à faire leur nid dans la maison.

Sciez les branches qui surplombent le toit. L'ombre favorise le développement de moisissures qui écourtent la vie utile des bardeaux.

SÛR ET SENSÉ

➤ Placez l'épaule au centre des bardeaux quand vous montez sur une échelle pour les porter sur le toit.

➤ Les bardeaux d'asphalte sans entailles se posent plus vite et durent plus longtemps. Les entailles sont le premier point d'usure d'un bardeau à trois jupes.

➤ Portez des gants épais quand vous posez des bardeaux de cèdre rouge. Les échardes de ce bois peuvent causer de graves infections.

➤ Les bardeaux de bois présentent un côté légèrement convexe. Bornoyez, puis orientez le côté convexe de chaque bardeau vers le haut.

➤ Le goudron séché est très difficile à enlever sur les outils. Agitez-le avec une baguette de peintre ou un éclat de bois, que vous jetterez après usage.

Remplacement d'un bardeau d'asphalte

À PRÉVOIR :

Lunettes de protection

Pied-de-biche plat

Bardeau d'asphalte de rechange

Marteau à panne fendue

Clous à toiture galvanisés

Gants de travail

Pistolet à calfeutrer et tube de colle à toiture

1 Enlevez le bardeau endommagé ; utilisez un pied-de-biche plat pour le tirer vers vous (portez des lunettes de protection). Prenez garde de ne pas briser les bardeaux adjacents.

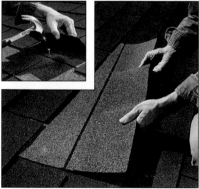

2 Glissez le bardeau de rechange en place. Alignez-le sur les bardeaux adjacents, puis fixez-le avec des clous à toiture.

3 Mettez un peu de colle à toiture sous les jupes du bardeau de rechange ; recollez au besoin les jupes des autres bardeaux. Appuyez fermement sur les jupes pour créer un joint de colle étanche.

D'un bout à l'autre. Posez le feutre surfacé à partir d'un bord du toit et progressez jusqu'au bord opposé. N'allez jamais du centre vers les bords.

Temps d'attente. Déroulez le feutre surfacé 24 heures avant de le poser pour lui permettre de s'aplanir. Un feutre enroulé au moment de la pose risque de gondoler une fois posé.

Quand des rapiéçages ne suffisent pas, rafraîchissez la couverture avec un enduit asphaltique noir. Appliquez l'enduit avec une brosse, en allant du point le plus élevé vers le point le plus bas.

À l'écoute. Appuyez délicatement sur les boursouflures et prêtez l'oreille : si vous entendez un léger bruit de succion, rapiécez la couverture (ci-dessous) ; autrement, n'y touchez pas.

Si vous ne pouvez repérer la source d'une infiltration d'eau, appliquez du goudron sur la surface où elle devrait se trouver. Ôtez le gravier ; appliquez le goudron et laissez-le durcir, puis remettez le gravier en place.

Écran solaire. Appliquez de la peinture bitumineuse à l'aluminium sur la couverture pour la protéger contre les attaques des rayons UV.

Réparation d'un toit plat

À PRÉVOIR :

Brosse

Couteau universel et règle

Jute de fibre à toiture

Colle à toiture

Couteau à mastic

1 Brossez toute la surface. Enlevez la partie endommagée avec un couteau universel, puis utilisez-la comme modèle pour tailler une pièce dans le jute de fibre à toiture. Majorez les dimensions utiles de 2 po (5 cm) sur tous les côtés.

2 À l'aide d'un couteau à mastic, appliquez de la colle à toiture là où se trouvait la partie endommagée. Faites d'abord pénétrer la colle sous le pourtour de l'ouverture, puis encollez généreusement la surface centrale.

3 Posez la pièce, aplanissez-la, puis recouvrez-la de colle à toiture ; la colle doit déborder la pièce de 2 po (5 cm) sur tous les côtés.

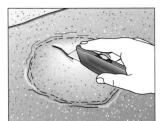

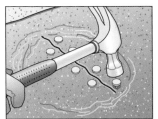

Réparation d'une boursouflure sur une couverture.
Incisez la boursouflure avec un couteau universel ; laissez sécher. Injectez de la colle à toiture sous les parties soulevées ; aplanissez le revêtement, puis clouez-le de chaque côté de l'incision. Appliquez d'autre colle sur l'incision et les têtes de clous, puis clouez une pièce débordant la réparation de 2 po (5 cm) sur tous les côtés ; couvrez les bords de colle.

La meilleure façon de s'asseoir sur un toit consiste à plier une jambe à plat sur la couverture, puis à placer l'autre jambe repliée devant la première en plaquant la semelle de votre chaussure sur les bardeaux.

Mise en garde. Pour ne pas briser les joints sous la couverture, évitez d'exercer une pression directement sur un solin ou sur les surfaces qui se trouvent à 12 po (25 cm) ou moins du solin.

Pour éliminer les piqûres et la rouille sur les solins de métal, brossez-les, enduisez-les d'un apprêt antirouille, puis laissez sécher. Appliquez ensuite un agent d'obturation, assoyez-y une toile de fibre de verre, puis appliquez une autre couche d'agent d'obturation.

Coiffez les évents d'un treillis métallique pour empêcher les animaux et les débris d'y pénétrer. Rabattez le treillis sur la paroi extérieure et fixez-le avec de la colle à toiture.

Pour réparer un solin de plomb par lequel l'eau s'infiltre, martelez-le légèrement. Appliquez de la colle à toiture ou un apprêt pour châssis automobile afin de boucher les ouvertures qui subsistent.

Tant qu'à faire... Remplacez les vieux bardeaux quand vous réparez les solins. Vous éviterez ainsi que des dommages subis durant les réparations n'occasionnent plus tard de graves infiltrations d'eau.

SÛR ET SENSÉ

➤ Les solins anciens peuvent renfermer du plomb. Portez des gants et lavez-vous les mains après avoir travaillé sur le toit.

➤ Emportez de la colle à toiture quand vous montez sur le toit. Faites les petites réparations sur-le-champ; il pourrait être difficile de repérer les dommages plus tard.

Remplacement d'un solin d'évent

À PRÉVOIR :

Gants de travail
Pied-de-biche
Couteau à mastic
Solin d'évent de rechange
Clous à toiture
Marteau
Colle à toiture

1 Soulevez délicatement avec un pied-de-biche les bardeaux qui recouvrent le solin (portez des gants de travail). Grattez le vieil adhésif avec un couteau à mastic. Tirez doucement le solin vers le haut, en prenant garde de ne pas fendre les bardeaux.

2 Glissez le solin de rechange sur l'évent. Le col du manchon doit enserrer l'évent. Soulevez les bardeaux qui recouvriront le solin ; glissez celui-ci dessous. Pour faciliter l'installation, faites tourner le solin tout en le glissant vers le toit.

3 Clouez le haut et les côtés du solin sous les bardeaux. Appliquez de la colle à toiture sur les têtes de clous. Clouez le bord inférieur du solin par-dessus les bardeaux. Formez un joint étanche sur le pourtour du solin avec de la colle à toiture.

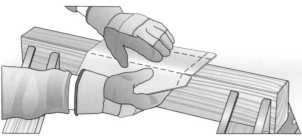

Pliage des solins. Pour faciliter la pose des solins, formez-y des angles de façon qu'ils épousent le profil du toit. Pour ce faire, pliez-les sur un 2 x 12, un chevalet (illustration) ou un établi. La surface d'appui doit être droite et large.

Montagnes russes. Le profil de la tôle cannelée à toiture complique la pose d'un nouveau solin de cheminée. Mieux vaut acheter un solin préfaçonné pour recouvrir ce type de matériau. La quincaillerie ou le centre de rénovation de votre voisinage devrait être en mesure d'en commander.

Sortez votre crayon. Les vieux solins sont parfois cassants. Tracez donc leur profil sur une feuille de papier avant de les enlever. Vous pourrez ainsi reproduire leurs formes exactement.

Un seul métal. Les clous et les solins doivent être faits du même métal. Une réaction qui accélère la corrosion survient quand deux métaux différents se touchent.

Mariage de raison. Solins et gouttières doivent être compatibles. Un solin de cuivre peut corroder une gouttière d'aluminium.

Point saillant. Le rejéteau en dos d'âne – une pièce de bois en pointe de flèche recouverte de tôle – dévie de chaque côté de la cheminée l'eau qui autrement s'accumulerait derrière un solin ordinaire. Appliquez de la colle à toiture sur son pourtour jusqu'aux solins adjacents.

Au sec. Appliquez un hydrofuge perméable à la vapeur (pour maçonnerie) sur les briques extérieures de la cheminée pour empêcher l'humidité de les traverser. Prenez garde de ne pas utiliser un enduit étanche pour fondations ou maçonnerie, qui bloquerait les pores des briques et emprisonnerait dans la cheminée l'humidité produite par la combustion du bois de chauffage.

La surface située sous la cheminée peut devenir humide en l'absence de mitre ou si la mitre est endommagée. Pour vérifier l'état de la mitre sans monter sur le toit, placez une feuille de journal sous le conduit de fumée quand il pleut. Si le papier devient détrempé, il vous faudra vraisemblablement réparer ou remplacer la mitre.

Remplacement d'un solin métallique de cheminée

À PRÉVOIR :

Gants de travail

Lunettes de protection

Ciseau de maçon

Marteau ou pied-de-biche

Tôle

Cisailles

Clous à toiture galvanisés

Mortier et truelle

Colle à la silicone pour toitures

Bardeaux de rechange

1 Ôtez le vieux solin et les bardeaux adjacents s'ils sont usés en vous servant d'un marteau ou d'un pied-de-biche. Enlevez le mortier au ciseau le long de la cheminée ; creusez une rainure de 1½ po (3,8 cm).

 La tôle d'aluminium est plus souple et plus facile à travailler ; la tôle galvanisée, plus rigide et plus durable.

2 Découpez un nouveau solin identique au premier en vous servant de celui-ci en guise de modèle. Tracez des lignes de coupe et découpez la tôle avec des cisailles. Le solin peut être d'un seul tenant ou constitué de deux éléments : un solin de base, fixé au toit, et un solin supérieur, fixé à la cheminée.

Ménage du printemps.
Ramonez la cheminée au printemps, avant que les dépôts ne soient durcis.

Choisissez un hérisson
dont le diamètre est égal ou un peu supérieur à celui du conduit de fumée. Les hérissons d'acier servent à frotter les boisseaux d'argile ; les hérissons de polypropylène, les chemisages d'acier.

Allumage inversé. Pour limiter l'accumulation de créosote, posez d'abord les grosses bûches sur la grille du foyer. Coiffez-les de petites bûches et de bois d'allumage. Allumé en haut, le feu progressera vers le bas.

Refoulement d'air froid.
Si la fumée envahit la pièce quand vous allumez un feu, ouvrez une fenêtre près du foyer : cela aidera à rétablir le tirage de la cheminée.

Pour réchauffer une cheminée froide et empêcher un courant d'air froid de refroidir la pièce avant qu'un feu ne brûle dans l'âtre, allumez une torche de papier journal et tenez-la dans la lumière du registre de tirage. Les gaz chauds neutraliseront vite le courant d'air froid.

SÛR ET SENSÉ

➤ En cas d'infiltration d'eau par la cheminée, examinez le solin et le mortier. Si le solin est en bon état, dégarnissez les joints au ciseau et rejointoyez la cheminée.

➤ Pour savoir si la cheminée est bloquée ou endommagée, installez un détecteur d'oxyde de carbone dans la pièce où se trouve le foyer. L'appareil émettra un signal d'alarme en présence d'une accumulation de gaz nocifs.

➤ Pour réduire les risques d'incendie, voyez si la cheminée présente au grenier des points chauds, des fissures ou des fuites de fumée.

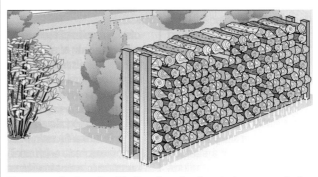

L'accumulation de dépôts dans la cheminée sera moindre si le bois a séché à découvert et au soleil. Isolez les cordes du sol et couvrez-les d'une bâche s'il pleut ou s'il neige.

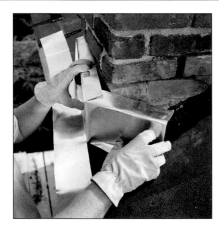

3 Posez d'abord le solin de base ou inférieur. Si le solin est d'un seul tenant, glissez les bords dans la rainure creusée dans le mortier, puis clouez les côtés sur le toit. Si les bardeaux sont toujours en place, clouez le solin en dessous.

 La tôle découpée est tranchante comme un rasoir. Portez des gants de travail épais.

4 Posez les solins latéraux en procédant comme à l'étape 3. Avec des solins en deux pièces, posez d'abord le solin de base contre la paroi inférieure de la cheminée, puis contre les côtés. Progressez ensuite de bas en haut, chaque élément ajouté devant chevaucher l'élément précédent. Dans tous les cas, le solin prenant appui contre la paroi supérieure de la cheminée doit être posé en dernier.

5 Pour finir, scellez la tôle dans la rainure. Appliquez le mortier avec une truelle. Selon la forme du solin, vous devrez peut-être appliquer le mortier à mesure que le travail avancera. Appliquez de la colle à toiture sur les bords verticaux de la tôle de façon que l'eau ne puisse s'infiltrer. Remplacez les bardeaux qui ont été enlevés ; les bardeaux de rechange doivent recouvrir les clous fixant le solin au toit.

Pour repérer un affaissement, versez un seau d'eau dans la partie haute de la gouttière et corrigez la pente aux endroits où des flaques se forment.

Ça remonte ! Vous pouvez redresser une gouttière affaissée en pliant délicatement les brides de métal vers le haut avec une pince.

De l'intérieur. Si l'eau fuit entre les éléments d'une gouttière, recouvrez les raccords de silicone ou d'agent d'obturation pour gouttières, en procédant de l'intérieur. Lissez ensuite la réparation de façon qu'elle ne ralentisse pas l'écoulement de l'eau.

Obturation d'un trou. Pour empêcher la silicone fraîchement appliquée de fuir par un trou, bouchez temporairement le trou de l'extérieur à l'aide d'un sac en plastique à sandwichs fixé avec du ruban adhésif.

Si une gouttière d'acier fuit, recouvrez le trou d'une bonne couche de colle à toiture, puis d'un morceau de papier d'aluminium épais. Procédez ainsi à deux reprises, puis appliquez une troisième couche de colle.

Si le coude raccordé à la descente pluviale fuit, la source de la fuite ne se trouve pas forcément au niveau du raccord. Voyez si le tuyau est obstrué plus bas.

Remplacez une descente pluviale perforée. La pression de l'eau qui y tombe fera céder toute réparation.

Réparation d'une gouttière qui fuit

À PRÉVOIR :

Ciseaux ou cisailles	Gants de travail (facultatif)
Pinceau ou couteau à mastic	
Brosse métallique ou papier de verre	
Pièce de fibre de verre ou de métal	
Agent d'obturation pour gouttières	
Chiffons propres et diluant pour peinture	
Rivets aveugles et pistolet à riveter (pour les pièces de métal)	

1 Nettoyez la surface avec du papier de verre ou une brosse métallique. Essuyez avec un chiffon mouillé de diluant et laissez sécher. Découpez une pièce ; majorez la taille utile de 2 po (5 cm) sur tous les côtés (fibre de verre) ou en longueur (métal).

2 *Pièce de fibre de verre :* préparez la résine et appliquez-en une mince couche au pinceau (illustration). *Pièce de métal :* appliquez une couche d'agent d'obturation pour gouttières de 1/8 po (3 mm) d'épaisseur avec un couteau à mastic.

3 Assoyez la pièce dans l'adhésif avec un chiffon. *Fibre de verre :* appliquez un peu de résine sur la pièce ; après 24 heures, poncez et appliquez d'autre résine. *Métal :* rivetez la pièce aux bouts et appliquez un agent d'obturation sur les bords.

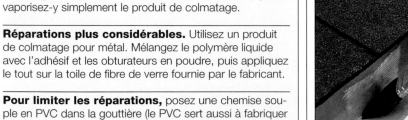

Le nettoyage des gouttières sera moins long si vous utilisez un grattoir pour pousser les débris et former des tas faciles à enlever. Découpez-en un dans un panneau de fibres dur ou du plastique ; il doit être aussi large que la gouttière.

Avant de nettoyer les gouttières, bouchez l'ouverture supérieure de la descente pluviale avec un chiffon pour empêcher les débris d'y tomber.

Ramassez les débris mis en tas avec une petite pelle d'enfant ou un transplantoir et jetez-les dans un seau. Vous risqueriez de souiller les parements en jetant les débris au sol par-dessus le rebord des gouttières.

Seau à la corde. Une longue corde attachée à l'anse d'un seau vous permettra de ramener les débris au sol du haut de l'échelle et de tenir celle-ci à deux mains en redescendant.

Les crochets servant à suspendre les bidons de peinture aux échelles peuvent aussi servir à suspendre un seau à portée de la main. Un cintre robuste plié en S peut également servir de crochet.

Si des aiguilles de pins bouchent les gouttières, renoncez aux grillages de protection. Les aiguilles passeraient entre les mailles, vos doigts non, rendant le nettoyage fastidieux.

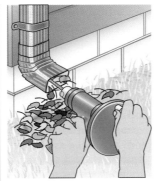

Plus rien ne passe ? Si des débris obstruent la descente pluviale, délogez-les avec un dégorgeoir. Glissez le furet dans le bas de la descente, faites-le glisser jusqu'aux débris et tournez la poignée ; lorsque vous ne sentez plus de résistance, faites glisser le furet un peu plus avant. Progressez ainsi jusqu'à ce que l'obstruction cède.

Travail sous pression. Le jet d'eau d'un tuyau d'arrosage peut faire céder une obstruction rebelle dans la descente pluviale. Procédez par en haut.

Un treillis métallique galvanisé dont les mailles ont ¼ po (6 mm) de largeur ou moins peut servir de grillage de protection. Dimensionnez-le et posez-le de la façon décrite à droite.

Pose de grillages de protection

À PRÉVOIR :

Ruban à mesurer

Grillages de protection

Cisailles

1 Les gouttières doivent être étanches et propres, et les descentes pluviales, non obstruées. Mesurez la longueur des gouttières avant d'acheter les grillages de protection ; prenez les mesures entre les fixations si celles-ci traversent les gouttières.

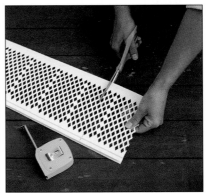

2 Dimensionnez les grillages. Si des crampons traversent les gouttières, vous devrez loger chacun d'eux dans une entaille découpée dans les grillages. Si des brides coiffent les gouttières, posez des tronçons de grillage entre elles.

3 Posez le bord arrière du grillage sous le dernier rang de bardeaux, puis, selon le type de grillage, coincez le bord avant sous le rebord extérieur de la gouttière ou fixez-le sur celui-ci.

Les ficelles du métier. Si la longueur d'une gouttière excède celle de votre ruban à mesurer, utilisez une ficelle en guise d'instrument de mesure. Pliez la ficelle en deux, puis mesurez et marquez les demi-intervalles.

Truc calé. Les brides doivent être fixées sur une surface perpendiculaire au sol. Si la bordure de toit est en pente, utilisez une cale triangulaire pour fixer chaque bride à l'angle voulu.

Longue portée. Utilisez une perceuse et une pointe Phillips de 6 po (15 cm) pour visser les brides. Vous rejoindrez facilement le bord antérieur de la gouttière.

Plongez la lame de votre couteau à mastic dans de l'essence minérale avant de lisser de la pâte à calfeutrer au butylcaoutchouc.

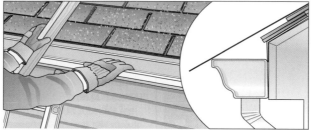

Laissez tomber. La neige et la glace se trouvant sur le toit glisseront dans les gouttières positionnées trop près du dernier rang de bardeaux et la surcharge provoquera des dommages. Fixez les gouttières juste sous la ligne de la pente.

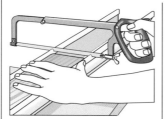

Garder la forme. Pour éviter que les gouttières ne se déforment pendant que vous les sciez, placez une cale d'écartement (2 x 4) à côté de la ligne de coupe.

Utilisez une scie à métaux munie d'une lame à dents fines pour scier les gouttières de vinyle. Ébarbez les bords à la lime ou avec du papier de verre fin.

Si les gouttières sont en vinyle, ne colmatez pas les raccords corniers de dilatation : ces raccords doivent se dilater et se contracter au gré des changements de température.

Avantages du vinyle. Les gouttières de vinyle sont faciles à poser, leur prix est modéré et il n'est pas nécessaire de les peinturer. Bien qu'elles comportent de nombreux avantages, les gouttières d'aluminium peuvent fuir si le rivetage des raccords n'est pas effectué par un spécialiste.

Les gouttières de vinyle en trop peuvent servir à ranger le bois et les tuyaux de rebut. Vissez les brides sur les poteaux d'un mur, puis posez les gouttières.

Gouttières de bois. Appliquez deux couches de produit de préservation sur les gouttières de bois tous les cinq ans. L'auge doit être bien sèche et poncée. Poncez aussi l'extérieur de la gouttière et appliquez-y deux couches de peinture d'extérieur.

Pose d'une gouttière et d'une descente pluviale

À PRÉVOIR :

Échelle
Niveau
Cordeau
Ficelle
Brides (supports et attaches)
Marteau ou tournevis
Clous, vis ou attaches à maçonnerie
Gouttière, descente pluviale, coudes
Pâte à calfeutrer
Ruban à mesurer
Cisailles ou scie à métaux
Brides murales et déflecteur

1 Réparez la bordure de toit au besoin. Tirez une ligne au cordeau dans le haut de la bordure. Tendez une ficelle entre le point le plus élevé de la gouttière et le tuyau de décharge ; la pente doit être de ¼ po (6 mm) par 10 pi (3 m). Fixez un support aux 30 po (75 cm) le long de la ficelle. Les gouttières de 35 pi (10,7 m) ou plus doivent descendre vers un tuyau de décharge de chaque côté d'un point central.

2 Raccordez les éléments de la gouttière au sol avant de les installer. Posez d'abord le bouchon au bout du tuyau de décharge. Unissez ensuite le tuyau de décharge et l'une des longues pièces droites ; utilisez pour cela un raccord spécial garni d'un joint d'étanchéité. Appliquez un petit cordon de pâte à calfeutrer sur la surface intérieure du raccord et du bouchon pour rendre l'assemblage bien étanche.

Question de bon sens.
Assurez-vous que les descentes pluviales ne déversent pas l'eau sur les trottoirs ni près de ceux-ci. Il est désagréable de devoir traverser le torrent d'eau qui jaillit des descentes durant un orage, et l'eau qui se transforme en glace après une baisse subite de la température rend les trottoirs carrément dangereux.

Utilisez des supports de gouttières pour suspendre les rallonges électriques, les tuyaux d'arrosage, etc.

Durant l'hiver, enlevez la glace et la neige qui s'accumulent dans le déflecteur ; ainsi, l'eau ne refluera pas vers la maison. Déposez la neige loin des fondations pour éviter les infiltrations d'eau dans le sous-sol.

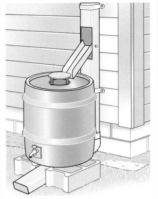

La sécheresse sévit-elle dans votre région ? Recueillez l'eau de pluie dans une citerne pluviale au moyen d'une dérivation rabattable raccordée à une descente.

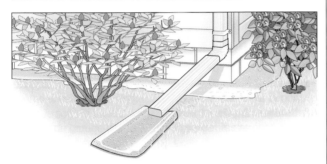

Et tombe la pluie... Pour éviter que l'eau ne s'infiltre dans le sous-sol ou le vide sanitaire – et pour l'empêcher d'éroder le sol près des fondations –, rallongez les descentes pluviales et placez un déflecteur tout au bout.

3 Mesurez la longueur utile entre le point le plus élevé de la gouttière et le tuyau de décharge. Dimensionnez en conséquence la pièce droite raccordée au tuyau de décharge avec des cisailles ou une scie à métaux. Coupez d'équerre pour faciliter l'ajustement au raccord ou au bouchon. Posez la gouttière sur les supports, appliquez de la pâte à calfeutrer aux raccords et fixez les attaches sur les supports.

4 Raccordez un coude au tuyau de décharge et un autre à la descente pluviale. Demandez à un aide d'appuyer celle-ci contre le mur, puis mesurez l'intervalle entre les coudes. Sciez un tronçon de descente à la longueur correspondante, puis raccordez-le aux coudes : glissez-le par-dessus le coude du tuyau de décharge, puis dans le coude de la descente pluviale. Effectuez le gros de l'assemblage au sol.

5 Fixez la descente pluviale au parement avec des brides murales. Posez une bride tous les 6 à 8 pi (1,80-2,40 m) ; ancrez-la avec des vis, des clous ou des attaches à maçonnerie. Raccordez un coude et un tronçon de tuyau à la sortie de la descente pour éloigner l'eau des fondations. Un déflecteur placé sous la descente dispersera l'eau et l'empêchera d'éroder le sol.

Le tour du propriétaire. Faites régulièrement le tour de votre maison pour repérer les pièces de bois pourries. Plongez un tournevis ou une pointe à tracer dans le bois pour déterminer la profondeur du pourrissement. Effectuez les réparations sans tarder.

Pour limiter le pourrissement du bois, plantez les végétaux à au moins 18 po (45 cm) de la maison et émondez ceux qui sont déjà plantés si leurs branches touchent les parements.

Gare aux fuites. Le pourrissement d'un parement au pied d'un mur est souvent causé par l'eau de pluie qui tombe du toit et rejaillit sur le bois. Avant de remplacer le parement, réparez les gouttières pour empêcher l'eau d'atteindre le bois.

Si plus de 25 p. 100 du parement d'un mur est détérioré, rhabillez tout le mur : ce sera probablement plus facile et plus économique.

Réparation des fentes. Il suffit souvent d'un peu de colle hydrofuge pour réparer un parement fendu. Ouvrez la fente avec un couteau à mastic, encollez les surfaces disjointes, puis clouez-les de chaque côté de la fente ou assujettissez-les temporairement avec du ruban adhésif. Essuyez les bavures avec un chiffon mouillé.

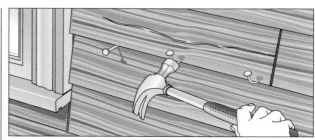

Si un clin est fendu horizontalement, appliquez de la colle dans la fente, puis enfoncez obliquement plusieurs petits clous à finir sous le clin le long de la réparation. Tordez les clous vers le haut pour unir les surfaces disjointes pendant le séchage de la colle ; arrachez-les une fois la colle sèche.

Trompe-l'œil. Après avoir obturé des fentes avec de la futée, imitez les veines du bois en striant la réparation avec une brosse métallique.

Prudence. N'obturez un trou d'abeille charpentière percé dans un parement qu'une fois l'insecte parti. Une abeille emprisonnée pourrait percer un mur dans la maison pour s'échapper.

Utilisez des bardeaux étroits pour remplacer ceux qui se trouvent près d'un coin ou d'un cadre de fenêtre. Des bardeaux larges prendraient trop de retrait.

Si un clou sort constamment de son trou, voyez si le revêtement intermédiaire n'est pas pourri ; remettez-le en état au besoin avant de réparer le parement.

Remplacement d'un clin

À PRÉVOIR :

Marteau
Petites cales de bois de rebut
Scie à dossière
Scie passe-partout
Pied-de-biche
Miniscie à métaux
Clin de rechange
Scie
Produit de préservation du bois
Perceuse
Clous galvanisés à parement
Pâte à calfeutrer ou mastic
Apprêt et peinture d'extérieur
Pinceau

1 Enfoncez de petites cales de bois de rebut sous le clin endommagé. Sciez la partie visible du clin de chaque côté de la portion endommagée avec une scie à dossière.

 Si vous devez remplacer plus d'un clin, progressez de bas en haut.

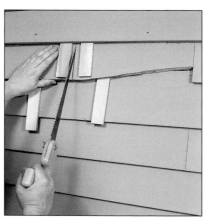

2 Utilisez deux cales pour soulever le clin situé au-dessus du clin endommagé. Achevez la coupe avec une scie passe-partout, en orientant les dents vers l'extérieur. Sciez le clin d'équerre pour obtenir des raccords uniformes. Retirez ensuite les cales.

D'une seule main. Pour amorcer le trou d'un clou quand vous ne pouvez effectuer le clouage à deux mains (une main pour tenir le clou, l'autre pour tenir le marteau), coincez le clou, pointe vers l'extérieur, dans la panne, puis rabattez le marteau sur le parement (portez des lunettes de protection). Retournez ensuite le marteau et achevez le clouage.

Pour éviter de fendre les clins, épointez les clous d'un coup de marteau. Percez toujours des avant-trous au bout des clins.

Papier percé. Il arrive souvent de percer le papier de construction quand on retire des clins endommagés. Obturez promptement les trous en les recouvrant d'une généreuse couche de colle noire pour toitures.

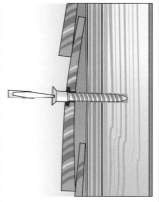

Dégauchissez les clins en les fixant aux poteaux avec de longues vis. Pour éviter de fendre le bois, percez des avant-trous fraisés. Recouvrez les têtes de vis de futée d'extérieur.

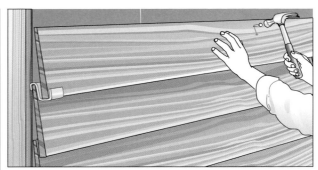

S pour soutien. Lors de la pose d'un nouveau parement, positionnez les longs clins avec des esses avant de les clouer. Vous pouvez fabriquer des esses avec des morceaux de tôle de 4 po (10 cm). Une extrémité des esses est accrochée au clin du dessous, l'autre soutient le clin du dessus.

Ordre et sécurité. L'aire de travail doit demeurer dégagée. Empilez les chutes. Il est non seulement irritant, mais aussi dangereux de trébucher sur des blocs de bois pendant qu'on utilise une scie. N'oubliez pas de rabattre les clous contre les chutes ou de les arracher.

Pour une prise ferme et sûre, enroulez du ruban séparateur sur un bout de la lame qui vous sert à scier des clous derrière les clins.

Ne jetez pas les vieux clins ajustés aux ouvertures, aux luminaires, etc. ; utilisez-les pour dimensionner les clins de rechange.

3 Pour arracher un clou visible, soulevez légèrement le clin avec un pied-de-biche appuyé sur un bloc de bois. Frappez ensuite délicatement sur le pied-de-biche pour repousser le clin contre le mur et en faire saillir la tête du clou ; arrachez le clou.

4 Pour venir à bout des clous cachés, glissez deux cales sous le rang de clins situé au-dessus du clin endommagé. Glissez ensuite une miniscie à métaux entre les deux cales et sciez les clous à ras du clin endommagé ; retirez celui-ci.

5 Découpez une pièce et appliquez un produit de préservation du bois sur les bords coupés ; posez la pièce avec un marteau et un bloc de bois de rebut. Percez des avant-trous, puis fixez la pièce avec des clous galvanisés ; reproduisez le motif de clouage original. Obturez les trous de clous et les raccords avec de la pâte à calfeutrer ou du mastic, puis appliquez un apprêt et de la peinture.

Besoin de chaleur. Ne réparez jamais le vinyle quand la température se situe sous le point de congélation. Le vinyle devient cassant par temps froid et peut se fendre si on le cloue.

Voir grand. Ne lésinez pas sur la taille de la pièce qui sert à réparer un clin de vinyle, sinon vous devrez effectuer la réparation de nouveau. En général, la pièce doit déborder la fente de ½ po (12,7 mm) sur tous les côtés.

Si vous devez réparer une fente et que vous n'avez pas de vinyle de rebut, découpez une pièce dans une bouteille en plastique de détergent à lessive.

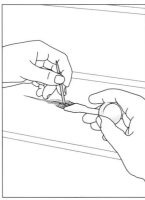

Pour réparer les fentes peu profondes, soulevez délicatement un côté de la fente avec un cure-dents, mettez un peu de colle pour vinyle en dessous, puis fermez la fente en appuyant sur les surfaces disjointes.

Discrétion assurée. Pour éviter qu'une pièce ne jure à côté des vieux clins, découpez-la dans un clin posé sur une face moins visible du parement. Posez une pièce de vinyle neuf sur le clin de la face moins visible.

Technique de découpage. N'utilisez que les deux tiers avant des lames des cisailles pour découper le vinyle: vous obtiendriez des bords inégaux en fermant complètement les mâchoires.

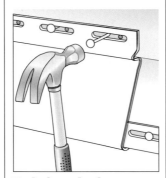

Technique de clouage. Lors de la pose d'un clin de rechange, enfoncez les clous le plus près possible du centre de la rainure de clouage, mais à côté des trous de clous originaux. Les clous pénétreront dans du bois vierge et présenteront de ce fait une meilleure résistance.

Avant de peindre du vinyle, poncez-le pour que la peinture y adhère mieux. Utilisez une peinture acrylique à haut extrait sec.

Choix avisé. Pour repeindre un revêtement de vinyle, choisissez une couleur au moins aussi pâle que la couleur d'origine. Du vinyle peint d'une couleur foncée, qui absorbe la chaleur, peut surchauffer et se gauchir.

Réparation d'un clin de vinyle fissuré

À PRÉVOIR:

Tirette
Marteau ou pied-de-biche
Nettoyant pour PVC
Vinyle de rebut
Colle pour PVC
Clous galvanisés ou en aluminium de 1½ po (3,8 cm)

1 Pour enlever le clin endommagé, glissez une tirette sous le rebord inférieur du clin du dessus. Tirez le clin vers le bas tout en glissant l'outil horizontalement. Arrachez ensuite les clous avec un marteau ou un pied-de-biche.

2 Nettoyez la face arrière du clin avec un nettoyant pour PVC. Découpez une pièce dans du vinyle de rebut. Utilisez de la colle pour PVC pour fixer la pièce, face finie vers le bas, sur la surface nettoyée.

3 Reclouez le clin rapiécé. Refermez ensuite le revêtement: tirez le rebord du clin du dessus vers le bas avec la tirette et appuyez une main sur ce rebord pour y engager le bossage du clin rapiécé.

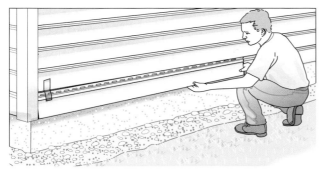

En solo. Si vous devez poser seul des clins de rechange difficiles à manipuler, fixez une des extrémités au mur avec du ruban séparateur et amorcez la pose à l'autre extrémité.

Retouchez les clins d'aluminium éraflés avec un peu de peinture acrylique. Poncez d'abord légèrement l'éraflure avec de la laine d'acier fine, puis appliquez de l'apprêt à métal à l'huile et la peinture de finition.

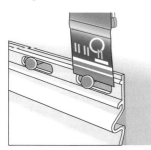

Espace vital. Laissez un peu d'espace (environ l'épaisseur d'une pochette d'allumettes) entre les clins et les têtes de clous quand vous remplacez un parement d'aluminium ou de vinyle. Autrement, les clins risquent de gondoler.

Farinage. Un résidu poudreux blanc, appelé farine, se forme normalement sur les clins d'aluminium. La pluie l'élimine en général, mais vous pouvez aussi l'enlever avec un chiffon doux et une solution composée de ⅓ tasse (80 ml) de détergent ménager et de 1 gal. (4 litres) d'eau.

À propos de l'air salin. Les clins d'aluminium sont durables et ne nécessitent en général aucun entretien, mais ils constituent un mauvais choix dans les régions côtières, où l'air salin peut les corroder et ainsi les rendre difficiles à entretenir.

Bosses et piqûres seront moins visibles si vous appliquez de la peinture mate sur les parements.

Cirage. Ravivez l'éclat des petites surfaces d'aluminium terni avec du poli liquide pour auto. Lavez le parement avec du détergent à vaisselle et de l'eau ; laissez sécher, puis appliquez le poli avec une éponge humide. Polissez les surfaces avec un chiffon doux.

Débosselage d'un clin d'aluminium

À PRÉVOIR :

Perceuse

Vis à tôle et rondelles plates

Pince

Mastic mixte pour carrosserie et lissoir en plastique

Papier de verre fin

Apprêt à métal à l'huile

Peinture acrylique et pinceau

1 Si le clin est fortement bosselé, réduisez d'abord la profondeur de la dépression. Percez des trous de ⅛ po (3 mm) dans les parties les plus profondes de la dépression. (Si le clin n'est que légèrement bosselé, passez à l'étape 3.)

2 Posez des vis à tôle dans les trous après avoir glissé une rondelle plate sous la tête de chacune. Saisissez ensuite les rondelles avec une pince et tirez légèrement sur les vis : vous soulèverez ainsi la surface enfoncée. Ôtez les vis.

3 Appliquez du mastic mixte pour carrosserie dans la dépression. Nivelez la réparation à l'aide d'un lissoir en plastique ; laissez durcir, puis poncez. Pour finir, appliquez de l'apprêt à métal à l'huile et deux couches de peinture acrylique.

Comme neuf. Un appui de fenêtre très endommagé peut être revêtu d'aluminium après avoir été réparé. Fabriquez un modèle avec du papier kraft, tracez-en le profil sur un solin d'aluminium standard, puis pliez celui-ci sur l'appui de fenêtre. Fixez le revêtement avec des clous d'aluminium.

L'huile de lin bouillie

coûte moins cher que les produits de préservation du bois commerciaux. Diluez-la avec de la térébenthine ou de l'essence minérale : 1:1 pour la première couche, 2:1 pour les couches suivantes.

Réparer ou remplacer ?

Plongez la tige d'une pointe à tracer ou d'un tournevis dans la partie pourrie : si elle pénètre le bois sur plus de 2 po (5 cm), remplacez l'appui de fenêtre ; autrement, essayez de le réparer.

SÛR ET SENSÉ

➤ Portez des lunettes de sécurité quand vous appliquez un produit de préservation du bois et gardez les mains loin du visage. Les produits chimiques sont irritants.

➤ Pour éviter toute combustion spontanée, immergez les chiffons imbibés d'huile dans un contenant rempli d'eau.

Course contre la montre. Maints produits servant à réparer le bois durcissent en 15 minutes. Pour éviter toute perte, n'appliquez que la quantité de produit pouvant être travaillée durant ce court laps de temps.

Un avantage certain. Les bouche-pores en poudre se conservent longtemps, au contraire des produits prémélangés qui durcissent à la longue dans leur contenant. Ajoutez-y de l'eau lentement, sans excès.

Arasement. Pour araser le bouche-pores sur un appui de fenêtre, recouvrez la réparation d'une toile de plastique et glissez un bloc de bois par-dessus. Laissez sécher ; poncez au besoin.

Si une grande partie du bois était pourrie, enduisez la paroi du trou de bouche-pores, remplissez le trou d'éclats de bois sec et appliquez du bouche-pores en surface. La réparation sera ainsi moins coûteuse.

Réparation du bois pourri

À PRÉVOIR :

Bouche-pores d'extérieur	Marteau
Couteau à mastic	Ciseau
Perceuse électrique et foret de 3/16 po (4,5 mm)	Pinceau
Consolidant ou durcisseur époxyde	Apprêt
Pinceau jetable ou flacon pressable	Peinture
Gants de caoutchouc	Papier de verre

1 Ôtez la partie pourrie avec un marteau et un ciseau. Laissez le bois sécher (cela peut prendre quelques semaines ; couvrez en cas de pluie). Percez ensuite des trous obliques de 3/16 po (4,5 mm) en quinconce dans la partie endommagée.

2 Saturez la partie endommagée de consolidant époxyde, appliqué à l'aide d'un pinceau jetable ou d'un flacon pressable. Portez des gants de caoutchouc. Laissez sécher complètement.

3 À l'aide d'un couteau à mastic, recouvrez la partie endommagée de bouche-pores d'extérieur. Arasez la réparation. Laissez sécher. Poncez. Appliquez ensuite un apprêt et de la peinture.

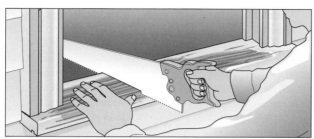

Pour ôter un appui standard, sciez-le en trois. Ôtez la partie du centre avec un pied-de-biche; retirez les autres en les faisant jouer sous les montants. Découpez l'appui de rechange avec les trois parties aboutées en guise de modèle.

Pour retirer un appui intérieur, chassez les clous qui le fixent de façon qu'ils le traversent, puis enlevez-le délicatement de l'extérieur avec un pied-de-biche.

Coupe rapide. Adaptez une poignée à votre lame de scie à métaux pour accélérer la coupe des clous dans les espaces difficiles d'accès.

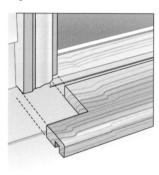

Achetez un appui de fenêtre présentant une rainure d'égouttement. Lors de l'installation, placez la rainure du côté extérieur: elle empêchera l'eau de glisser sur la sous-face de l'appui.

Avant d'installer un appui de fenêtre, appliquez-y deux couches de naphténate de cuivre ou de zinc; ces deux produits peuvent être peints et prolongeront de plusieurs années la vie utile du bois.

Calage de l'appui. Insérez de minces cales de bois sous l'appui avec un marteau. Glissez de l'isolant de fibre de verre entre les cales pour limiter les infiltrations d'air; calfeutrez.

Du vieux pour du neuf. Si une vieille moulure est difficile à trouver, faites le tour des récupérateurs de matériaux de construction. Une moulure récupérée ne coûte pas cher.

À défaut d'appui de rechange, utilisez un 2 x 6. Ménagez une rainure d'égouttement sur la sous-face avec une scie circulaire.

Pour que l'ajustement soit serré et l'installation facile, biseautez toujours les extrémités de l'appui qui seront logées dans les montants.

Remplacement d'un appui de fenêtre

À PRÉVOIR:

Gants de travail et lunettes de protection	Pied-de-biche
Marteau et ciseau	Chasse-clou
Clous à finir galvanisés	Futée
Scie à métaux	Papier de verre
Appui de fenêtre de rechange	Apprêt
Pâte à calfeutrer d'extérieur	Peinture
Produit de préservation du bois	Pinceau

1 Enlevez l'appui avec un marteau et un ciseau. Vous devrez peut-être le détacher des autres éléments de la fenêtre avec un pied-de-biche. Ici, l'appui se trouve sous le cadre de fenêtre. Au besoin, sciez les clous qui assujettissent l'appui.

2 Découpez l'appui de rechange; utilisez l'appui d'origine en guise de modèle. Les deux appuis doivent avoir la même épaisseur. Poncez l'appui de rechange (arrondissez les bords). Appliquez un produit de préservation du bois.

3 Mettez l'appui en place et fixez-le avec des clous à finir galvanisés. Noyez les têtes de clous et obturez les trous avec de la futée. Bouchez les fentes avec de la pâte à calfeutrer d'extérieur qui peut être peinte. Appliquez un apprêt et de la peinture.

Vérifiez l'état de la pâte à calfeutrer en y appuyant la pointe d'un tournevis. Si le joint se fendille, grattez-le et recalfeutrez.

Adhérence et étanchéité. Vous obtiendrez un joint des plus étanches si, avant d'appliquer la pâte à calfeutrer, vous lavez l'aluminium, le bronze ou l'acier galvanisé avec un solvant courant (comme la méthyléthylcétone) de façon à enlever les enduits protecteurs et les dépôts huileux.

Vaporisez du lubrifiant à la silicone sur le piston du pistolet à calfeutrer. Le nettoyage sera plus facile et l'insertion ou le retrait des cartouches plus rapide.

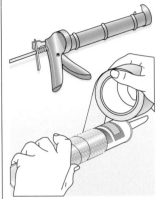

Propreté garantie. Pour éviter les fuites, enroulez du ruban séparateur autour de la cartouche de pâte à calfeutrer avant de l'insérer dans le pistolet. Le ruban empêchera la cartouche de se déformer sous l'effet de la pression du piston.

Pour ménager vos genoux et votre dos lors de l'application de pâte à calfeutrer entre la fondation et le parement, appuyez un miroir sur une planche près de la fondation : vous pourrez travailler sans vous accroupir.

Question de consistance. Enveloppez la cartouche de pâte à calfeutrer dans un coussin chauffant avant de l'utiliser par temps froid ; réfrigérez-la pendant 15 à 20 minutes par temps chaud.

Pour une bonne adhérence au froid, chauffez les surfaces avec un sèche-cheveux avant d'y appliquer de la pâte à calfeutrer.

Lisez toujours l'étiquette des cartouches de pâte à calfeutrer pour savoir si le produit peut être peint. Certaines pâtes à la silicone ont une adhérence et une élasticité exceptionnelles, mais on ne peut les peindre.

En poussant le pistolet à calfeutrer, vous pourrez appliquer la pâte à calfeutrer et la lisser en même temps.

Calfeutrage de l'enveloppe de la maison

À PRÉVOIR :

Tournevis
Couteau à mastic
Pâte à calfeutrer acrylique siliconée
Petite brosse métallique
Papier de verre
Naphte
Pinceau
Cordon d'appui en mousse de polyéthylène poreuse
Pâte à calfeutrer au butylcaoutchouc
Pâte à calfeutrer élastomère

1 Appliquez de la pâte à calfeutrer entre les murs et les éléments en saillie. Dans le cas d'un robinet, desserrez les vis de fixation, grattez le vieux joint avec un couteau à mastic, appliquez de la pâte à calfeutrer acrylique siliconée sous la plaque de montage et resserrez les vis. Lissez la pâte à calfeutrer avec le couteau à mastic.

2 Si les murs sont en brique ou en maçonnerie, grattez les vieux joints cassants autour des moulures, puis enlevez les restes de pâte à calfeutrer avec une petite brosse métallique ; éliminez toute poussière résiduelle avec un jet d'air. Appliquez ensuite de la pâte à calfeutrer acrylique siliconée entre les moulures et les murs et lissez-la avec un couteau à mastic.

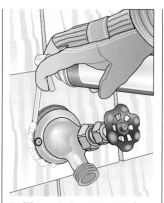

Jusqu'au fond. La cartouche de pâte à calfeutrer est-elle presque vide ? Placez un court goujon devant le piston : vous pourrez ainsi vider complètement la cartouche.

... vis... Utilisez une vis de préférence à un clou pour boucher une cartouche de pâte à calfeutrer entamée. Les filets forment un joint plus étanche.

Une longueur d'avance. Dans les espaces très restreints, appliquez la pâte à calfeutrer à l'aide d'une paille fixée au bout de la buse de la cartouche avec du ruban adhésif.

Des morceaux de pomme de terre peuvent servir à lisser la pâte à calfeutrer (leur jus leur permet de glisser sur la pâte). Avant usage, gardez les morceaux dans un sac de plastique pour préserver leur humidité.

Excès de zèle. N'appliquez pas de pâte à calfeutrer dans les petits orifices régulièrement espacés que présentent les murs de brique. Situés au-dessus de la fondation, des fenêtres et des portes, ces orifices (« chantepleures ») servent à évacuer l'eau de condensation.

Utilisez de la mousse de polyuréthanne pour obturer les fentes de plus de ½ po (12,7 mm) de largeur. Cette mousse est également utile pour éliminer les craquements sous un escalier ou chemiser les tuyaux qui cognent contre la charpente de la maison. Portez toujours des gants et des lunettes de protection.

Tee... Un tee de golf est idéal pour boucher une cartouche de pâte à calfeutrer ouverte.

... ou lien torsadé. Repliez un lien torsadé et utilisez-le pour boucher une cartouche de pâte à calfeutrer entamée. Il suffira de tirer sur le lien pour déloger le bouchon de pâte séchée qui se formera immanquablement dans la buse.

3 Avec un parement de bois, grattez les joints et la peinture endommagés ; poncez. Nettoyez avec du naphte, puis appliquez de la pâte à calfeutrer acrylique siliconée.

! **Ne peignez la pâte à calfeutrer qu'au besoin. La contraction et la dilatation de la pâte pourraient faire fendiller la peinture.**

4 Bouchez l'ouverture entre le parement et la fondation. Si, après avoir gratté les matériaux détachés, l'ouverture a plus de ½ po (12,7 mm) de largeur ou de profondeur, insérez-y un cordon d'appui en mousse de polyéthylène poreuse, puis appliquez de la pâte à calfeutrer au butylcaoutchouc.

5 Appliquez de la pâte à calfeutrer par-dessus les clous qui sont visibles sur la couverture ou le solin d'évent ; obturez aussi les fentes autour de l'évent et des solins de la cheminée. Étalez une petite quantité de pâte à calfeutrer élastomère à base de solvant ; lissez les bords avec un couteau à mastic pour éliminer les rides qui feraient obstacle à l'écoulement de l'eau.

Utilisez un nettoyeur haute pression à l'ombre, et laissez environ 2 pi (60 cm) entre la buse et le parement (portez des lunettes de protection). Si vous laviez le parement au soleil, la saleté risquerait de sécher dessus avant le rinçage.

Lavage méthodique. Progressez toujours de bas en haut quand vous lavez une maison avec un nettoyeur haute pression ; autrement, des zébrures tenaces se formeront sous les surfaces lavées. Progressez à l'inverse lors du rinçage.

Des sons révélateurs. Une lame de grattoir affûtée produit un son doux quand elle mord dans la peinture ; une lame émoussée, un fort grincement. En général, les lames carburées demeurent affûtées plus longtemps.

Inusité mais efficace. Une étrille en fer – du type qu'on utilise normalement pour brosser les chevaux – peut servir à enlever la peinture écaillée. Son manche profilé offre une très bonne prise, ce qui permet de travailler sans fatigue pendant de longues périodes.

Rapido presto. Une binette affûtée permet de gratter rapidement la peinture écaillée sur les grandes surfaces. Finissez avec un grattoir avant d'appliquer un apprêt. Portez des lunettes de protection.

Dépôt direct. Pour enlever et jeter en même temps les résidus de grattage qui adhèrent à la lame d'un couteau à mastic, découpez une fente sur le côté d'un pot à café et glissez-y ensuite la lame. Les résidus s'accumuleront dans le pot et la lame en ressortira propre comme un sous neuf.

Le verre et l'acier. Utilisez de la laine d'acier plutôt que du papier de verre pour enlever la vieille peinture sur un cadre de fenêtre : vous n'endommagerez pas les carreaux si vous les frottez.

Préparation d'un parement de bois

À PRÉVOIR :

Nettoyeur haute pression ou tuyau d'arrosage

Détergent ménager

Grattoir à longue poignée

Masque antipoussières

Ponceuse électrique

Papier de verre extra-rude et moyen

Pointe à tracer

Bouche-pores époxyde (facultatif)

Couteau à mastic

Apprêt à l'huile ou acrylique

Pâte à calfeutrer à peindre

Pinceau

1 Lavez le parement pour enlever la saleté et la peinture écaillée. Afin d'obtenir le meilleur résultat possible, utilisez un nettoyeur haute pression pouvant atteindre 2 000 lb/po² (13 800 kPa) ; ajoutez du détergent à l'eau. Enlevez les moisissures avec une solution de détergent et d'eau de Javel. Ne dirigez pas le jet d'eau sous les clins. S'il y a peu de saleté, utilisez un tuyau d'arrosage.

2 S'il reste de la peinture écaillée à certains endroits, enlevez-la avec un grattoir à longue poignée. Utilisez ensuite une ponceuse électrique pour amincir les bords ou éliminer les fissures et la peau de crapaud sur les surfaces peintes ; portez un masque antipoussières de qualité. Amorcez le ponçage avec du papier de verre extra-rude ; utilisez ensuite du papier de verre moyen.

Surfaces d'aluminium.

Avant de peindre des portes, des fenêtres ou des gouttières d'aluminium, enlevez les points de rouille avec une brosse métallique, puis essuyez le métal avec un chiffon imbibé de vinaigre blanc.

Papier « au dos collant ».

Fixez un morceau de ruban adhésif double face derrière le papier de verre avant de poncer des surfaces arrondies ou irrégulières. En plaçant la main sur le ruban, vous aurez une bonne prise.

Ceindre et peindre.

Ce porte-pinceaux est utile quand vient le temps de peindre des moulures dans le haut de la maison. Pour le fabriquer, détachez le haut d'une bouteille de détergent à lessive, pratiquez deux fentes à l'arrière et passez-y une ceinture.

Alumoulante.

Recouvrez les ferrures extérieures de quelques feuilles de papier d'aluminium épais avant de peindre. L'aluminium est résistant, s'adapte aux formes irrégulières et demeure en place si on le heurte avec un pinceau ou un rouleau.

Qu'à cela ne tienne !

Avant de fixer le ruban-cache sur les surfaces à protéger, frottez une bougie sur les deux côtés du rouleau. Vous pourrez ainsi enlever facilement le ruban sans arracher la vieille peinture.

Glissez le bac

dans un sac d'épicerie en plastique avant d'y verser la peinture. Retournez le sac si des inscriptions sont imprimées dessus (l'encre pourrait teinter la peinture). Jetez le sac après usage.

SÛR ET SENSÉ

➤ Pour éviter qu'un nettoyeur haute pression n'endommage le bois, bougez constamment la lance et laissez toujours environ 24 po (60 cm) entre la buse et les murs.

➤ La peinture appliquée avant 1980 peut renfermer du plomb. Si possible, faites-la enlever par un spécialiste. Sinon, portez un masque filtrant le plomb et des vêtements jetables. Recueillez les résidus sur des toiles de protection ; éliminez-les de la façon prescrite par la loi.

3 Voyez si le parement est pourri, en particulier le long des moulures et sous les robinets. Utilisez une pointe à tracer pour déterminer la profondeur des dommages. Si le parement est pourri en surface, poncez-le jusqu'au bois sain. Évidez-le là où il est profondément pourri, laissez sécher (voir p. 60), puis obturez avec du bouche-pores époxyde. Une fois le bouche-pores sec, poncez la réparation.

4 Grattez la pâte à calfeutrer qui s'émiette autour des portes et des fenêtres avec un couteau à mastic. Poncez ; enlevez la poussière ou les particules de peinture avec un balai. Appliquez un apprêt, puis une pâte à calfeutrer que vous pourrez peindre.

5 Apprêtez le bois nu ou les surfaces poncées. Utilisez un apprêt compatible avec la peinture de finition ; faites-le teinter de la même couleur. Peignez dans les deux semaines suivant l'application de l'apprêt.

 Appliquez un produit de préservation du bois avant l'apprêt sur les surfaces sujettes au pourrissement.

Une couleur foncée jurera-t-elle à côté de la couleur dominante ? Découpez une « persienne » ou une « porte » à l'échelle dans un carton et mettez-y la couleur en question. Fixez ensuite le carton peint à l'endroit voulu, reculez et voyez le résultat.

Huile ou latex ? Pour reconnaître le type de peinture qui a servi à peindre votre maison, humectez une ouate d'alcool à friction et frottez-la sur une surface cachée. La peinture au latex déteindra sur la ouate, la peinture à l'huile non.

La couleur de la peinture contenue dans deux bidons n'est jamais exactement la même. Quand le niveau de la peinture baisse dans un bidon, ajoutez-y de la peinture de l'autre bidon et agitez bien le contenu. Vous atténuerez ainsi toute différence de ton.

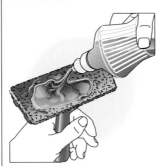

Jamais à sec. Utilisez une vieille bouteille de détergent à vaisselle pour imbiber un tampon de peinture ou de teinture. Agitez le contenu de la bouteille de temps en temps... après avoir pris soin de refermer le bouchon !

Transvasement. Avant de transvaser de la peinture, logez un « cordon » d'essuie-tout dans le rebord du bidon qui la contient. Ainsi, la peinture ne pourra couler sur le côté du bidon. Jetez le cordon après usage ; le couvercle s'emboîtera parfaitement dans le rebord.

Incompatibilité naturelle. Appliquez la peinture au latex avec un pinceau à soies synthétiques. La peinture à base d'eau fait gonfler les soies naturelles et retrousser leurs pointes, ce qui occasionne des reprises visibles.

Pour empêcher la teinture et la peinture de couler le long de votre bras quand vous travaillez au-dessus de votre tête, mettez un gant de caoutchouc, retournez la manchette et remplissez-la de papier hygiénique.

Mitaine de peintre. Si vous préférez peindre avec les doigts nus, retranchez la pointe d'une chaussette et percez un petit trou sur le côté. Glissez le bras dans la chaussette, passez le pouce dans le trou et boutonnez la manchette de votre chemise par-dessus cette « mitaine ».

Jaune, noir, blanc... Pour empêcher le blanc de jaunir, diluez plusieurs gouttes de peinture noire dans chaque litre de peinture blanche.

Application de la peinture

À PRÉVOIR :

Toiles de protection en tissu

Toiles de plastique

Échelle ou échafaudage

Pinceau

Tampon

Pistolet vaporisateur

1 Par temps sec et non venteux, recouvrez de toiles en tissu les surfaces à protéger. Placez des toiles de plastique par-dessus le climatiseur ou la boîte aux lettres ; attachez ou émondez les arbustes.

 Peignez à l'ombre. Au soleil, la peinture sèche trop vite et les reprises sont visibles.

2 Enlevez les persiennes ; vous les peindrez par temps libre. Peignez la maison de haut en bas, par pans complets pour éviter les défauts de reprise. Par exemple, peignez entièrement la surface se trouvant entre deux fenêtres, puis passez à une autre surface. Peignez, dans l'ordre, le parement, les moulures, les fenêtres, les portes, les rampes, les seuils, les planchers et les marches.

Peinture insectifuge. Les insectes peuvent ruiner une surface fraîchement peinte en s'y posant. Pour les repousser, versez plusieurs gouttes d'essence de citronnelle dans la peinture.

Peignez-vous un porche? Mettez un peu de sable dans la peinture pour rendre le plancher et les marches antidérapants. Agitez bien.

Indiquez le niveau et la couleur de la peinture qui vous reste en faisant une marque au pinceau sur le côté du bidon avant de refermer le couvercle.

Utilisez un balai-brosse à poils synthétiques souples pour peindre le porche ou la terrasse. Vous gagnerez du temps et pourrez atteindre les surfaces se trouvant entre les planches.

Suspendez les pinceaux pendant le trempage ; vous éviterez ainsi que les soies ne prennent un mauvais pli. Pratiquez une ouverture en X au centre du couvercle en plastique d'un pot de café, glissez-y le manche des pinceaux, puis remettez le couvercle sur le pot.

Nettoyage différé. Entre deux applications de peinture à l'huile, immergez vos pinceaux dans de l'eau. La peinture ne séchera pas et il vous suffira d'essorer plusieurs fois le pinceau sur un carton avant de le réutiliser.

Pour nettoyer des soies durcies par de la peinture à l'huile séchée, mettez-les à tremper 10 minutes à feu doux dans une casserole remplie de vinaigre blanc. Rincez ensuite à l'eau et suspendez le pinceau.

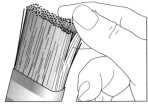

Pour assouplir les soies, faites-les tremper dans ½ pte (0,5 litre) d'eau chaude additionnée d'une cuillerée à soupe de revitalisant.

Finale. Après avoir repeint l'extérieur de la maison, appliquez une couche de cire incolore pour auto sur les luminaires de laiton. Polissez au chiffon doux.

3 Peignez d'abord la base des clins de bois. Appliquez la peinture par passes courtes ; étalez-la par passes légères et uniformes. Au besoin, appuyez sur le pinceau pour faire pénétrer la peinture dans les fentes et les enfoncements. Assurez-vous régulièrement qu'aucune surface n'a été omise ou ne présente de coulures.

4 Si vous utilisez un tampon, trempez-en un côté dans la peinture pour peindre la base des clins. Glissez-le ensuite d'un bout à l'autre de chaque clin, en le tirant vers vous lentement mais fermement. Si le tampon est moins large que le clin, appliquez la peinture par passes chevauchantes pour éviter les reprises. Assurez-vous régulièrement qu'aucune surface n'a été omise ou ne présente de coulures.

5 Si vous utilisez un pistolet vaporisateur, tenez-le horizontalement à environ 10 à 12 po (25-30 cm) du parement. Orientez la buse vers le haut et dirigez le jet de peinture sous la base de chaque clin. Orientez ensuite la buse droit devant vous et peignez chaque clin par passes uniformes et parallèles se chevauchant sur environ 1 po (2,5 cm). Efforcez-vous d'appliquer des couches minces et uniformes.

Bois pourri. Si une planche est pourrie, il y a fort à parier que des planches adjacentes le sont aussi. Avant toute réparation, inspectez l'ensemble des poteaux, des solives et des planches.

Mesure préventive. Pour limiter la progression du pourrissement d'une solive, évidez la partie pourrie, laissez-la sécher et appliquez-y au pinceau deux couches de produit de préservation pour terrasses.

Ne moulurez pas le bout des planches : l'humidité y serait retenue, créant un terrain propice au pourrissement et aux insectes.

Contre le gauchissement. Quand vous posez des planches, orientez le côté convexe des anneaux de croissance vers le haut.

La tête d'un clou est-elle noyée ? Creusez le bois tout autour avec un ciseau à bois, puis saisissez-la.

Arrachez les clous sortis de leur trou ; fixez ensuite les planches avec des clous de 16d. Mieux encore, utilisez des vis de 3 po (7,5 cm) pour terrasses, faciles à retirer au besoin. Si vous utilisez des clous, enfoncez-les de biais dans les vieux trous.

Attaches sans tache. Utilisez des attaches galvanisées par immersion à chaud ou inoxydables. Elles résistent à la rouille et ne tachent pas le bois.

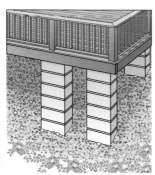

Lors de fortes pluies, l'eau qui s'écoule entre les planches peut emporter la terre qui se trouve sous la terrasse, surtout s'il y a une pente. Pour limiter l'érosion, recouvrez la terre d'une épaisse couche de gravier.

Les treillages peuvent embellir la base d'une terrasse. Pour les découper, utilisez une scie sauteuse plutôt qu'une scie circulaire ; sciez lentement.

Jardinières encastrées. Tracez un cercle sur la terrasse là où vous souhaitez mettre des fleurs. Découpez ensuite les planches en suivant la ligne ; utilisez une scie sauteuse. Pour finir, insérez un pot en terre cuite dans l'ouverture.

Remplacement d'une planche de terrasse

À PRÉVOIR :

Gants de travail	Teinture hydrofuge
Pied-de-biche ou tournevis	Bouche-pores époxyde
Marteau et ciseau à bois	Scie
Lame de scie alternative ou de scie à métaux (facultatif)	Tire-fond
Bois traité sous pression pour terrasses	
Clous ou vis pour terrasses galvanisés	

1 Enlevez la planche endommagée ; utilisez un pied-de-biche si elle est clouée, un tournevis si elle est vissée. Si vous ne pouvez retirer les attaches, essayez de les couper sous la planche avec une scie alternative ou une scie à métaux.

2 Inspectez la solive ; évidez les parties pourries avec un ciseau à bois et un marteau. Si le bois est mouillé, laissez-le sécher ; appliquez ensuite du bouche-pores. Sciez un renfort dans une solive de bois traité sous pression et fixez-le avec des tire-fond.

3 Sciez la planche de rechange aux dimensions utiles. Appliquez-y une teinture hydrofuge. Une fois la teinture sèche, posez la planche ; fixez-la aux solives avec des clous ou des vis pour terrasses galvanisés.

Imperméabilité du bois.
Versez un verre d'eau sur la terrasse. Si l'eau perle, le bois est imperméable ; sinon imperméabilisez-le.

Les taches de sève seront encore plus visibles si vous appliquez un hydrofuge incolore ou une teinture semi-transparente. Enlevez-les d'abord avec de l'essence minérale.

Quand vous remplacez une planche, rajeunissez le vieux bois adjacent avec un agent de blanchiment.

Pour limiter l'entretien de la terrasse, laissez le bois du plancher à l'état naturel. Lavez-le avec un nettoyeur haute pression chaque printemps. Utilisez un détergent si le bois est très sali.

Quand vous teignez le bois au pinceau, allez d'une surface sèche vers une surface humide pour éviter les défauts de reprise. Une fois parvenu à la surface humide, effectuez une passe en sens inverse jusqu'au point de départ.

Question de goût. Si le bois vieilli ne vous plaît pas, peignez un motif sur le plancher ; utilisez de la peinture au polyuréthanne.

Appliquez les produits de finition sur la terrasse avec un vaporisateur à pompe. Le jet atteindra le bois entre les planches et vous gagnerez du temps. Choisissez un jour sans vent.

Deux fois plutôt qu'une.
Appliquez toujours une seconde couche de teinture hydrofuge sur les bouts rugueux des planches ; le bois y est plus poreux.

Gare aux flaques. Éliminez les flaques de teinture avec un pinceau. Elles peuvent demeurer poisseuses pendant des semaines, finir par sécher et ensuite peler.

Imperméabilisation d'une terrasse

À PRÉVOIR :

Masque antipoussières	Vaporisateur (facultatif)
Tuyau d'arrosage	Lunettes de protection
Seau d'eau de Javel et d'eau ou de nettoyant pour terrasses	Balai
Pinceau	
Teinture hydrofuge	
Ponceuse à courroie ou papier de verre moyen	

1 Nettoyez le bois avec une solution d'eau de Javel diluée ou un nettoyant pour terrasses ; rincez ensuite avec un tuyau d'arrosage. Poncez les surfaces rugueuses, puis balayez la poussière ; portez un masque antipoussières.

2 Si vous appliquez la teinture hydrofuge au pinceau, travaillez dans le sens du fil et faites pénétrer les soies dans les fentes. Teignez aussi le dessous des planches, les solives, les poutres et les poteaux. Portez des lunettes de protection.

3 Éliminez soigneusement toutes les coulures au bout des planches avec un pinceau. Si vous utilisez un vaporisateur, passez un pinceau sur le bois exposé après avoir appliqué la teinture.

Rien ne presse. Vous n'aurez pas à courir sous la porte de garage alors qu'elle se referme si vous installez un interrupteur à bouton-poussoir près de la porte d'entrée de la maison et un autre près de la porte de garage.

Lubrification. Appliquez chaque année de l'huile légère sur les ressorts d'extension pour éliminer les grincements et lutter contre la rouille. Soulevez complètement la porte ; vous pourrez mieux lubrifier les ressorts s'ils sont détendus.

Réparation. Pour que la porte de garage reste ouverte pendant que vous la réparez, placez un 2 x 4 sous un coin, puis fixez une serre en C ou une pince-étau sur le rail, juste devant le galet supérieur.

La porte se coince-t-elle ?
Vérifiez l'horizontalité des panneaux inférieurs avec un niveau de menuisier. Repositionnez les équerres si les panneaux ne sont pas droits.

Les ressorts d'extension doivent être remplacés par paire, même si un seul est défectueux. Cela assure l'équilibre de la porte et évite l'usure prématurée.

Étanchéité. L'air qui s'infiltre entre les panneaux des portes basculantes refroidit la maison et fait augmenter les frais de chauffage. Pour remédier à la situation, fixez des joints de néoprène par-dessus chaque fente, sur toute sa longueur.

À RETENIR

Avant d'appuyer sur le bouton...
Vous pourriez devoir faire certains préparatifs en vue de l'installation d'un ouvre-porte de garage.

Électricité	Assurez-vous de disposer d'une prise de 120 volts mise à la terre (3 fentes) située à 3 à 6 pi (0,9-1,80 m) de l'ouvre-porte.
Serrures	Enlevez la barre de verrouillage de la porte de garage. Le moteur de l'ouvre-porte peut griller s'il est mis sous tension quand la porte est verrouillée.
Consolidation	Si la porte est faite de fibre de verre ou d'aluminium, consolidez le panneau supérieur avec des barres de métal.

Réglage d'un ouvre-porte de garage

À PRÉVOIR :

Huile à moteur non détergente de type « 20 »

Burette à rallonge souple

Chiffon

Lubrifiant blanc au lithium en aérosol (facultatif)

Clé à fourches

Ruban à mesurer

Époxyde (facultatif)

Ampoules de rechange pour le détecteur et piles de rechange pour la télécommande (facultatif)

1 Tirez sur le déclencheur manuel, puis ouvrez et fermez manuellement la porte pour déceler la présence d'obstructions. Sauf indication contraire dans le guide d'utilisation, lubrifiez la chaîne avec de l'huile à moteur non détergente de type « 20 » à l'aide d'une burette à rallonge souple. Humectez ensuite un chiffon d'huile et passez-le sur les rails ou vaporisez-y du lubrifiant blanc au lithium.

2 Resserrez avec une clé à fourches les boulons fixant les charnières de la porte et les galets. Assurez-vous que les galets sont bien logés dans les rails. Lubrifiez-les en mettant quelques gouttes d'huile à moteur sur leur axe ; vous pouvez aussi vaporiser du lubrifiant blanc au lithium sur les galets eux-mêmes.

Parallélisme. La porte de garage peut se coincer si les rails ne sont pas parallèles dans leur portion horizontale. Mesurez l'entre-rails en plusieurs points ; ajustez au besoin.

Un isolant en mousse pour tuyau peut former un joint étanche entre la porte et le plancher de garage, même si celui-ci est inégal. Fixez-le sous la base de la porte de garage (fente vers le bas), à environ ½ po (12,7 mm) du parement pour qu'il ne soit pas visible une fois la porte fermée.

L'appel de la pelle. Pelletez sans tarder la neige se trouvant à la base de la porte de garage. La chaleur solaire reflétée par la porte peut faire fondre rapidement la neige ; le cas échéant, l'eau de fonte risque de s'accumuler dans le garage et de souder la porte au sol si la température vient à baisser.

Infiltrations. Le joint situé au bas de la porte de garage, entre la traverse et les panneaux, est particulièrement exposé aux infiltrations. Appliquez-y de la pâte à calfeutrer et examinez-le périodiquement.

Contre le gel. Vaporisez un peu de lubrifiant à la silicone sur le coupe-bise de caoutchouc fixé sous la porte de garage : vous empêcherez ainsi la neige et la glace d'y adhérer.

En vacances ? Pour décourager les cambrioleurs, débranchez l'ouvre-porte de garage et verrouillez la porte avec la serrure à barre. Maints ouvre-portes récents ont un interrupteur qui commande leur débrayage.

3 Voyez si la porte est bien ajustée au cadre. L'ajustement doit être serré, mais la porte ne doit ni frotter ni se coincer. Les dommages attribuables à l'humidité et le tassement du sol sous la fondation peuvent altérer l'ajustement d'une porte ; pour le rétablir, desserrez les écrous, déplacez les rails à la main, puis resserrez les écrous.

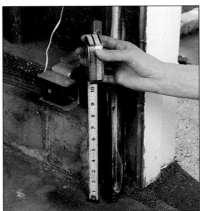

4 Les plus récents ouvre-portes de garage sont dotés de détecteurs à cellule photoélectrique qui empêchent la porte de se fermer lorsqu'il y a coupure du faisceau lumineux. Si la porte continue de descendre, vérifiez l'alignement des détecteurs avec un ruban à mesurer. Remplacez l'ampoule au besoin. Si le boîtier d'un détecteur est fendu, réparez-le avec de l'époxyde.

5 Pour vérifier la sensibilité d'un ouvre-porte, fermez la porte sur une boîte de carton vide : la porte doit remonter dès qu'elle entre en contact avec la boîte. Si la télécommande ne fonctionne pas, remplacez les piles ou bien déplacez l'antenne qui saille sous le carter du moteur. Finalement, assurez-vous que toutes les connexions du moteur sont solides.

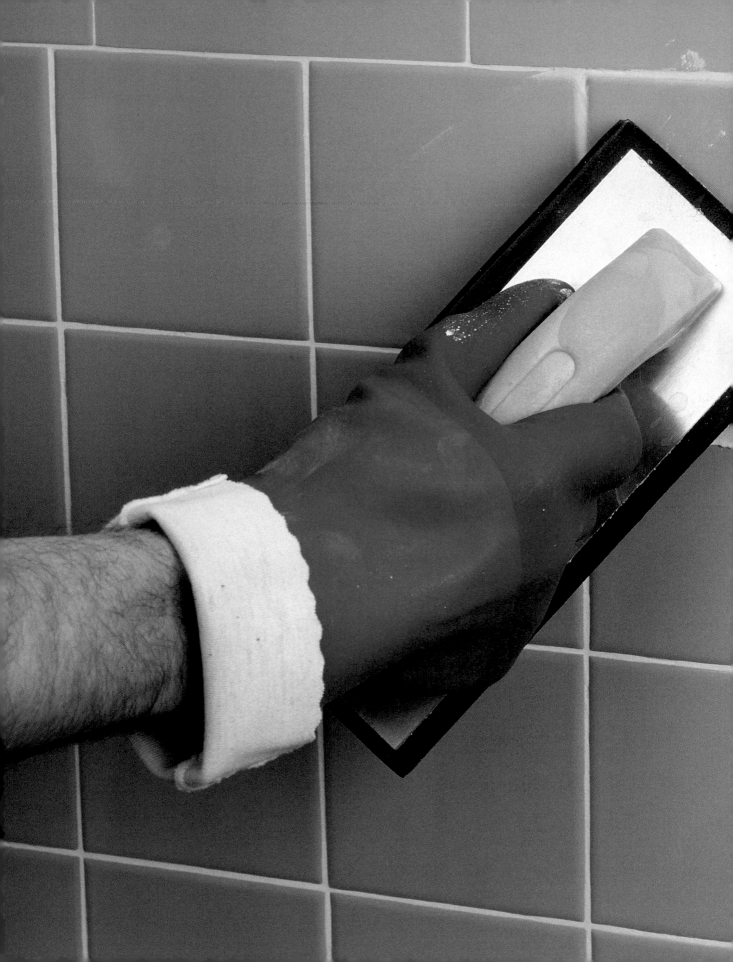

RÉPARATIONS ET RÉNOVATIONS INTÉRIEURES

Degré de difficulté des travaux :   Faible   Moyen   Élevé

Mesures et calculs. Pour tenir compte des pertes, mesurez chaque mur, ajoutez au moins 2 ou 3 po (5-7,5 cm) à la longueur utile et arrondissez le total à la longueur commerciale supérieure. Par exemple, si la longueur d'un mur est de 5 pi 6 po (1,65 m), achetez une moulure de 6 pi (1,80 m); si elle est de 5 pi 11 po (1,77 m), achetez une moulure de 8 pi (2,40 m).

D'un seul tenant. Achetez vos moulures par longueurs de dimensions au moins égales à celles des murs à finir. Vous limiterez ainsi les pertes et les assemblages.

Aux moulures de bois, préférez les moulures de polystyrène préfaçonnées. Faciles à scier et à poser, elles peuvent être peintes. Il existe sur le marché des blocs corniers sciés à onglet.

Retirez les moulures délicatement pour éviter d'endommager les murs. Utilisez un détecteur électronique pour repérer les poteaux et marquer la position des clous. Au niveau de chaque marque, glissez un couteau à mastic derrière la moulure, puis écartez légèrement celle-ci du mur. Enfilez ensuite un bardeau (ou une planchette) contre le mur et glissez un pied-de-biche entre lui et la moulure; détachez lentement la moulure avec le pied-de-biche.

Technique de sondage. Si vous ne disposez pas d'un détecteur électronique, repérez les poteaux en enfonçant des clous à finir en divers points le long du mur, sous la ligne d'emplacement des moulures, de façon que les trous de clous ne soient plus visibles une fois la pose terminée. Après avoir repéré un poteau, vous devriez vraisemblablement en trouver un autre à intervalle régulier, tous les 16 po (40 cm).

Teinture ou peinture? Tout dépend du bois utilisé. Le chêne et le noyer absorbent la teinture uniformément, contrairement à d'autres bois francs et aux bois tendres qui, une fois teints, présentent des marbrures, sauf si du bouche-pores est appliqué avant la teinture. Il est aussi possible d'appliquer uniquement du vernis incolore sur du bois.

Presque identiques. Vous reste-t-il deux moulures aux profils un peu différents? Posez-les sur un plan rectiligne uniquement et corrigez les différences avec de la pâte à joints. Ne les utilisez jamais pour finir des coins; en fait, les menuisiers expérimentés se servent d'une seule et même moulure pour réaliser les assemblages qui finissent les coins afin d'obtenir le meilleur ajustement possible.

Pose de couronnes

À PRÉVOIR:

Ruban à mesurer et crayon
Contreplaqué de ¾ po (19 mm)
Scie circulaire
Tournevis électrique et vis à placoplâtre de 1½ po (3,8 cm)
Couronnes
Peinture et pinceau
Vis à moulure ou clous à finir de 8d
Marteau et lunettes de protection (si des clous sont utilisés)
Pâte à calfeutrer (au besoin)
Scie à onglets et rallonge
Scie à chantourner
Couteau universel
Clous à finir de 4d

1 Découpez dans du contreplaqué de ¾ po (19 mm) des planchettes d'appui juste assez larges pour tenir derrière les couronnes. Marquez la position des solives de plafond. Vissez les planchettes aux solives là où elles sont perpendiculaires aux murs; ailleurs, posez les vis de biais pour qu'elles mordent dans les sablières derrière le placoplâtre. Laissez un espace à chaque coin entre les planchettes.

2 Peignez les couronnes, puis laissez sécher la peinture. Avec une chute de couronne, marquez la position du bord inférieur sur tous les murs. Coupez la première couronne d'équerre, à la longueur du mur le plus long. Fixez-la avec des vis à moulure ou des clous à finir de 8d (portez des lunettes de protection si vous utilisez des clous). Les attaches doivent mordre dans les planchettes d'appui.

Clouage des moulures.

Pour éviter que le bois se fende quand vous enfoncez des clous près des extrémités d'une moulure, percez des avant-trous avec un foret d'un diamètre légèrement inférieur à celui des clous.

La finition d'abord.

Il est toujours judicieux de peindre ou de teindre une moulure de plafond avant de la poser. Plutôt que de passer des heures sur un escabeau, il suffit alors de noyer les clous, d'obturer les trous et de faire quelques retouches.

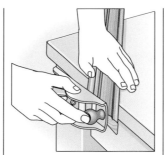

Peaufinage.

Il faut souvent retoucher les assemblages à onglets saillants pour obtenir un ajustement serré. Le cas échéant, dressez les bords avec un rabot d'établi de façon que les surfaces d'appui se touchent à plein.

De petits coins

peuvent servir à fermer un assemblage à onglet dans un angle rentrant. Appliquez de la colle de menuisier sur chaque onglet, puis enfoncez un coin dans l'assemblage avec un marteau ; arasez le coin au ciseau une fois la colle sèche.

Saillant et seyant.

Appliquez une mince couche de colle jaune (résine aliphatique) sur les onglets des assemblages à angle saillant après avoir percé des avant-trous de fixation aux extrémités des couronnes. Enfoncez des clous à finir dans les avant-trous pour fixer la pointe des onglets au mur. Une fois la colle sèche, poncez légèrement les onglets avec du papier de verre n° 120.

Un vide à combler.

Un vide se crée parfois entre une couronne et le plafond. Haussez alors légèrement la couronne pour éliminer le vide, puis fixez-la de nouveau au mur. Si la couronne semble ensuite trop tordue, remplissez plutôt le vide de pâte à calfeutrer au latex siliconé. Laissez sécher, puis peignez.

Il peut être difficile de tenir une longue moulure tout en essayant de fixer les deux parties d'un assemblage à une extrémité. Si personne ne peut venir vous aider, enfoncez partiellement un clou à finir dans le mur près de l'extrémité opposée et appuyez la moulure dessus. Une fois l'assemblage réalisé, achevez le travail en progressant vers le clou.

3 Sur un mur long, vous devrez peut-être utiliser deux couronnes. Joignez-les au centre du mur par un assemblage à onglet composé (45°). Si le plafond n'est pas égal, vous devrez peut-être remplir les vides de pâte à calfeutrer.

4 Contre-profilez la couronne suivante pour l'ajuster à la première. Sciez-la à 45° ; effectuez ensuite des coupes arrière à 60° avec une scie à chantourner le long des bords coupés. Ajustez avec un couteau universel.

 Une chute de couronne placée à l'envers sur la couronne que vous sciez peut fort bien servir de bloc de serrage.

5 Sur les coins saillants, formez un assemblage à onglet composé, avec la base de l'onglet du côté du mur. Faites un essai sur du bois de rebut. Fixez les couronnes avec des clous à finir de 4d enfoncés de biais.

 Excédez un peu la longueur utile lors de la coupe d'onglets saillants ; ajustez par la suite en une ou deux fois.

Pour faciliter le lambrissage, utilisez des panneaux précoupés plutôt que des planches rainurées et bouvetées. Offerts dans divers modèles, ils sont plus rapides à poser.

Préparatifs. Lorsque vous planifiez le lambrissage d'une pièce, centrez les panneaux sous les fenêtres. Utilisez des panneaux étroits : vous n'aurez pas à les découper en L autour des cadres de fenêtres. Veillez en outre à ce que les prises électriques se trouvent près du centre des panneaux ; déplacez-les au besoin.

Sur du solide. Ne posez les lambris que sur du placoplâtre ou des murs de plâtre. Un lambris fixé directement sur les poteaux risquerait de gauchir ou de se fendiller en raison des écarts d'humidité. Retirez toujours les plinthes en place ; les lambris doivent être posés à plat jusqu'au plancher.

Gare au gauchissement ! Achetez les planches rainurées et bouvetées ou les panneaux les plus plats possible. Des pièces de bois qui présentent un gauchissement (arcure, tuilage, torsion) n'auront jamais belle apparence une fois posées.

Essentiel. Aplombez toujours le premier élément d'un lambris (panneau ou planche rainurée et bouvetée). Vérifiez-en la verticalité à l'aide d'un fil à plomb.

Dans les pièces humides, évitez de poser un lambris constitué de panneaux de contreplaqué ; à la longue, l'humidité pourrait provoquer le décollement des plis. Utilisez plutôt des planches rainurées et bouvetées dont le parement, le contre-parement et les quatre chants ont été bouche-porés.

Au sec. Un lambris doit être sec quand vous le posez. Autrement, il risque de prendre du retrait. Le bois noueux retient plus l'humidité qu'un bois qui présente peu de nœuds. Empilez les planches ou les panneaux à l'intérieur (près de la pièce où ils seront posés) pendant au moins une semaine.

Même les languettes...
Peignez ou teignez les languettes des planches avant la pose ; les surfaces vierges peuvent devenir visibles si le bois prend du retrait.

Pose de lambris

À PRÉVOIR :

Pied-de-biche

Ruban à mesurer et crayon

Cordeau et niveau

Planches de lambris précoupées, plinthes et cimaises

Rabot de coupe (au besoin)

Pistolet à calfeutrer et adhésif

Lunettes de protection

Marteau et clous à lambris de couleur assortie ou clous à finir de 6d

Compas porte-crayon

Scie sauteuse

Tournevis électrique et vis (facultatif)

Scie à dossière et boîte à onglets, ou scie à onglets électrique

Perceuse et forets

1 Enlevez les plinthes avec un pied-de-biche. Marquez l'emplacement du bord supérieur du lambris (habituellement à 40-48 po [1-1,20 m] du plancher). Tirez une ligne au cordeau à la hauteur voulue et vérifiez-en l'horizontalité avec un niveau.

 Si vous êtes seul, enfoncez un clou dans le mur et attachez-y la ficelle du cordeau.

2 Repérez les poteaux et marquez leur position au-dessus de la ligne. Positionnez la première planche sur la ligne, après l'avoir dressée au besoin ; commencez près d'une porte ou dans un coin. Appliquez un cordon d'adhésif sur le mur avant de poser chaque planche. Au niveau des poteaux, clouez les planches dans le haut, dans le bas et au centre (portez des lunettes de protection).

Clous cachés. Enfoncez les clous à finir dans la languette des planches, un dans le haut, un au centre et un dans le bas ; orientez-les vers le centre des planches en les inclinant un peu vers l'arrière. Comme une rainure les recouvrira, vous n'avez pas à les noyer ni à obturer les trous.

Délai d'attente. Si possible, attendez environ 24 heures avant de poser les plinthes, le temps que l'adhésif sèche et que les planches ou les panneaux soient bien assis.

Gauche ou droite ? Un droitier aura plus de facilité à clouer des planches rainurées et bouvetées s'il amorce la pose du côté gauche du mur et progresse vers la droite. L'inverse est vrai pour un gaucher.

L'art de l'intégration. Une armoire d'angle peinte de la couleur du lambris semblera faire partie des boiseries de la pièce, qu'elle soit encastrée ou non.

Planche de salut. Pour insérer une planche de rechange rainurée et bouvetée dans un lambris, retranchez la feuillure inférieure, logez la languette dans la rainure de la planche adjacente, puis clouez du côté de la nouvelle rainure.

Pour dégauchir une planche neuve (ou un lambris déjà posé), vissez-la sur un poteau. Posez les vis dans le haut, au centre et dans le bas de la planche. Obturez les trous avec des pastilles de bois et effectuez les retouches nécessaires.

Solution de rechange. Au lieu d'un lambris, fixez du papier peint lavable préencollé sur le tiers inférieur du mur et bordez-le d'une cimaise. Offert dans une gamme illimitée de motifs, le papier peint est moins coûteux et plus facile à poser que le bois, et on peut le mettre en place sans enlever les plinthes. Si la cimaise n'est que décorative, remplacez-la par une frise.

3 Près d'une fenêtre, ne posez pas la dernière planche entière. Marquez-en plutôt la position (languette non comprise) au-dessus de la ligne horizontale. Placez ensuite une autre planche contre l'appui et reportez-y au compas l'intervalle entre son bord et la marque (médaillon). Tracez une ligne de coupe le long de la planche à la pointe du compas ; reportez aussi le profil de l'appui sur la planche.

4 Utilisez une scie sauteuse pour couper la planche marquée. Posez les deux planches, puis poursuivez le lambrissage autour de la fenêtre, en utilisant le compas au besoin. Si vous désirez appliquer un produit de finition, voyez « Même les languettes », p. 76. Appuyez les plinthes contre les murs et tracez les lignes de coupe ; effectuez les coupes à la scie sauteuse. Fixez les plinthes aux poteaux.

5 Sciez une extrémité d'une cimaise à 45° à l'aide d'une boîte à onglets ou d'une scie à onglets électrique. Appuyez la cimaise contre le mur, l'onglet dans un coin ; marquez la position des poteaux sur la cimaise et la ligne de coupe à l'autre extrémité de celle-ci. Sciez puis percez des avant-trous sur les marques des poteaux. Fixez la cimaise aux poteaux. Les attaches doivent pénétrer les poteaux.

Soyez prévoyant. Achetez plusieurs carreaux du modèle qui vous plaît et effectuez un carrelage à sec dans la pièce où vous les poserez. Si le modèle vous plaît encore au bout de quelques jours, commandez le reste des carreaux.

Dimensions relatives.
Considérez toujours les dimensions des carreaux par rapport à celles de la pièce où ils seront intégrés. Une pièce pourra sembler plus spacieuse si vous utilisez de petits carreaux.

Soigner les apparences.
Saleté, poussière et miettes ressortent davantage sur les carreaux très pâles ou très foncés. Les carreaux d'une couleur intermédiaire unie, fumés, en granit ou aux motifs bigarrés imitant la pierre révèlent moins la saleté.

Apparence et sécurité.
Les carreaux lisses et lustrés se nettoient sans peine, mais ils peuvent être dangereusement glissants une fois mouillés. Les carreaux texturés sont antidérapants, mais leur entretien s'avère plus ardu. Un carreau lustré ou mat, antidérapant et d'entretien facile combine toutes ces caractéristiques.

Le pour et le contre. Les carreaux non vitrifiés sont moins coûteux que les carreaux vitrifiés, mais ils sont difficiles d'entretien. Ils doivent être bouche-porés après la pose, puis de nouveau chaque année dans les endroits très passants.

Posez les tuiles murales sur un panneau d'appui dont la face rugueuse est orientée vers l'extérieur. Les adhésifs tiennent mieux sur une surface texturée.

Pose du panneau d'appui.
Prévoyez un joint de dilatation étroit entre le bord inférieur du panneau d'appui et l'évier, la baignoire ou le comptoir. Vous pourrez remplir ce joint de pâte à calfeutrer souple après avoir carrelé le mur. Assoyez temporairement le panneau sur des planchettes ou des cales pendant sa mise en place afin de maintenir l'espacement nécessaire.

Carrelage sur carrelage.
Vous pouvez poser des carreaux sur une surface déjà carrelée si elle est plane et en bon état. Matez-la auparavant avec du papier de verre au carbure de silicium afin que l'adhésif y tienne mieux.

Coupes rapides. Pour couper un carreau, rayez d'abord la face vitrifiée avec un coupe-verre. Déposez ensuite le carreau sur un crayon, placé directement sous la rayure, puis appuyez avec précaution de chaque côté de la rayure.

Remplacement d'un carreau de céramique

À PRÉVOIR :

Scie à coulis ou scie sans fil à carreaux

Gants

Marteau et burin

Balai et porte-poussière

Couteau à mastic à lame rigide ou vieux ciseau

Carreau de rechange

Adhésif au latex pour carreaux

Coulis

Bouclier à base caoutchoutée

Grosse éponge

Bouche-pores

1 Utilisez une scie à coulis ou une scie sans fil à carreaux pour enlever le coulis autour du carreau endommagé.

2 Fendez le carreau avec précaution à l'aide d'un marteau et d'un burin, puis retirez les éclats (portez des gants). Balayez tous les fragments de céramique sur le comptoir et le plancher, en prenant garde de ne pas y toucher à mains nues.

Précision de rigueur.
Quand vous devez découper un carreau pour l'ajuster à un cadre de porte, créez un gabarit avec un cordon de soudure. Moulez la soudure contre le cadre, puis utilisez-la pour tracer la ligne de coupe.

Le coulis pâle tend à se tacher et à se décolorer à la longue. Optez plutôt pour un coulis foncé. Même un carrelage foncé peut être mis en valeur par un coulis teinté.

Bouche-porez le coulis de deux à trois semaines après avoir jointoyé le carrelage. Appliquez le bouche-pores avec un pinceau étroit et laissez-le sécher avant d'exposer les joints à l'humidité. Rebouche-porez le coulis tous les deux ans.

Avant de réparer un carreau, préparez plusieurs échantillons de coulis ; notez les proportions de colorant et de coulis de chaque mélange. Laissez sécher les échantillons durant trois jours avant d'en choisir un.

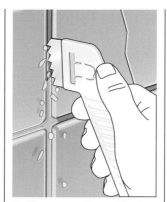

Enlèvement du coulis. La scie à coulis permet d'enlever sans peine le coulis entre les carreaux. Vendu dans les quincailleries, cet outil de la taille d'un couteau universel possède une lame dentée rigide. Des lames plus épaisses peuvent être adaptées à certains modèles.

Additionnez le coulis de retardateur de séchage. Plus le temps de séchage est long, plus le joint sera fort.

Joint souple. Les joints situés près des portes doivent être remplis de pâte à calfeutrer plutôt que de coulis. Souple, la pâte à calfeutrer résiste mieux que le coulis aux vibrations provoquées par les claquements de portes.

Masquage des joints. Posez des quarts-de-rond contre les plinthes pour masquer le dernier joint du carrelage.

Prêt au pire. Ayez des carreaux supplémentaires en réserve. Emballez-les soigneusement et indiquez sur l'emballage leur marque, leur couleur, leur provenance, la date d'achat et la pièce où le carrelage a été effectué. Conservez aussi du coulis dans un pot hermétique. Ces matériaux auront une valeur inestimable si un jour vous devez réparer le carrelage.

3 Grattez l'adhésif qui reste avec un couteau à mastic à lame rigide ou un vieux ciseau. Si vous travaillez sur du placoplâtre, évitez de déchirer le revêtement. Le cas échéant, arasez les lambeaux pour égaliser la surface.

4 Enduisez le dos du carreau de rechange d'adhésif au latex. Mettez ensuite le carreau en place et appuyez fermement dessus. Voyez si le joint est bien égal. Ne retouchez plus au carreau jusqu'au jour suivant.

5 Remplissez les joints de coulis à l'aide d'un bouclier (ci-dessus). Tenez le bouclier de biais et glissez-le sur le carreau en diagonale. Enlevez immédiatement le surplus de coulis avec une éponge humide (médaillon) ; repassez l'éponge sur le carreau lorsque le coulis sec forme un film poudreux. Attendez au moins 24 heures avant de retoucher au coulis ; bouche-porez-le au bout de quelques semaines.

Planification. Dressez d'abord un plan à l'échelle en prévoyant un joint de coulis de ¹⁄₁₆ à ⅛ po (1,5-3 mm) entre les carreaux. Essayez de limiter le nombre de carreaux qui devront être coupés. Évitez les agencements aux bandes étroites. Ayez le plan sur vous lors de l'achat des carreaux.

Couleurs. Devez-vous utiliser des carreaux unis et des carreaux à motifs ? Achetez-les tous en même temps, carreaux de bordure compris. Vous ferez un meilleur agencement des couleurs.

Guide d'achat. La porosité de la céramique varie. Les carreaux *non vitrifiés* sont très poreux, les carreaux *semi-vitrifiés* le sont modérément et les carreaux *vitrifiés* le sont peu. On réserve ces derniers à la cuisine ou la salle de bains.

Assise. Les carreaux peuvent être collés directement sur les murs. Néanmoins, les panneaux d'appui à base de béton forment une meilleure assise. Ne posez pas les carreaux sur du contreplaqué.

Effet décoratif. Derrière un comptoir débordant les armoires qui le surplombent, donnez au dosseret le profil d'un escalier. Réduisez la hauteur des rangs verticaux à partir de l'armoire.

Si le dosseret ne se prolonge pas jusqu'aux armoires qui le surplombent, coiffez-le d'une bordure arrondie de couleur assortie ou contrastante, d'une moulure en bois ou d'un support à épices peu profond. Si vous utilisez du bois, recouvrez-le d'un produit de finition hydrofuge durable ; vous devrez l'essuyer plus souvent que des boiseries ordinaires.

Aide visuelle. Si vous ne pouvez visualiser l'effet d'un motif, faites des photocopies couleur d'un carreau et fixez-les au mur. Corrigez l'agencement au besoin.

Un dosseret de tôle embossée est à la fois esthétique et pratique et il ne présente aucun joint à entretenir. Encollez-le (utilisez un adhésif de construction), appuyez-le sur le mur et clouez-le. Appliquez-y un apprêt à l'huile et deux couches de peinture émail.

Pose d'un dosseret de céramique

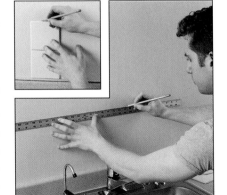

À PRÉVOIR :

Ruban-cache et papier de verre

Niveau de menuisier

Crayon et marqueur à encre indélébile

Espaceurs et règle

Carreaux

Scie à eau ou carrelette

Tenailles (au besoin)

Perceuse et scie-cloche (au besoin)

Truelle brettée et adhésif pour carreaux

Coulis sans sable et bouclier à coulis

Éponge, serviette ou tampon à récurer

Bouche-pores à la silicone et tampon de mousse à bout oblique

Pâte à calfeutrer et pistolet à calfeutrer

1 Le dosseret doit avoir au moins 8 po (20 cm) de hauteur. Mettez les prises électriques et les interrupteurs hors tension et recouvrez-les de ruban-cache. Les murs doivent être propres et en bon état ; poncez les surfaces lustrées. Vérifiez l'horizontalité du comptoir. Planifiez la pose pour limiter les coupes (médaillon). Indiquez la position des carreaux sur le mur en traçant des lignes guides au crayon.

2 Tracez les lignes de coupe au marqueur. Faites les coupes droites avec une scie à eau ou une carrelette, les profils arrondis avec des tenailles et les trous avec une scie-cloche au carbure et une perceuse. Laissez sécher les carreaux avant la pose.

 Achetez des carreaux supplémentaires pour vous habituer à travailler avec les outils.

Carreaux manquants.
Si vous avez mal calculé le nombre de carreaux dont vous avez besoin ou si vous voulez modifier l'agencement choisi, procurez-vous sans tarder les carreaux qui manquent. En agissant vite, vous aurez plus de chances de trouver des carreaux presque identiques aux vôtres dans un autre lot.

Dernière vérification.
Avant de coller les carreaux, procédez à un carrelage à sec sur une table de travail ou le comptoir situé sous l'assise. Espacez les carreaux en tenant compte de l'épaisseur du joint de coulis et revoyez le résultat final.

Desserrez les vis fixant les boîtes des prises électriques de façon à pouvoir glisser les carreaux sous les languettes. Rallongez les boîtes si le code l'exige.

Les carreaux décoratifs fragiles doivent être posés sur les murs, pas sur les comptoirs. Ils pourraient se fendre sous les chocs répétés des ustensiles.

Technique de pose. Posez toujours les carreaux d'un dosseret à partir du comptoir et en progressant de bas en haut. Assoyez le premier rang de carreaux sur des cales afin de maintenir un espacement égal entre le comptoir et le dosseret.

Avant que l'adhésif ne sèche, appuyez une planche mince recouverte de tapis sur les carreaux et frappez-la avec un maillet de caoutchouc pour niveler le carrelage. Essuyez ensuite le surplus d'adhésif qui aura flué entre les carreaux.

Fais ce que doit. Remplissez les joints de coulis avec le doigt dans les coins rentrants. Vous saurez au toucher quand le joint sera plein.

En souplesse. Un joint de coulis situé entre un comptoir et un dosseret ou entre un dosseret et une moulure de bois ou une armoire peut se fendre en raison des écarts d'humidité et de température. Pour éviter ce type de dommage, remplissez le joint de pâte à calfeutrer.

Nouveaux rôles. Une raclette est utile quand vient le temps de comprimer le coulis ou de l'enlever sur les carreaux ; un bâton de sucette glacée ou la poignée d'une brosse à dents peuvent fort bien servir à tasser le coulis dans les joints.

Essuyage. Après avoir appliqué le coulis, essuyez les carreaux à deux reprises avec une éponge humide. Effectuez deux passes diagonales en sens opposés pour éviter de creuser les joints.

3 Étalez l'adhésif avec le bord uni d'une truelle brettée (en couche correspondant aux deux tiers de l'épaisseur des carreaux) ; striez-le ensuite avec le bord denté de la truelle, uniformément et sans recouvrir les lignes guides. Appliquez la quantité d'adhésif que vous pouvez couvrir en 20 minutes. N'appliquez pas d'adhésif jusqu'au comptoir. Le joint sera rempli de pâte à calfeutrer plus tard.

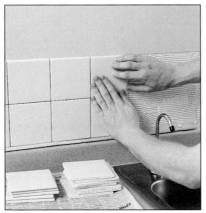

4 Mettez les carreaux en place ; appuyez fermement sur chacun tout en lui imprimant une légère rotation de gauche à droite. Amorcez la pose des carreaux au bas du mur et progressez vers le haut. Après avoir posé plusieurs carreaux, assurez-vous qu'ils sont bien alignés et dans le même plan à l'aide d'une règle. Laissez sécher l'adhésif durant 48 heures au moins.

5 Délayez le coulis, puis étalez-le en diagonale sur les carreaux avec un bouclier à base caoutchoutée. Attendez 15 minutes, puis enlevez le surplus avec une éponge humide. Par la suite, utilisez une serviette propre et sèche pour enlever le film poudreux qui se sera formé sur les carreaux. Après plusieurs jours, calfeutrez le joint entre le comptoir et le dosseret. Après sept jours, bouche-porez le coulis.

Utiliser ou jeter. Quand vous utilisez du plâtre à reboucher, ne délayez que la quantité pouvant être mise en œuvre en 20 minutes ou moins. Il vaut toujours mieux jeter du plâtre qui a commencé à prendre plutôt que d'y ajouter de l'eau pour le délayer de nouveau, ce qui altérerait son apparence.

Du solide à bon marché. Utilisez un mélange plâtre-perlite pour réparer le plâtre. C'est un produit peu coûteux, que l'on peut acheter dans la plupart des quincailleries et chez certains marchands de bois. Choisissez la préparation *ordinaire*. La perlite allège le mélange qui, une fois sec, devient dur comme du roc.

Doublement avantageux. S'il vous faut un produit un peu plus durable que la pâte à joints, additionnez celle-ci d'un mélange plâtre-perlite. Du même coup, vous allongerez le temps de séchage.

Fini lisse. Achevez toute réparation d'une surface de plâtre en appliquant une couche de pâte à joints ; vous pourrez ainsi la niveler plus facilement.

Distinctions utiles. Une crevasse longue, profonde et de largeur inégale est due en général à une anomalie structurelle. Faites appel à un spécialiste pour corriger toute anomalie au niveau de la structure de la maison avant de réparer la fissure. Une petite fissure à la surface du plâtre n'est probablement que superficielle. Obturez-la avec de la pâte à joints.

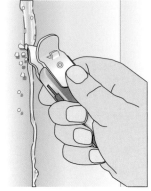

En largeur. Avant de réparer une fissure étroite, élargissez-la sur environ 1/8 po (3 mm) avec un décapsuleur. Chassez ensuite les débris avec un sèche-cheveux. Obturez la fissure après avoir humecté ses parois avec une éponge.

Utilisez une spatule caoutchoutée de cuisine pour obturer les petites fissures et les trous de clous. C'est un outil souple et facile à utiliser.

À RETENIR

Obturation d'un trou dans un mur

Chaque produit d'obturation présente des avantages et des désavantages. Pensez-y la prochaine fois que vous devrez réparer un trou dans du plâtre ou du placoplâtre.

Type	Avantages	Désavantages
Pâte à joints	Lisse à l'application ; facile à poncer	Sèche en 24 heures ; prend du retrait
Plâtre à reboucher	Sèche rapidement ; prend peu de retrait	Plus difficile à niveler par ponçage
Plâtre-perlite	Sèche en 2 heures ; sans retrait ; durable	Difficile à poncer

---

Réparation du plâtre

À PRÉVOIR :

Toiles de protection

Masque antipoussières, gants de travail, lunettes de protection

Outil cinq-dans-un

Vaporisateur rempli d'eau

Liant au latex

Taloche ou chute de contreplaqué (pour transporter le plâtre)

Plâtre de Paris et pâte à joints

Spatules de finition de 4 et 10 po (10 et 25 cm)

Cale à poncer

Apprêt et peinture

Couteau à mastic

Papier de verre de silex n° 80

1 Avant d'obturer une fissure, retirez les meubles de la pièce et placez des toiles de protection sur le plancher. Grattez le plâtre qui tient mal avec un outil cinq-dans-un (illustration) ou un couteau à mastic. Portez un masque antipoussières, des lunettes de protection et des gants de travail.

2 Ôtez la poussière de la fissure et humectez le plâtre (en haut) ; attendez quelques minutes, le temps que le plâtre absorbe l'eau. Appliquez un liant au latex, qui permettra au plâtre frais d'adhérer au plâtre sec ; laissez sécher 45 minutes environ. Remplissez la fissure de plâtre, de pâte à joints ou d'un mélange des deux. Poncez la réparation une fois qu'elle est complètement sèche. Apprêtez-la et peignez-la.

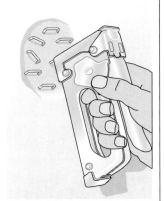

Points d'ancrage. Des agrafes enfoncées au fond des dépressions larges et peu profonds offriront une meilleure prise au produit d'obturation fraîchement appliqué sur les murs. Enfoncez-les partiellement, mais veillez à ce qu'elles soient légèrement en retrait par rapport à la surface des murs pour éviter qu'elles ne saillent de la réparation.

Les trous de grande taille, qui ne sont pas trop profonds, doivent d'abord être recouverts, suivant un motif croisé, de bandes de toile de fibre de verre auto-collantes. Finissez avec deux ou trois couches de pâte à joints.

Outils de finition. Si la lame de votre couteau à mastic est moins large que la réparation, ses coins creu- seront la pâte à joints et la finition laissera à désirer. Lissez plutôt la pâte avec un couteau plus large ou une règle de métal placée sur son chant.

Séchage. Utilisez un sèche- cheveux pour accélérer le séchage de la pâte à joints des petites réparations. Chauffez la pâte uniformé- ment, à basse température, afin qu'elle sèche sans se fendiller.

Placoplâtre sur plâtre. Si vous devez poser du placo- plâtre sur un vieux mur de plâtre, repérez les poteaux et marquez leur position. Alignez les bords du placo- plâtre sur les poteaux, puis effectuez la pose avec des vis à placoplâtre de 2 po (5 cm) ; les vis doivent péné- trer les poteaux. Appliquez le ruban à joint et la pâte à joints comme d'habitude.

En surface. Les murs de plâtre anciens ont souvent une texture distinctive qu'il faut reproduire lorsqu'on les répare. Pour ce faire, passez un peigne, une éponge ou une brosse à poils raides sur les réparations fraîches. Vous pourriez trouver utile de faire d'abord un essai de texturation sur une planche.

Fini rugueux. S'il vous faut obturer un trou dans du plâ- tre à texture sableuse, ache- vez la réparation juste avant qu'elle n'affleure la surface adjacente ; appliquez-y ensuite un apprêt au latex et de la peinture additionnée de sable.

Pour obtenir un fini lisse, nettoyez souvent la lame du couteau à mastic en la frot- tant sur un morceau de bois de rebut propre. Vous vous débarrasserez ainsi des frag- ments de pâte séchée.

3 Pour obturer un trou, enlevez le plâtre qui tient mal ou qui s'effrite avec un outil cinq-dans-un. Enle- vez la poussière qui se trouve dans le trou et humectez le plâtre ; attendez quelques minutes, le temps que le plâ- tre absorbe l'eau. Appliquez un liant au latex ; laissez sécher 45 minutes environ.

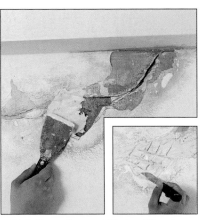

4 Délayez la quantité de plâtre de Paris nécessaire pour obturer le trou. Remplissez le trou avec une spatule de finition de 4 po (10 cm), en allant du centre vers le pourtour ; la réparation ne doit pas tout à fait afflu- rer la surface du mur. Avant que le plâtre prenne, hachurez-le en surface. Les hachures permettront à la couche finale de mieux adhérer à la réparation. Lais- sez sécher complètement.

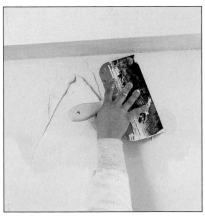

5 À l'aide d'une spatule de finition de 10 po (25 cm), appliquez une cou- che de pâte à joints en guise de couche finale. Assurez-vous que la réparation est de niveau et qu'il n'y a aucun renfoncement causé par des poches d'air. Au besoin, appliquez une mince couche de pâte à joints supplé- mentaire. Une fois la réparation sèche, poncez-la légèrement avec du papier de verre de silex n° 80.

Le calcul vaut le travail.

Avant de commander du placoplâtre, voyez dans quelles dimensions les panneaux sont offerts. Sur des murs de 9 pi (2,75 m), vous aurez un joint horizontal au lieu de deux si vous utilisez des panneaux de 4½ pi (1,37 m) plutôt que des panneaux de 4 pi (1,20 m).

Vis ou clous ?

Fixez le placoplâtre aux poteaux avec des vis plutôt que des clous chaque fois que c'est possible. La pose sera plus rapide, et vous vous éviterez bien des réparations – les clous ne manquant jamais de ressortir du placoplâtre au bout de quelque temps.

Un peu, mais pas trop !

Pour bien fixer le placoplâtre aux murs, noyez les têtes de vis juste assez pour pouvoir les recouvrir de pâte à joints. Ne les noyez pas trop profondément : elles troueraient le papier et réduiraient l'âme de gypse en poussière.

Des clous sont ressortis ?

Enfoncez-en d'autres au-dessus et au-dessous, à 2 po (5 cm) environ de leurs têtes. Appuyez ensuite fermement le placoplâtre contre le poteau et enfoncez tous les clous de façon que la tête du marteau laisse une empreinte creuse sans toutefois déchirer le papier. Enlevez la peinture écaillée et le plâtre qui tient mal, puis remplissez les empreintes de pâte à joints avec un couteau de finition de 6 po (15 cm). Laissez sécher, puis poncez au papier de verre fin et peignez.

Coins saillants.

Pour couper le placoplâtre dans un coin saillant, appuyez-le contre le mur et entaillez-le par-derrière avec un couteau universel ; utilisez le coin comme guide. Cassez ensuite le placoplâtre le long de l'entaille en le rabattant dans l'autre sens et achevez la coupe sur la face avant.

Se servir de sa tête.

Il est courant de soulever le placoplâtre avec la tête pour l'appuyer au plafond au moment de le clouer. Portez alors un casque rembourré.

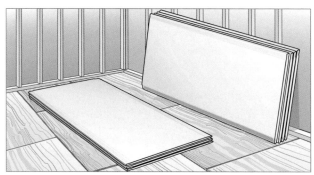

Stockage. Stockez le placoplâtre dans un endroit frais, bien aéré et peu humide. Empilez les panneaux à plat (ou placez-les sur leur chant le plus long et appuyez-les contre un mur). Le placoplâtre est lourd ; veillez à faire plusieurs petites piles pour répartir la charge sur les solives du plancher.

Réparation du placoplâtre

À PRÉVOIR :

Équerre, règle et ruban à mesurer
Crayon et niveau
Scie à placoplâtre (facultatif)
Couteau universel
Bois de rebut (bandes de clouage)
Tournevis Phillips ou perceuse
Vis à placoplâtre (longueurs variées)
Placoplâtre de rebut (rapiéçage)
Râpe (facultatif)
Pâte et ruban à joints
Spatule de finition de 6 po (15 cm)
Papier de verre fin et cale à poncer

1 Découpez dans le placoplâtre une ouverture rectangulaire plus grande que le trou et limitée de chaque côté par un poteau. Tracez d'abord les lignes de coupe avec un crayon et un niveau, et les coins avec une équerre.

 Élargissez le trou au besoin pour repérer les poteaux, les fils et les tuyaux.

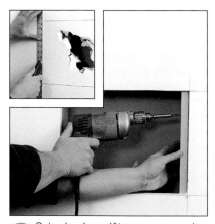

2 Sciez le placoplâtre avec une scie à placoplâtre ou avec un couteau universel et une règle. Taillez des bandes de clouage d'une longueur excédant un peu la hauteur de l'ouverture ; fixez-les aux poteaux avec des vis à placoplâtre.

En solitaire. Si vous êtes seul, clouez des blocs aux poteaux et utilisez-les en guise de supports pour maintenir le placoplâtre à la hauteur utile. Si vous devez poser le placoplâtre sur une cloison, appuyez-le sur une serre en C fixée à un poteau.

Dans les coins rentrants, appliquez de la pâte à joints d'un côté, laissez-la sécher, puis appliquez-en de l'autre côté. Vous éviterez ainsi de marquer la pâte fraîche.

Prise d'empreinte. Le logement de chaque boîte électrique doit être découpé dans le placoplâtre. Pour positionner les lignes de coupe avec précision, frottez de la craie sur le pourtour de la boîte. Appuyez ensuite le placoplâtre contre le mur et frappez-le avec le poing : la boîte laissera son empreinte derrière. Amorcez la coupe au centre de l'empreinte, puis suivez le contour (utilisez une scie à placoplâtre).

Agitez la pâte à joints prémélangée avec une baguette propre. Vous éviterez ainsi de voir des poches d'air apparaître sur les murs.

Essayez pour voir ! Portez des lunettes de nage ordinaires quand vous poncez une surface au-dessus de votre tête. Étanches et légères, elles assurent une bonne vision.

Plus de poussière. La pâte à joints étant soluble dans l'eau, il est possible de niveler les bords des réparations ou des joints en les frottant avec une éponge à placoplâtre mouillée. Imbibez l'éponge d'eau, essorez-la, puis utilisez-la comme s'il s'agissait d'une cale à poncer. Ne mouillez pas le papier de parement du placoplâtre ; il se déchirerait.

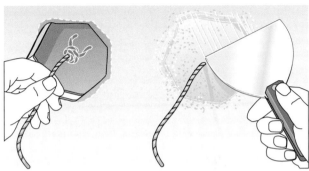

Obturation d'un trou. Il peut être difficile d'obturer un trou dans du placoplâtre quand il n'y a pas d'appui. Si le trou a 2 po (5 cm) ou moins, découpez une pièce de carton rigide un peu plus grande. Passez ensuite une ficelle résistante à travers le carton ; nouez-la derrière. Poussez le carton dans le trou ; tirez sur la ficelle de façon à appuyer le carton contre la face arrière du placoplâtre. Obturez le trou avec de la pâte à joints séchant rapidement. Une fois la pâte sèche, coupez la ficelle à ras du mur. Striez la réparation. Appliquez une nouvelle couche de pâte, lissez-la. Poncez, puis peignez.

 Mesurez la pièce de placoplâtre et taillez-la avec un couteau universel et une règle. Si possible, utilisez comme modèle le morceau de placoplâtre retiré à l'étape 2. Positionnez la pièce dans l'ouverture ; rognez-la au besoin avec un couteau universel ou une râpe. Fixez-la ensuite avec des vis à placoplâtre de 1¼ po (3,15 cm). Utilisez le couteau universel pour retrancher tout bout de papier ou de gypse soulevé.

4 Appliquez une couche de pâte à joints sur les joints (en haut) avec une spatule de 6 po (15 cm). Assoyez le ruban dans la pâte en glissant la spatule de biais par-dessus et en pressant pour que la plus grande partie de la pâte flue sur les côtés (en bas).

! **Les bandes de ruban ne doivent pas se chevaucher au niveau des coins.**

5 Lorsque la première couche a séché (une nuit habituellement), appliquez une deuxième couche la débordant de 6 po (15 cm). Une fois la deuxième couche sèche, grattez les aspérités et appliquez une troisième couche débordant la deuxième de 6 po (15 cm). Laissez sécher, puis poncez légèrement avec du papier de verre fin ; enlevez bien toute la poussière avant d'apprêter et de peindre la surface.

À vous de choisir. Si vous n'avez jamais posé un revêtement de sol vinylique en rouleau, optez pour un revêtement mince et peu coûteux ; il sera plus facile à mettre en place qu'un revêtement épais. Préférez-vous un revêtement épais et de meilleure qualité ? Faites-le poser par un spécialiste.

Rien à cacher. Ne posez un nouveau revêtement vinylique que sur une surface propre et non cirée, ne présentant ni taches de peinture ni débris de plâtre qui pourraient percer le vinyle.

Prudence. Les revêtements d'avant 1982 peuvent renfermer des fibres d'amiante. Posez tout nouveau revêtement par-dessus ou, s'il vous faut les enlever, faites appel à un spécialiste.

Jusqu'au bois nu. Pour enlever un vieux revêtement de sol vinylique, coupez-le en lés de 10 po (25 cm) de largeur avec un couteau. Enroulez l'extrémité de chaque lé sur un rouleau à pâtisserie, puis détachez le lé du plancher en faisant avancer le rouleau. Si la sous-couche de feutre demeure collée au plancher, humectez-la d'eau chaude savonneuse et grattez-la avec un grattoir à plancher.

Aplanir les difficultés. Il peut être difficile d'aplanir un revêtement de sol vinylique enroulé serré. Pour y arriver, déroulez-le à l'extérieur et laissez-le au soleil pendant un certain temps.

Avant la pose. Déroulez le revêtement vinylique dans la pièce où il sera posé ; attendez au moins une heure avant d'amorcer la pose, le temps qu'un équilibre s'établisse entre la température du revêtement et celle de la pièce.

Emplacement des joints. Planifiez la pose du revêtement de façon que les joints ne se trouvent pas directement devant les portes. Laissez un intervalle d'au moins 6 po (15 cm) entre les joints du revêtement et ceux de la sous-finition.

À plat. Passez un rouleau à plancher sur le revêtement au moment de l'asseoir dans l'adhésif. pour éliminer les poches d'air.

Entreposez les rouleaux de revêtement à plat. Le revêtement peut se fendre ou fléchir sous son propre poids en prenant un mauvais pli si les rouleaux sont placés à la verticale.

Rapiéçage d'un revêtement de sol vinylique

À PRÉVOIR :

Retaille de revêtement de sol vinylique	Truelle brettée ou applicateur bretté en plastique
Couteau universel	Chiffon humide
Ruban-cache	Objet lourd
Règle	
Couteau à mastic à lame rigide ou grattoir	
Adhésif pour revêtement de sol	

1 La pièce doit excéder les dimensions utiles. Placez la retaille sur la partie endommagée, alignez ses motifs et fixez-la avec du ruban-cache. Incisez ensemble la pièce et le revêtement à l'aide d'un couteau universel et d'une règle.

2 Réservez la pièce le temps de retirer la partie endommagée. Grattez le vieil adhésif sur la sous-finition avec un couteau à mastic à lame rigide ou un grattoir.

3 Appliquez l'adhésif sur le plancher avec une truelle ou un applicateur bretté (à gauche). Si le revêtement n'est collé qu'en pourtour, étalez de l'adhésif sous les bords coupés. Posez la pièce, appuyez et essuyez les bavures. Lestez pendant 24 heures.

Dans la salle de bains, posez un revêtement en rouleau plutôt que des carreaux vinyliques : moins il y a de joints, moins l'eau risque de s'infiltrer sous le plancher.

Si un carreau est soulevé, mettez de l'adhésif sous les bords, puis enfoncez un clou à finir dans les coins et le long des joints. Couvrez les têtes de clous de pâte à calfeutrer.

À froid. Si vous devez nettoyer un outil sur lequel de l'adhésif pour revêtement de sol a séché, placez-le au congélateur jusqu'au jour suivant. L'adhésif durcira et vous pourrez ensuite le gratter facilement (portez des lunettes de protection).

SÛR ET SENSÉ

➤ Lavez les revêtements vinyliques avec une solution d'eau chaude et d'ammoniaque incolore : ils se terniront moins.

➤ Éliminez les éraflures sur les revêtements vinyliques avec un tampon abrasif doux (frottez en décrivant des cercles). Polissez avec un tampon de feutre de laine.

➤ Placez les électroménagers sur des supports antirouille pour préserver les revêtements.

Mettre au pas. Fixez un seuil de métal à l'entrée d'une pièce où un revêtement de sol vinylique a été posé. Le seuil empêchera le revêtement de se retrousser et formera une transition sécuritaire entre les pièces attenantes.

Une touche d'originalité. Égayez un plancher terne en posant des carreaux de vinyle décoratifs dans des ouvertures ménagées à même le revêtement de sol vinylique. Les carreaux et le revêtement doivent avoir la même épaisseur. (Un revêtement qui n'est collé que sur son pourtour ne se prête pas à ce type d'agencement.)

Usure. Le revêtement incolore des carreaux vinyliques finit par s'user à la longue. Restaurez les surfaces détériorées en y appliquant du bouche-pores à carreaux, offert dans les magasins spécialisés.

Rincez bien les planchers lavés au savon. Les produits savonneux laissent un film qui brouille les polis.

Entreposez les carreaux vinyliques à plat, dans leur boîte. Lestez ceux qui sont empilés en vrac pour les empêcher de gondoler. Le gondolement rend la pose difficile.

Remplacement d'un carreau vinylique

À PRÉVOIR :

Sèche-cheveux ou fer à vapeur et essuie-tout	Maillet de caoutchouc ou marteau
Couteau à mastic à lame rigide ou grattoir	Bloc de bois
Carreau de rechange	Chiffon mouillé (au besoin)
Applicateur bretté	Planche et objet lourd
Adhésif au latex pour carreaux	

1 Amollissez le carreau endommagé et l'adhésif sous-jacent en les chauffant au sèche-cheveux ou placez un essuie-tout sur le carreau et passez-y un fer à repasser. Avec un couteau à mastic rigide, détachez le carreau à partir d'un coin.

2 Grattez les résidus d'adhésif sur la sous-finition ; prenez garde de ne pas endommager les carreaux adjacents. Étalez uniformément l'adhésif pour carreaux avec un applicateur bretté en plastique, en évitant tout contact avec les mains.

3 Chauffez le carreau neuf (étape 1). Amorcez la pose au bord d'un carreau adjacent. Assoyez le carreau avec un maillet et un bloc de bois. Essuyez les bavures avec un chiffon humide. Recouvrez le carreau d'une planche et lestez 24 heures.

Coût total. Additionnez les prix de tous les matériaux et communiquez ensuite avec quelques parqueteurs. Ces derniers se procurent peut-être les mêmes matériaux auprès de grossistes. Le prix qu'ils demanderont pour effectuer le travail, matériaux compris, pourrait donc s'avérer intéressant.

Comparaisons. Ne choisissez jamais un parquet uniquement à partir de photographies. Rendez-vous chez un marchand et comparez divers produits. Vérifiez notamment l'emboîtement des biseaux.

Teneur en eau. Posez un parquet quand la teneur en eau du bois se situe entre 6 et 9 p. 100 (utilisez un hygromètre pour la mesurer). Un bois suffisamment sec aura moins tendance à gauchir et prendra moins de retrait.

Posez un pare-vapeur. Intercalez un matériau protecteur entre la sous-finition et le parquet pour empêcher l'humidité de pénétrer le bois par-dessous. Une épaisseur de feutre de 15 lb (6,8 kg) permet d'obtenir un résultat optimal.

Clouage. Pour fixer une lame de parquet, enfoncez les clous de biais dans la languette à 8 po (20 cm) d'intervalle en orientant leur pointe vers la lame. Les têtes de clous seront dissimulées dans la rainure de la lame adjacente.

Les lames de parquet doivent être clouées une à une de façon qu'elles puissent se contracter et se dilater séparément. Lorsque les lames prendront du retrait, les joints s'élargiront, mais ce phénomène sera minime et rarement décelable.

Les planches de parquet de 4 po (10 cm) de largeur ou plus doivent être vissées aux solives et à la sous-finition et clouées au niveau de leurs languettes. Ce mode de fixation empêche le bois de se contracter de façon excessive. Les têtes de vis sont noyées, puis recouvertes de futée ou cachées sous des pastilles de bois.

Couleur locale. Avant d'obturer les trous de clous ou de cacher les têtes de vis, préparez une futée ayant la couleur du parquet. Mélangez la sciure produite lors du ponçage de finition du parquet avec du bouche-pores pour former une pâte épaisse. Utilisez un couteau à mastic pour loger la pâte dans les fentes et les trous de clous et gratter tout surplus. Laissez sécher la pâte ; poncez-la à la main avec du papier de verre n° 100.

Réparation d'une lame de parquet

À PRÉVOIR :

Équerre et crayon

Perceuse et forets

Mèche plate de ¾ po (19 mm)

Ciseau à bois et marteau

Pied-de-biche

Arrache-clou et chasse-clou

Scie

Clous vrillés à parquet

Bloc de bois et maillet

Futée, ponceuse et papier de verre

Produit de finition et applicateur

1 Pour enlever une lame endommagée, tracez-y une ligne d'équerre dans le sens de la largeur, d'un bord à l'autre. À l'aide d'une perceuse et d'une mèche plate de ¾ po (19 mm), percez plusieurs trous le long de la ligne, du côté de la partie endommagée. Coupez soigneusement la lame parallèlement à la ligne avec un ciseau à bois.

2 Percez plusieurs trous alignés au centre de la lame endommagée, en laissant 1 pi (30 cm) tout au plus entre eux. Enfoncez un ciseau à bois entre les trous pour fendre le bois dans le sens de la longueur. Fragmentez ensuite la lame avec le ciseau à bois et retirez le bois de rebut avec un pied-de-biche. Répétez les étapes 1 et 2 pour enlever les lames adjacentes au besoin.

Finition. Avant de restaurer le fini d'un parquet, voyez quel était le produit de finition original. Éraflez une partie peu visible du parquet avec une lame tranchante ; un produit de finition de surface se détachera en flocons, un bouche-pores d'imprégnation non. Frottez ensuite une partie peu visible du parquet avec une éponge sèche. Si le fini se brouille, il s'agit de cire : vous devrez poncer jusqu'au bois.

Indicateur d'usure. Avant d'appliquer le produit de finition, tracez une ligne pâle au crayon sur le parquet dans un endroit passant. Quand la ligne commencera à s'effacer, il sera temps de réappliquer du produit.

Rapidité... Les produits de finition incolores peuvent sécher rapidement. Appliquez-les aussi vite que possible pour éviter que des zébrures ne ruinent le fini.

... ou lenteur. Le polyuréthanne à base d'eau sera plus durable s'il durcit lentement. Limitez les courants d'air dans la pièce en coupant le chauffage ou la climatisation et en fermant portes et fenêtres. Portez un respirateur.

Et le silence fut. Pour éliminer les craquements d'un plancher, il suffit souvent d'enfoncer des cales là où il y a un espace entre les solives et le sous-plancher. Avant de poser les cales, enduisez-les d'adhésif de construction des deux côtés.

Autre solution. Pendant qu'on marche sur le plancher, marquez par-dessous les endroits où le parquet craque. Injectez ensuite un adhésif (thermofusible ou de construction) entre le sous-plancher et la solive au niveau de chaque marque, de chaque côté de la solive.

SÛR ET SENSÉ

➤ Obturez les creux d'un parquet avec du vernis à ongles incolore ou de la gomme-laque. Comme ces produits sont transparents, la réparation sera invisible.

➤ Peignez les plafonds et les murs avant de restaurer les parquets. Ainsi, aucune coulure ni éraflure ne pourra ruiner le fini tout neuf des parquets...

➤ Lorsque vous restaurez un parquet, bouchez les ouvertures avec des toiles de plastique pour empêcher la sciure de se répandre dans les pièces attenantes.

3 Arrachez les clous, sans casser les languettes ni les rainures des lames adjacentes. Noyez avec un chasse-clou ceux qui sont trop difficiles à arracher. Sciez les lames de rechange de façon que l'ajustement soit serré. Si vous avez enlevé plusieurs lames, amorcez la pose du côté où les languettes sont visibles. Fixez les lames avec des clous à parquet, enfoncés à 45° dans les languettes tous les 8 po (20 cm).

4 Retranchez la feuillure inférieure de la lame de rechange avec un ciseau à bois et appuyez la feuillure supérieure sur la languette de la lame adjacente (avec plusieurs lames de rechange, ne procédez ainsi que pour la dernière). Vous devrez peut-être amincir la feuillure supérieure. Positionnez la lame et frappez-la avec un maillet par-dessus un bloc de bois jusqu'à ce qu'elle affleure les lames adjacentes.

5 Percez des avant-trous tous les 12 po (30 cm) du côté de la rainure de la lame de rechange (ou de la dernière lame de rechange), à ½ po (12,5 mm) du bord. Élargissez-les sur ⅛ po (3 mm) de profondeur avec un foret d'un diamètre légèrement supérieur. Enfoncez des clous à parquet dans les avant-trous. Noyez les clous avec un chasse-clou. Obturez les trous. Poncez. Appliquez un produit de finition.

À RETENIR

Structure d'un escalier

La connaissance des éléments qui forment un escalier est très utile, surtout si vous devez effectuer des réparations.

Rampe : main courante, barreaux et pilastres

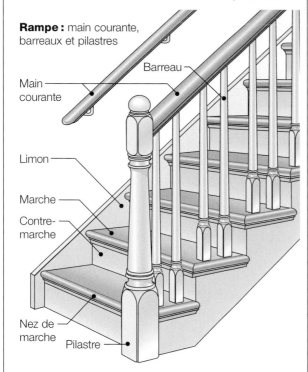

Barreau

Main courante

Limon

Marche

Contre-marche

Nez de marche

Pilastre

Deux à deux. Pour clouer les marches plus solidement, percez des avant-trous d'un diamètre légèrement inférieur à celui des clous. Enfoncez les clous de biais et par paires ; espacez-les de plusieurs centimètres et orientez leurs pointes l'une vers l'autre.

Lestage. Pour vous faciliter la tâche, demandez à quelqu'un de se tenir sur la marche pendant que vous la vissez sur la contremarche.

Foret-fraise. Si vous utilisez des vis pour fixer une marche ou une contre-marche, percez des avant-trous avec un foret-fraise ayant un diamètre égal à celui des vis. Ce foret forme à l'entrée des trous un évasement qui permet de noyer les têtes de vis et de les recouvrir de futée.

Si un barreau très visible est endommagé, enlevez un barreau en bon état moins visible et effectuez une permutation. Fixez les barreaux avec de la colle, si possible, ou avec des clous à finir, à la marche et à la main courante.

Deux possibilités. Vous trouverez peut-être des barreaux de rechange chez un récupérateur. Sinon, apportez un barreau à un menuisier et demandez-lui de le reproduire.

Barreaux branlants. Avec le temps, les barreaux peuvent prendre du jeu. Le cas échéant, consolidez-les avec des vis après avoir percé dans chacun d'eux un avant-trou pénétrant de biais dans la main courante.

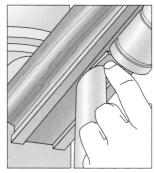

Barreaux très branlants. Pour consolider des barreaux qui ont pris beaucoup de jeu, posez des cales avec un bloc et un maillet et arasez-les avec un couteau universel. Mettez sur les chants un produit de finition de la couleur de l'escalier.

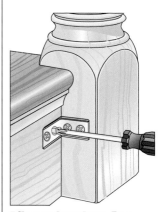

Pilastre branlant. Des équerres peuvent servir à consolider un pilastre. Vissez-les de chaque côté de sa base, puis à l'escalier. Pour dissimuler la réparation, logez les équerres dans des évidements de ⅛ po (3 mm) de profondeur et recouvrez-les de bouche-pores ; laissez sécher, poncez, appliquez la finition.

Solution n° 1. Éliminez les craquements d'un escalier accessible par-dessous en injectant de la mousse de polyuréthanne entre les marches et les contremarches ; en séchant, la mousse comblera les vides. N'en vaporisez pas trop pour éviter tout débordement.

Solution n° 2. Si un escalier qui craque n'est pas accessible par-dessous, appliquez de la pâte à calfeutrer sous le nez des marches, entre les marches et les contre-marches.

Solution n° 3. Pour éliminer les craquements à partir du dessus de l'escalier, vous pouvez fixer les marches aux limons et aux contremarches avec des clous vrillés à parquet trois fois plus longs que les marches ne sont épaisses. Obturez les trous de clous avec de la futée ; laissez sécher, puis poncez légèrement. Appliquez ensuite de la peinture ou de la teinture sur les obturations.

Si une marche doit être remplacée, procurez-vous une pièce de bois dont la forme et l'épaisseur se rapprochent le plus possible de celles des marches en place. Mieux encore, voyez si la marche peut être retournée.

Choix du bois. Optez pour du pin si vous voulez recouvrir une nouvelle marche de tapis, pour du chêne si vous prévoyez ne rien mettre par-dessus et la teindre.

Pour retirer un tapis d'escalier, il faut générale-ment arracher un grand nombre de broquettes. Un vieux tournevis à pointe plate et fine convient fort bien à ce travail. Glissez simplement la pointe du tournevis sous les têtes de broquettes, puis tournez légèrement la poignée (portez des lunettes de protection). Vous devriez ainsi pouvoir déclouer le tapis sans rien endommager.

Un tapis d'escalier usé ne doit pas nécessairement être jeté. Comme le poil s'use plus rapidement sur le nez des marches, il suffit de déplacer le tapis quelque peu dans le sens de la lon-gueur pour rendre l'usure moins visible. Il est égale-ment possible de permuter le haut et le bas du tapis.

Dissimulez les agrafes fixant un tapis d'escalier à poil long en brossant le poil par-dessus. Si le poil du tapis est court, appliquez sur les agrafes, avec un pinceau d'artiste, une peinture de couleur assortie.

Pour estimer la longueur d'un tapis d'escalier, addi-tionnez la longueur d'une marche et celle d'une contremarche, puis multi-pliez la somme par le nom-bre de marches. Majorez un peu le produit pour tenir compte des ajustements et d'éventuelles réparations.

Si l'escalier du sous-sol est raide, peignez une bande blanche ou jaune sur la pre-mière et la dernière marche : on pourra ainsi les repérer du premier coup d'œil. Met-tez du ruban fluorescent ou de la peinture fluo sur les marches mal éclairées.

Posez des moulures en V sur le nez des marches afin de rendre l'escalier plus sécuritaire. Les rainures ménagées sur le dessus des moulures forment une sur-face antidérapante. Fixez les moulures de métal avec des vis et les moulures de vinyle avec de la colle contact.

Pour éliminer les craquements d'une marche

À PRÉVOIR :

Cales de bois	Forets de diamètres variés
Marteau	Blocs de bois et vis
Colle à bois	
Équerres métalliques et vis	
Perceuse	

1 Pour venir à bout des craquements d'une marche, enfoncez des cales de bois dans le joint, juste assez pour les coincer. Mettez de la colle à bois sur les cales et injectez-en dans le joint, en dessous de l'escalier ou à partir du dessus.

2 Vous pouvez aussi éliminer les craque-ments d'une mar-che en fixant deux équerres métalli-ques sous la mar-che et derrière la contremarche. Lais-sez entre les équer-res et le limon le plus près environ le tiers de la largeur de l'escalier.

3 Une autre solu-tion consiste à fixer des blocs de bois sous l'esca-lier, à l'angle de la marche et de la contremarche. Encollez les deux surfaces et vissez-y les blocs ; laissez environ le tiers de la largeur de l'escalier entre chaque bloc et le limon adjacent.

Le toit d'abord. Posez des gouttières, des descentes pluviales et des rallonges pour éviter que l'eau de pluie ne forme des flaques autour des fondations ou ne s'infiltre dans le sous-sol.

Écoulement de l'eau. Le sol doit présenter une pente de 6 po (15 cm) par 10 pi (3 m) à partir des fondations. Pour vous assurer que l'eau suit la pente et s'éloigne de la maison plutôt que de pénétrer dans le sol, mettez une couche d'argile sous la terre végétale.

Mauvais signe. Au sous-sol, des fissures ouvertes dans le plancher ou des crevasses verticales plus larges dans le haut que dans le bas le long d'un mur peuvent révéler l'existence d'une anomalie dans la semelle de fondation. Consultez un ingénieur en structure.

Libre circulation. Rien ne doit obstruer les tuyaux souterrains reliés à l'égout de toit. Une obstruction dans ces tuyaux peut causer une infiltration d'eau dans le sol près de la fondation et dans le sous-sol.

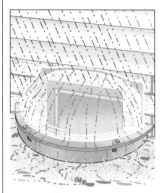

Au sec. À l'occasion d'une forte averse, l'eau peut remplir une caisse de soupirail et ensuite s'infiltrer dans le sous-sol. Recouvrez les caisses de soupiraux de dômes de plastique transparents.

Pour trouver la source de l'humidité du sous-sol, séchez une surface carrée de 15 po (40 cm) de côté sur un mur avec un sèche-cheveux ; fixez une toile de plastique carrée de 12 po (30 cm) de côté au centre de cette surface. Examinez la toile après deux jours. Si le dessous est mouillé, il s'agit de suintement. Si le dessus est mouillé, c'est de la condensation.

Avant de peindre un mur de sous-sol avec de la peinture hydrofuge, remédiez aux infiltrations. Sinon, vous risqueriez de masquer une fissure, ce qui pourrait causer à la longue de graves dommages.

Choisir une peinture. Les peintures époxydes sont les meilleurs revêtements d'étanchéité pour l'intérieur. Les peintures hydrofuges à l'huile sont des produits de substitution moins coûteux. Deux couches procurent une bonne étanchéité.

Condensation. Pour limiter la condensation au sous-sol, isolez les tuyaux d'eau froide et les gaines de climatisation et reliez la sécheuse à une bouche d'évacuation. Utilisez un déshumidificateur l'été. Si le sous-sol est fini, utilisez un climatiseur.

Réparation d'un mur où l'eau s'infiltre

À PRÉVOIR :

Lunettes de protection, masque antipoussières et gants
Burin
Massette ou marteau de maçon
Brosse à poils raides, eau et seaux
Aspirateur (facultatif)
Truelle pointue et ciment hydraulique
Bloc de bois (facultatif)
Pelle et bâche
Sable et ciment à maçonner (au besoin)
Enduit à fondations
Pinceaux
Peinture d'extérieur
Terre végétale et déflecteur (facultatif)

1 Si vous travaillez de l'intérieur, portez des lunettes de protection, un masque antipoussières et des gants. Détachez le mortier qui tient mal avec un burin et une massette ou un marteau. Placez la pointe du burin de biais pour élargir le fond de la fissure et former un surplomb qui retiendra le mortier. Enlevez les débris avec une brosse ou un aspirateur ; humectez ensuite la surface si elle est sèche.

2 Délayez le ciment hydraulique selon le mode d'emploi. Ce ciment se dilate en séchant, d'où une meilleure adhérence. Appliquez-le avec une truelle pointue, en le faisant déborder un peu de la fissure ; mettez-en deux couches si la fissure est profonde. Arasez et lissez la réparation avec la truelle ou un bloc de bois, en décrivant des cercles. Lavez les outils sans tarder, avant que le ciment ne sèche.

Joint à problème. Les infiltrations d'eau surviennent souvent à l'angle de la fondation et du porche, du patio ou d'une allée. Remplissez les joints d'une pâte à calfeutrer de haute qualité. Mesurez ensuite la pente du terrain pour savoir si vous pouvez accélérer la vitesse d'écoulement ou modifier le trajet de l'eau.

Vérification du drain. Pour savoir si le drain joue bien son rôle, défaites les raccords qui l'unissent aux descentes pluviales. Ajoutez un coude au tuyau en place et raccordez-le à un tronçon de drain de 4 pi (1,20 m). Placez le bout du tronçon loin de la maison. Si le sous-sol reste sec après un orage fort, le drain est défectueux.

Un terrain dont la pente est insuffisante peut être à l'origine d'une infiltration d'eau dans le sous-sol. Pour vérifier si c'est le cas, fixez une toile de plastique au parement et lestez-la au sol à 4 pi (1,20 m) de la fondation. Si le sous-sol reste sec après la pluie, remblayez le terrain devant la fondation.

Posez un drain intérieur quand l'eau qui s'accumule au sous-sol provient de la nappe phréatique. Confiez ce travail à un entrepreneur. Le drain doit être raccordé à une pompe de puisard.

Pompe de secours. Pour empêcher l'eau de monter au sous-sol lors d'une panne de courant, raccordez au drain intérieur une pompe de puisard à batterie en plus de la pompe principale.

Éclairage naturel. Remplissez les caisses de soupiraux de pierre blanche concassée pour refléter la lumière solaire dans un sous-sol sombre.

Bon départ. Pour éviter d'emporter la saleté et la poussière du sous-sol au rez-de-chaussée, placez un paillasson antidérapant près du bas de l'escalier.

Pour éviter de remblayer le terrain autour des fondations, creusez une rigole de drainage peu profonde, qui canalisera l'eau et l'éloignera de la maison. Laissez 6 pi (1,80 m) entre la rigole et la maison. Donnez-lui une pente de 1 po (2,5 cm) par pied (30 cm). Semez-y du gazon ou, si l'eau de ruissellement est abondante, chemisez-la de gravier.

3 Si possible, obturez la fissure de l'extérieur. Creusez une tranchée profonde en amoncelant la terre sur une bâche. Grattez tout résidu qui colle au mur avec une truelle, puis lavez les surfaces avec une brosse à poils raides et de l'eau. Laissez sécher le mur.

! **Ne nettoyez pas le mur avec un tuyau d'arrosage : il serait trop long à sécher.**

4 Préparez la fissure comme à l'étape 1. Si elle est étroite, appliquez-y un enduit à fondations ; si sa largeur excède ⅛ po (3 mm), obturez-la avec un mortier composé à 70 p. 100 de sable et à 30 p. 100 de ciment à maçonner. Appliquez l'enduit au pinceau, en débordant de 6 po (15 cm) autour de la fissure ; laissez sécher selon les consignes. Appliquez ensuite une seconde couche ; laissez sécher.

5 Appliquez de la peinture sur l'enduit à fondations ; si possible, peignez un pan entier du mur pour obtenir un fini uniforme. Comblez la tranchée. Ajoutez de la terre végétale au besoin pour créer une pente à partir de la maison. Afin d'éviter toute autre infiltration d'eau, replantez fleurs et arbustes à au moins 4 pi (1,20 m) de la maison et placez un déflecteur sous la descente pluviale.

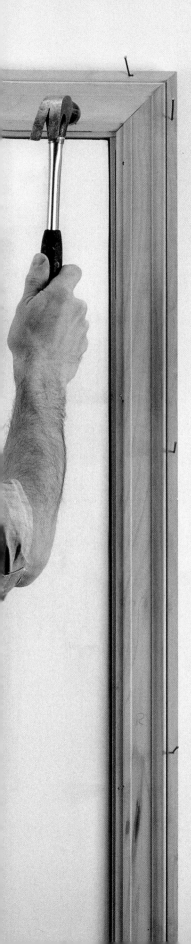

FENÊTRES ET PORTES

Degré de difficulté des travaux :　Faible　　Moyen　　Élevé

Obturez temporairement un petit trou ou une fissure dans un carreau en les couvrant de gomme-laque ou de vernis à ongles incolore.

Pour effacer des éraflures peu profondes sur un carreau, couvrez-les d'un peu de dentifrice, puis polissez vigoureusement le verre pendant une ou deux minutes. Comme ils sont plus abrasifs, les dentifrices « extra blancs » donnent habituellement les meilleurs résultats.

Pour enlever un carreau brisé, portez des lunettes de protection et des gants épais. Retirez les fragments de haut en bas pour éviter les blessures aux mains.

Les pointes et le reste... Arrachez les pointes de vitrier, et du même coup le mastic et la peinture qui tiennent mal, en glissant le long des feuillures des châssis de bois un grattoir triangulaire de peintre.

Coup de chaleur. Chauffez le mastic qui adhère fortement aux châssis avec un pistolet à air chaud ou un sèche-cheveux. Déplacez la buse de gauche à droite sur une distance de 4 po (10 cm) à la fois en prenant garde de ne pas roussir le cadre ni surchauffer le verre. Une fois le mastic ramolli, soulevez-le avec un couteau à mastic.

Guide d'achat. Apportez à la vitrerie un fragment du carreau que vous devez remplacer. Les carreaux des fenêtres de dimensions standard sont en verre de simple épaisseur ($\frac{3}{32}$ po/ 2,25 mm) ou de double épaisseur ($\frac{1}{8}$ po/3 mm), de catégorie A (supérieure) ou B (standard). Choisissez du verre à « double résistance » pour une contre-fenêtre ou une fenêtre exposée aux chocs.

Portez des gants de caoutchouc quand vous manipulez un carreau. Ils procurent une prise ferme, ne marquent pas le verre et protègent la peau.

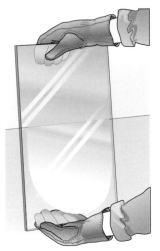

Transportez les panneaux de verre de grandes dimensions à la verticale ; ils pourraient se casser sous leur propre poids à l'horizontale.

Remplacement d'un carreau brisé (fenêtre de bois)

À PRÉVOIR :

Ruban séparateur

Gants épais et lunettes de protection

Marteau et couteau à mastic

Vieux ciseau (facultatif)

Pince à bec effilé

Apprêt ou bouche-pores

Ruban à mesurer

Mastic de vitrier

Carreau de rechange

Pointes de vitrier

Tournevis (facultatif)

Peinture d'extérieur et pinceau

1 Démastiquez avec un marteau et un couteau à mastic ou un ciseau (portez des gants et des lunettes de protection). Arrachez les pointes de vitrier avec une pince ; retirez le carreau. Au besoin, enlevez d'abord le châssis.

 Consolidez le verre fissuré avec du ruban séparateur pour qu'il n'éclate pas pendant que vous l'enlèverez.

2 Grattez les restes de mastic ; appliquez un apprêt ou un bouchepores, par exemple de l'huile de lin, sur le bois nu. Faites tailler le carreau de rechange sur mesure ; fournissez le vieux carreau en guise de modèle ou mesurez soigneusement l'ouverture et retranchez $\frac{1}{8}$ po (3 mm) des deux dimensions.

Coupe du verre. Il vous sera plus facile de rayer un carreau sans l'ébrécher si vous aboutez un morceau de verre de rebut contre son bord supérieur; roulez ensuite la molette du coupe-verre d'un trait sur les deux surfaces, en exerçant une légère pression.

Avant de lisser le mastic, enduisez la lame du couteau à mastic d'un peu d'huile de lin bouillie; vous éviterez ainsi de déloger le mastic lors de la passe finale.

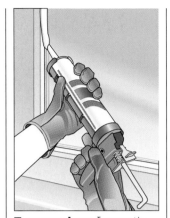

Encore mieux. Le mastic de vitrier en cartouche est plus facile à appliquer que les marques vendues en enveloppe. Appliquez-le dans la feuillure avec un pistolet à calfeutrer avant de mettre le carreau en place; mettez-en ensuite sur le pourtour du carreau et enlevez tout surplus. Laissez durcir le mastic avant de le peindre.

Sous les nuages. Pour que les carreaux soient d'une propreté éclatante, nettoyez-les par temps nuageux. Le soleil fait sécher trop rapidement les nettoyants à vitres et provoque ainsi la formation de traînées blanches. En outre, nettoyez un côté des carreaux verticalement et l'autre horizontalement: vous saurez où frotter si des traînées apparaissent malgré tout.

Ordre logique. Nettoyez les cadres de fenêtres avant les carreaux. Vous éviterez ainsi de resalir les carreaux...

Utilisez un aspirateur plutôt que des détergents forts pour nettoyer les cadres de fenêtres en bois au fini naturel. Si un nettoyant doit être utilisé, choisissez un produit conçu pour être appliqué sur ce type de finition.

L'aluminium non peint se couvre rapidement d'oxydes naturels qui le font grisonner et le protègent contre la corrosion. Polissez-le avec de la laine d'acier très fine pour raviver son éclat. Appliquez ensuite une laque incolore pour préserver cet éclat.

Plus de sécurité. Si les fenêtres doivent résister aux chocs, optez pour des carreaux de polycarbone. Plus résistant que le verre, ce matériau peut être coupé avec une scie. Il présente toutefois le désavantage d'être coûteux et de se rayer facilement.

3 À l'aide d'un couteau à mastic, mastiquez la feuillure des quatre côtés de l'ouverture. Si le mastic est suffisamment malléable, vous pouvez aussi le rouler en cordon entre vos mains, puis le loger dans la feuillure en pressant bien. Positionnez le carreau de rechange et assoyez-le fermement dans le mastic.

4 Assujettissez solidement le carreau avec des pointes de vitrier. À l'aide d'un tournevis ou d'un couteau à mastic à lame rigide, enfoncez les pointes dans les petits-bois tout en les appuyant contre le carreau. Mettez-en au moins deux de chaque côté, en laissant de 4 à 6 po (10-15 cm) entre elles. Grattez ensuite le surplus de mastic de l'intérieur avec un couteau à mastic.

5 Mastiquez les bords du carreau à l'aide d'un couteau à mastic ou roulez le mastic en un cordon de ⅜ po (9 mm) de diamètre et pressez-le sur le périmètre du carreau. Glissez le couteau à mastic sur le mastic à partir des coins en le tenant de biais et en appuyant fermement sur la lame. Le mastic ne doit pas être visible de l'intérieur. Laissez sécher avant de peindre.

Lors de l'achat de fenêtres, tenez compte des valeurs R et K. La première indique la résistance thermique ; la seconde, la conduction thermique. Les meilleures fenêtres présentent des valeurs R élevées et des valeurs K faibles.

La présence de condensation entre les vitres d'un châssis à vitrage isolant indique que de la vapeur d'eau s'est infiltrée dans l'espace scellé. Consultez la garantie du fabricant ; vous devrez probablement remplacer le châssis.

Bon à savoir... Le mastic à l'huile ordinaire peut désagréger l'intercalaire, une pièce dont la présence est essentielle entre les vitres des châssis à vitrage isolant. Préférez-lui les produits recommandés par le fabricant.

Confort et économies. La pose de pellicules isolantes incolores ou teintées devant les fenêtres peut faire baisser les coûts de chauffage et de climatisation. Choisissez des pellicules à faible émissivité (faible E). Les pellicules teintées réduisent davantage la chaleur estivale que les pellicules incolores, mais elles ne sont pas une nécessité dans les régions où les températures sont modérées.

Lavez les pellicules isolantes avec une solution de détergent à vaisselle et d'eau. L'ammoniaque peut les endommager.

Pour enlever une pellicule fendillée, vaporisez-la d'une solution d'eau additionnée de quelques gouttes de détergent à vaisselle. Laissez pénétrer de 10 à 15 minutes, puis effectuez une seconde vaporisation et grattez la pellicule avec un couteau à mastic à lame en plastique rigide de 2 po (5 cm).

Rôles inversés. Pour accroître la résistance thermique des fenêtres sans avoir à payer le prix élevé de fenêtres ou de contre-fenêtres à moustiquaires neuves, posez des contre-fenêtres intérieures. La plupart sont assujetties par des languettes aimantées ou des bandes velcro faciles à poser, qui permettent de les retirer rapidement.

Installation de nouveaux châssis

À PRÉVOIR :

Couteau universel
Pied-de-biche à moulures ou couteau à mastic
Pince coupante (s'il y a une chaîne)
Tournevis
Mètre ou baguette semblable
Isolant de fibre de verre
Châssis de rechange
Arrache-clou
Marteau et clous à finir de 4d
Chasse-clou
Pâte à calfeutrer et peinture à retoucher

1 Ôtez les guides avec un pied-de-biche et conservez-les. Montez le châssis inférieur et dégagez-le obliquement de l'huisserie, sans briser le cadre. Coupez les attaches du châssis, s'il y en a, puis retirez celui-ci. Enlevez l'autre châssis de la même façon.

 Avant d'enlever les guides, incisez la peinture aux angles avec un couteau universel.

2 Dévissez et enlevez la poulie ainsi que toute autre ferrure encastrée dans le jambage latéral, puis ouvrez le panneau d'accès ; retirez les contrepoids et remplissez la cavité d'isolant de fibre de verre à l'aide d'un mètre ou d'une baguette. Remettez le panneau d'accès en place.

Vous ne pouvez fermer les contre-fenêtres ? Vérifiez la position des éléments. Le châssis supérieur est généralement logé dans la glissière extérieure, le châssis inférieur dans la glissière intermédiaire et la moustiquaire à l'intérieur.

Mollo ! Plutôt que de faire coulisser de force des contre-fenêtres qui se coincent, vaporisez un lubrifiant à la silicone dans les glissières. Vous éviterez ainsi d'aggraver un problème mineur.

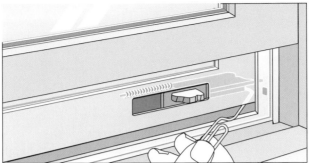

Utilisez un gros trombone pour rentrer un loquet brisé dans une contre-fenêtre à cadre d'aluminium. Déployez une partie du trombone ; pliez-la ensuite à angle droit avec une pince, à environ ¼ po (6 mm) de son extrémité. Glissez le crochet dans le châssis, saisissez le loquet par-dessous et tirez-le vers le centre de la contre-fenêtre pour le dégager.

Fraîcheur naturelle. Avant de vous procurer à grands frais des fenêtres à vitrage isolant dans le but de contrer la chaleur, plantez un arbre du côté où soufflent les vents dominants l'été. L'arbre bloquera les vents chauds, gardant ainsi la maison plus fraîche.

À l'ombre. Un auvent ne bouche pas la vue et il peut bloquer jusqu'à 80 p. 100 des rayons solaires qui autrement chaufferaient une fenêtre. Les tissus acryliques demandent généralement peu d'entretien et conservent leurs couleurs longtemps.

SÛR ET SENSÉ

➤ Les gaz isolants emprisonnés entre les vitres des fenêtres à vitrage double ne sont pas nocifs. Ils ne posent aucun danger en cas de bris du verre.

➤ Utilisez un trombone pour déloger les débris des trous de drainage situés à la base des contre-fenêtres à cadre d'aluminium. Ces trous servent à évacuer la condensation.

➤ Lorsque vous lavez une fenêtre, secouez fréquemment le chiffon. La saleté qui s'y accumule peut érafler les carreaux.

➤ Masquez les carreaux quand vous utilisez du décapant à peinture ou du ciment : ces produits peuvent mater le verre.

3 Fixez et espacez les supports de glissières selon les directives du fabricant. Conformez-vous à toute directive visant la pose d'isolant et de coupe-bise ou le calfeutrage extérieur. Au besoin, retirez à l'aide d'une pince-étau le séparateur fixé au jambage supérieur et posez celui qui est fourni avec les nouveaux châssis.

4 Emboîtez les supports dans les glissières de vinyle selon les directives du fabricant. Vous assurerez ainsi l'étanchéité des glissières.

5 Posez, dans l'ordre, les châssis supérieur et inférieur. Si vous reposez les guides, arrachez les clous qui restent par derrière pour ne pas marquer le parement. Positionnez les guides contre les glissières et clouez-les de façon provisoire avec les clous à finir. Voyez si les châssis coulissent bien ; sinon, déplacez les guides avant de noyer les clous. Obturez les trous, puis retouchez les guides à la peinture.

Guide d'achat. Choisissez des stores de la couleur des murs ou des moulures ou d'une couleur neutre. Vous pourrez ainsi les réutiliser quand vous aurez envie de changer de décor.

Le coin du décorateur.
Les stores posés à l'intérieur du cadre mettent les moulures en valeur ; posés à l'extérieur, ils modifient l'apparence de la fenêtre, souvent pour le mieux dans une pièce aux lignes sobres.

Pour épousseter des stores, mettez des gants de coton et glissez les doigts sur les lamelles. L'époussetage manuel est plus rapide et efficace que celui qu'on effectue avec un aspirateur ou un plumeau. Humectez les gants si la couche de poussière est épaisse.

Repère. Ayez une pince à linge sous la main quand vous époussetez les stores. Si vous devez vous interrompre, fixez la pince à la dernière lame époussetée.

Comme neuf. Si la baguette d'orientation ne joue plus son rôle, ôtez le store, puis examinez et lubrifiez l'engrenage à vis sans fin dans le caisson. Le ruban ou le cordon qui retient les lamelles doit être bien fixé au tube d'orientation.

Propreté nouvelle. Dissimulez un ourlet taché en permutant les extrémités de la toile du store. Enlevez le store, arrachez les agrafes fixant la toile au rouleau, puis défaites l'ourlet et retirez la latte. Permutez les extrémités de la toile, agrafez celle-ci au rouleau et cousez un ourlet autour de la latte. Pour que les bords de la toile soient verticaux, tenez-les perpendiculairement au rouleau pendant que vous posez les agrafes.

La toile ne s'enroule pas ?
Enlevez le store et enroulez la toile à la main jusqu'à mi-longueur. Reposez le store et vérifiez la tension. Si l'enroulement laisse encore à désirer, ôtez le store et enroulez la toile davantage.

Si le store est trop tendu, enlevez-le et tournez la pointe plate d'un quart ou d'un demi-tour vers la droite. Le mécanisme d'enroulement devrait se décliqueter et laisser le ressort se détendre lorsque vous relâcherez la pointe.

Pose d'un store à minilamelles

À PRÉVOIR :

Ruban à mesurer
Store à minilamelles (de la largeur utile)
Pied-de-biche (au besoin)
Perceuse et foret de 1/16 po (1,5 mm)
Tournevis
Couteau ou ciseaux

1 Déterminez si le store doit être posé à l'extérieur ou à l'intérieur du cadre. Dans le second cas, vissez les supports sur les jambages latéraux ou sur le jambage supérieur, selon la largeur de la fenêtre.

2 Insérez le caisson dans les supports. Une plaque à charnière couvre le caisson à l'avant de certains supports. Posez les attaches de fixation sur le cache-tringle décoratif, puis fixez le cache-tringle sur le devant du caisson.

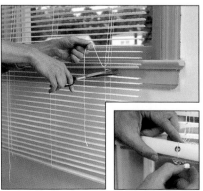

3 Pour raccourcir un store, retirez les cordons de tirage et coupez les échelons 2 po (5 cm) au-delà de la longueur utile. Ôtez la base (le cordon y est fixé), puis les lamelles. Remettez la base en place et nouez les cordons de tirage à la longueur utile.

Mou... ou moue. Avant de couper la corde ou la chaîne de rechange que vous avez attachée aux contrepoids, assurez-vous d'avoir laissé assez de mou pour pouvoir monter et baisser le châssis.

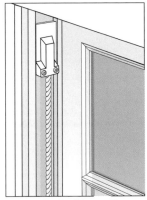

Contre la froidure. Couvrez les logements des poulies d'un joint d'étanchéité pour limiter les infiltrations d'air froid. Écartez la corde du jambage ; glissez le joint sur la corde. Positionnez ensuite le joint au-dessus du logement des poulies, appuyez sa base autocollante sur le jambage et vissez-le en place.

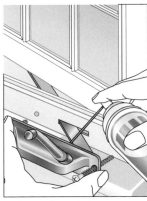

Vaincre les résistances. Si une fenêtre à battants est difficile à manœuvrer, nettoyez le mécanisme relié à la manivelle et appliquez-y de la silicone en aérosol ou de l'huile légère.

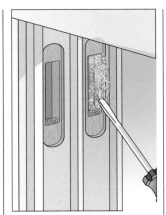

Un vide à combler. Si l'évidement des contrepoids est inutilisé, vous limiterez les infiltrations d'air en le remplissant de vermiculite ou de cellulose en vrac à partir du logement des poulies. Placez de l'isolant de fibre de verre dans le haut.

Dans les maisons neuves, le coincement ou le blocage des châssis sont souvent dus à un surplus d'isolant entre la charpente du mur et les jambages de la fenêtre. Défaites l'encadrement de la fenêtre pour atteindre les jambages, puis retirez le surplus d'isolant avec un tournevis (portez un masque antipoussières et des gants).

On peut décoincer bien des châssis en incisant la peinture le long des glissières avec une lame. Si vous n'obtenez pas le résultat escompté, placez un bloc de bois contre le châssis et martelez-le légèrement pour libérer les éléments.

Lubrifiez les glissières en les frottant avec une bougie ou du savon. Profitez-en pour enlever les accumulations de peinture sèche ainsi que la poussière et les débris dans les coins et au fond des glissières.

Remplacement d'une chaîne ou d'une corde de châssis

À PRÉVOIR :

Clous à finir de 4d	Ficelle
Marteau	Chaîne ou corde de châssis
Couteau universel	
Pied-de-biche à moulures	
Arrache-clou ou pince	

Clou

1 Tirez sur la chaîne ou la corde, puis bloquez-la avec un clou. Retirez le guide et le châssis ; détachez la chaîne ou la corde du châssis. Ouvrez le panneau d'accès et sortez le contrepoids. Détachez la chaîne ou la corde du contrepoids.

2 Attachez une ficelle à l'extrémité supérieure de la chaîne ou de la corde en place et tirez-la dans le jambage. Utilisez-la pour mettre en place la chaîne ou la corde de rechange, puis reliez celle-ci au contrepoids. Posez le panneau d'accès.

3 Tirez le contrepoids dans le haut du jambage et bloquez la chaîne ou la corde avec un clou. Fixez celle-ci dans la rainure du châssis (appuyé sur le rebord de la fenêtre). Laissez 2 po (5 cm) de mou pour pouvoir fermer complètement la fenêtre.

Presque rien. L'entretien d'un ferme-porte consiste simplement à huiler la tige une fois par année avec un chiffon humecté d'huile.

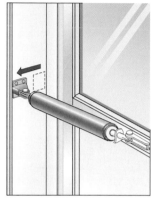

Fermeture plus rapide. Si une contre-porte se ferme trop lentement bien que vous ayez réglé le ferme-porte à la vitesse maximale, repositionnez le support fixé au jambage de façon à l'éloigner de la contre-porte. Cela aura pour effet d'accélérer la fermeture.

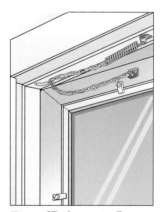

Et souffle le vent... Pour éviter qu'une contre-porte n'arrache ses charnières quand elle est poussée par le vent, munissez-la d'une chaîne de retenue. Fixez un bout de la chaîne au jambage supérieur ; ouvrez la contre-porte jusqu'au point d'ouverture maximale désiré et fixez l'autre bout de la chaîne sur la contre-porte.

Les vis fixant le support d'un ouvre-porte tournent-elles dans le vide ? Remplacez-les par des vis d'un diamètre supérieur ou bien élargissez les trous avec un foret, obturez-les avec des goujons de bois encollés et reposez les vis d'origine dans les goujons.

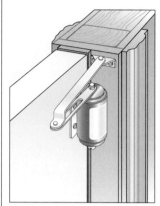

Contre le feu. Un ferme-porte hydraulique fixé sur une porte intérieure, particulièrement dans le garage, peut empêcher la propagation d'un incendie au reste de la maison.

Verrou. Quand une contre-porte ne demeure pas fermée, c'est souvent que le verrou et la gâche ne sont plus alignés. Examinez l'usure sur la gâche et voyez comment le verrou frotte sur celle-ci quand on ferme la porte. Il suffit souvent d'agrandir un peu le logement du verrou à la lime pour corriger la situation.

Consolidez une porte affaissée avec un tendeur à lanterne fixé à deux fils d'acier de même longueur. Ouvrez le tendeur au maximum, puis fixez un fil au coin supérieur gauche de la contre-porte (côté charnières), l'autre au coin inférieur droit (côté verrou). Tendez.

Remplacement d'un ferme-porte

À PRÉVOIR :

Tournevis Phillips
Ouvre-porte de rechange, support et vis
Ruban adhésif (pour fabriquer un gabarit)
Perceuse et forets
Marteau et pointeau à métal (si le jambage est en métal)
Crayon

1 Avec la contre-porte fermée, retirez la goupille du support du jambage. Si vous ne remplacez que le cylindre, détachez-le du support de la contre-porte ; inversez la séquence pour poser le nouveau cylindre. Autrement, démontez tous les éléments.

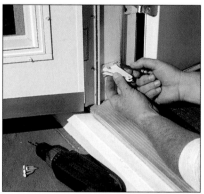

2 Utilisez le support ou le gabarit du fabricant pour marquer la position des vis au crayon. Percez des avant-trous et vissez le support sur le jambage. Si vous posez le ferme-porte dans le bas de la porte, assurez-vous qu'il ne frottera pas sur le seuil.

3 Avec la contre-porte fermée, glissez la goupille dans le bras du cylindre et le support du jambage. Marquez la position des vis de l'autre support sur la contre-porte. Percez des avant-trous ; vissez. Tournez la vis du cylindre pour régler la vitesse de fermeture.

Protection. Vaporisez annuellement une mince couche de vernis yacht sur les moustiquaires galvanisées après les avoir nettoyées. Le vernis formera un revêtement protecteur.

Lavez les moustiquaires au moins une fois l'an. Placez-les à la verticale, humectez-les avec un tuyau d'arrosage et frottez-les des deux côtés avec une brosse mouillée d'eau chaude savonneuse ; lavez le cadre avec une éponge ; rincez avec le tuyau d'arrosage. Laissez sécher à l'air libre.

Propres. Pour que les moustiquaires glissent facilement, enroulez un chiffon imbibé d'eau savonneuse autour d'une règle ou d'un tournevis et passez-le dans les glissières. Rincez ensuite le chiffon, repassez-le dans les glissières, puis essuyez celles-ci avec un chiffon sec.

SÛR ET SENSÉ

➤ Si une moustiquaire est déchirée près du cadre, remplacez-la.

➤ Veillez toujours à ce qu'une moustiquaire et son cadre soient faits du même métal.

➤ Posez des renforts derrière les onglets des cadres de bois lâches.

Approche globale. Toutes les moustiquaires des fenêtres sont usées ? Remplacez-les toutes à la fois pour éviter l'effet « patchwork ».

Protection hivernale. Avant de serrer les moustiquaires à l'automne, enveloppez-les séparément dans du papier journal ou kraft ou une toile de plastique. Fermez avec du ruban adhésif.

Écrans solaires. Comme elles tamisent les rayons du soleil, les moustiquaires en fibre de verre ou en plastique contribuent à rafraîchir la maison et à préserver les couleurs des tapis et des meubles.

Trous et déchirures. Utilisez du vernis à ongles ou de la colle époxyde incolores pour réparer les petits trous dans les moustiquaires. Aplanissez les fils déchirés avec un cure-dents, puis recouvrez-les de vernis ou de colle avec un coton-tige. Glissez un cure-dents dans les mailles pour en déloger le produit avant qu'il ne sèche. Effectuez plusieurs applications au besoin.

Rapiéçage. Il est plus facile de rapiécer une moustiquaire quand elle est sur une surface plane. On peut passer la main des deux côtés et le vernis à ongles ou la colle époxyde ne coulent pas, si on en applique.

Remplacement d'une moustiquaire à cadre métallique

À PRÉVOIR :

Pointe à tracer ou clou

Couteau universel

Moustiquaire

Roulette à languette et languette

Tournevis à pointe large

1 Délogez la languette avec un clou ; retirez la moustiquaire. (Une languette de métal est réutilisable.) Découpez la moustiquaire de rechange avec un couteau universel, en veillant à ce qu'elle déborde le cadre de 2 po (5 cm) sur tous les côtés.

2 Enfoncez la moustiquaire dans la rainure avec la roulette convexe, en la tendant du côté opposé. Posez ensuite la languette avec la roulette concave. Posez la moustiquaire et la languette en même temps si elles sont en fibre de verre.

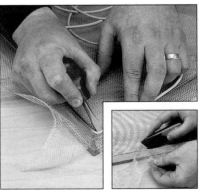

3 Coupez la moustiquaire à 45° dans les coins ; utilisez la pointe d'un tournevis pour loger la languette dans ceux-ci. Coupez le surplus de moustiquaire avec un couteau universel, en orientant la lame du côté opposé au cadre.

Coupe-bise ou non ? Un coupe-bise convient bien au calorifugeage des éléments mobiles (châssis, portes, etc.). Mettez de la pâte à calfeutrer autour des éléments fixes (cadres, vitrage de lanterneau, etc.).

Pour repérer une infiltration d'air autour d'une porte ou d'une fenêtre, glissez le dos mouillé d'une main devant les joints : la peau se refroidira là où de l'air s'infiltre. S'il n'y a pas de vent, faites diriger le jet d'air d'un sèche-cheveux vers vous.

SÛR ET SENSÉ

➤ Si l'air continue de s'infiltrer autour d'une fenêtre malgré la présence de coupe-bise, appliquez de la pâte à calfeutrer aux angles. Examinez aussi l'allège.

➤ Préférez les coupe-bise vinyliques ou métalliques. Ils sont plus durables.

➤ Calorifugez les fenêtres à battants métalliques au moyen de coupe-bise rainurés s'adaptant à leur cadre. Des produits semblables existent pour les lames de jalousie.

Agissez tôt. Votre maison sera moins bien calorifugée si vous posez des coupe-bise par temps froid. Les coupe-bise autocollants ont une moins bonne adhérence par une température inférieure à 10 °C (50 °F).

Pour que ça tienne. Avant de poser un coupe-bise autocollant, lavez les surfaces avec du phosphate trisodique ou matez-les avec un produit conçu à cet effet ; rincez-les à l'eau claire avec un chiffon, puis séchez-les avec une serviette.

Condensation. Si de la condensation se forme sur le vitrage d'une fenêtre, c'est que la contre-fenêtre laisse passer de l'air froid ; si elle se forme sur le vitrage de la contre-fenêtre, c'est que la fenêtre laisse passer de l'air chaud.

Sur mesure. Pour calorifuger le bas d'une fenêtre à guillotine qui a travaillé, ouvrez le châssis inférieur, appliquez de la pâte à calfeutrer sur l'appui, placez de la pellimoulante sur la pâte, puis refermez et verrouillez le châssis. Une fois la pâte sèche, rouvrez le châssis et retirez la pellimoulante. Le joint épousera parfaitement la base du châssis.

Pose d'un coupe-bise (fenêtre)

À PRÉVOIR :

Ruban à mesurer
Coupe-bise à ressort en bronze de 1⅛ po (2,85 cm)
Cisailles
Marteau à panne fendue
Tournevis

1 Fixez le coupe-bise (coupé à la longueur utile) sous la traverse inférieure du châssis inférieur, en orientant la bande de clouage vers l'intérieur, et sur le devant de la traverse inférieure du châssis supérieur, en orientant la bande de clouage vers le haut.

2 Coupez un coupe-bise à la longueur du châssis inférieur, plus 1 po (2,5 cm). Ouvrez le châssis ; glissez le coupe-bise entre le châssis et la glissière, en orientant la bande de clouage vers l'intérieur, puis clouez-le. Procédez de même au niveau du châssis supérieur.

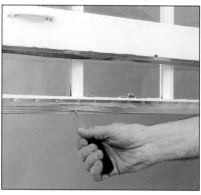

3 Pour ajuster la tension, insérez la pointe d'un tournevis sous le bord ouvert et glissez-la de gauche à droite pour plier la bande le long de la ligne. Si le châssis était déjà bien ajusté, vous devrez peut-être l'enlever (p. 98) pour poncer ses chants.

Tournée d'inspection. Inspectez les coupe-bise des portes extérieures chaque année. Avec le temps, la maison travaille et vous pourriez devoir ajuster ou remplacer des coupe-bise.

Remise en état. Pour réparer des coupe-bise emboîtables installés en usine, soulevez les parties écrasées avec un couteau à mastic ou une pince, ou bien martelez-les après les avoir placées sous un bloc de bois.

Vive le progrès ! Certains coupe-bise garnis de balais s'écartent automatiquement des tapis, ce qui élimine les risques d'usure prématurée des fibres et rend les portes plus faciles à ouvrir et à fermer. Lorsqu'on ouvre la porte, le coupe-bise prend appui sur une gâche et s'écarte du tapis ; lorsqu'on referme la porte, un ressort intégré abaisse le coupe-bise à son niveau initial.

SÛR ET SENSÉ

➤ N'utilisez pas un coupe-bise en V pour calorifuger une porte qui a beaucoup travaillé. Optez plutôt pour un coupe-bise tubulaire en vinyle sur base de bois ou d'aluminium, conçu pour épouser les surfaces irrégulières.

➤ Pour redonner de l'élasticité à un vieux coupe-bise à ressort posé le long d'un arrêt de porte, soulevez la moitié qui entre en contact avec la porte à l'aide d'un couteau à mastic.

De si petits clous... Vous aurez plus de prise sur les petits clous fournis avec les coupe-bise si vous les saisissez avec une pince à bec long au lieu des doigts.

Une porte peut se coincer ou devenir difficile à fermer si un coupe-bise n'est pas dans sa position normale. Repositionnez le coupe-bise sur le jambage ou desserrez les vis qui l'y assujettissent. Une fois fermée, la porte doit comprimer le coupe-bise, mais vous devez néanmoins être en mesure de glisser une carte de crédit entre eux.

À ne pas oublier. Calorifugez la trappe donnant accès au grenier. Si elle est faite d'un contreplaqué, fixez un coupe-bise tubulaire de mousse ou de vinyle sur le pourtour de l'ouverture de sorte que le coupe-bise s'emboîte dans celle-ci.

Pose d'un coupe-bise (porte)

À PRÉVOIR :

Marteau et couteau universel	Tournevis et pointe à tracer
Coupe-bise à balai et vis	Scie à métaux
Ruban à mesurer	
Coupe-bise tubulaire à clouer de ½ po (12,7 mm) en vinyle ou en butylcaoutchouc	
Clous (habituellement fournis) ou pointes de Paris de ¾ po (19 mm)	

1 Nettoyez les jambages. Mesurez le jambage supérieur et le jambage des charnières. Coupez le coupe-bise aux longueurs utiles. Clouez la section du jambage des charnières, en butant la partie tubulaire contre l'arrêt de porte.

2 Clouez le coupe-bise sur l'arrêt de porte, le long du jambage supérieur et du jambage du verrou ; laissez la partie tubulaire déborder légèrement le chant de l'arrêt, de façon qu'elle touche à peine la porte quand elle est fermée.

3 Installez un coupe-bise à balai au bas de la porte, coupé à la longueur utile (scie à métaux et couteau universel). La porte étant fermée, positionnez-le pour qu'il touche le seuil ; marquez les trous de vis avec une pointe à tracer ; vissez.

Guide d'achat. Des coupe-bise de qualité – magnétiques ou en mousse – doivent faire partie intégrante de tout bloc-porte que vous achetez. Un large vitrage réduit la valeur R de la porte et rend celle-ci plus facile à forcer.

Pour retirer un seuil de bois, coupez-le en trois avec une scie à dossière, puis dégagez-le lentement des montants avec un pied-de-biche. Aboutez ensuite les trois parties et tracez leur contour sur du papier épais afin de disposer d'un gabarit pour le seuil de rechange.

Pour étouffer le bruit que produit une porte lorsqu'on la ferme, mettez deux ou trois noix (¼ po/6 mm) de silicone incolore sur les arrêts ou quelques tampons de feutre autocollants sur le jambage.

Une porte est affaissée? Resserrez les vis des charnières en les faisant tourner vers la droite avec le plus gros tournevis possible. Le simple fait de resserrer les vis d'un quart de tour suffit souvent à redresser une porte affaissée.

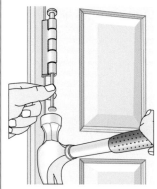

Utilisez un marteau et un clou pour déloger une fiche coincée dans une charnière. Placez la pointe du clou sous la fiche ; cognez le clou par-dessous pour pousser la fiche hors des charnons.

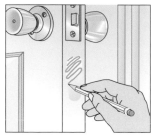

Si une porte se coince, noircissez les points de frottement au crayon, fermez et rouvrez la porte, puis dressez ou poncez là où des aspérités auront laissé des traces.

Dressez ou poncez toujours les chants d'une porte en allant d'un bord ou d'une extrémité vers le centre. Vous éviterez ainsi de faire éclater les fibres du bois en passant sur les arêtes.

Pour dresser ou poncer une porte, mettez-vous à califourchon sur son chant pour la stabiliser ; si vous n'y arrivez pas parce qu'elle est trop large, bloquez-la dans un coin.

Installation d'un seuil

À PRÉVOIR :

Lunettes de protection

Ruban à mesurer et crayon

Seuil métallique ajustable

Scie sauteuse et lame à métaux ou scie à métaux

Lime à métaux

Scie (facultatif)

Couteau universel

Perceuse et foret de ⅛ po (3 mm)

Tournevis

1 Mesurez la largeur intérieure du cadre. Achetez ensuite un seuil métallique ajustable.

 Un seuil ajustable offre une plus grande marge de manœuvre. Il permet de créer un joint étanche sans nuire au fonctionnement de la porte.

2 Coupez le seuil avec une scie sauteuse munie d'une lame à métaux ou avec une scie à métaux (portez des lunettes de protection). Ébarbez les bords à la lime. Si la porte heurte le seuil et que l'ajustement de la hauteur du seuil ne corrige pas la situation, sciez le bas de la porte.

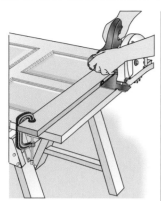

Pour scier le bas d'une porte, tracez une ligne de coupe à l'aide d'une règle et d'un couteau universel, puis fixez une planche le long de cette ligne avec des serre-joints pour guider la scie (glissez des plaquettes de bois entre la porte et les serre-joints). Orientez le parement principal de la porte vers le bas si vous utilisez une scie circulaire avec une lame à pointes de carbure ; orientez-le vers le haut si vous utilisez une égoïne.

Ne jetez pas la chute !
Après avoir scié le bas d'une porte à âme creuse, récupérez la traverse inférieure qui se trouve dans la chute. Ôtez le placage des deux côtés de la chute, puis reposez la traverse au bas de la porte à l'aide de colle à bois et de serre-joints.

Utilisez de la mousse
en aérosol pour obturer un trou dans une porte à âme creuse. Recouvrez la mousse sèche de pâte à joints.

Si l'espace vous manque, installez une porte escamotable. Ce type de porte s'efface en général dans un mur creux, mais il est relativement facile d'en fixer le cadre supérieur contre un mur et de le dissimuler ensuite derrière une moulure décorative.

À gauche ou à droite ?
Avant d'acheter une porte intérieure de rechange, tenez-vous devant la vieille porte de façon qu'elle s'ouvre vers vous et vérifiez le sens de l'ouverture ; la porte s'ouvre à droite si le bouton est à droite, et à gauche si le bouton est à gauche. Les mêmes critères s'appliquent aux portes extérieures qui s'ouvrent vers l'intérieur. Les portes extérieures qui s'ouvrent vers l'extérieur sont dites *à ouverture inversée ;* elles s'ouvrent (vers vous) à gauche si le bouton est à droite, et à droite si le bouton est à gauche !

Entrée interdite. Pour qu'une porte résiste mieux aux assauts des cambrioleurs, remplissez de bandes de contreplaqué ou de 2 x 4 l'espace séparant le jambage du verrou et le poteau mural adjacent.

3 Si l'arrêt de porte et le jambage sont d'un seul tenant, découpez le seuil pour qu'il tienne dans la partie la plus étroite du cadre. Si l'arrêt de porte est amovible, sciez-le de façon à pouvoir glisser le seuil dessous ; retirez-le auparavant si vous ne pouvez le scier à même le jambage.

4 À l'aide d'un couteau universel, coupez les semelles et le joint de vinyle à la longueur du seuil, majorée d'environ ½ po (12,7 mm) pour tenir compte de la contraction du matériau. Remettez les semelles en place et positionnez le seuil dans l'entrée.

5 Mettez le joint de vinyle en place, puis positionnez la partie ajustable du seuil à une hauteur suffisante pour créer un joint étanche sous la base de la porte. Retirez le joint de vinyle afin de poser les vis. Faites d'abord des avant-trous. Remettez le joint de vinyle en place, en poussant le surplus vers le centre. (Il existe des modèles de seuils différents ; conformez-vous aux directives du fabricant.)

Guide d'achat. Pour prolonger l'appui d'une fenêtre et donner à celle-ci un air traditionnel, intégrez un rebord à la boiserie (voir *Structure d'une fenêtre*, p. 116). Vous pouvez acheter un rebord préfaçonné ou, pour une apparence plus sobre, ajouter une quatrième moulure sous la fenêtre.

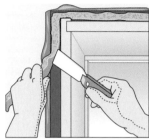

Au moment de moulurer une fenêtre, comblez les vides autour des jambages avec de la mousse isolante ou de l'isolant de fibre de verre (sans déformer les jambages). Vous parerez ainsi à toute infiltration d'air.

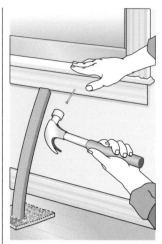

Sous pression. Si vous devez installer une allège, étayez-la avec une latte de bois souple et résistante pour pouvoir travailler et clouer à deux mains. La longueur de la latte doit légèrement excéder la distance séparant la base de l'allège et le plancher. Placez une retaille de tapis sous la latte pour éviter de marquer le plancher.

Symétrie. Un onglet présente-t-il une face plus haute que l'autre ? Amincissez par-dessous la moulure la plus haute avec un ciseau à bois ou glissez une mince cale sous la moulure la plus basse (arasez la cale et comblez le vide derrière la moulure avec du calfeutre).

Simplicité d'abord. Au lieu de vous évertuer à scier des onglets, posez des blocs d'angle à la jonction des moulures latérales et de la moulure supérieure.

Pour créer un ajustement serré, biseautez les bords arrière des onglets avec un couteau universel ou un rabot de coupe, afin que les bords avant s'appuient pleinement l'un contre l'autre. Encollez aussi les onglets avant de les clouer.

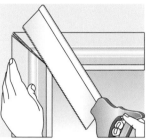

Pour fermer un onglet, retranchez d'abord une petite portion de chaque moulure au centre de l'assemblage à l'aide d'une scie à dossière. Appuyez ensuite les moulures l'une contre l'autre et clouez chacune d'elles près de l'onglet.

Pose de la boiserie d'une fenêtre

À PRÉVOIR :

Moulures

Équerre combinée ou règle de métal

Ruban à mesurer et crayon

Scie à chantourner (facultatif)

Boîte à onglets et scie à dossière

Scie à onglets (facultatif)

Compas porte-crayon

Râpe à bois

Papier de verre (grossier et fin)

Clous à finir de 4d, 6d et 8d

Marteau

Perceuse et foret de $\frac{1}{16}$ po (1,5 mm)

Niveau

1 Esquissez d'abord un plan sur papier ; passez ensuite au marquage. Les chants des jambages doivent être laissés à découvert sur une certaine largeur ($\frac{3}{16}$ po [4,5 mm] habituellement) ; à l'aide d'une règle ou d'une équerre combinée, crayonnez de courtes lignes guides à la largeur utile aux extrémités et au centre des jambages. (L'utilisation de l'équerre combinée à cette fin est illustrée à la page 110.)

2 Mesurez la largeur de la fenêtre, moulures latérales comprises, ajoutez 3 po (7,5 cm) et sciez le rebord à cette longueur. Centrez le rebord et marquez sa position sur le châssis avec un compas (le châssis ne doit pas frotter sur le rebord). Encochez puis façonnez les extrémités du rebord avec une râpe et du papier de verre en fonction des jambages. Mettez le rebord en place, vérifiez-en l'horizontalité, puis clouez-le.

Devez-vous poncer une moulure profilée ? Fabriquez d'abord une cale à poncer sur mesure. Délayez du mastic à l'eau ou du mastic pour carrosserie dans un sac de plastique, puis pressez sans tarder le sac contre la moulure afin que le mastic en épouse le profil. Une fois le mastic durci, retirez le sac de plastique et galbez pour la prise les côtés de la cale avec une scie ou une râpe. Pour finir, enroulez du papier de verre autour de la cale.

MASTIC À L'EAU

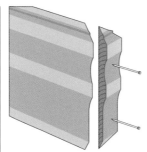

Finir en beauté. Ajoutez des retours à l'allège et au rebord. Ils couvrent le grain de bout dont la couleur trancherait avec le reste du bois après l'application d'un produit de finition transparent. Sciez les extrémités du rebord et de l'allège en onglet, vers l'intérieur ; sciez ensuite les chutes en onglet. Assemblez les pièces à 90° (onglet contre onglet) avec de la colle et des clous. N'utilisez que de la colle si les clous risquent de fendre le bois. Fixez les assemblages avec du ruban adhésif pendant que la colle sèche.

L'encadrement à onglets se prête bien à la pose de stores et de rideaux. Sciez d'abord en onglet les deux extrémités de la moulure supérieure et une extrémité de chaque moulure latérale, puis assemblez les onglets. Coupez ensuite la moulure inférieure à la longueur utile, majorée de 2 po (5 cm). Sciez une de ses extrémités en onglet, ajustez-la à l'onglet d'une moulure latérale, puis marquez l'autre extrémité et sciez-la jusqu'à ce qu'elle s'ajuste à l'onglet de l'autre moulure latérale.

Les persiennes intérieures permettent d'habiller une fenêtre et d'éclairer la pièce sans sacrifier votre intimité. Au besoin, sciez-les également sur tous les côtés pour les ajuster à la fenêtre. *Note :* retranchez tout au plus 1 po (2,5 cm) en largeur ou 1½ po (3,75 cm) en hauteur.

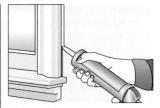

Calfeutrage. Si une moulure de fenêtre ne repose pas bien à plat sur un mur inégal, comblez le vide avec de la pâte à calfeutrer peinturable (ou blanche si les murs sont blancs).

Avant d'acheter des persiennes intérieures, mesurez la hauteur et la largeur de la fenêtre à trois endroits différents. Utilisez la plus petite dimension comme guide au moment de scier les persiennes pour les ajuster.

Petit détail. S'il vous faut retrancher moins que ⅛ po (3 mm) à la dimension d'une persienne, dressez le bois au lieu de le scier.

3 Appuyez une moulure latérale sur le rebord ; faites une marque au point de jonction de la moulure et de la ligne guide tracée sur le jambage supérieur. Sciez la moulure à 90° si vous prévoyez poser des blocs d'angle ; sinon, sciez-la à 45°. Alignez la moulure sur les lignes guides ; fixez-la au jambage avec des clous à finir de 4d, puis au poteau mural avec des clous de 6d. Posez l'autre moulure latérale de la même façon.

4 Les blocs d'angle doivent être légèrement plus larges et plus épais que les moulures supérieure et latérales. Percez des avant-trous et fixez les blocs avec des clous de 6d.

! **Pour éviter de fendre le bois, percez des avant-trous avant d'enfoncer des clous près des extrémités d'une moulure.**

5 Dimensionnez et sciez la moulure supérieure. Alignez-la sur les lignes guides et fixez-la au jambage et au mur comme les moulures latérales. Sciez l'allège pour qu'elle coure jusqu'aux bords extérieurs des moulures latérales. Façonnez ses extrémités avec une scie à chantourner ou fabriquez des retours (voir « Finir en beauté », ci-dessus). Fixez l'allège avec des clous de 6d, noyez les clous et obturez les trous.

Ajustement garanti. Des moulures à onglets sont généralement fournies avec les blocs-portes d'intérieur. Les onglets s'ajusteront bien aux coins du cadre si ces derniers sont d'équerre.

Avant de moulurer le cadre d'une porte, assurez-vous que le mur est plan au niveau des onglets. Sinon, poncez les aspérités ou recouvrez-les de pâte à joints.

Gare aux éclats. Les chants sciés d'une moulure présentent de fins éclats. Poncez-les légèrement avec du papier de verre fin. L'accumulation de peinture dans ces éclats peut ruiner l'apparence d'un onglet par ailleurs parfait.

Moulures et humidité. Posez des moulures de plastique ou de vinyle dans les pièces humides. Ces matériaux résistent à l'humidité mieux que le bois. De plus, comme l'humidité ne les fait pas jouer, elle ne peut compromettre l'ajustement des onglets.

Atmosphère. Combinez différentes moulures pour créer un encadrement classique ou contemporain. Les moulures aux gorges profondes ont une apparence plus classique que celles où prédominent les plats.

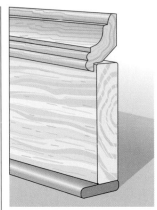

Le bois se contracte et se dilate par suite des variations du taux d'humidité, ce qui provoque l'ouverture des onglets. Une moulure de bois joue davantage dans le sens de la largeur. Si un encadrement doit avoir plus de 4 po (10 cm) de largeur, fabriquez-le à l'aide de moulures étroites. Utilisez de préférence du cerisier, du chêne rouge ou du pin blanc, plus stables que le hêtre et l'érable.

Le moment propice. Posez les plinthes en dernier, après avoir mis en place toutes les moulures verticales des encadrements de portes ainsi que les lambris, s'il y a lieu, et après avoir fini les parquets. Vous pourrez ainsi réaliser un bien meilleur ajustement.

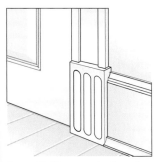

Les plinthes sont-elles plus épaisses ou plus minces que les encadrements de portes ? Pour créer un ajustement serré, biseautez à 45° les éléments en saillie ou posez des socles de plinthes plus épais que les plinthes.

Pose de la boiserie d'une porte

À PRÉVOIR :

Niveau

Équerre à chevron

Cales (facultatif)

Équerre combinée et crayon

Moulures et charnières

Scie et boîte à onglets

Ruban à mesurer

Perceuse et foret de $\frac{1}{16}$ po (1,5 mm)

Marteau et chasse-clou

Clous à finir de 2d, 4d et 6d

Cale à poncer, râpe ou rabot de coupe

Papier de verre

Pâte à calfeutrer peinturable

1 Assurez-vous d'abord de l'horizontalité du jambage supérieur, puis vérifiez, avec une équerre à chevron, si les jambages latéraux sont d'aplomb par rapport à celui-ci. Ajustez au besoin. Appuyez une moulure latérale contre une charnière et voyez sur quelle largeur vous devrez laisser les chants des jambages à découvert. Tracez sur chaque jambage latéral une ligne guide à la largeur utile, à quatre endroits différents.

2 Sciez un onglet à un bout de la moulure supérieure. Mettez la base de l'onglet sur la ligne guide correspondante et marquez la longueur de la moulure, vis-à-vis de la ligne guide opposée ; sciez l'autre onglet. Percez des avant-trous aux bouts de la moulure. Avec des clous de 4d, fixez la moulure au jambage ; fixez-la ensuite aux poteaux muraux le long du bord supérieur avec des clous de 6d. Ne noyez pas les clous maintenant.

Comme un spécialiste.
S'il vous faut poser des moulures dans plusieurs pièces, songez à louer une scie à onglets électrique. Cet outil vous permettra de gagner du temps et d'obtenir des résultats dignes des spécialistes après quelques essais.

Balayage. Après avoir scié des moulures, balayez la sciure sur l'établi avec un balai à neige pour voiture. La tête étroite de ce type de balai pénètre aisément dans les fentes. En outre, la sciure et les copeaux n'adhèrent pas à ses poils raides.

Devez-vous restaurer une vieille moulure ? Frottez-la avec une éponge abrasive fine ou moyenne imbibée d'essence minérale : vous la nettoierez et la poncerez en même temps. L'éponge épousera le profil de la moulure, ce qui facilitera votre travail.

Nettoyez les moulures très ornementées avec une brosse à dents à poils raides mouillés d'essence minérale.

Vous éviterez de marquer les moulures délicates si vous amortissez les coups de marteau avec une grosse éponge de cuisine. Mouillez l'éponge, essorez-la et fixez-la autour de la tête de votre marteau avec un élastique.

Pour effacer une marque de coup sur une moulure de bois, chauffez la tête d'un marteau avec un sèche-cheveux, placez un chiffon mouillé sur la marque et appuyez la tête du marteau pour faire gonfler les fibres.

Abritez l'encadrement de la porte extérieure sous un encorbellement ou un auvent. Ce type de protection peut tripler la vie utile de la porte – et il rend moins pénible l'entrée dans la maison quand il pleut à verse...

Ornementation. Désirez-vous rehausser l'apparence d'une porte plane ? Clouez de minces moulures sur le parement en formant des panneaux rectangulaires.

3 Mesurez la distance entre le plancher et le coin supérieur de la moulure supérieure ; reportez la mesure sur une moulure. Effectuez les coupes avec une scie à onglets, puis clouez la moulure comme vous avez cloué la moulure supérieure. Reprenez cette étape depuis le début pour poser la moulure latérale du côté opposé.

4 Si un assemblage est inégal, parfaites-le en ponçant le bord de l'onglet de la moulure latérale avec du papier de verre rude fixé sur une cale à poncer. Si la moulure latérale a été sciée au-delà de la longueur utile et qu'une seconde coupe s'avère nécessaire, amorcez le sciage sur la face cachée (c'est généralement la meilleure façon de procéder).

5 Comblez les vides le long des moulures avec de la pâte à calfeutrer. Bloquez les onglets en enfonçant des clous à finir de 4d dans les moulures supérieure et latérales, à environ ½ po (12,7 mm) des coins ; noyez tous les clous et obturez les trous.

 Si les moulures sont larges, clouez-les après avoir encollé les onglets.

Démontage rapide.
Devez-vous retirer le bouton de porte d'une serrure d'entrée ? Repérez la petite ouverture à la base du bouton : elle donne accès à une patte dissimulée. Insérez-y un tournevis ou un clou et appuyez sur la patte tout en tirant sur le bouton. En général, le bouton se dégagera facilement.

Lubrifiez une serrure
coincée avec du graphite en poudre. L'huile et la graisse retiennent la saleté et deviennent poisseuses.

Si une serrure est gelée,
chauffez la clé avec une allumette ou un briquet (portez des gants) avant de l'y insérer. Un déglaçant en aérosol peut aussi être utile.

Ouverture facile. En remplaçant les boutons de portes par des poignées, vous pourrez facilement ouvrir les portes lorsque vos deux mains seront prises.

Pour remettre en bon état une charnière usée sans la dévisser, retirez la fiche et placez des rondelles de métal entre les charnons inférieurs.

Rapide et économique.
Plutôt que de remplacer une serrure au complet, installez uniquement un nouveau barillet si vous le pouvez. Ce sera moins coûteux et vous pourrez conserver le pêne et les boutons en place.

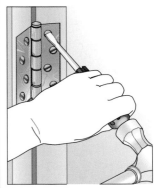

Préparer le terrain. Les vis des charnières seront plus faciles à tourner si vous enlevez d'abord la peinture qui a séché dans les rainures à l'aide d'un vieux tournevis à pointe plate et d'un marteau.

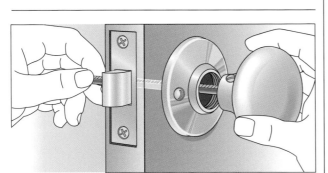

Les vieux boutons de portes peuvent prendre du jeu. Pour éliminer ce jeu, desserrez les vis de pression qui les assujettissent à l'axe. Centrez ensuite l'axe de façon qu'il saille également des deux côtés. Glissez finalement la base des boutons dans les rosettes et resserrez les vis.

Installation d'une serrure et d'un bouton

À PRÉVOIR :

Serrure et gabarit
Ruban à mesurer
Ruban adhésif
Pointe à tracer
Crayon
Perceuse, scie-cloche de 2⅛ po (5,3 cm) et mèche plate de 1 po (2,5 cm)
Ciseau
Maillet de bois
Serres en C
Tournevis Phillips
Rouge à lèvres (facultatif)

1 Pliez le gabarit fourni par le fabricant et fixez-le sur la porte avec du ruban adhésif de façon que les trous soient centrés entre 37 et 40 po (92-100 cm) du plancher (voyez les instructions). Marquez le centre des trous avec une pointe à tracer, un crayon bien taillé ou un clou ; retirez le gabarit.

2 Percez le logement du barillet avec une perceuse et une scie-cloche (le diamètre utile est habituellement de 2⅛ po [5,3 cm]). Percez le logement du pêne avec une mèche plate de 1 po (2,5 cm). Insérez le pêne dans son logement et tracez le contour de la têtière sur le chant de la porte.

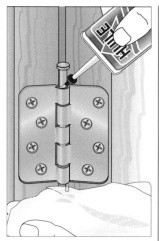

Si une charnière grince, soulevez légèrement la fiche et versez une ou deux gouttes d'huile légère sur le fût, au-dessus du chamon supérieur. Faites ensuite pivoter la porte à quelques reprises pour que l'huile s'étale tout autour du fût. Tenez un essuie-tout sous la charnière pour recueillir le surplus d'huile.

En douceur. Si vous devez enlever les charnières d'une porte de bois, glissez-les latéralement hors de leur mortaise après les avoir dévissées ; vous feriez éclater le bois en tentant de les soulever. Décoincez-les au besoin en les tapotant sur les côtés avec un marteau.

Vision nocturne. Si vous avez de la difficulté à trouver la serrure de la porte d'entrée dans le noir, mettez un peu de peinture luminescente autour du trou de clé pour le rendre plus visible.

Si une porte se coince au niveau du coin supérieur ou inférieur, resserrez les vis des charnières. Si cela ne change rien, déposez la charnière diagonalement opposée au coin où survient le coincement et placez une cale de carton ayant à peu près l'épaisseur de deux cartes à jouer au fond de la mortaise. Reposez la charnière et faites pivoter la porte. Ajoutez une ou deux cales au besoin.

Si une porte vibre, réduisez l'intervalle entre la butée et le bas de la porte. Incisez la peinture dans l'angle de chaque côté de la butée avec un couteau universel. Poussez ensuite la butée vers le bas de la porte à l'aide d'un bloc de bois et d'un marteau, et fixez-la avec des clous à finir.

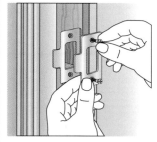

Du simple au double. Si le pêne d'une vieille porte intérieure ne saille plus suffisamment loin dans la gâche pour bien jouer son rôle, posez une seconde gâche par-dessus celle qui est en place.

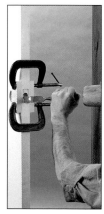 

3 Découpez le contour du logement de la têtière sur ⅛ po (3 mm) de profondeur avec un ciseau à bois tenu droit, biseau vers l'intérieur. Inclinez ensuite le ciseau pour dégager le fond du logement. Procédez par coupes répétées (la têtière doit affleurer le chant de la porte). Fixez du bois sur la porte pour prévenir les éclats. Percez des avant-trous et vissez le pêne. Montez la poignée, le bouton intérieur et la rosette.

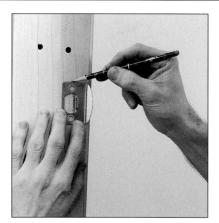

4 Enduisez l'extrémité du pêne de rouge à lèvres ou de graphite. Tournez le bouton pour rentrer le pêne, fermez la porte, puis faites saillir le pêne à plusieurs reprises afin de marquer sa position exacte sur le jambage. Rouvrez la porte (pêne rentré). Alignez la gâche à l'aide des marques, puis tracez son contour et celui de la mortaise sur le jambage ; vous pouvez retourner la gâche pour tracer les lignes guides.

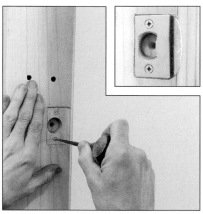

5 Percez la mortaise qui recevra le pêne (diamètre : ⅞ po [22 mm] ; profondeur : ½ po [12,7 mm]). Découpez ensuite le logement de la gâche comme vous avez découpé celui de la têtière ; pratiquez toutefois des coupes moins profondes, car la gâche est plus mince que la têtière. Marquez la position des trous de vis à l'aide d'une pointe à tracer ; percez des avant-trous ; vissez la gâche.

À RETENIR

Structure d'une porte
Voici les divers éléments constitutifs d'une porte.

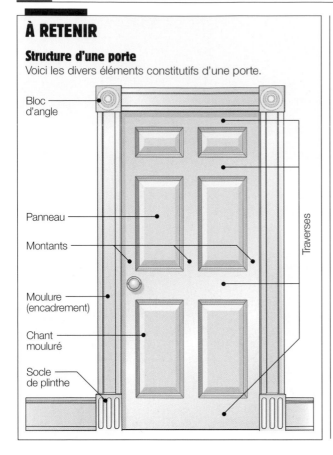

Bloc d'angle

Panneau

Montants

Moulure (encadrement)

Chant mouluré

Socle de plinthe

Traverses

Poncez-y bien. Avant de repeindre une porte, poncez ses chants. Un peu trop de peinture sur les chants suffit pour qu'une porte se coince.

À défaut de téflon. Pendant que vous décapez une porte, vaporisez de temps à autre un enduit antiadhésif de cuisine sur la lame du grattoir pour empêcher les résidus de peinture ou de teinture d'y adhérer.

Avant de peindre une porte légèrement gauchie, redressez-la. À cette fin, posez une charnière supplémentaire ou bien démontez la porte, mettez-la sur des chevalets et placez un objet lourd sur la partie gauchie.

Ferrures étincelantes. Pour enlever la vieille peinture des ferrures sans décapant chimique, placez-les dans de l'eau froide et ajoutez 4 cuillerées à soupe de bicarbonate de soude par litre d'eau. Laissez la solution agir durant 30 minutes, puis retirez les ferrures du bac avec une pince et enlevez la peinture avec de la laine d'acier (portez des gants de caoutchouc).

Si les charnières d'une porte ne doivent pas être peintes, recouvrez chaque lame de ruban adhésif d'emballage taillé sur mesure.

Peinture d'une porte

À PRÉVOIR :

Papier de verre n° 120

Chiffon non pelucheux

Apprêt (au besoin) et peinture

Petit miroir

Marteau et tournevis

Pinceaux (1 po [2,5 cm] et 3 po [7,5 cm])

Rouleau de peinture, manchon « pour surfaces lisses » et bac

1 Enlevez la serrure (voir pages 112 et 113), poncez la porte avec du papier de verre n° 120 pour mater la peinture brillante, puis essuyez la poussière. Nettoyez la porte avec un chiffon non pelucheux ; apprêtez-la au besoin.

2 Examinez le chant inférieur de la porte avec un miroir pour vous assurer qu'il a été peinturé ou bouche-poré. Si ce n'est pas le cas, retirez les fiches des charnières, enlevez la porte et appliquez un bouche-pores. Peignez les chants de la porte en premier à l'aide d'un pinceau de 1 po (2,5 cm).

Comparaison directe.
Ayez les vieilles ferrures sous la main au moment d'acheter des ferrures de rechange. Vous pourrez ainsi vous assurer que leurs dimensions sont identiques.

Vos portes ont souffert ?
Avant de les peindre, comblez les marques de coups et les trous avec de la pâte à joints. Réparez les portes extérieures, surtout celles qui sont en métal, avec du mastic pour carrosserie.

Qui agite s'en repent vite.
Remuez délicatement les produits de finition incolores comme le polyuréthanne et le vernis. Ne les agitez pas : cela provoquerait l'apparition de centaines de bulles d'air qui ruineraient le fini. Si vous avez agité du vernis par mégarde, laissez passer quelques jours avant de l'appliquer.

« Vernis frais ». Pour que le vernis sèche plus lentement quand vous l'appliquez par temps chaud, refroidissez le bidon jusqu'à 13 °C (55 °F). S'il fait très chaud, placez le bidon dans un seau à glace de fortune.

Sans tracas. Ne démontez pas une porte uniquement pour peindre son chant inférieur. Procurez-vous une retaille de tapis assez large pour tenir dans vos deux mains et utilisez-la en guise d'applicateur après y avoir versé une généreuse quantité de peinture.

Mettez de la poudre de talc sur les coupe-bise magnétiques avant de peindre la porte qu'ils servent à calorifuger : ainsi, ils ne marqueront pas la peinture fraîche.

Couleur unique. Peignez le chant du côté du pêne de la couleur de la pièce où la porte pivote.

Gare aux coulures. Les teintures et les produits de finition incolores couleront moins si vous placez la porte à finir à l'horizontale. Redoublez d'attention près des chants ; utilisez un chiffon pour effectuer l'application ou ayez-en un sous la main pour essuyer les coulures qui risqueraient d'atteindre le parement opposé.

Trompe-l'œil. Pour imiter la veinure du bois sur une porte, appliquez d'abord une couche de fond mate de couleur pâle (beige ou olive par exemple). Laissez sécher. Plongez ensuite un spalter (ou un pinceau à soies souples) dans une peinture foncée coupée d'huile de lin et glissez-le sur la couche de fond pour la veiner. Laissez sécher, puis appliquez un produit de finition incolore pour protéger la peinture.

3 Peignez un seul côté de la porte à la fois. Faites d'abord les chants moulurés des panneaux (pinceau de 1 po [2,5 cm]), puis les panneaux (pinceau de 3 po [7,5 cm]).

! **Avec deux portes coulissantes, peignez la première porte en entier avant de peindre la seconde. Peignez les portes planes de haut en bas.**

4 Utilisez un chiffon propre pour essuyer le surplus de peinture qui a coulé sur les montants et les traverses. Peignez ensuite, entre les panneaux uniquement, le montant central avec un pinceau de 3 po (7,5 cm). Peignez les traverses, en étalant bien la peinture à la jonction des surfaces déjà peintes. Pour finir, peignez les deux montants extérieurs.

5 Une fois la peinture sèche, peignez la boiserie avec un pinceau de 1 po (2,5 cm). Du côté de la pièce où la porte pivote, peignez l'encadrement et les jambages, jusqu'aux arrêts, de la couleur du parement correspondant. Du côté opposé, peignez l'encadrement, la portion restante des jambages et les arrêts de la couleur du second parement.

À RETENIR

Structure d'une fenêtre

Il est utile de connaître les éléments constitutifs d'une fenêtre et de sa boiserie au moment de les réparer ou de les peindre.

- Moulure supérieure
- Jambage supérieur
- Châssis supérieur
- Jambage latéral
- Moulure latérale
- Petits-bois
- Châssis inférieur
- Guides (ou glissières)
- Appui
- Rebord
- Allège

Ordre de priorité. Si vous devez peindre des fenêtres, des portes et des plinthes, commencez tôt le matin. Peignez d'abord les fenêtres, puis les portes afin qu'elles soient sèches quand vous devrez les refermer le soir venu. Peignez les plinthes en dernier ; vous éviterez ainsi d'étaler la poussière du plancher sur d'autres surfaces si elle vient à se fixer aux soies du pinceau.

Avant de peindre les encadrements, obturez les joints avec de la pâte à calfeutrer. Pour éviter tout débordement, percez un trou de $1/8$ po (3 mm) dans la buse de la cartouche.

Si vous peignez au soleil, masquez les carreaux des fenêtres avec du ruban-cache facile à détacher, comme celui qu'on emploie sur les carrosseries.

Vous gagnerez du temps si, avant de peindre une fenêtre, vous appliquez du baume pour les lèvres plutôt que du ruban-cache sur le pourtour des carreaux. Laissez une marge de verre nu d'environ $1/16$ po (1,5 mm) de largeur entre le baume et la boiserie afin que la peinture adhère aux carreaux et forme un joint étanche. Une fois la peinture sèche, les taches sur le baume seront faciles à enlever.

Peinture d'une fenêtre

À PRÉVOIR :

Toile de protection en tissu

Aspirateur

Seau, éponge et détergent doux

Grattoir à lame de rasoir

Cale à poncer et papier de verre fin

Tournevis (Phillips habituellement)

Apprêt ou peinture antitaches (au besoin)

Ruban-cache, guide de découpe ou baume pour les lèvres

Ruban de masquage

Peinture

Pinceau à châssis (à bout oblique)

1 Placez une toile de protection sur le plancher. Nettoyez d'abord les carreaux, les cadres et la boiserie avec un aspirateur, puis lavez-les ; utilisez un grattoir à lame de rasoir ou du papier de verre fin pour enlever la peinture écaillée. Enlevez les fermetures avec un tournevis. Apprêtez le bois nu ; appliquez de la peinture antitaches au besoin.

2 Ouvrez les châssis d'une fenêtre à guillotine. Protégez les carreaux avec du ruban-cache, un guide ou du baume et les murs avec du ruban de masquage. Peignez les surfaces accessibles du châssis supérieur, puis inversez la position des châssis et peignez le bas. Peignez les surfaces verticales en premier. Progressez de l'intérieur vers l'extérieur. Laissez la peinture déborder de $1/16$ po (1,5 mm) sur les carreaux.

Peignez mince dans les glissières ; les châssis se coinceront si la peinture est trop épaisse.

Différence tranchée.
Tenez un chiffon contre les encadrements de fenêtres afin d'essuyer les taches de peinture fraîche sur les murs. Une démarcation bien nette s'avère importante, car le fini mat de la peinture murale tranche sur le fini semi-lustré ou lustré de la peinture émail qu'on applique sur les encadrements pour les rendre lavables.

Une soie de pinceau est-elle restée collée sur un encadrement de fenêtre ? Retirez-la par-dessous avec la pointe des soies du pinceau. Passez ensuite le pinceau sur un journal pour y déposer la soie.

Utilisez un grattoir à lame de rasoir pour enlever la peinture sur les carreaux. Incisez d'abord la peinture avec un couteau universel en vous guidant avec une règle. Tenez ensuite le grattoir à 90° par rapport à l'incision et grattez la peinture jusqu'à celle-ci, sans plus.

Ponçage. Poncez dans le sens du fil, jusque dans les coins, les encadrements délicats que vous comptez finir avec un produit incolore. Vous éviterez ainsi de les érafler.

Éliminez les taches qui déparent vos fenêtres à cadre vinylique avec de l'essence minérale ou du nettoyant à la lanoline pour les mains. N'utilisez ni laine d'acier ni papier de verre.

À propos du vernis yacht.
Gardez-vous d'appliquer du vernis yacht sur les boiseries intérieures ; comme ce vernis sèche plus lentement que les autres, la saleté et la poussière risquent davantage de s'y fixer. Malgré tout, mettez-en sur les rebords des fenêtres orientées vers le sud : les inhibiteurs UV qu'il renferme le protègent contre l'écaillage causé par la lumière solaire.

Peignez les persiennes avec un pistolet vaporisateur après les avoir suspendues à une corde à linge au moyen de crochets à vis. De cette façon, vous n'aurez pas à les retourner.

3 Peignez le châssis inférieur en position ouverte en commençant par les surfaces verticales, de l'intérieur vers l'extérieur. Appliquez de la peinture d'extérieur sur le chant inférieur du châssis inférieur et sur le chant supérieur du châssis supérieur. Éliminez les coulures dans les coins et à l'intersection des petits-bois avec un pinceau sec. Une fois les châssis secs au toucher, faites-les coulisser plusieurs fois.

4 Peignez l'encadrement, l'allège, puis le rebord. Peignez les jambages en dernier, si vous devez les peindre. Les glissières ne doivent être peintes qu'une seule fois ; s'il vous faut les repeindre, poncez-les bien ou décapez-les. Laissez sécher la fenêtre, puis baissez complètement les deux châssis. Peignez le haut des jambages, laissez sécher, puis remontez les châssis et peignez le bas des jambages.

5 Ôtez le ruban-cache et le ruban de masquage. Grattez le surplus de peinture sur les carreaux à l'aide d'un grattoir à lame de rasoir. Reposez les fermetures une fois la peinture sèche.

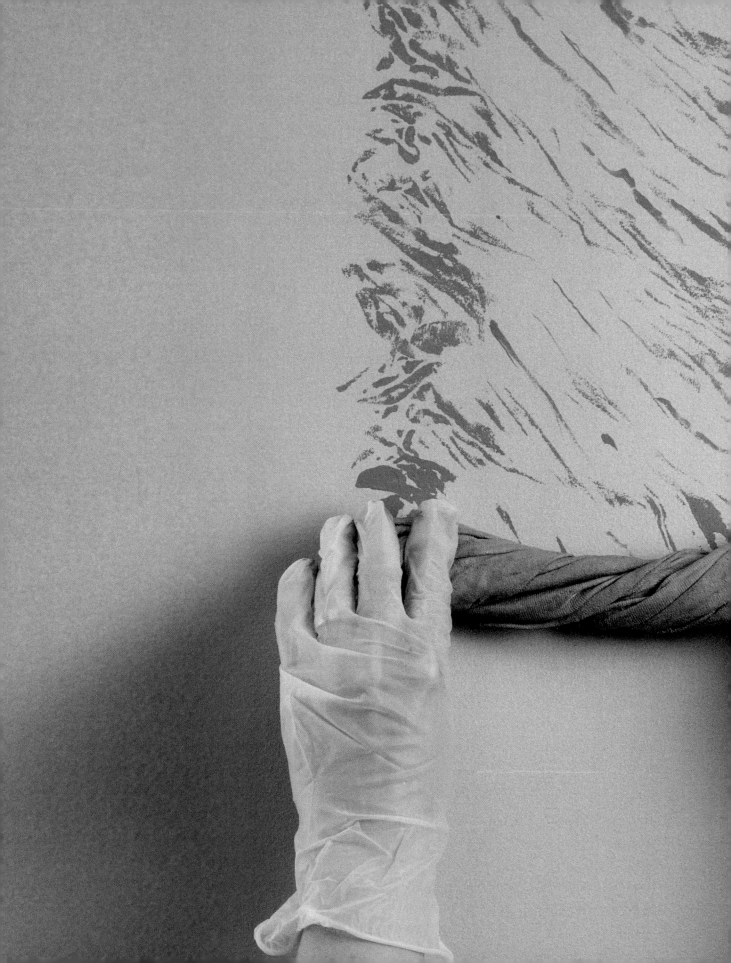

PEINTURE
ET PAPIER PEINT

Degré de difficulté des travaux :   Faible   Moyen   Élevé

Avant de repeindre un plafond, placez des sacs à circulaires sur les pales du ventilateur de plafond pour éviter de les moucheter de peinture. Les sacs sont juste assez larges pour s'adapter aux pales de la plupart des ventilateurs.

Étiquette… ou devinette. Fixez sur chaque ferrure de fenêtre, de porte ou de placard, tout de suite après l'avoir démontée, une étiquette de ruban-cache indiquant son emplacement. Vous pourrez ainsi remettre facilement les ferrures en place après la peinture.

Passer l'éponge. Si vous devez laver un plafond, utilisez un balai-éponge pour gagner du temps. Portez des lunettes de protection et placez une toile sur le plancher, les meubles et les rideaux avant de vous mettre au travail. Amorcez le lavage dans un coin.

Papier-cache humide. Du papier mouillé peut servir à masquer les carreaux de fenêtres durant les travaux de peinture. Taillez-le sur mesure et pressez-le sur les carreaux : il y adhérera.

Avant de peindre. N'arrachez pas les chevilles et les boulons à gaine d'expansion inutiles : vous endommageriez les murs. Faites-les plutôt tomber derrière les murs à coups de marteau et obturez les trous avec de la pâte à joints.

Sus aux taches ! S'il y a des taches d'eau brunes sur un plafond ou un mur, repérez le point d'infiltration et effectuez les réparations nécessaires. Masquez ensuite les taches avec un apprêt antitaches. Avant de peindre du bois, appliquez de la gomme-laque incolore sur les nœuds.

La pâte à calfeutrer acrylique peinturable est un bon choix quand il s'agit de combler les fissures, les creux et les joints des surfaces de plâtre ou de placoplâtre. Appliquez-la, puis lissez-la avec un doigt mouillé (portez des gants de latex).

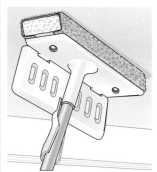

Au lieu d'acheter un bloc à poncer, transformez votre balai-éponge en outil de ponçage. Pour ce faire, ôtez l'éponge, recouvrez-la d'une feuille de papier de verre, puis remettez-la en place.

Préparation des surfaces

À PRÉVOIR :

Gants de latex et gants de caoutchouc

Tournevis et grattoir

Détergent sans rinçage avec phosphate trisodique

Chiffons et éponges propres

Eau de Javel et détergent doux

Papier de verre

Couteau à mastic et pâte à joints

Marteau (au besoin)

Bloc à poncer et manche

Masque antipoussières, lunettes de protection et respirateur

Délustrant (facultatif)

Toiles de protection en plastique et ruban-cache

Apprêt ou bouche-pores

1 Ôtez, avec un tournevis, les serrures et les plaques électriques dans la pièce à peindre. Lavez les murs et les moulures avec une solution détergente sans rinçage, de l'eau additionnée de phosphate trisodique par exemple. Soyez prudent autour des prises électriques et des interrupteurs. Éliminez la moisissure avec une solution d'eau, d'eau de Javel et de détergent doux sans ammoniaque.

2 Enlevez la peinture écaillée avec un grattoir, puis poncez les aspérités. Comblez les trous avec de la pâte à joints. Faites tomber derrière le mur à coups de marteau les chevilles et boulons à gaine d'expansion inutiles, puis obturez leur logement avec de la pâte à joints. Arasez toutes les réparations faites avec de la pâte à joints ; laissez sécher ; poncez.

À l'abri. Avant de préparer les surfaces dans la cuisine, mettez du ruban-cache sur les joints de portes du réfrigérateur et du congélateur. Vous empêcherez ainsi la poussière de plâtre et de peinture de gâter les aliments.

Utilisez du ruban de peintre double face pour fixer aux boiseries les toiles de protection qui serviront à contenir la poussière dans les pièces où vous avez à réparer le plâtre.

Ah, ces artistes ! Les marques de crayon sur les murs transparaîtront au travers de la peinture fraîche. Pour les éliminer, frottez-les avec un peu de dentifrice étalé sur un chiffon mouillé, puis rincez la surface à l'eau. Mettez un apprêt antitaches à base de gomme-laque sur les marques rebelles.

Sage précaution. Les portes demeureront exemptes de taches de peinture si vous les recouvrez d'une housse de plastique faite sur mesure. Taillez deux toiles de polyéthylène en excédant légèrement les dimensions utiles ; renforcez les bords avec du ruban-cache et unissez-les sur trois côtés en les agrafant.

Avec ou sans fil. Avant de peindre, placez le téléphone là où il sera accessible et glissez le combiné dans un sac de plastique afin de pouvoir le saisir sans le tacher.

Couvre-chaussures. Vos chaussures demeureront propres si vous les couvrez de vieux bas de coton avant de peindre.

Un bon fond. Appliquez un apprêt antitaches sur les murs où de la saleté, de la rouille ou des résidus de fumée se sont incrustés.

Moisissure. Utilisez un agent antimoisissure ou une solution d'eau de Javel et d'eau (1:2) pour éliminer la moisissure. Un nettoyant ménager peut laisser une pellicule huileuse qui empêchera la peinture de bien adhérer aux surfaces.

Rien ne passe. Après avoir fixé du ruban-cache sur des moulures, glissez la lame d'un couteau à mastic sur les bords, en appuyant fermement. La peinture ne pourra s'infiltrer dessous.

Contre l'humidité. Dans les pièces exposées à l'humidité, comme la cuisine et la salle de bains, appliquez un apprêt vaporifuge sur les murs avant de les peindre.

3 Poncez les surfaces lustrées avec du papier de verre fin ; portez un masque antipoussières et des lunettes de protection. Si vous utilisez un délustrant commercial, aérez la pièce et portez un respirateur.

! Vérifiez toujours, avec une trousse d'analyse du commerce, si une peinture d'avant 1980 contient du plomb.

4 Après le ponçage, enlevez la poussière avec un balai. Éliminez aussi la saleté, les marques de crayon et la graisse. Un simple époussetage suffira à nettoyer la plupart des plafonds, mais faites disparaître les taches sur ceux de la cuisine et de la salle de bains, comme il est expliqué ci-dessus (voir « Moisissure »). Vous pouvez aussi acheter des apprêts et des peintures à agents antimoisissure.

5 Masquez les luminaires et les thermostats difficiles à enlever à l'aide de ruban-cache et de toiles en plastique. Bouche-porez ou apprêtez le bois nu. Apprêtez aussi les réparations fraîchement effectuées sur les murs. Choisissez un apprêt compatible avec la peinture de finition que vous appliquerez. En faisant teinter l'apprêt, vous réduirez le nombre de couches de finition nécessaires.

Lavage préventif. Lavez toujours les pinceaux neufs avant de les utiliser. Toute soie mal fixée se détachera dans l'eau plutôt que sur la peinture fraîche...

Au poil ! Pour éviter que les poils d'un manchon ne restent collés sur la peinture fraîche, enroulez du ruban-cache sur le manchon, puis déroulez-le sans attendre pour ôter les poils mal fixés.

Retouche à sec. En général, les couleurs varient légèrement d'un bidon à l'autre. Pour cette raison, une retouche de peinture peut ressortir sur un carreau de plafond blanc. Utilisez donc de la craie blanche au lieu de la peinture pour les retouches. Frottez-la sur le carreau, chassez la poussière résiduelle en soufflant dessus et repassez un peu de craie sur le carreau au besoin.

Vous éviterez les éclaboussures en plaçant une assiette en papier sur le bidon de peinture avant d'y plonger un agitateur mû par une perceuse. Faites un petit trou dans l'assiette et passez-y la tige de l'agitateur.

Propre dessous. Pour empêcher la peinture de goutter sur votre bras quand vous peignez au plafond, placez un couvercle de plastique (fendu au centre) sous la virole du pinceau en enfilant le manche dans la fente.

Simple précaution. Veillez à ce que les bidons de peinture soient fermés pendant que vous travaillez. Des poussières pourraient tomber dans la peinture exposée à l'air libre. En outre, des bidons ouverts peuvent constituer un danger s'il y a de jeunes enfants ou des animaux dans la maison.

Un jeu d'enfant. Obturez les fentes des prises électriques pour peindre les surfaces adjacentes d'un seul coup de rouleau. Coupez le courant, retirez les plaques et obturez les fentes avec des bouchons de plastique servant à protéger les jeunes enfants contre les décharges électriques.

Pour pouvoir circuler dans un escalier que vous peignez, peignez une marche sur deux et laissez sécher avant de poursuivre.

Si l'odeur de la peinture vous déplaît, coupez un oignon non épluché en gros morceaux et placez-le dans un contenant rempli d'eau froide. L'odeur de la peinture fraîche disparaîtra.

L'étape du masquage vous fait-elle horreur ? Sautez-la et utilisez un guide de découpe. Appuyez fermement le guide contre les surfaces à protéger pendant que vous appliquez la peinture. Avec un peu de pratique, vous vous acquitterez du découpage en un tournemain !

Après les travaux, versez les restes de peinture dans des bouteilles d'eau vides à l'aide d'un entonnoir. Le plastique laisse voir la couleur de la peinture et il est facile de transvaser proprement de la peinture dans un bac à partir de bouteilles.

Application de la peinture

À PRÉVOIR :

Gants, casquette et lunettes

Toiles de protection

Peinture au latex (fini semi-lustré pour les moulures ; fini satiné ou mat pour les murs et le plafond)

Pot à café

Bac à peinture

Ruban de masquage

Pinceaux, rouleau, manchon et manche télescopique

Tampon à galets-guides

Spatule large ou guide de découpe

Seau et eau ou essence minérale

Grattoir à manchon ou essoreuse

Poubelle et doublure de plastique (facultatifs)

1 Agitez la peinture ou, si elle est vieille, demandez à un marchand de l'agiter et de confirmer qu'elle est utilisable. Versez-la dans un pot pour la peinture des moulures et dans un bac pour celle du plafond et des murs. Peignez le plafond, les murs, puis les moulures. Masquez au fur et à mesure.

 Fixez un bec verseur sur le bidon : le rebord restera propre.

2 Utilisez des pinceaux à soies de nylon/polyester avec du latex et à soies de porc avec de la peinture à l'huile. Ayez un pinceau à bout oblique pour le découpage et un pinceau droit pour les moulures. Peignez les surfaces lisses avec des manchons à poils courts, les surfaces texturées avec des manchons à poils longs. Masquez les murs avant de découper le plafond. Peignez celui-ci avec un rouleau à manche.

Connaître ses couleurs.

Conservez un échantillon de chacune des peintures que vous appliquez dans votre maison afin de pouvoir vous y référer au besoin (lors de l'achat de tissus, de papier peint ou d'accessoires par exemple). En guise de support, utilisez une baguette de bois servant à agiter la peinture. Plongez-la dans la peinture et laissez sécher : vous obtiendrez un échantillon plus fidèle que les échantillons cartonnés des marchands.

Les écrits restent. Lorsque vous peignez une pièce, notez la couleur et la marque de la peinture derrière une plaque d'interrupteur ou de prise. Il suffira de consulter vos notes pour acheter la même peinture plus tard.

Soufflez fort ! Avant de refermer le couvercle d'un bidon de peinture, inspirez profondément et expirez dans le bidon. Le gaz carbonique exhalé empêchera la peinture de s'oxyder et de sécher en surface.

À RETENIR

Estimation de la quantité de peinture nécessaire

À l'étape de la planification des travaux, il peut être difficile d'estimer la quantité de peinture nécessaire. La formule suivante vous aidera à le faire de façon réaliste. Le résultat final vaut pour une couche ; doublez-le si deux couches sont nécessaires. Le rendement (surface couverte) d'un litre de peinture est généralement de 100 pi² (9,30 m²).

1. _____ × _____ = _____
Largeur totale des murs   Hauteur du plafond   Surface totale des murs

2. _____ × _____ = _____
Hauteur de la fenêtre   Largeur de la fenêtre   Surface de la fenêtre

3. Faites le calcul de la ligne 2 autant de fois qu'il y a de fenêtres et additionnez les produits

4. _____ × _____ = _____
Hauteur de la porte   Largeur de la porte   Surface de la porte

5. Faites le calcul de la ligne 4 autant de fois qu'il y a de portes et additionnez les produits

6. _____ + _____ = _____
Total de la ligne 3   Total de la ligne 5   Surface ne devant pas être peinte

7. _____ − _____ = _____
Total de la ligne 1   Total de la ligne 6   Surface totale devant être peinte

8. _____ ÷ _____ = _____
Total de la ligne 7   Rendement   Litres de peinture par couche

---

3 Une fois la peinture du plafond sèche, effectuez le découpage sur un mur seulement. Le tampon à galets-guides est un outil facile à manier, qui permet d'obtenir un beau fini sans avoir à faire de masquage. Un pinceau à châssis peut tout de même être nécessaire dans certains coins. Si vous travaillez seul, découpez uniquement la surface que vous pourrez peindre en entier avant que la peinture ne sèche.

4 Sitôt après le découpage, appliquez la peinture au rouleau en traçant un N dans le haut du mur ; passez le rouleau par-dessus pour étendre. Répétez dans le bas du mur, en fusionnant les bords des surfaces peintes pour éviter les reprises. Une ou deux couches pourront être nécessaires. Pour réduire le nombre de couches, faites teindre l'apprêt à la moitié de la formule de la peinture.

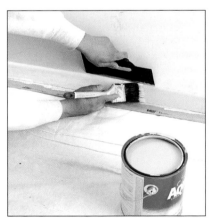

5 Peignez les boiseries en dernier. Masquez les surfaces adjacentes ou protégez-les avec une spatule ou un guide de découpe (voir aussi les pages 114 à 117). Nettoyez les applicateurs lorsqu'ils sont saturés et après usage. Vous pouvez les rincer ou les essorer avec une essoreuse dans une poubelle contenant un sac à ordures. Les manchons peuvent aussi être essorés à l'aide d'un grattoir en plastique.

Pour créer un pochoir, calquez un motif sur papier ou photocopiez un motif sur tissu. Crayonnez ensuite une ligne guide horizontale à 1 po (2,5 cm) de la base du motif, puis tracez le motif et la ligne guide sur des transparents. Prévoyez un pochoir par couleur. Fixez un transparent sur une planche à découper avec du ruban adhésif et évidez les motifs correspondant à une couleur avec un couteau-scalpel ; procédez ainsi pour chaque couleur. Tracez des repères de positionnement.

Fond. Tout type de peinture peut servir de fond à des motifs pochés, mais optez de préférence pour une peinture au fini satiné. Les surfaces doivent être propres et exemptes de fissures. Laissez sécher le fond avant de peindre les motifs.

Compatibilité. Avant d'amorcer le travail au pochoir sur les murs, faites un essai sur papier pour vous assurer que les couleurs choisies conviennent au motif.

Mise en place du pochoir. Fixez le pochoir sur les murs avec du ruban à dessin ou du ruban de peintre de préférence au ruban-cache, qui risque d'arracher la peinture. Vous pouvez aussi vaporiser de l'adhésif non permanent sur le revers du pochoir (placez auparavant le pochoir dans une boîte).

Maniement du pinceau. Pour pocher le motif, tapotez rapidement le bout des soies du pinceau sur le pochoir, en progressant des bords vers le centre. Vous obtiendrez ainsi une texture caractéristique.

Vernissage. Appliquez une couche de vernis sur le motif poché afin de le protéger et de le rendre lavable. Utilisez un vernis extra pâle mat. Les vernis plus lustrés (fini satiné ou lustré par exemple) offrent une meilleure protection.

Temps de séchage. Utilisez de la peinture à pocher séchant rapidement ou de la peinture acrylique d'artiste pour pocher un motif à plusieurs couleurs : le travail avancera plus vite.

Touche d'originalité. Ne limitez pas l'exécution de motifs pochés aux surfaces larges. Le travail au pochoir peut aussi servir à rehausser l'apparence des contremarches, des meubles, etc. Quelle que soit la surface où vous pocherez un motif, assurez-vous de bien la préparer. Veillez aussi à protéger les motifs pochés.

Exécution de motifs au pochoir

À PRÉVOIR :

Pochoirs préfabriqués

Gants de latex

Ruban à mesurer, cordeau et niveau

Craie d'artiste

Ruban à dessin ou ruban de peintre

Adhésif non permanent en aérosol (facultatif)

Peinture à pocher ou peinture acrylique d'artiste

Bac ou assiette de plastique jetable

Pinceaux à pocher

Essuie-tout

Eau et chiffons pour le nettoyage

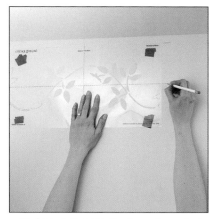

1 Les magasins d'artisanat vendent des pochoirs dans un large éventail de motifs, mais vous pouvez aussi créer les vôtres (voir ci-dessus). Les pochoirs préfabriqués présentent des repères facilitant le positionnement. Amorcez le travail au pochoir dans un coin, si possible. Prenez les mesures à partir du plafond et marquez le mur avec de la craie d'artiste, vis-à-vis des repères du pochoir.

2 Tendez la ficelle d'un cordeau entre les marques, cinglez et vérifiez l'horizontalité de la ligne. Alignez les repères du pochoir sur la ligne, puis fixez le pochoir au mur.

 Pour un meilleur résultat, vaporisez un adhésif non permanent sur le revers du pochoir. Vérifiez d'abord qu'il ne laissera aucun résidu.

Motif sur toile. À défaut de peindre le plancher, vous pouvez pocher un motif sur un couvre-sol. Achetez de la toile raide. Repliez les bords coupés sous la toile, appliquez une couche de fond, puis pochez le motif. Vaporisez du polyuréthanne sur le motif pour le protéger.

Même à l'extérieur. La façade de votre maison manque-t-elle d'attrait? Mettez-y un peu de couleur en pochant un motif sur la boîte aux lettres ou la porte d'entrée. Utilisez de la peinture d'extérieur et recouvrez le motif de polyuréthanne superdur ne jaunissant pas.

Un parquet terne deviendra un ravissement pour les yeux si vous y réalisez un «tapis» de motifs. Appliquez ensuite un produit de finition durable sur le plancher (du polyuréthanne superdur ne jaunissant pas constituerait un bon choix).

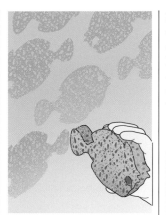

L'impression à l'éponge donne un résultat comparable à celui que procure le travail au pochoir. Découpez une éponge synthétique de façon à obtenir la forme souhaitée ou bien achetez des éponges prédécoupées. Bien que la technique paraisse simple – il suffit d'imbiber l'éponge de peinture et de la presser contre le mur –, vous aurez tout avantage à vous faire la main sur du carton.

Recul nécessaire. Avant d'acheter un pochoir, voyez de quoi il a l'air de loin. Les détails d'un motif attrayant de près peuvent devenir imperceptibles à une distance de 10 pi (3 m).

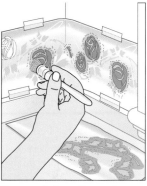

Raccord dans les coins. Positionnez le pochoir pour qu'il chevauche les coins. Assurez-vous de maintenir le pochoir à l'horizontale au moment d'amorcer l'exécution du motif sur le mur vierge: les coins peuvent être inégaux.

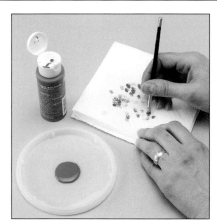

3 Déposez une petite quantité de peinture à pocher dans un bac ou une assiette de plastique jetable. Trempez la pointe de votre pinceau à pocher dans la peinture. Tapotez ensuite les soies sur des essuie-tout pour qu'elles absorbent uniformément la peinture et en rendent tout surplus. Les soies doivent être presque sèches lorsque vous amorcez le travail.

4 Appliquez une couleur à la fois. Tenez le pinceau perpendiculairement au mur et tapotez légèrement les soies dans tous les motifs correspondant à la couleur appliquée. Progressez du bord vers le centre pour obtenir des motifs bien définis. Soulevez le pochoir avec précaution, nettoyez-le et repositionnez-le. Répétez autant de fois qu'il faut pour faire le tour de la pièce et revenir au point de départ.

5 Lavez le pinceau avant d'amorcer l'application de la seconde couleur. Effleurez les murs pour vous assurer que la première couleur est sèche. Repositionnez le pochoir, en alignant de nouveau les repères sur la ligne pour que le motif soit bien droit. Appliquez la seconde couleur comme la première, jusqu'à ce que vous soyez revenu à votre point de départ.

Nouveaux murs. Apprêtez toujours le placoplâtre neuf avant de le peindre. Sinon, il absorbera les couleurs en raison de sa porosité.

Choix des couleurs. À moins que vous n'ayez l'habitude de marier les couleurs, mieux vaut vous en tenir à des tons légers ou neutres. Par précaution, vous devriez aussi choisir des tons d'une même carte de couleurs.

Que ce qu'il y a de mieux. Utilisez de la peinture au latex de première qualité le plus souvent possible dans vos travaux de peinture décorative. Elle s'étend bien, ne dégage aucune vapeur toxique et s'enlève sur les outils avec de l'eau et du savon. L'ajout de matière de charge permet de prolonger son temps de séchage au besoin.

Un ton pâle appliqué à l'éponge sur un ton foncé permet d'obtenir un effet de profondeur. Le procédé inverse confère une meilleure définition et davantage de relief au fini. Si vous désirez superposer des tons différents et que vous utilisiez du latex, attendez que chaque couche soit sèche au toucher avant d'appliquer la suivante.

Micro ou macro. Appliquez la peinture dans les coins et autour des boiseries avec un morceau d'éponge provenant de celle que vous utilisez ; si vous préférez vous servir de l'éponge entière, veillez à masquer les surfaces adjacentes : une éponge naturelle ayant normalement des bords inégaux, vous risqueriez de tacher ces surfaces de peinture malgré toutes vos précautions.

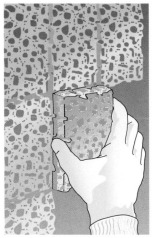

Questions de forme. Pour obtenir un motif rappelant la dorure à la feuille, utilisez des couleurs douces et une éponge carrée ou rectangulaire au lieu d'une éponge naturelle. Veillez à ce que les motifs se chevauchent sur les bords. Une éponge à surface lisse vous procurera un motif uniforme ; une éponge grossière, un motif texturé.

Perspective globale. Éloignez-vous de temps à autre de la surface peinte pour juger de l'effet d'ensemble. Si certaines zones sont plus sombres que le reste de la surface, pâlissez-les une fois la peinture sèche en y appliquant un peu de couleur de fond à l'éponge.

Tout d'un trait. Vous n'aurez aucune peine à obtenir un fini uniforme si vous peignez la pièce en entier avant de faire une pause. Si ce n'est pas possible, interrompez-vous quand vous parvenez à une ouverture ou à un obstacle (boiserie, porte).

Les kits de marbrage à l'éponge permettent d'imiter le marbre en trois étapes. Il suffit de réunir plusieurs couleurs dans une assiette, d'appliquer la peinture à l'éponge et de veiner la surface avec une plume.

Peinture à l'éponge

À PRÉVOIR :

Peinture au latex, fini satiné ou mat, pour la couche de fond

Pinceau (petites surfaces) ou rouleau (grandes surfaces seulement)

Gants de latex

Éponge naturelle

Peinture au latex, fini satiné, pour la couche de finition à éponger

Bac

Polyuréthanne à base d'eau (facultatif)

Matière de charge

Seau et eau

1 La peinture à l'éponge consiste à appliquer ou à tamponner (étape 5) de la peinture sur une couche de fond sèche avec une éponge naturelle. Appliquez la couche de fond au pinceau ou au rouleau ; laissez sécher. Versez de la peinture d'une autre couleur dans un bac. Immergez l'éponge dans de l'eau ; essorez-la. Plongez-la dans le bac et recouvrez-la d'une couche légère de peinture.

2 Tapotez légèrement l'éponge sur la couche de fond sèche de façon à créer un motif irrégulier (mieux vaut vous faire d'abord la main sur du carton ou du papier). Remettez de la peinture sur l'éponge au besoin. Proportionnez la pression à la charge de peinture. Retournez l'éponge de temps en temps pour varier quelque peu le motif.

Fausse pierre. L'application de produits imitant la pierre demande du temps et des talents d'artiste. Pour simplifier le travail, utilisez de la peinture « granite » en aérosol pour rehausser l'aspect d'une table ou un manteau de cheminée.

Grenure. Pour obtenir un fini rappelant le suède, trempez délicatement les poils d'une brosse de dessinateur ou d'une brosse à chaussures dans de la peinture et appliquez-les sur un plateau de table, un mur, etc.

Belles lignes. Utilisez une raclette à neige pour créer un fini ligné décoratif. Taillez-la à la largeur voulue, puis découpez des entailles de ½ po (12 mm) de largeur dans la lame, en laissant ¼ po (6 mm) entre elles. Glissez le peigne ainsi obtenu sur la peinture fraîche de façon à y dessiner des lignes droites ou sinueuses.

Les meubles, ceux de style campagnard en particulier, se prêtent parfaitement à la technique de l'épongeage. Sur une couche de fond pâle ou foncée, appliquez une couche de finition à l'éponge, puis du polyuréthanne superdur ne jaunissant pas.

Dorure. Pour qu'un mur ait des reflets dorés, mettez-y de légères touches de peinture « feuille d'or » avec une éponge. Pour obtenir un effet plus subtil, dorez les boiseries à l'éponge avec de la peinture or. Dans chaque cas, appliquez d'abord une couche de fond.

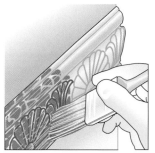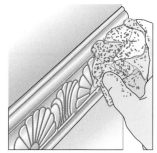

Patinage. La technique de l'essuyage permet de patiner les éléments architecturaux ou les meubles ornés de motifs sculptés. Préparez un glacis en diluant du bouche-pores alkyde avec de l'essence minérale (1:1). Appliquez-le au pinceau, puis essuyez-le avec un chiffon non pelucheux, en en laissant dans les creux. Utilisez de la peinture pâle sur un fond sombre et de la peinture foncée sur un fond clair.

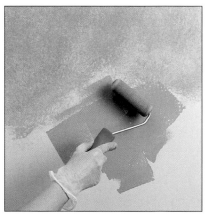

3 Travaillez sur une surface carrée de 2 pi (60 cm) de côté à la fois et de haut en bas. Chaque passe doit chevaucher légèrement la précédente, quand la peinture n'est pas encore sèche, et se fondre dans la suivante.

 Pour protéger la surface, appliquez du polyuréthanne à base d'eau ne jaunissant pas.

4 Après avoir travaillé à l'éponge toute la surface, vous pouvez appliquer de la peinture d'une autre couleur pour donner plus de richesse et de relief au fini. Il peut s'agir d'une couleur différente mais complémentaire ou d'une variante de la couleur originale. Par exemple, vous pourriez tout simplement pâlir la seconde couleur avec un peu de peinture blanche.

5 La peinture à l'éponge peut aussi se faire en tamponnant la couche de finition alors qu'elle est encore fraîche. Appliquez-la d'abord au rouleau par passes perpendiculaires (en croisillons), après avoir additionné la peinture de matière de charge pour prolonger le temps de séchage ; tamponnez-la avant qu'elle ne sèche avec une éponge naturelle propre et humide. Rincez et essorez souvent l'éponge.

Question de goût. La peinture au chiffon permet d'obtenir divers finis, selon le tissu utilisé. Choisissez votre fini en faisant l'essai de divers tissus (vieux drap, dentelle, étamine, jute, lin, etc.). Veillez simplement à ce qu'ils soient non pelucheux.

Plus qu'assez. Assurez-vous d'avoir une réserve amplement suffisante du tissu qui vous servira à appliquer la peinture. Les chiffons deviennent inutilisables une fois qu'ils sont saturés de peinture.

Taillez les bords des chiffons d'étamine qui serviront à appliquer de la peinture, de façon à retrancher les fils qui pourraient rester collés sur les murs. Par ailleurs, lavez tous les chiffons, neufs ou non, avant usage et coupez aussi les fils qui en dépassent.

En cas de dérapage. Le chiffon dérape-t-il lorsque vous le roulez sur le mur ? Enroulez-le sur un goujon de bois ayant 10 po (25 cm) de longueur et 1 po (2,5 cm) de diamètre. Tenez fermement le chiffon avec les doigts sur le goujon et vous pourrez rouler celui-ci sans peine.

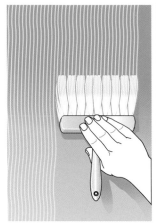

Traînées de couleur. Vous obtiendrez un fini texturé intéressant en traînant un applicateur enduit de peinture pâle sur un fond sombre. Une brosse à encoller de 6 po (15 cm) de largeur convient bien à cette technique de texturation.

La peinture au chiffon peut également se faire après l'application de la couche de finition, alors qu'elle est encore fraîche. Faites-vous aider. Une personne doit étaler la peinture et l'autre rouler un chiffon propre sur celle-ci avant qu'elle ne sèche. Rincez le chiffon à l'eau au bout de deux ou trois passes et essorez-le. Les motifs doivent se chevaucher un peu ; ne les reprenez pas.

Application d'une peinture au chiffon

À PRÉVOIR :

Peinture au latex, fini mat ou satiné, pour la couche de fond
Pinceau ou rouleau et bac
Gants de latex
Chiffons de coton
Peinture au latex, fini satiné, pour la couche de finition

1 Appliquez d'abord la couche de fond ; laissez sécher. Plongez un chiffon dans la peinture, puis essorez-le (portez des gants de latex). Pliez et roulez le chiffon de façon à le tordre lâchement (illustration).

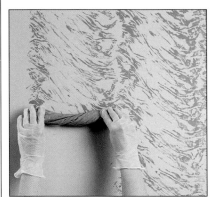

2 Saisissez le chiffon par les bouts, placez-le sur le mur, juste sous le plafond, et roulez-le jusqu'au bas du mur. Réenroulez le chiffon et replongez-le dans la peinture au besoin. Les bandes de peinture doivent se toucher sans se chevaucher.

3 Pour obtenir un fini ayant l'aspect d'un tissu froissé, ne roulez pas le chiffon sur le mur ; donnez-lui plutôt la forme d'un tampon compact et tamponnez-le sur la peinture. À mesure que le travail avance, modifiez la forme du tampon pour varier le fini.

Vite et bien. La technique du chinage nécessite un déplacement rapide et incessant des mains. Bougez donc sans arrêt, faites des gestes aussi larges que possible et évitez de reprendre les motifs. Faites-vous d'abord la main sur du carton épais.

Par temps chaud, humectez le mur d'eau avec un pinceau avant d'amorcer le chinage : la peinture s'étendra mieux.

Un peu d'aide. En additionnant la peinture d'une matière de charge sous forme de gel acrylique, vous prolongerez considérablement le temps de séchage et pourrez ainsi travailler les motifs plus longtemps.

Mouchetures. Pour obtenir un fini original, mouchetez la couche de fond avec un pinceau chargé de peinture d'une autre couleur. À cette fin, frappez le pinceau contre une baguette de bois. Pour créer de fines mouchetures, imbibez de peinture le bout d'un pinceau large et passez un couteau ou le pouce sur les soies. Portez des gants, des lunettes et des vêtements de protection, car c'est un travail salissant. Protégez aussi les surfaces voisines.

Silhouettage. Avant de moucheter un mur, fixez-y des feuilles d'arbre ou des formes de papier. Une fois la peinture sèche, il vous suffira de les retirer pour révéler leur silhouette.

Chinage

À PRÉVOIR :

Gants de latex

Ruban de masquage

Peinture au latex, fini satiné

Bac

Eau

Tampon de mousse, pinceau à soies de nylon ou éponge naturelle

1 Masquez les boiseries. Diluez la peinture avec de l'eau pour qu'elle soit laiteuse ; étalez-la en croisillons à partir d'un coin avec un tampon de 3 po (7,5 cm). La couche doit être translucide et ponctuée de quelques zones sombres.

2 Une éponge naturelle permet d'obtenir un effet différent. Diluez la peinture de la façon décrite plus haut ; étalez-la en faisant des ronds et fusionnez les bords. Pour donner plus de relief au fini, laissez sécher la peinture, puis appliquez une seconde couche.

3 Un pinceau de 3 po (7,5 cm) à soies de nylon laissera des sillons en relief bien visibles sur le mur. Diluez la peinture de la façon décrite plus haut et appliquez-la en croisillons ; ne l'étalez pas trop, à défaut de quoi le résultat final laissera à désirer.

L'essuyage permet d'obtenir un effet presque identique à celui que donne le chinage. Étalez d'abord sur le mur, avec un pinceau ou un rouleau, de la peinture que vous aurez préalablement diluée. Chiffonnez ensuite un morceau d'étamine et glissez-le légèrement sur le mur en croisillons. Cette technique de tamponnement, comme toutes les autres d'ailleurs, demande deux personnes : l'une appliquant la peinture, l'autre l'essuyant quand elle est encore fraîche. Travaillez sur une petite surface à la fois et veillez à ne pas trop diluer la peinture pour éviter qu'elle ne coule.

L'embarras du choix. Il existe différentes façons de rafraîchir de vieux panneaux muraux de bois. Vous pouvez les nettoyer, mais aussi les teindre ou les peindre. En cas de doute, nettoyez-les d'abord. Utilisez un détergent doux qui n'attaquera aucun produit de finition – cire, huile, etc.

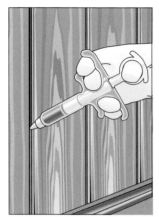

Teinture. Une couche de teinture peut souvent redonner belle apparence à des panneaux muraux de bois défraîchis. Sachez toutefois que le bois peut prendre du retrait s'il est exposé à de l'air sec et que des surfaces vierges risquent alors de devenir visibles au niveau des joints. Vous pouvez teindre les joints au pinceau, mais il est plus facile et moins long de le faire avec un injecteur de colle rempli de teinture.

Chaulage. Si vous voulez obtenir un fini blanchâtre translucide sur des panneaux muraux non finis, ayez recours à la technique appelée chaulage : lavez les panneaux, recouvrez-les de bouche-pores alkyde blanc dilué avec de l'essence minérale (1:1), puis essuyez le bouche-pores avec un chiffon non pelucheux.

En faisant teinter l'apprêt, vous pourriez réduire le nombre de couches de finition nécessaires pour masquer la couleur des panneaux muraux. Demandez au marchand d'utiliser la moitié de la recette de la couleur finale.

Le vrai et le faux. La peinture n'adhère pas au vinyle ou au plastique. Si vous avez des doutes sur la composition d'un panneau de « bois », poncez une petite partie du parement – le vinyle et le plastique s'écailleront.

Avant de peindre des panneaux muraux, obturez les joints avec du plâtre à reboucher si vous voulez créer une surface lisse.

Dans le bon ordre. Devez-vous peindre des panneaux muraux ornés de petits panneaux ? Pour obtenir le meilleur résultat possible, peignez, dans l'ordre, le pourtour, la partie plane et l'encadrement des petits panneaux. En procédant ainsi, vous pourrez éliminer les coulures à mesure que le travail avancera.

Peinture de panneaux de bois

À PRÉVOIR :

Eau additionnée de détergent sans rinçage (phosphate trisodique)	Papier de verre moyen (n° 80)
Seau, éponges et chiffons	Ventilateur aspirant de fenêtre (facultatif)
Plâtre à reboucher et couteau à mastic	Apprêt acrylique (teinté au besoin)
Lunettes de protection et masque antipoussières	Peinture acrylique d'intérieur

1 Lavez les panneaux avec de l'eau chaude additionnée de détergent sans rinçage, du phosphate trisodique par exemple. Comblez les trous, les creux et les rainures avec du plâtre à reboucher. Laissez sécher le plâtre.

2 Poncez le plâtre (portez des lunettes de protection et un masque antipoussières). Un ventilateur aspirant de fenêtre peut servir à évacuer la poussière. Relavez les panneaux avec du détergent sans rinçage, puis laissez-les sécher.

3 Apprêtez les panneaux en entier ; utilisez un apprêt acrylique. Laissez sécher. Appliquez ensuite la peinture de finition ; une ou deux couches seront nécessaires.

Propreté d'abord. Les murs sur lesquels vous posez du papier d'apprêt n'ont pas à être en bon état ; ils doivent toutefois être propres. Lavez-les bien avec du détergent sans rinçage et de l'eau chaude ; recouvrez-les ensuite d'apprêt acrylique. L'apprêt perlera en présence de graisse ou d'huile. Le cas échéant, relavez les murs, laissez-les sécher, puis apprêtez-les de nouveau.

Sous le tissu. Vous serez bien avisé de mettre du papier d'apprêt sur les murs que vous avez l'intention d'habiller de tissu. Le tissu doit être fixé sur un mur lisse. Or, la pose de papier d'apprêt constitue le moyen le plus rapide, et habituellement le plus facile, de créer une surface lisse.

Peinture écaillée. Grattez la peinture qui est écaillée en surface, puis appliquez un apprêt et posez le revêtement mural ; poncez la peinture qui est écaillée en profondeur, puis posez du papier d'apprêt. Le revêtement mural adhérera mieux.

Peinture au plomb. Le papier d'apprêt convient parfaitement au masquage des murs peints avec de la peinture au plomb.

D'autres matériaux peuvent être couverts de papier d'apprêt à l'intérieur, dont la brique, le béton et le stucco.

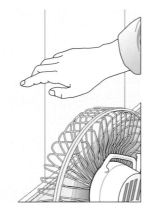

Séchage. Pour savoir si le papier d'apprêt est sec, appuyez légèrement dessus du bout du doigt. Si le doigt ne laisse pas d'empreinte, vous pouvez peindre le papier ou poser un revêtement mural par-dessus. Pour hâter le séchage, au besoin, dirigez le jet d'air d'un ventilateur vers le mur.

Pose de papier d'apprêt

À PRÉVOIR :

Détergent sans rinçage (phosphate trisodique)	Adhésif haute tenue pour papier peint
Rouleau ou pinceau à encoller	Seau et éponges
Apprêt acrylique de qualité supérieure	Spatule large ou règle à mastic
Papier d'apprêt	Couteau universel
Plâtre à reboucher et couteau	

1 Lavez les panneaux avec de l'eau chaude additionnée de détergent sans rinçage. Comblez les rainures et masquez les imperfections avec du plâtre à reboucher (voir p. 130). Appliquez un apprêt acrylique de bonne qualité ; laissez sécher.

2 Enduisez le papier d'apprêt d'adhésif de haute tenue pour papier peint au moyen d'un rouleau ou d'un pinceau à encoller (voir pp. 134-135). Posez-le à l'horizontale s'il doit être recouvert de papier peint, à la verticale s'il doit être peint.

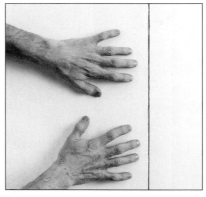

3 Arasez le papier d'apprêt autour des ouvertures au couteau universel ; appuyez-le contre les boiseries avec une spatule. Lissez-le avec une brosse ou une éponge. Apprêtez-le 48 heures plus tard. Recouvrez de peinture ou de papier peint.

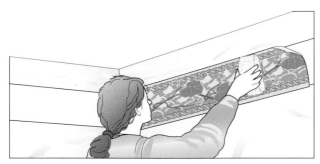

Sous les frises aussi. Une frise de papier peint doit reposer sur une surface lisse. Si les murs sont en mauvais état, collez du papier d'apprêt sous la frise. Coupez le papier d'apprêt en bandes un peu moins larges que la frise et collez-le avec de l'adhésif de haute tenue pour papier peint. Laissez sécher, puis appliquez une peinture d'apprêt sur le papier avant de poser la frise.

Pour enlever l'adhésif...
Une solution de vinaigre blanc et d'eau chaude (1:1) est efficace pour amollir l'adhésif du vieux papier peint et elle coûte beaucoup moins cher qu'un dissolvant chimique. Ouvrez les fenêtres quand vous travaillez : même si le vinaigre n'est pas toxique, son odeur âcre peut être irritante.

... et ce qui en reste... Utilisez un pinceau à soies de nylon ou un tampon à récurer en nylon pour enlever les résidus d'adhésif. Trempez-les régulièrement dans de l'eau chaude pour qu'ils restent propres.

Travail salissant. Avant d'enlever du papier peint, recouvrez entièrement les planchers de toiles de protection (utilisez des toiles de tissu ou des toiles de plastique doublées de papier).

À toute vapeur. Il peut être malaisé et même dangereux d'utiliser une décolleuse, mais c'est parfois le seul outil qui viendra à bout des vieux revêtements muraux difficiles à enlever ou des revêtements superposés sur des murs de plâtre. (Pour éviter tout dommage, ne recourez jamais à la vapeur pour enlever un revêtement sur du placoplâtre.)

Le haut d'abord. Quand vous utilisez une décolleuse, progressez de haut en bas. L'eau qui coulera sur le mur par suite de la condensation de la vapeur hâtera la dissolution de l'adhésif. plus bas.

Enlevez les résidus d'adhésif pour papier peint avec une raclette trempée dans de l'eau chaude. Essuyez fréquemment la lame de la raclette sur un chiffon propre.

Protection du plancher. Jetez les revêtements muraux que vous enlevez sur une toile de protection, pas sur le plancher. Les teintures risqueraient de tacher le plancher.

À propos du grattage. Quel que soit l'outil qui vous sert à gratter les revêtements muraux, prenez soin de ne pas endommager les murs en l'utilisant. Vous devrez réparer tout dommage avant de peindre le mur ou de poser un nouveau revêtement.

Un rouleau à peindre électrique peut servir à imbiber les revêtements muraux d'un dissolvant composé de savon et d'eau chaude. Scarifiez d'abord le revêtement s'il est fait de vinyle ou de papier imperméable (étape 4, ci-dessous).

Décollage d'un revêtement mural

À PRÉVOIR :

Toile de protection et ruban-cache
Plastique pour les prises et interrupteurs
Vadrouilles et serviettes
Gants de caoutchouc et de latex
Couteau à mastic à lame rigide
Eau chaude et détergent à vaisselle
Agent mouillant, tel un dissolvant chimique (facultatif)
Pulvérisateur de jardin de 5 gal. (23 L)
Lunettes de protection
Spatule de finition de 6 po (15 cm)
Grattoir à papier peint et scarificateur
Seau et éponges
Apprêt acrylique

1 On peut retirer un revêtement mural *décollable* sans que son support reste collé au mur. Il n'en va pas de même d'un revêtement mural *détachable*. Dans un tel cas, soulevez d'abord un des coins inférieurs de la finition de vinyle avec un couteau à mastic rigide. Tirez-la ensuite lentement vers le haut, jusqu'à ce qu'elle soit entièrement détachée du support de papier, qui restera collé au mur.

2 Pour décoller le support de papier, imbibez-le de dissolvant chimique ou d'eau chaude additionnée d'un peu de détergent à vaisselle. Utilisez à cette fin un pulvérisateur de jardin de 5 gal. (23 L) ; portez des lunettes de protection si vous recourez à des produits chimiques. Vaporisez en allant du plafond au plancher ; laissez pénétrer ; répétez la vaporisation jusqu'à ce que le support cloque ou se détache du mur.

Repères. Pour faciliter la repose des ferrures – et éviter de percer d'autres trous dans les murs –, obturez les trous des attaches avec des cure-dents avant de poser le revêtement mural. Retirez les cure-dents à mesure que vous posez le revêtement, puis replacez-les dans les trous à travers le matériau de parement.

Adhérence. S'il n'y a qu'un seul revêtement mural uni sur le mur et qu'il tient toujours bien, vous pourrez peut-être en poser un nouveau par-dessus. Glissez les doigts sur le vieux revêtement ; s'il crépite, enlevez-le : son adhérence laisse à désirer. Soulevez aussi les bords et les coins avec un couteau à mastic ; si le revêtement se détache sur une grande surface, vous devrez l'enlever.

Une bonne base. Si le vieux revêtement mural adhère bien au mur (voir ci-dessus) et que vous décidiez de poser le nouveau revêtement par-dessus, recollez les parties détachées, lavez le revêtement avec du détergent ou une solution douce d'eau de Javel et d'eau, puis appliquez un apprêt convenant à la pose de revêtements muraux.

Ménagez vos pas. Pour réduire les déplacements, portez un tablier de menuisier pendant que vous posez ou détachez un revêtement mural. Ce type de tablier est peu coûteux et possède de grandes poches dans lesquelles vous pourrez facilement placer vos outils : ruban à mesurer, roulette de tapissier, etc.

Séquence logique. Peignez le plafond et les boiseries après avoir enlevé le vieux revêtement mural et avant de poser le nouveau. Il est facile d'enlever les coulures d'adhésif pour papier peint sur les boiseries et les surfaces peintes, mais il est quasiment impossible d'éliminer les taches de peinture sur un revêtement mural neuf.

3 Grattez le support avec une spatule de finition de 6 po (15 cm). S'il est difficile à enlever, utilisez un grattoir à papier peint ; évitez de creuser les murs de placoplâtre.

! **Avant de mouiller les murs, placez une toile de protection sur le plancher, coupez le courant et recouvrez les prises électriques de ruban adhésif.**

4 Certains revêtements muraux peuvent être difficiles à enlever à sec et à imbiber d'agent mouillant. Le cas échéant, scarifiez leur surface en croisillons à l'aide d'un scarificateur. Vaporisez ensuite l'agent mouillant de la façon décrite à l'étape 2 ; laissez pénétrer et attendez que le revêtement cloque ou se détache du mur. Grattez le revêtement avec une spatule de finition ou un grattoir à papier peint.

5 Pour finir, enlevez tout adhésif en lavant les murs avec du dissolvant chimique ou de l'eau chaude additionnée de détergent à vaisselle. Vous pouvez aussi utiliser une solution composée de ¼ tasse (60 ml) d'eau de Javel et de 2 gal. (9 L) d'eau chaude. Avant de peindre ou de poser un nouveau revêtement, appliquez un apprêt acrylique de bonne qualité sur les murs et laissez-le sécher durant 24 heures.

Retouche. Pour masquer les bords blancs du papier peint foncé, frottez sur les extrémités du rouleau la pointe d'un marqueur à encre indélébile de la couleur de fond du papier ou légèrement plus pâle. Laissez sécher l'encre avant de mouiller le papier peint.

Couvrez les murs endommagés de papier peint très gaufré; il dissimulera les fissures. Vous pouvez aussi utiliser du papier d'apprêt (voir p. 131).

Le fond et la forme. Avant de poser du papier peint à fond pastel, recouvrez le mur d'un apprêt que vous aurez fait teinter de la couleur du fond. Ainsi, tout interstice entre les lés passera pratiquement inaperçu.

Si les murs sont inégaux, éclairez-les obliquement avec une torche avant de poser un revêtement mural : les aspérités devant être poncées y jetteront une ombre.

Pour aligner des motifs horizontaux, posez un premier lé, puis placez un niveau de menuisier le long d'une suite de motifs et tracez sur le mur une ligne horizontale allant au-delà de l'endroit où vous poserez le lé suivant. Alignez le motif du lé suivant sur la ligne. Répétez pour les autres lés.

Interruption. Si vous ne pouvez poser un lé déjà mouillé, pliez-le de la façon décrite ci-dessous (étape 2), puis roulez-le lâchement et enveloppez-le hermétiquement dans un sac de plastique. L'adhésif restera humide pendant une heure.

Les ancrages seront faciles à repérer si, avant de les recouvrir d'un nouveau revêtement mural, vous y logez un clou à finir court, pointe vers l'extérieur. Les clous perceront le revêtement quand vous le poserez.

À propos des coins. Pour obtenir un bon résultat, coupez le dernier lé du premier mur de façon qu'il déborde de ¼ po (6 mm) sur le mur adjacent. Mesurez ensuite la largeur de la chute, reportez-la sur le mur adjacent à partir du coin et tracez une nouvelle ligne verticale (voir l'étape 1, ci-dessous).

Pose d'un revêtement mural

À PRÉVOIR :

Revêtement mural
Toiles de protection en tissu
Escabeau
Mètre et crayon
Niveau de menuisier
Ciseaux longs
Seau
Bac de trempage
Table
Grosse éponge
Spatule de finition large
Couteau universel et lames de rechange
Roulette de tapissier

1 Reportez la largeur du revêtement sur le mur à partir d'un coin ou d'une entrée, retranchez ½ po (12 mm) et faites une marque au point correspondant. Alignez un niveau sur la marque et tracez une ligne du plafond au plancher. Mesurez la hauteur du mur. Coupez un premier lé, à partir du motif de départ désiré à la jonction du plafond, en ajoutant 4 po (10 cm) à la longueur utile.

2 Roulez le lé lâchement, face encollée vers vous, et faites-le tremper selon les directives. Tirez-le sur une table dans le même sens. Rabattez-le, sans le plier, face encollée en dedans, sur deux tiers de sa longueur dans le haut et un tiers au bas.

 Changez l'eau après avoir fait tremper deux ou trois lés pour éliminer les résidus.

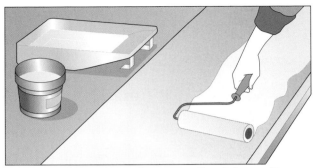

Enduisez le papier d'activateur au lieu de le mouiller d'eau. Versez l'activateur dans un bac propre et appliquez-le avec un rouleau et un manchon à poils moyens. N'immergez pas le papier peint dans l'activateur : une pellicule gluante pourrait se former sur le parement. Faites d'abord des essais.

Outils de coupe. Pour éviter de déchirer les revêtements muraux, changez de lame toutes les deux ou trois coupes. Utilisez un couteau à lame cassable ou (si vous êtes prudent) une lame de rasoir à un tranchant. Un couteau-scalpel convient le mieux aux coupes de précision.

Plafond. Passez un rouleau à peindre muni d'un manchon sec sur chaque lé de papier peint que vous posez au plafond afin d'obtenir une bonne adhérence sur toute la surface couverte. Progressez du centre du lé vers ses extrémités. Mieux encore, utilisez du papier peint autocollant.

Pour ôter une tache sur un revêtement mural délicat, frottez-la légèrement avec une boule de pain de seigle.

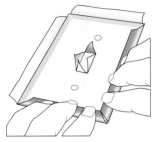

Pour couvrir une plaque d'interrupteur de papier peint, utilisez une plaque de métal (plus plate qu'une plaque de plastique) comme guide. Incisez le papier en diagonale aux coins pour l'empêcher de froncer. Collez-le sur la plaque à couvrir avec de l'adhésif vinyle sur vinyle. Pratiquez une petite fente en regard des trous de vis ; soulevez les bords avant de visser la plaque, puis lissez-les par-dessus les vis.

Recyclage des chutes. Vous pouvez utiliser les chutes de papier peint pour couvrir les corbeilles, les abat-jour, les cadres, les stores, les rayons, les livres et les albums de photos.

3 Dépliez la partie supérieure du lé et lissez-la sur le mur, en veillant à la faire déborder d'environ 2 po (5 cm) sur le plafond. Posez le lé le long de la ligne verticale et non pas le long du coin ou du cadre de porte. Dépliez ensuite la partie inférieure du lé et lissez-la sur le mur. Essuyez le surplus d'adhésif avec une éponge mouillée.

4 Arasez le haut et le bas du lé avec un couteau universel muni d'une lame bien affûtée ; guidez la lame avec une spatule de finition large. Placez le couteau légèrement de biais et ne soulevez pas la lame. Arasez le lé de la même manière le long des boiseries et des ouvertures ; s'il tend à se froncer, incisez-le dans l'angle de la chute avant de l'araser ou changez la lame du couteau.

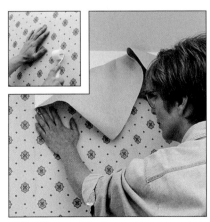

5 Glissez délicatement le second lé contre le premier et raccordez les motifs. Les bords du joint doivent à peine se toucher ; aplanissez-les avec une roulette de tapissier (en médaillon) après 10 à 15 minutes.

 Appuyez légèrement sur la roulette de tapissier pour éviter de faire fluer la colle.

À RETENIR

Typologie des revêtements muraux

Ne choisissez pas un revêtement mural uniquement en fonction de son apparence. Tenez aussi compte des caractéristiques de la pièce où vous le poserez. Voici une liste des revêtements muraux les plus courants.

Type	Usages
Papier standard	Ce papier peint se compose d'un support de papier bon marché sur lequel un motif décoratif est directement imprimé. Il est recouvert d'une très mince couche de vinyle offrant une protection médiocre contre la graisse et l'humidité. On le pose dans les pièces peu utilisées, comme les chambres à coucher et les salles à manger. Il est généralement préencollé.
Vinyle	Ce papier peint durable présente un support de papier et un parement de vinyle décoratif laminés. On le pose la plupart du temps dans les pièces très utilisées ainsi que dans les cuisines et les salles de bains. Il est généralement préencollé.
Papier de fibres (naturelles)	Ce papier peint se compose de fines fibres verticales et d'un support de papier laminés. Parfois difficile à poser, il ne se lave pas très bien. On le pose donc dans les pièces peu utilisées, là où on veut masquer les imperfections du mur.
Moiré	Ce papier peint décoratif lavable a un fini glacé qui rappelle une surface mouillée et peut donner une impression de raffinement et d'élégance. Le motif est généralement imprimé sur un support de papier.
Doublé de tissu	Ce revêtement mural présente un motif imprimé sur un support de tissu extrêmement durable, fait de mousseline ou de coton. Il peut être frotté et il s'enlève en une seule étape. Il est donc idéal dans les pièces très utilisées. Il est offert dans une vaste gamme de modèles.
Commercial	Ce revêtement mural de haute tenue est généralement vendu en rouleaux de 48 à 54 po (1,20-1,35 m) de largeur et dans une gamme variée d'épaisseurs, en fonction de l'usage projeté. Il peut être frotté et enlevé à sec (c'est-à-dire en une seule étape). On le pose dans les locaux commerciaux et les pièces de la maison très utilisées, les salles de jeux pour enfants par exemple.

Question d'équilibre. En général, le nombre de frises doit être proportionné aux dimensions de la pièce. Une frise placée près du plafond passera inaperçue dans une grande pièce où il n'y en a pas d'autres. Le décor aura plus d'unité si vous posez des frises supplémentaires près des plinthes.

Pour réduire les dépenses liées à la pose d'un revêtement mural, collez des frises sur les murs en guise de cimaises. Fixez le revêtement au-dessus ou au-dessous des frises. Peignez l'autre partie du mur d'une couleur complémentaire.

Pour les enfants ! Les marques sur les murs s'enlèvent d'ordinaire plus aisément sur les surfaces peintes que sur les revêtements muraux. Dans la chambre des jeunes enfants, posez donc une frise à hauteur de cimaise et fixez du papier peint au-dessus de celle-ci.

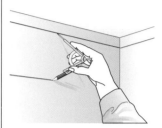

Horizontalité. S'il vous faut marquer la largeur d'une frise sur les murs, utilisez un compas porte-crayon. Tracez d'abord une ligne guide horizontale près du plafond.

Matez la peinture lustrée avant de poser une frise sur les murs, à défaut de quoi l'adhérence laissera à désirer. Utilisez du papier de verre fin ou moyen. Enlevez la poussière avec un chiffon ou un aspirateur. Appliquez ensuite de l'apprêt pour revêtement mural.

À deux, c'est mieux. Faites-vous aider au moment de poser une frise près du plafond. Montez sur un escabeau et demandez à votre aide de déployer la frise (pliée en accordéon) tandis que vous la posez sur le mur.

Adhésif. Utilisez de l'adhésif vinyle sur vinyle pour fixer une frise de vinyle sur un revêtement mural de vinyle, sinon elle n'adhérera pas au revêtement.

Plus de hauteur. Si vous voulez que les portes et les fenêtres d'une pièce aient l'air plus hautes, ne taillez pas d'onglets à la jonction des frises qui les encadrent. Posez la frise horizontale en premier, de façon que les frises verticales la recouvrent.

Moins de hauteur. Pour modifier les proportions d'une pièce à haut plafond, posez une large frise dans le haut et le bas des murs. Le plafond semblera plus bas, et une impression de confort se dégagera de la pièce.

Bords décollés. Utilisez de la colle blanche pour recoller les bords des frises. Encollez le revers du bord, puis le mur avec un pinceau d'artiste. Passez une roulette de tapissier sur la réparation.

De simples lambrequins permettent de dissimuler les supports des rideaux et d'ajouter une touche décorative dans une pièce sans ornements. Fabriquez divers modèles en carton et placez-les devant une fenêtre pour juger de l'effet produit. Découpez le modèle que vous préférez dans du contreplaqué et couvrez-le de revêtement mural.

Pour donner l'impression que les motifs d'une frise ont été exécutés au pochoir, retranchez les bords et n'utilisez que la partie intérieure.

Frise unique. Transformez les surplus de revêtement mural en une jolie frise. Marquez la largeur utile sur le revêtement, puis effectuez la coupe sur une longue table de travail à l'aide d'un couteau universel. Appuyez fermement sur la lame et travaillez lentement pour ne pas déchirer le revêtement.

La pose d'une frise gaufrée permet d'ajouter un détail architectural dans une pièce sans ornements. Vous pouvez, si vous le désirez, peindre la frise afin de l'intégrer au décor. Utilisez de la peinture de bonne qualité.

Des panneaux muraux rectangulaires formés de frises encadrant un papier peint évoquent la somptuosité des lambris de bois. Ils mettent une touche de raffinement dans un salon et même dans une salle à manger. Si vous êtes novice en ce qui concerne la pose des revêtements muraux, optez pour une frise à motif sans orientation précise pour faciliter votre travail.

Pose d'une frise

À PRÉVOIR :

Ruban à mesurer ou niveau et règle	Seau et pinceau à encoller
Crayon ou cordeau	Brosse à lisser ou grosse éponge
Frise	Couteau universel

Adhésif pour papier peint ou adhésif vinyle sur vinyle (pour poser une frise sur un revêtement mural)

1 Utilisez un niveau et une règle pour marquer les lignes guides. Partez d'un point fixe, comme le plafond ou une boiserie ; mais vérifiez bien l'horizontalité, car le plafond peut être inégal. Tracez les lignes guides avec un crayon ou un cordeau.

2 Appliquez l'adhésif ou faites tremper la frise si elle est pré-encollée. Repliez la face encollée sur elle-même, en accordéon. Posez la frise le long des lignes guides et lissez-la avec une brosse à lisser ou une grosse éponge.

3 Aux raccords, positionnez le second lé pour qu'il déborde de 2 po (5 cm) sur le premier. Alignez les motifs. Incisez les deux lés en même temps avec un couteau universel et une règle. Ôtez les chutes. Lissez ; passez une roulette de tapissier sur le joint.

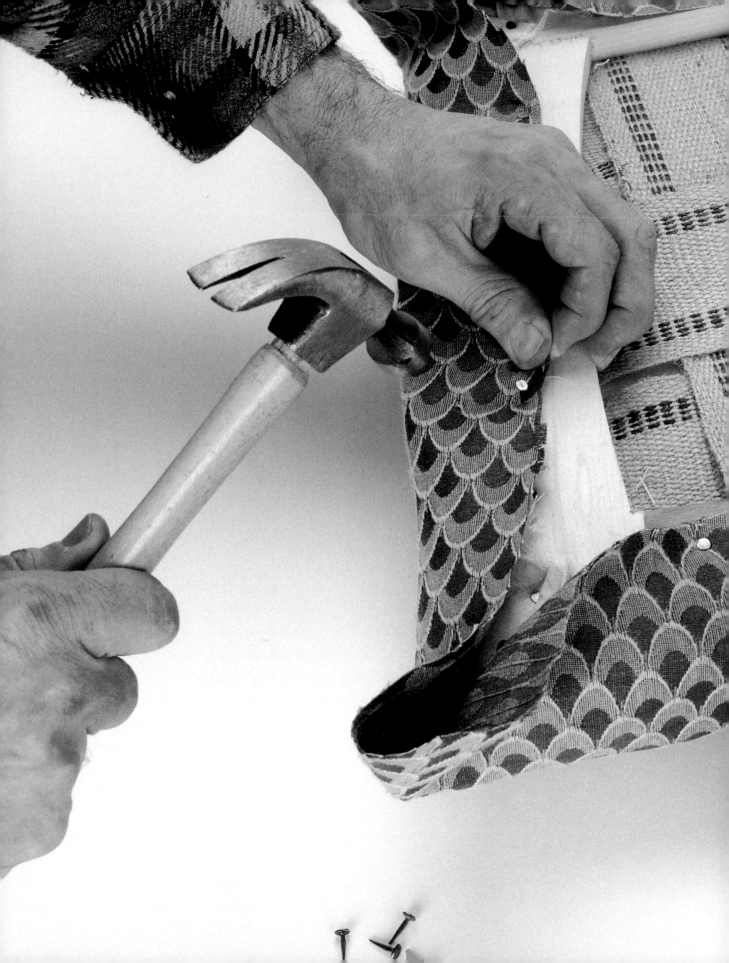

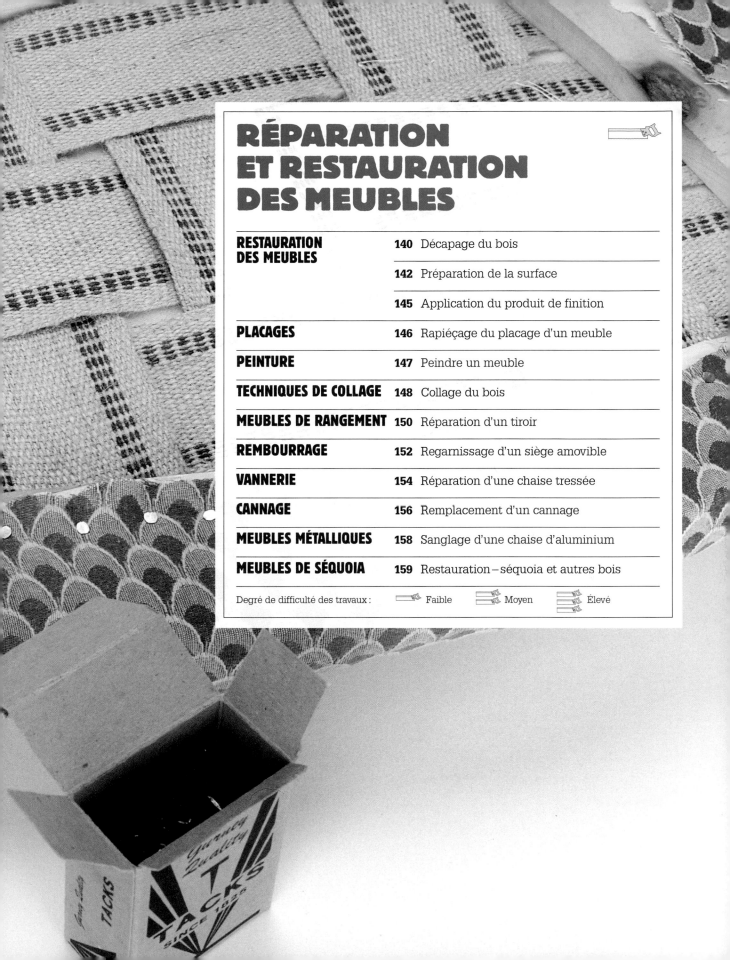

RÉPARATION ET RESTAURATION DES MEUBLES

Degré de difficulté des travaux :   Faible   Moyen   Élevé

En douceur. Décapez les meubles anciens de qualité avec du décapant à base de dichlorométhane. Évitez d'utiliser les nouveaux décapants dits «plus sûrs» : l'eau qu'ils contiennent peut non seulement soulever les fibres du bois, mais aussi provoquer le délaminage des placages délicats.

Décision bien pesée. Au moment d'acheter du décapant sans eau, choisissez le produit qui contient le plus de dichlorométhane. Comme les fabricants n'ont pas l'habitude de préciser les pourcentages volumiques sur les étiquettes, vous devrez comparer le poids des bidons. Sélectionnez des bidons du même format et tenez-en un dans chaque main : optez pour le produit qui se trouve dans le bidon le plus lourd.

Autre solution. Faites l'essai d'un rénovateur avant de recourir à un décapant. Les rénovateurs dissolvent le fini en surface et restaurent la pellicule qui protège le bois. Ils préservent aussi la patine des meubles et permettent d'économiser temps et argent.

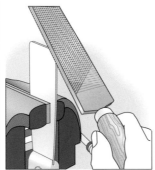

Outil adapté. Le bois s'attendrit sous l'action des décapants ; pour éviter de le creuser, arrondissez les coins de votre couteau à mastic avec une lime avant de gratter le fini dissous.

Substitution. À défaut de grattoir de métal, utilisez une spatule de plastique pour enlever le fini dissous. Tenez-la à l'envers et poussez-la devant vous : sa lame plate et souple ne peut érafler le bois.

Lame antiadhésive. Les résidus de décapage poisseux se détacheront facilement de la lame de votre couteau à mastic si vous l'enduisez de temps à autre d'une mince couche d'antiadhésif de cuisine.

Utile précaution. Après avoir enlevé les ferrures d'un meuble, obturez tous les trous avec des bouchons de papier journal torsadé. En procédant ainsi, vous éviterez que des résidus de décapage, difficiles à éliminer une fois secs, ne s'accumulent dans les trous.

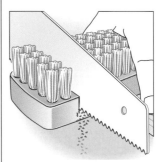

Sur mesure. Vous faut-il décaper une surface étroite ? Sciez un tronçon de brosse à récurer à poils raides (deux rangs de poils feront l'affaire) et utilisez-le pour appliquer le décapant et enlever le fini dissous.

Décapage du bois

À PRÉVOIR :

Lunettes de protection

Respirateur

Gants résistant aux produits chimiques ou deux paires de gants de caoutchouc

Décapant pour peinture et vernis

Pinceau de 2 po (5 cm)

Grattoir de plastique ou couteau à mastic

Brosse à poils de laiton ou vieille brosse à dents

Laine d'acier, n°s 2 et 00

Essence minérale ou diluant à peinture

Outil pointu (ex. : vieux tournevis)

Chiffon propre non pelucheux

Aspirateur muni d'une brosse

1 Mettez des lunettes de protection, un respirateur et des gants résistant aux produits chimiques ou deux paires de gants de caoutchouc avant de décaper un meuble. Appliquez une généreuse couche de décapant au pinceau et évitez de passer deux fois sur la même surface. Progressez de haut en bas, sur une surface à la fois. Repositionnez le meuble au besoin.

2 Une fois le fini ramolli, grattez-le avec un grattoir de plastique ou un couteau à mastic sur les grandes surfaces planes ; utilisez une brosse à poils de laiton ou une brosse à dents dans les rainures. Recommencez jusqu'à ce que tout le fini ait disparu. Utilisez de la laine d'acier n° 2 pour enlever les derniers résidus de décapant ; frottez le bois dans le sens du fil pour éviter de l'érafler.

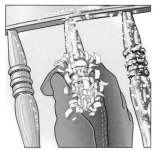

Bois sur bois. Enlevez le fini dissous sur les surfaces irrégulières en les frottant avec une poignée de copeaux de bois. Les résidus de décapage adhéreront aux copeaux et seront de ce fait plus faciles à enlever.

Le décapant liquide frais ne pourra goutter des surfaces des meubles si vous le saupoudrez d'une poignée de sciure de bois. Sachez toutefois que la couche de décapant devra être plus épaisse, car la sciure en absorbera une partie.

Trop chaud. Portez des gants de jardinage en tissu quand vous enlevez la peinture avec un pistolet à air chaud. Le jet d'air chaud et la peinture ramollie peuvent brûler les gants de caoutchouc ou de plastique et même la peau.

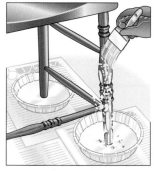

Propreté assurée. Vous faut-il restaurer un meuble sur pieds? Placez auparavant un moule à tarte jetable sous chaque pied afin de recueillir les coulures de décapant ainsi que les résidus de décapage.

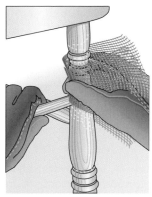

Coup de filet. Après avoir décapé un meuble, nettoyez les pièces tournées avec un sac-filet en nylon.

Fini ancien. En utilisant de l'ammoniaque domestique, vous pourriez parvenir à dissoudre de la peinture à base de lait qui résiste à un décapant. Rappelez-vous toutefois qu'un meuble d'époque aura plus de valeur si vous conservez son fini d'origine, même si celui-ci est usé ou endommagé.

Bain décapant. Faites tremper dans de l'eau bouillante les ferrures à décaper couvertes de peinture à base d'eau. Immergez les ferrures couvertes de peinture à l'huile pendant une nuit dans un seau contenant 2 gal. (9 litres) d'eau additionnée de ½ lb (250 g) de cendres de bois. Retirez-les du seau avec des gants de caoutchouc.

Cernes. Ne restaurez pas un meuble en entier juste pour éliminer des cernes blancs dus à l'eau. Frottez délicatement un essuie-tout enduit de cendre de cigarette sur les cernes et ceux-ci devraient disparaître.

Couvrez un grand cerne dû à l'eau d'une généreuse couche de vaseline que vous essuierez le jour suivant. Cela devrait suffire à restaurer le fini.

3 Appliquez du décapant sur les surfaces verticales, une à la fois. Sur les pièces tournées et les petites surfaces, enlevez le fini dissous avec de la laine d'acier n° 2; effilochez le tampon et rincez-le souvent dans de l'essence minérale.

 Placez le meuble sur une table ou un établi stables pour faciliter votre travail.

4 Le décapage demande habituellement plus d'attention au niveau des rainures. Laissez le décapant agir à votre place. Appliquez-le dans les rainures avec le bout des soies d'un pinceau, attendez, puis grattez délicatement le fini dissous avec un outil pointu, un vieux tournevis ou un grattoir à coulis par exemple.

5 Pour neutraliser le décapant et enlever tous les résidus, frottez le meuble en entier avec de la laine d'acier n° 00 mouillée d'essence minérale; rincez souvent le tampon. (Comme l'eau peut soulever les fibres du bois, ne l'utilisez jamais pour effectuer ce travail.) Essuyez le meuble avec un chiffon propre non pelucheux, puis nettoyez-le avec un aspirateur muni d'une brosse.

Faut-il teindre le bois ?
Pour répondre à cette question, mouillez le bois sur une petite surface en le frottant avec un chiffon humecté d'essence minérale. La couleur plus sombre de la surface mouillée sera grosso modo celle du bois non teint couvert d'un produit de finition incolore.

Pour teindre du pin et éviter l'aspect tacheté que présentent d'ordinaire les bois résineux une fois teints, utilisez de la teinture en gel. Étant plus épaisse qu'une teinture liquide, elle pénètre le bois moins profondément et procure donc une couleur plus uniforme.

Apprêt économique.
Appliquez un peu d'huile minérale aux extrémités des pièces de bois pour éviter toute absorption excessive de la teinture à ce niveau.

Double usage. En diluant suffisamment le produit de finition, vous disposerez d'un excellent apprêt (une mince couche suffit). Appliquez toutefois des huiles à action pénétrante sur du bois non apprêté : elles sont expressément conçues pour pénétrer dans les pores.

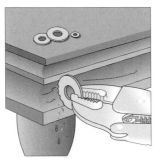

Grattoir rond. Enlevez les résidus de décapage dans les petits arrondis concaves à l'aide d'une rondelle bloquée entre les mâchoires d'une pince-étau. Limez la rondelle au besoin.

Choix éclairé. Pour savoir si une seconde couche de bouche-pores est nécessaire, balayez le bois avec une torche 24 heures après que la première couche a séché. Une couche suffit si la surface présente un luisant uniforme.

Jamais sec. Une fois le bouche-porage terminé, placez un bout d'éponge humecté de solvant dans le pot de bouche-pores avant de le refermer. Le bouche-pores restera ainsi fluide jusqu'à l'utilisation suivante.

Logique. Rangez les feuilles de papier de verre séparément, en fonction de leurs caractéristiques (dimensions, type de papier, granulométrie), dans un classeur-accordéon.

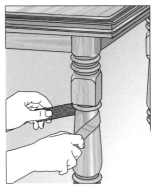

Courroies recyclées. Ne jetez pas les courroies abrasives usagées. Taillez-les plutôt en bandes longues et étroites et utilisez-les pour poncer les pièces tournées, dans un mouvement de va-et-vient.

Préparation de la surface

À PRÉVOIR :

Papier de verre (différents numéros)
Éponge mouillée (facultatif)
Chiffon non pelucheux propre
Essence minérale
Gants de caoutchouc
Apprêt étanche d'imprégnation (résine)
Teinture
Pinceaux de 2 po (5 cm)
Bouche-pores en pâte
Couteau à mastic ou grattoir de plastique

1 Poncez le bois vierge avec des papiers de verre toujours plus doux, jusqu'au numéro 180 au moins. Si vous prévoyez utiliser de la teinture à base d'eau, essuyez le bois avec une éponge mouillée, poncez-le pour éliminer les fibres soulevées, puis nettoyez-le avec un chiffon non pelucheux humecté d'essence minérale.

2 Apprêtez le bois tendre et les extrémités des pièces de bois pour uniformiser la pénétration de la teinture (portez des gants de caoutchouc). Appliquez ensuite la teinture avec un pinceau ou un chiffon non pelucheux, selon les directives du fabricant, et n'omettez aucune surface. Essuyez toute marque de chevauchement sans tarder, en passant légèrement le pinceau ou le chiffon sur le bois.

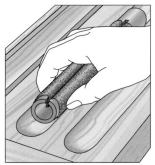

Un bon tuyau. Pour poncer des arrondis concaves de faible rayon, fendez un tronçon de 6 po (15 cm) de tuyau d'arrosage sur sa longueur, moins 1 po (2,5 cm), et servez-vous-en comme cale à poncer. Bloquez le papier de verre dans la fente et enroulez-le autour du tuyau, grains vers l'extérieur.

Si la plaquette de votre ponceuse est usée, remplacez-la par un tapis de souris d'ordinateur. Collez le tapis avec de la colle caoutchouc, puis arasez les côtés.

À RETENIR

Papier de verre et granulométrie

Le chiffre imprimé au dos des feuilles de papier de verre indique la dimension des grains abrasifs. Plus le chiffre est élevé, plus les grains sont fins et le ponçage léger. Les caractéristiques les plus courantes du papier de verre figurent ci-dessous.

Grains	Texture	Usages
50 à 60	Rude	Ponçage et façonnage grossiers ; décapage (peinture).
80 à 100	Moyenne	Ponçage intermédiaire après un ponçage grossier ; ponçage des surfaces peintes.
120 à 150	Fine	Ponçage final avant l'application d'un produit de finition.
160 à 240	Très fine	Matage des apprêts et des peintures.
280 à 320	Extra-fine	Matage des couches de fond.
360 à 600	Superfine	Ponçage humide des vernis et des laques ; fini ultralisse.

Cale ronde. Poncez les arrondis concaves avec une balle de tennis enveloppée dans du papier de verre.

Papier renforcé. Le papier de verre durera plus longtemps si vous recouvrez le dos de chaque feuille de ruban séparateur.

Planche à poncer. Il est plus facile de frotter de petits objets sur du papier de verre que de faire l'inverse. Fixez donc le papier de verre sur une planchette à pince ; au besoin, assujettissez les bords avec des pince-notes.

Papier « autropcollant ». Le papier de verre autocollant est pratique, mais il peut rester collé aux cales de bois. Pour remédier à cet inconvénient, collez une mince plaquette de liège sur la semelle de votre cale : le papier se détachera toujours facilement par la suite.

3 La plupart des teintures doivent être essuyées plusieurs minutes après l'application. Celles qu'il faut plutôt laisser sécher doivent d'abord être appliquées, puis elles seront étendues uniformément avec le même pinceau, par passes longues et chevauchantes, dans le sens du fil.

4 Ne saturez pas l'applicateur de teinture quand vous teignez les pièces tournées ou les ornements : vous éviterez ainsi les coulures qui se traduiront par des différences de coloration. Essuyez tout surplus sans tarder.

5 Après la teinture, appliquez au pinceau du bouche-pores en pâte sur le bois à grain ouvert, comme le chêne, l'acajou ou le frêne. Lorsque le bouche-pores ne luit plus, enlevez le surplus avec un grattoir de plastique incliné à 45° par rapport au fil du bois. Polissez ensuite la surface avec un chiffon doux.

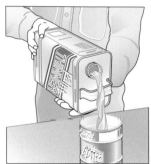

Flot régulier. Avant de transvaser un produit liquide à partir d'un contenant rectangulaire, orientez l'ouverture vers le haut : le produit s'écoulera sans à-coups — d'où un moindre risque de coulures et d'éclaboussures.

Au chaud. Rangez les bidons contenant des produits de finition sur des tablettes plutôt que sur un plancher de béton. La teinture conservée sur un plancher de béton froid peut s'altérer.

Comme le vernis et le polyuréthanne restent collants pendant des heures, la poussière en suspension dans l'air peut se fixer sur les surfaces finies. Passez donc l'aspirateur soigneusement, puis laissez retomber la poussière résiduelle avant d'appliquer ces produits.

Pour finir un bouton sans vous salir les mains, utilisez une pince à linge en guise de support. Logez la vis du bouton entre les mâchoires de la pince ; tournez le bouton vers le haut et placez la pince sur un plan de travail.

Fixez des vis sous les pieds des meubles afin de les dégager du plan de travail. Ajustez-les en les tournant pour que le meuble soit stable pendant que vous appliquez le produit de finition.

Mains propres. Les huiles naturelles de la peau peuvent tacher le bois nu. Avant de manipuler du bois poncé non fini, frottez vos mains avec une poignée de sciure pour éliminer ces huiles.

Une brosse à dents (à soies souples de préférence) peut servir à appliquer un produit de finition dans les rainures et sur les surfaces difficiles à atteindre.

Menus détails. Vous teindrez les petits ornements complexes en un rien de temps si vous utilisez un coton-tige. Les embouts de ouate sont très absorbants et assez étroits pour que vous puissiez les glisser dans les petites rainures.

À RETENIR

Finition des meubles : produits d'usage courant

Quel que soit le produit de finition utilisé, conformez-vous aux directives du fabricant et respectez toutes les consignes de sécurité. La laque, le polyuréthanne et la plupart des vernis sont offerts en trois finis : satiné, semi-lustré ou lustré.

Produit	Solvant	Caractéristiques	Application
Gomme-laque (blanche ou orange)	Alcool dénaturé	Feuil mince et lustré, incolore ou ambré. Résiste à l'usure, mais peu aux liquides.	Pinceau ; deux ou trois couches minces. Retouches faciles. Peut aussi servir d'apprêt étanche avant d'autres produits de finition.
Huile à action pénétrante	Essence minérale	Pénètre dans le bois sans en modifier l'apparence naturelle. L'huile d'abrasin offre la plus grande durabilité.	Chiffon ou pinceau ; laisser pénétrer 30 min, puis frotter vigoureusement. Trois couches ; ponçage humide après la troisième.
Laque	Diluant à laque	Feuil mince et dur. Très bonne résistance aux liquides et à l'usure. Appliquée sur les meubles utilisés dans les commerces.	Matériel de spécialiste ; deux ou trois couches. Appliquer au pinceau la laque qui sèche lentement. Ne pas appliquer sur d'autres produits de finition.
Polyuréthanne	Térébenthine, essence minérale	Feuil très dur, ton chaud. Excellente résistance à l'usure et aux liquides.	Pinceau ; deux couches. Retouches difficiles. Respecter le délai de recouvrement. Ne pas appliquer sur de la gomme-laque.
Vernis acrylique	Eau (avant que le vernis ne sèche)	Feuil mince, dur, sans ton ambré. Résistance moyenne (usure, liquides).	Bombe aérosol ou pinceau ; deux ou trois couches minces.
Vernis alkyde	Essence minérale	Feuil dur, ton chaud. Résistance moyenne à bonne (usure, liquides).	Pinceau ; deux ou trois couches. Retouches difficiles. Poncer entre les couches.

Applicateur de papier.
Appliquez et essuyez les huiles à action pénétrante avec des essuie-tout : contrairement aux chiffons, ils ne laissent pas de charpie sur la surface finie. Après usage, faites-les sécher dehors avant de les jeter pour éviter tout risque de combustion spontanée.

Trempage. Entre les applications d'un produit de finition, faites tremper votre pinceau dans un contenant de serviettes humides rempli du solvant recommandé. Bloquez le manche dans le trou du couvercle pour que les soies ne touchent pas le fond du contenant.

Gardez les tampons de mousse dans un sac pour congélateur scellé entre les applications d'un produit de finition. Grâce à la fermeture étanche du sac, le produit ne durcira pas la mousse.

Nouvel usage. Coupez un manchon de 9 po (22 cm) à poils longs en trois tronçons égaux que vous utiliserez pour appliquer de la teinture, sans rouleau. Un manchon absorbe plus de teinture qu'un pinceau et se prête plus qu'un chiffon à une application uniforme.

Tampon gras. Pour fabriquer un tampon anti-poussière, mouillez un chiffon d'essence minérale et imbibez-le d'un peu de vernis ; pliez-le, puis tordez-le pour l'imprégner de vernis et éliminer le surplus de diluant. Rangez le tampon dans un pot à couvercle.

Taillez des chiffons dans de vieux jeans (retranchez les coutures) et utilisez-les pour polir les surfaces finies avec de l'huile ou du vernis, après l'application de la dernière couche. Le denim procure un beau lustre.

Cire chaude. Avant d'appliquer de la cire en pâte, chauffez légèrement le bois avec un sèche-cheveux. La cire sera plus facile à appliquer et pénétrera plus profondément dans le bois.

SÛR ET SENSÉ

➤ Portez un respirateur, des gants épais et des lunettes de protection quand vous appliquez des produits de finition. Veillez à ce que l'aire de travail soit bien aérée.

➤ Fixez le bouchon d'un contenant de film 35 mm sur les mâchoires des serre-joints pour éviter de marquer le bois fini.

Application du produit de finition

À PRÉVOIR :

Gants de caoutchouc

Tampon gras non pelucheux et essence minérale

Pinceau de 2 po (5 cm)

Apprêt étanche (au besoin)

Papier de verre nº 220

Produit de finition pour le bois

1 Nettoyez le bois avec un tampon gras. Appliquez un apprêt étanche au pinceau si le fabricant du produit de finition le recommande. Laissez sécher ; poncez la surface avec du papier de verre nº 220. Enlevez la poussière avec un tampon gras.

2 Appliquez le produit de finition dans le sens du fil, en procédant par surface et de haut en bas. Avec du polyuréthanne ou du vernis, faites le moins de passes possible ; essuyez tout surplus d'un produit d'imprégnation sans attendre.

3 Certains produits de finition doivent être poncés entre les applications ; utilisez du papier de verre nº 220, et enlevez la poussière avec un tampon gras. Laissez sécher la couche finale 48 h, puis cirez les surfaces finies si vous le désirez.

À l'oreille. Un placage décollé produit un son creux quand on le tapote avec un ongle. Un placage solidement collé au support produit en général un son sourd et résonnant.

Guide d'achat. Voulez-vous acheter sur catalogue du placage, en vue d'une petite réparation? Il est souvent plus économique d'opter pour une trousse d'échantillons d'essences diverses. La trousse contiendra la plupart du temps un placage ayant à peu près l'apparence de celui qu'il vous faut réparer.

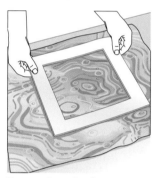

Pour mieux intégrer le veinage d'une pièce dans celui d'un placage à figure très prononcée, découpez un gabarit aux dimensions de la pièce dans du papier. Glissez le gabarit sur le placage neuf jusqu'à ce que vous trouviez la partie qui complétera le mieux le veinage du placage endommagé.

Meuble ancien. S'il vous faut rapiécer le placage d'un meuble ancien sur une surface bien visible et que vous n'arriviez pas à trouver un placage identique, prélevez la pièce sur une surface moins exposée. Réparez cette dernière surface avec du placage le plus ressemblant possible.

Épaisseur accrue. Si la pièce est plus mince que le placage endommagé, collez-la sur une autre pièce identique en contrariant leur fil. Avant de coller la pièce doublée, donnez-lui l'épaisseur utile en ponçant soigneusement sa base.

Placage cloqué. Pour réparer une cloque, incisez-la d'abord dans le sens du fil à l'aide d'un couteau-scalpel. Appliquez ensuite de la colle sous le placage au moyen d'un injecteur. Aplanissez la réparation et lestez-la au moins 12 heures sous un objet lourd (une brique).

Faut le fer! Si le placage cloque de nouveau après que vous l'avez réparé, recouvrez-le de papier d'aluminium et chauffez-le à basse température avec un fer à repasser, par tranches de 10 secondes au plus, pour ne pas le roussir. Placez la réparation sous un serre-joint jusqu'au lendemain.

Rapiéçage du placage d'un meuble

À PRÉVOIR:

Placage	Roulette de tapissier ou bloc de bois de la taille de la main
Scie à placage ou couteau universel	Teinture et produit de finition assortis
Règle de métal	Futée en bâton assortie
Colle contact et petit pinceau jetable	Papier de verre

1 Choisissez un placage ayant les caractéristiques (essence, fil) de celui qui est endommagé. Découpez la partie endommagée jusqu'au support avec une scie à placage ou un couteau universel et une règle de métal. Ôtez le placage et grattez les résidus d'adhésif.

2 Taillez une pièce un peu plus grande que la partie endommagée, mais de forme identique. Appliquez deux couches de colle contact sur le revers de la pièce et le support avec un pinceau jetable (laissez chaque couche devenir poisseuse).

3 Posez la pièce. Pressez-la sur le support avec une roulette de tapissier ou un bloc de bois. Arasez-la avec du papier de verre; teignez-la. Obturez les joints avec un bâton de futée. Reteignez la pièce au besoin. Appliquez un produit de finition sur la surface entière.

Méfiance... La peinture d'origine d'un meuble fabriqué avant 1984 peut contenir du plomb. Avant de repeindre le meuble, matez les surfaces brillantes avec un délustrant liquide ; ne les poncez pas. Vous éviterez ainsi d'inhaler des poussières contaminées.

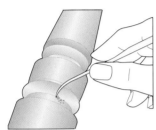

Un explorateur dentaire peut servir à enlever la teinture dans les petites rainures et les ornements complexes.

Agitation. En fait d'agitateur, rien ne vaut un vieux fouet de batteur adapté à une perceuse à vitesse variable. Maintenez une vitesse de rotation faible mais régulière : une agitation trop rapide peut causer la formation de bulles d'air dans la peinture.

À propos des tiroirs. Ne peignez que l'applique des tiroirs et ses chants. Les tiroirs se coinceront dans leur logement si vous peignez les côtés ; mettez plutôt un produit de finition incolore sur ces surfaces.

Bouche-porez les chants des panneaux de particules avant de les peindre ; vous obtiendrez ainsi un fini lisse. En guise de bouche-pores, utilisez une pâte de bois au latex délayée dans de l'eau jusqu'à consistance crémeuse. Poncez les chants avant et après l'application du bouche-pores.

Un fini parfait. N'enlevez pas les soies de pinceau détachées ou la poussière sur une surface peinte qui a commencé à sécher. Attendez plutôt que la surface soit complètement sèche, puis polissez-la avec un essuie-tout mouillé.

Peinture chaude. Avant d'appliquer de la peinture en aérosol, placez la bombe dans de l'eau chaude pendant environ cinq minutes. Le jet sera plus fin et la couverture uniforme.

Pistolage. Pour peindre un petit meuble au pistolet, placez-le dans le carton d'un électroménager pour éviter que la peinture ne se répande dans l'aire de travail.

Fixez un goujon sur votre bombe de peinture avec du ruban adhésif afin de maintenir un espacement suffisant entre elle et la surface à peindre. Soustrayez 1 po (2,5 cm) environ de la longueur utile afin que le goujon ne frotte pas sur la peinture fraîche.

Peindre un meuble

À PRÉVOIR :

Essence minérale et chiffons de coton	Cale à poncer ou ponceuse de finition
Papier de verre, nos 150 et 220	Apprêt
Tampons gras	Pinceaux
Bouche-pores	Peinture
Couteau à mastic	
Plâtre à reboucher (facultatif)	

1 Nettoyez le bois avec un chiffon mouillé d'essence minérale, poncez-le avec du papier de verre fin, puis essuyez avec un tampon gras. Réparez les parties endommagées avec du bouche-pores. Au besoin, obturez les pores avec du plâtre à reboucher.

2 Poncez légèrement le bouche-pores avec du papier de verre nº 150. Dépoussiérez avec un tampon gras. Placez la chaise à l'envers et apprêtez les surfaces difficiles d'accès ; retournez et apprêtez les autres surfaces, de haut en bas.

3 Une fois l'apprêt sec, poncez avec du papier de verre nº 220 et essuyez avec un tampon gras. Appliquez deux couches ou plus de peinture émail. Matez entre les applications au papier de verre nº 220 ; nettoyez au tampon gras.

Double avantage. Il suffit d'enrouler un peu de ruban téflon autour du filetage d'un pot de colle pour que le couvercle soit toujours facile à ouvrir, même après une longue période d'entreposage. Du même coup, le couvercle devient plus étanche et la colle risque moins de sécher dans le pot.

Pour rendre de la colle jaune séchée de nouveau fluide, additionnez-la de quelques gouttes de vinaigre blanc ; attendez un peu, puis secouez le flacon. Recommencez au besoin.

Gel et dégel. Rangez les flacons de colle à l'intérieur durant l'hiver. Les colles blanches et jaunes peuvent habituellement supporter le cycle gel/dégel une ou deux fois, mais elles deviendront grumeleuses si elles y sont soumises plus souvent.

Des barreaux de chaise ont-ils pris du jeu ? Voyez si l'injection d'un liquide de gonflement dans les mortaises permet de consolider les assemblages. S'il vous faut recoller les tenons, ne laissez aucun jeu. Pour obtenir un ajustement serré, enroulez du fil sur les tenons avant de les encoller.

Si un assemblage a pris beaucoup de jeu, remplacez le vieux goujon par un plus gros, d'une longueur égale à la profondeur des deux mortaises, moins ⅛ po (3 mm). Ne laissez aucun jeu.

En faisant sécher les goujons dont le diamètre excède un peu celui des trous, vous leur ferez prendre juste assez de retrait pour pouvoir les mettre en place. Faites-les chauffer dans un four à micro-ondes pendant une minute, trois fois tout au plus.

Pour combiner proprement les deux composants de la colle époxyde, pétrissez-les dans un coin de sac à sandwich. Coupez ensuite le coin et pressez le sac de façon à en extraire la colle.

Vides à combler. Bien que sa préparation soit salissante, la colle époxyde mixte est le produit qui procure le meilleur résultat quand il faut combler les vides dans un assemblage qui joue.

À sec. Pour consolider un assemblage sans colle, enroulez une bande métallique dentée (en vente dans les quincailleries et chez les marchands d'articles de menuiserie) au bout du barreau avant de le loger dans la mortaise. Cette technique ne nécessite aucun serrage.

Rien ne presse ! Si vous devez réaliser un assemblage complexe nécessitant la pose de plusieurs serre-joints, procurez-vous de la colle de peau. Son temps de prise est de trois à quatre heures, comparativement à moins d'une heure pour la colle jaune.

Collage du bois

À PRÉVOIR :

Racloir, râpe à bois ou papier de verre
Colle aliphatique (colle jaune ou colle de menuisier)
Colle aliphatique imperméable (pour les meubles d'extérieur)
Petit pinceau ou applicateur bretté
Clou et ficelle (au besoin)
Ruban adhésif, serres à ressort ou poids pour exercer une pression
Chiffon mouillé

1 Raclez, limez ou poncez la vieille colle qui se trouve dans les joints. Poncez les mortaises avec du papier de verre enroulé sur un goujon. La colle fraîche pourrait ne pas pénétrer dans les fibres du bois en présence de vieille colle.

2 Appliquez un cordon de colle sur les surfaces étroites et étalez-le avec un pinceau. Utilisez un applicateur bretté ou une vieille lame de scie à métaux pour étaler une couche de colle uniforme sur les surfaces larges.

! Encollez les deux surfaces et laissez la colle pénétrer dans le bois pendant une minute. Le joint aura plus de force.

Un peu de prévoyance.
Avant de recoller un assemblage dans un coin intérieur, collez du ruban-cache le long du joint. Retirez le ruban une fois la colle sèche. Ainsi, vous n'aurez pas à vous donner la peine de gratter le surplus de colle.

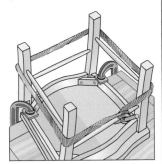

Serre-joint élastique.
À défaut de serre à sangle ou de tourniquet, utilisez un bas-culotte pour bloquer les pièces d'un assemblage. Vous pourrez appliquer une forte pression sur les pièces sans risquer d'endommager le bois ou le fini.

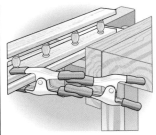

Si une serre à ressort
exerce une pression insuffisante, utilisez-en une autre pour écarter ses branches.

Autre usage.
Un vieux pinceau bon marché peut se transformer en pinceau à colle. Raccourcissez les soies de façon à leur donner la rigidité nécessaire, et le tour est joué.

Recyclage des manches.
Conservez le manche des tampons en mousse que vous mettez à la poubelle. Le raidisseur qui se trouve à son extrémité en fait un instrument idéal pour remuer le mastic et combiner les composants de la colle époxyde. Profilez le raidisseur au besoin à l'aide d'une ponceuse à courroie.

Pinceau à mèche.
Pour fabriquer ce pinceau à colle réutilisable, percez un trou au centre d'un goujon et passez-y un tronçon de corde à linge qui s'y ajustera sans jeu. Retranchez la partie encollée après usage.

Grattoir à colle.
Utilisez la fermeture en plastique d'un sac de pain pour gratter les perles de colle qui ont durci sur les surfaces planes.

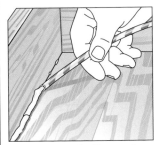

Autre grattoir.
Grattez la colle durcie dans les coins avec une paille de plastique.

Trop de résistance...
Si vous ne parvenez pas à défaire un assemblage devant être recollé, injectez du vinaigre blanc dans le joint de colle avec une burette propre ; attendez quelques minutes, effectuez une autre injection, puis forcez l'assemblage.

3 Pour réparer une pièce de bois fendue, placez un clou dans la fente pour la maintenir ouverte ; puis encollez les surfaces disjointes ; étendez ensuite la colle en glissant une ficelle dans la fente. Retirez le clou. Comprimez la réparation avec un serre-joint.

4 Bloquez toujours un assemblage à l'aide de serre-joints, de ruban adhésif ou de petits clous à finir après l'avoir collé. Vous pouvez aussi le lester pendant 15 min ou plus. Bloquez un pied de chaise avec une serre à sangle ou un tourniquet (ficelle et bâton).

! La colle fluera du joint en trop grande quantité si la pression de serrage est trop forte.

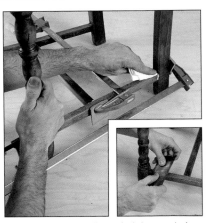

5 La colle doit fluer du joint, mais le surplus doit être enlevé. Si vous prévoyez peindre le meuble, essuyez la surface une seule fois avec un chiffon mouillé. Si vous avez l'intention d'appliquer un produit de finition ou de la teinture laissant voir le fil du bois, rincez bien le chiffon après le premier essuyage et repassez-le sur la surface pour éliminer toute trace de colle.

En douceur. Les tiroirs de bois logés dans un bâti de bois coulisseront librement et sans bruit si vous fixez une moulure cornière auto-collante en vinyle sur le chant inférieur de leurs parois latérales. Cette mou-lure se pose en un rien de temps : il suffit de la tailler et de la coller.

Pour décoincer un tiroir trop rempli, retirez d'abord le tiroir du dessous. Appuyez ensuite une main sous le tiroir coincé et pous-sez-le vers le haut tout en le faisant glisser hors du bâti.

Humidité. Un tiroir de bois se coince souvent sous l'action de l'humidité (les fibres du bois se dilatent quand elles sont humides). Avant de vous lancer dans des réparations, faites-le sécher dans un endroit chaud pendant plusieurs jours ; il pourrait bien coulis-ser librement par la suite.

Gauchissement. Il arrive qu'un tiroir se coince parce que son fond est gauchi et frotte sur le bâti. Pour venir facilement à bout de ce type de coincement, démontez le tiroir et retournez le fond. Songez à remplacer le fond s'il est fortement gauchi.

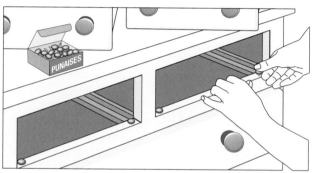

Tiroirs affaissés. Si des tiroirs se coincent ou frottent quand vous les ouvrez, essayez de les positionner à la bonne hauteur dans le bâti. Enfoncez ensuite des punaises à tête large dans les coins avant des logements, de telle façon qu'elles haussent les tiroirs de chaque côté.

Les glissières métalliques des tiroirs s'arquent parfois. Pour les redresser, collez un petit bloc de bois sur les parois latérales du meuble. Les galets ne pourront ainsi sortir des rails.

Pour obturer les petites fis-sures, appliquez une couche de colle jaune, laissez-la devenir poisseuse, puis poncez ; la poussière de bois et la colle se combineront pour masquer les défauts. Poncez de nouveau une fois la colle sèche.

Réparation d'un tiroir

À PRÉVOIR :

Pied-de-biche

Pince coupante en bout, arrache-clou ou chasse-clou et marteau

Clous

Bois

Ruban à mesurer

Maillet en bois

Colle et serre-joints

Rabot de coupe ou galère

Tournevis et vis (au besoin)

Bois d'allumettes (facultatif)

Papier de verre rude et bloc de bois

Bouche-pores ou peinture

Paraffine ou cire de boucher

1 Pour remplacer le fond d'un tiroir, écartez la paroi arrière avec un pied-de-biche et arrachez les clous avec une pince coupante en bout ou un arrache-clou. Retirez le vieux fond et posez le nouveau. Équerrez le tiroir, en appuyant sur les coins opposés jusqu'à ce que les mesures diagonales soient égales ; clouez le fond. Si le fond pénètre dans une rainure de la paroi arrière, retirez d'abord la paroi.

2 Pour réparer des assemblages tordus, désassemblez le tiroir en frappant les parois avec un maillet (placez un bloc de bois sur les parois pour éviter de les marquer). Enlevez tout résidu d'adhésif, puis recollez et réas-semblez. Mettez les assemblages sous serre pendant au moins une heure. Véri-fiez les mesures diagonales entre les coins opposés et repositionnez les serre-joints si elles sont inégales.

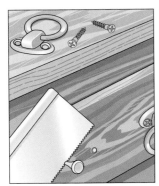

Substitut de savon. Remplissez un contenant de film 35 mm de cire de boucher que vous utiliserez pour lubrifier les vis. La cire ne se désagrège pas comme le savon et elle ne favorise pas la rouille.

Trou de vis usé. Il est facile de réparer un trou de vis usé avec un tee de golf en bois. Poncez le tee pour enlever la peinture, encollez-le légèrement, enfoncez-le dans le trou à coups de marteau, puis arasez-le. La vis mordra dans du bois sain.

Clous cirés. Avant d'enfoncer des clous dans du bois de qualité, plongez leur pointe dans la base d'une bougie. La cire facilitera la pénétration des clous dans le bois.

Clou endommagé. Vous ne pouvez saisir un clou avec un marteau à panne fendue ? Bloquez une pince-étau sur la tige du clou, glissez la panne du marteau sous les mâchoires de la pince et arrachez le clou.

Utilisation de la vapeur. On peut souvent faire disparaître un creux en faisant gonfler les fibres du bois avec de la vapeur. Piquez le bois à plusieurs reprises avec une aiguille, couvrez le creux d'une serviette mouillée, placez un fer à vapeur chaud par-dessus et appuyez plusieurs fois sur le bouton de vapeur. Prenez garde de ne pas roussir le bois.

Pour vos doigts... Il est malaisé de tenir les petits clous pendant qu'on les enfonce. Vous faciliterez grandement votre travail en utilisant un aimant pour les maintenir en position verticale avant de commencer à les enfoncer.

Un gant de cycliste offre une bonne protection contre les ampoules et les crampes qui peuvent résulter de l'utilisation prolongée d'un marteau ou d'un tournevis. Le modèle sans doigts assure une mobilité complète. La paume rembourrée amortit les chocs.

3 Si les chants inférieurs des parois du tiroir sont usés, repérez les parties endommagées. Souvent, l'arrière est plus usé que l'avant. Dressez les chants avec un rabot de coupe ou une galère. Collez sur chacun une baguette de bois un peu plus large que nécessaire ; bloquez les baguettes avec des serre-joints. Laissez sécher la colle, puis rabotez les baguettes pour qu'elles viennent à égalité des parois.

4 Resserrez au besoin les vis qui assujettissent les poignées ou les boutons de bois. Si une vis tourne dans le vide parce que son trou est devenu trop grand, remplacez-la par une vis du diamètre supérieur suivant. Vous pouvez également encoller du bois d'allumette et le placer dans le trou avant de poser la vis ; arasez le bois d'allumette après l'avoir mis en place.

5 Pour réparer un tiroir qui se coince, repérez les surfaces qui sont à l'origine du coincement et poncez-les avec du papier de verre rude jusqu'à ce que le tiroir coulisse librement dans son logement. Bouche-porez (ou peignez) ensuite ces surfaces pour éviter qu'elles ne se dilatent sous l'action de l'humidité. Lubrifiez les coulisseaux et les glissières avec de la paraffine ou de la cire de boucher.

Attaches. Utilisez des semences à tête plate au lieu d'agrafes, surtout si vous posez une housse en tissu ou en plastique épais. Les semences procurent une meilleure fixation.

Simplifiez votre travail. Si vous avez de la difficulté à positionner le tissu en le clouant en son centre de la façon décrite à l'étape 2, ci-dessous, fixez ses bords sur le fond du siège avec du ruban-cache. Commencez à clouer le tissu après l'avoir bien positionné ; retirez le ruban à mesure que le travail avance.

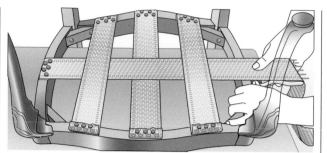

Amorcez le sanglage au centre de la traverse arrière. Repliez la première sangle sur 1 po (2,5 cm) et fixez-la avec cinq semences, enfoncées en quinconce. Tendez-la ensuite avec un tire-sangle et fixez-la sur la traverse avant avec quatre semences. Pour finir, taillez-la en gardant un surplus de 1½ po (3,5 cm), repliez-le vers le haut et enfoncez-y trois semences. Posez les autres sangles de chaîne de la même façon puis passez à la pose de la première sangle de trame, au centre d'une traverse latérale. Entrecroisez les sangles.

Sous la housse. Avant de poser du tissu glissant, collez la bourre de mousse sur le siège. Ainsi, elle ne pourra glisser ni se froncer quand vous clouerez le tissu. Utilisez de la colle blanche ordinaire.

Personne ne le saura ! Vous gagnerez du temps en effectuant le rembourrage par-dessus le vieux tissu si celui-ci est lisse et en bon état. Mais si le rembourrage est bosselé ou le tissu déchiré, remplacez-les.

Un bon patron. Devez-vous remplacer une vieille housse ? Enlevez-la avec précaution, puis utilisez-la en guise de patron. Pour ce faire, repassez-la, épinglez-la sur le tissu neuf, puis suivez son contour pour découper la housse de rechange.

Comme dans du beurre. Un couteau électrique vous permettra de trancher rapidement la mousse de rembourrage haute densité et ce, sans qu'elle s'égrène. Vous obtiendrez aussi un excellent résultat si vous vous servez d'une scie à ruban.

Regarnissage d'un siège amovible

À PRÉVOIR :

Tournevis

Arrache-semence

Bourre de mousse ou toile blanche

Tissu d'ameublement

Mousseline (au besoin)

Crayon

Ruban à mesurer ou règle

Ciseaux pointus

Semences

Marteau de rembourreur ou petit marteau

Jaconas (toile de dessous)

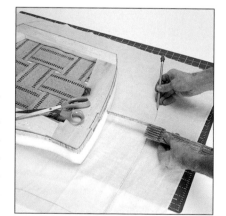

1 Détachez le siège du cadre ; arrachez toutes les agrafes et les semences avec un arrache-semence. Vérifiez la stabilité du sanglage ou de tout autre support. Assurez-vous que la bourre de mousse ou la toile blanche et le sanglage sont en bon état. Si vous devez remplacer la mousseline, procédez comme si vous changiez le tissu d'ameublement (étapes 2 à 5).

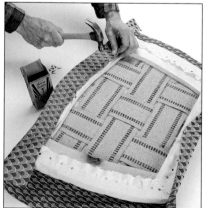

2 Pour tailler la housse, retournez le tissu, puis placez la bourre et le fond du siège par-dessus, tous à l'envers. Majorez toutes les dimensions utiles de plusieurs centimètres et taillez la housse. Pliez le tissu par-dessus le fond et clouez-le en son centre d'un côté. Tendez-le (sans excès) et répétez du côté opposé. Clouez ensuite de part et d'autre des deux points centraux jusqu'à 3 po (7,5 cm) des coins.

Novices s'abstenir. Choisissez un tissu de couleur unie ou à petits motifs si vous n'avez pas l'expérience du rembourrage. Il peut être difficile – et frustrant – de couper et de positionner des tissus à rayures ou à motifs centraux ou répétitifs.

Si vous y tenez... Recherchez-vous un tissu à motif central ? Vous obtiendrez à coup sûr un bon résultat si vous utilisez un tissu conçu expressément pour le recouvrement des sièges. Les tissus de ce genre présentent un motif précentré et sont faciles à positionner.

Durabilité des tissus. Les cotons et les tissus synthétiques à motifs tissés sont durables et conviennent au recouvrement des sièges. Les cotons glacés à motifs imprimés sont jolis mais beaucoup moins durables.

Agrafage. Louez ou achetez une agrafeuse électrique si vous prévoyez agrafer la housse de nombreux sièges. D'un prix raisonnable, cet outil est plus facile à utiliser qu'une agrafeuse manuelle, et il donne de meilleurs résultats.

Dernière étape. Les chaises de salle à manger nouvellement rembourrées seront soumises à un usage intensif et leur housse risquera d'être tachée à l'occasion de chaque repas. N'omettez donc pas de vaporiser un protège-tissus sur leur siège.

On ne sait jamais. Après avoir posé du tissu d'ameublement, placez les retailles et les clous décoratifs qui sont de trop dans une grande enveloppe que vous agraferez sous le meuble. Vous disposerez ainsi des matériaux nécessaires pour rapiécer le tissu au besoin.

Vous éliminerez bien des taches en les frottant avec une mousse composée de détergent doux et d'eau chaude (1:4), préparée au malaxeur. Séchez le tissu avec un chiffon blanc propre après l'avoir détaché.

Si vos meubles rembourrés sentent le moisi, saupoudrez-les de litière pour chat, attendez une heure ou deux, puis enlevez la litière avec un aspirateur. Recommencez si l'odeur persiste.

Poil d'animal. Pour enlever rapidement le poil que votre animal familier a laissé sur les meubles rembourrés (neufs ou usagés), passez un chamois humide sur ceux-ci à quelques reprises.

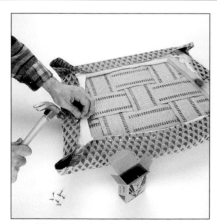

3 Clouez les bords gauche et droit en procédant de la façon décrite à l'étape 2. Espacez les semences de 1 à 1½ po (2,5-3,5 cm) ; arrêtez-vous à 2 à 3 po (5-7,5 cm) des extrémités. Tendez de nouveau le tissu, sans le plisser ni en déformer le motif. La trame doit couper le siège à angle droit.

4 Pour bien finir un coin, tirez le tissu vers le devant à partir du côté tout en le lissant ; pliez-le, tendez-le en le tirant vers l'arrière, puis retranchez le surplus. Assurez-vous que le pli est bien droit et ne bâille pas, puis clouez-le ; progressez vers l'intérieur à partir du bord extérieur. Espacez les semences de 1 po (2,5 cm) environ. Le tissu doit demeurer tendu pendant que vous enfoncez les semences.

5 Pour finir, clouez un jaconas sous le siège. Fabriquez un gabarit de papier reproduisant exactement la forme du dessous du siège. Taillez le jaconas et clouez-le ; espacez les semences de 1 po (2,5 cm) environ. Repliez les bords du jaconas sur environ ½ po (12 mm) de largeur et enfoncez les semences à travers le pli. Repliez les coins en prenant soin de bien les finir.

À la douche ! Une humidification bisannuelle permet de conserver toute la souplesse de la vannerie. Sortez vos meubles de la maison par temps frais, placez-les dans un coin ombragé et humectez-les au tuyau d'arrosage. Laissez-les ensuite sécher avant de les exposer au soleil.

Terminologie. Le terme vannerie désigne divers matériaux : roseau, rotin, osier, brins torsadés faits de zostère ou de papier, etc. L'entretien de la « vannerie » est donc fonction du matériau utilisé. Ainsi, les brins torsadés ne doivent jamais être lavés au tuyau d'arrosage ni décapés.

Un petit coup de brosse. Utilisez une brosse à poils doux pour laver la vannerie. Une brosse à dents permet d'éliminer la saleté sur les surfaces difficiles d'accès.

Le trempage à l'eau chaude assouplit le roseau, mais il peut aussi provoquer le gonflement des fibres et rendre les brins difficiles à tresser dans les recoins. Les fibres peuvent aussi éclater ou s'effilocher si le trempage dure trop longtemps (plus de 20 minutes, selon l'épaisseur du brin). Essayez donc de tresser le roseau à sec pour commencer.

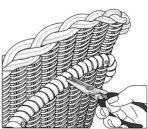

Patience... Les clous qui consolident un tressage peuvent être difficiles à arracher. Pour vous faciliter la tâche, creusez un peu le brin sous leurs têtes, puis arrachez-les avec une pince.

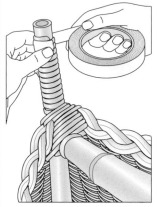

Serrage. Après avoir enroulé et collé un brin sur un pied, recouvrez-le de ruban-cache pour le bloquer pendant que la colle sèche.

Doublement utile. Avant de repeindre la vannerie, badigeonnez-la de liquide à dépolir pour éliminer la graisse et la saleté. Le liquide à dépolir ramollira aussi la vieille peinture, ce qui permettra à la peinture fraîche de mieux y adhérer.

Réparation d'une chaise tressée

À PRÉVOIR :

Ciseaux ou sécateur

Brin horizontal (mouillé)

Colle aliphatique (jaune) imperméable

Pince coupante diagonale ou cisailles aviation

Brin vertical (sec)

Pince à bec effilé

Couteau universel

Brin large (mouillé)

Clous à petite tête ou clous à tête perdue (ne pas utiliser de semences)

1 Brin horizontal. Retranchez la partie endommagée avec des ciseaux ou un sécateur après avoir retourné la chaise ; coupez les extrémités en biseau au-dessus des brins verticaux ou transversaux les plus près. Taillez un brin de rechange mouillé en en prévoyant un peu plus que la longueur utile.

2 Passez le brin de rechange dans le tressage, par-dessous ou par-derrière, en reproduisant le motif original. Tendez-le au fur et à mesure. Taillez les extrémités de façon à pouvoir les abouter au brin original. Collez les extrémités des deux brins.

 Avec une serre à ressort, bloquez les extrémités des brins pendant que la colle sèche.

Si la vannerie garde une couleur sombre due à la moisissure après un nettoyage, badigeonnez-la d'une solution de blanchiment composée de ¼ tasse (60 ml) d'eau de Javel et de 1 pte (1 litre) d'eau (portez des gants de caoutchouc). Laissez-la ensuite sécher à l'ombre, puis rincez-la.

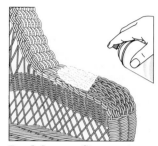

Bord de mer. Si vous vivez dans une région côtière, vaporisez de la peinture caoutchoutée sur la vannerie et les autres meubles d'extérieur pour les protéger contre les dommages causés par le sel.

Sous un autre angle. La peinture en aérosol formera un feuil plus fin et plus uniforme si vous tenez la bombe à 45° environ au-dessus de la vannerie. Vaporisez la peinture à partir d'un côté, puis de l'autre : elle pénétrera ainsi entre tous les brins.

Bouchon de peinture. Si le diffuseur de votre bombe de peinture est bouché, défaites-le, placez-le au bout de la tige d'une bombe d'huile à action pénétrante et vaporisez un peu d'huile pour dissoudre le bouchon.

En réserve. Si vous vaporisez souvent de la peinture, conservez les diffuseurs des bombes vides dans un contenant rempli de solvant. Ainsi, vous serez toujours en mesure de remplacer rapidement un diffuseur bouché.

SÛR ET SENSÉ

➤ Utilisez les produits de finition en aérosol à l'extérieur si possible. Leurs vapeurs peuvent être explosives. Effectuez la vaporisation alors qu'il n'y a pas de vent.

➤ Comme les produits de finition en aérosol peuvent passer entre les brins des tressages, mettez de grands morceaux de carton autour de la vannerie avant de la peindre à l'intérieur.

La combinaison de deux couleurs permet de créer un bel effet sur la vannerie. Vaporisez d'abord une couche de fond ; laissez sécher. Appliquez ensuite une peinture d'une autre couleur ; essuyez-la, encore fraîche, avec des chiffons de façon à obtenir l'effet recherché.

3 Brin vertical. Retranchez la partie endommagée avec une pince coupante diagonale ; chaque extrémité du tronçon doit couvrir quelques brins horizontaux. Retirez le tronçon. Taillez un brin de rechange (sec) ayant la même longueur que le tronçon.

4 Saisissez le brin de rechange avec une pince à bec effilé et passez-le entre les brins horizontaux ; reproduisez le motif original. Si vous avez de la difficulté à poser le brin à sec, faites-le tremper pour l'assouplir. Après l'avoir mis en place, collez ses extrémités sur celles du brin original ; utilisez de la colle jaune à cette fin.

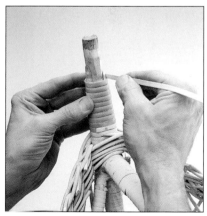

5 Brin enroulé sur un pied. Retranchez la partie endommagée avec un couteau universel. Collez, puis clouez une extrémité du brin de rechange (mouillé) par-dessus l'extrémité du brin original ; si le brin est cassant, percez un avant-trou avant de le clouer. Enroulez le brin autour du pied en ne laissant aucun jeu. Collez-le et clouez-le à ½ po (12 mm) de la base du pied, puis coupez le bout en trop.

Étapes à suivre. Si la finition et le cannage d'un meuble sont à refaire, commencez par la finition. Vous serez plus à l'aise et le travail avancera plus vite si vous n'avez pas à vous inquiéter d'un cannage neuf.

Pour remplacer un cannage rond, fabriquez un patron. Fixez une feuille de papier sur le siège et frottez la mine d'un crayon contre la paroi intérieure de la rainure. Taillez le rotin de façon qu'il déborde le patron d'environ 1 po (2,5 cm).

Dimensions. Au moment de commander du rotin prétressé, majorez les dimensions du siège d'environ 2 po (5 cm) pour vous laisser une marge de manœuvre. Veillez en outre à ce que le brin de bordure soit plus long que la rainure de quelques centimètres.

Meuble ancien. Avant de canner un meuble ancien, voyez si sa structure s'y prête. Une rainure ménagée en périphérie du siège est destinée à la pose d'un cannage prétressé. Des trous percés à intervalles égaux sur le pourtour du siège servent à réaliser un cannage à la main.

Faites tremper le rotin prétressé à plat. Ne le roulez pas pour le faire tenir dans le bac de trempage : placez-le plutôt dans une baignoire.

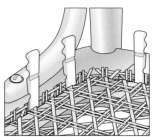

Désassemblez des pinces à linge à ressort et utilisez les bâtonnets pour assujettir le cannage prétressé dans la rainure du siège.

Nettoyant salin. Lavez le rotin sale avec une brosse douce et une solution composée d'une cuillerée à table de sel et de 1 pte (1 litre) d'eau chaude. (Le sel empêche le rotin de devenir collant ou de foncer.) Essuyez-le ensuite avec un chiffon propre, puis séchez-le à température moyenne à l'aide d'un sèche-cheveux.

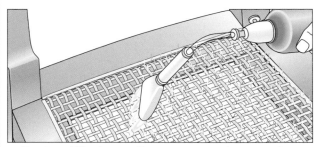

Brûlez les effilochures d'un cannage neuf avec une lampe à souder au propane alors que les brins sont encore mouillés. Par précaution, placez le meuble à l'extérieur, déplacez constamment la lampe et n'utilisez que la pointe de la flamme.

Remplacement d'un cannage

À PRÉVOIR :

Couteau universel

Pointe à tracer

Vinaigre et eau (au besoin)

Cannage prétressé

Maillet

Coins de bois

Ciseau à bois (bien affûté)

Brins de bordure

Crayon

Colle aliphatique (colle jaune ou colle de menuisier)

Papier de verre

Huile d'abrasin ou laque et pinceau

1 Retirez d'abord le brin de bordure. Incisez la couche de finition et le joint de colle de chaque côté de la bordure avec un couteau universel. Retirez le brin avec une pointe à tracer ; au besoin, découpez une entaille dans la bordure et versez-y une solution de vinaigre et d'eau (1:1) pour ramollir la colle. Ôtez le cannage. Grattez les résidus de colle et de produit de finition qui se trouvent dans la rainure du siège.

2 Faites tremper le cannage neuf dans de l'eau pour l'assouplir. Placez-le ensuite sur le siège, face brillante vers le haut ; positionnez les rangs parallèlement au bord avant ou arrière. Enfoncez un coin de bois au centre de la rainure arrière, tendez légèrement le cannage en le tirant vers l'avant, puis enfoncez un coin au centre de la rainure avant. Procédez de la même façon sur les côtés.

Cannage encrassé. La levure chimique peut servir à nettoyer un cannage sale et poussiéreux. Appliquez-la au pinceau après avoir mouillé le rotin d'eau chaude. Laissez sécher, enlevez le résidu poudreux au pinceau, rincez à l'eau froide et laissez sécher.

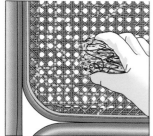

Écaillage. Le vernis du cannage des meubles anciens peut s'écailler par endroits avec le temps. Pour éliminer les écaillures, frottez-les délicatement avec de la laine d'acier fine.

Touches finales. Le cannage non fini fonce et se patine de belle façon avec le temps. Par ailleurs, on peut foncer le cannage avec de la teinture diluée ou encore l'enduire de gomme-laque, de vernis ou de la laque pour le lustrer. Une simple finition monocouche à l'huile d'abrasin ou à l'huile de lin bouillie le protégera.

Affaissement. Le cannage d'un siège s'affaisse souvent à force d'être soumis à un usage répété. Cependant, un entretien régulier permet de le retendre. Une fois par mois, retournez la chaise et couvrez le dessous du cannage d'une serviette humide pendant environ 30 minutes. (À mesure que l'eau s'évaporera, le cannage prendra du retrait et se tendra.) Laissez ensuite passer 12 heures avant de réutiliser la chaise.

Au sec. Évitez de mouiller la bordure quand vous humidifiez un cannage pour le retendre, sinon elle pourrait prendre du mou et jouer dans la rainure.

Points importants. Les cannages dureront plus longtemps si vous prenez garde de ne pas : transporter les chaises cannées en les tenant par le siège au lieu du cadre ; monter sur un siège canné ; exposer les meubles cannés à de l'air sec ou au soleil pendant de longues périodes.

Au goût du jour. Pour donner un style moderne à un meuble canné, peignez le cadre d'une couleur vive et posez un nouveau cannage prétressé au fini pâle. Vous pouvez aussi peindre des motifs au pochoir sur le cannage, mais cela ne va pas sans risque : un cannage peint sur une grande partie de sa surface peut devenir cassant à la longue.

Un peu d'imagination. Le cannage prétressé est un matériau décoratif qui se prête à différents usages. Par exemple, vous pouvez l'intégrer à une cloison ou au parement des armoires de cuisine. Dans ces deux cas précis, posez-le à l'aide de brins de bordure et de colle ou (pour faciliter le travail) d'agrafes. Recouvrez les agrafes de moulures décoratives.

3 Enfoncez le rotin dans la rainure avec un maillet et un coin à bout arrondi. Travaillez d'un côté à l'autre alternativement pour maintenir une tension uniforme. Retirez ensuite les coins et arasez le cannage contre la paroi extérieure de la rainure, juste sous le plan du siège, avec un ciseau bien affûté (médaillon). Prenez garde de tirer le cannage hors de la rainure ou d'endommager le bois.

4 Placez un brin de bordure sec dans chaque rainure et marquez-en la longueur utile au crayon. Taillez les extrémités des brins à 45° à l'aide d'un ciseau à bois. Si le siège est rond, utilisez un brin d'un seul tenant ; au besoin, faites-le tremper (pas trop) pour l'assouplir. Étalez de la colle jaune dans la rainure et posez les brins en appuyant légèrement dessus.

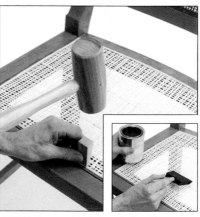

5 Enfoncez les brins de bordure dans la rainure avec un coin et un maillet de façon qu'ils affleurent la surface du siège ; prenez garde de les écraser ou d'endommager le bois. Laissez sécher 24 h. Au besoin, poncez légèrement le cannage pour éliminer les effilochures. Appliquez de l'huile d'abrasin ou de la laque sur le dessous, puis le dessus du siège (médaillon). Laissez sécher avant d'utiliser la chaise.

Fixation. Placez une rondelle sous la tête des vis qui assujettissent les sangles d'une chaise d'aluminium. Les sangles seront ainsi plus solidement fixées au cadre.

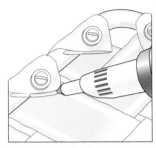

Aucune effilochure. Après avoir sanglé une chaise, passez la pointe d'un fer à souder chaud sur les extrémités des sangles. Les fibres de plastique fondront et fusionneront, empêchant les sangles de s'effilocher.

Sur la terrasse. Les pieds des chaises métalliques peuvent érafler le plancher de la terrasse si leurs embouts sont brisés ou manquants. Placez donc des rondelles de métal dans les embouts pour éviter que les pieds ne les percent.

Sur la terrasse (bis). Des tronçons de tuyau d'arrosage fendus dans le sens de la longueur peuvent fort bien servir à coussiner les patins de meubles. Ils amortiront le bruit quand vous traînerez les meubles sur la terrasse et protégeront le plancher contre les éraflures et les taches de rouille.

Nettoyez le cadre d'aluminium non peint des chaises de jardin avec un tampon à récurer savonneux. Appliquez ensuite une couche de cire pour auto sur l'aluminium pour le faire briller et le protéger contre les éraflures.

Drainage de l'eau. Percez des trous dans le siège profilé des chaises métalliques de jardin pour empêcher l'eau de s'y accumuler et parer à la rouille. Ébarbez le pourtour des trous, puis appliquez de la peinture antirouille sur la chaise.

La rouille menace sans cesse le métal, mais vous pouvez retarder son apparition. Quand vous déroulez une surface, tentez d'atteindre le métal sain ; si vous n'y arrivez pas, recouvrez la rouille d'un apprêt conçu pour l'encapsuler.

Et les ornements ? Utilisez une brosse métallique adaptée à une perceuse pour éliminer rapidement la rouille sur les ornements des meubles métalliques. Procurez-vous une brosse suffisamment rude, compte tenu de l'état des surfaces.

Sanglage d'une chaise d'aluminium

À PRÉVOIR :

| Tournevis, tourne-écrou ou clé à douille |
| Sangles de polypropylène |
| Ciseaux |
| Marteau et pointe à tracer |
| Bloc de bois |
| Vis et rondelles |
| Pince |

1 Enlevez les vis du cadre avec un tournevis ou un tourne-écrou. Pour défaire des rivets, il suffit de les percer ou de les sectionner avec une pince coupante en bout, mais c'est un travail qui n'en vaut généralement pas la peine.

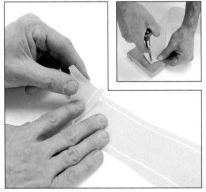

2 Taillez les sangles de rechange à la longueur utile. Repliez leurs extrémités des deux côtés de façon à former un triangle. Percez ensuite un trou au centre des triangles à l'aide d'une pointe à tracer, d'un marteau et d'un bloc de bois.

3 Posez d'abord les sangles des rangs horizontaux. Chaque sangle doit être vissée au cadre à une extrémité, puis tendue, retenue avec une pince et vissée à l'extrémité opposée. Entrecroisez les sangles au moment de former les rangs verticaux.

Peinture sur teinture.
Avant de peindre du séquoia teint, couvrez-le d'une couche d'apprêt à l'huile en aérosol séchant rapidement. Si vous négligez de le faire, la teinture transparaîtra au travers du feuil de peinture.

Rajeunissez de vieilles chaises de bois avec des appliques de papier. Fixez les appliques sur le bois avec de l'adhésif pour papier peint vinyle sur vinyle ; couvrez-les ensuite de deux couches de polyuréthanne d'extérieur contenant des inhibiteurs d'ultraviolets (laissez sécher entre les couches).

Original. Pour obtenir un fini craquelé, poncez et apprêtez le bois, puis appliquez une couche de fond au latex. Étalez ensuite une solution de colle de peau et d'eau (2:1) et laissez sécher. Le lendemain, couvrez la surface d'une peinture au latex d'une autre couleur ; la peinture devrait se craqueler en 30 secondes.

Rincez bien les meubles de séquoia neufs avant de les placer sur la terrasse. Vous éliminerez ainsi tout surplus de teinture qui pourrait couler sur le plancher et le tacher la première fois que la pluie mouillera le bois.

Embouts de bois. Vissez un bloc de bois sous les pieds des meubles en bois pour éviter que l'humidité ne s'y attaque et ne les endommage. Sciez les blocs de façon que le grain du parement (moins absorbant que le grain de bout) soit en contact avec le sol.

La colle jaune n'étant pas imperméable, elle ne doit pas vous servir à réparer les meubles d'extérieur. Utilisez plutôt du résorcinol, un adhésif époxyde ou encore un adhésif d'urée-formol.

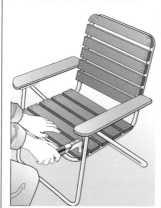

Du tissu au bois. Le tissu d'une chaise de jardin est-il déchiré ? Remplacez-le par des planchettes de séquoia ou de cèdre. Fixez les planchettes sur le cadre avec des rivets aveugles ; vous devrez d'abord percer les trous des rivets dans les planchettes et peut-être aussi dans le cadre.

Restauration — séquoia et autres bois

À PRÉVOIR :

Huile à action pénétrante	Eau de Javel
Ruban-cache	Nettoyeur haute pression
Clé à fourches ou clé à douille	Papier de verre
Lame de scie à métaux	Seau et brosse à récurer
Casse-écrou (outil de mécanicien)	
Produit de restauration pour le bois	
Détergent doux (sans ammoniaque)	

1 Si un boulon est corrodé, appliquez de l'huile à action pénétrante sur l'écrou et attendez 24 h ; masquez le bois pour éviter de le tacher. En cas d'échec, utilisez une scie à métaux ou un casse-écrou.

2 Si le bois présente des taches de moisissure, lavez-le avec une brosse et un détergent doux ; essuyez-le ensuite avec un chiffon mouillé d'eau de Javel diluée, puis rincez-le. Diluez moins l'eau de Javel si les taches sont rebelles.

3 Le moyen le plus facile de redonner au bois toute sa couleur consiste à le laver avec un nettoyeur haute pression (laissez ensuite sécher le bois, puis poncez légèrement). Un produit de restauration pour le bois peut aussi être utilisé.

RÉPARATION ET RÉNOVATION DE LA PLOMBERIE

Degré de difficulté des travaux : Faible   Moyen   Élevé

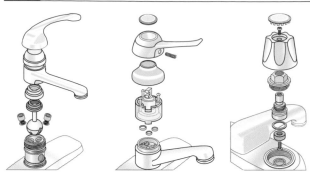

Typologie des robinets. Contrairement aux robinets munis de rondelles (à droite), les mitigeurs en sont dépourvus ; ils peuvent tout de même goutter ou fuir si leurs joints toriques ou leurs sièges sont usés. On trouve des mitigeurs à bille creuse (à gauche), à disque (au centre) et à cartouche (ci-dessous). Si le robinet à réparer est d'un type autre, apportez-le chez le marchand de pièces de rechange.

Les joints toriques sont parfois difficiles à démonter. Le cas échéant, coupez-les avec un couteau universel ou enlevez-les en faisant levier avec une pointe à tracer. Posez les joints de rechange en les roulant sur la cartouche.

Outils. Les travaux de plomberie sont beaucoup plus faciles quand on utilise les bons outils. Des outils peu coûteux (extracteur de poignée, clé coudée à tuyau, coupe-tube miniature, etc.) vous feront économiser temps et efforts.

En cas d'urgence, vous pouvez retourner une rondelle usée et la reposer à l'envers. Normalement, elle devrait tenir durant quelques jours, le temps que vous en achetiez une autre.

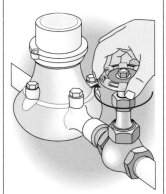

À l'ancienne. Les robinets d'arrêt font parfois défaut dans une maison ancienne. Le cas échéant, vous devrez fermer le robinet de sectionnement (situé en général près du compteur d'eau) pour couper l'eau. Tournez la poignée vers la droite.

Un robinet d'arrêt peut fuir s'il n'a pas servi pendant une longue période. Avant de le fermer, mettez quelques gouttes d'huile sur la tige. Laissez l'huile couler sous l'écrou presse-étoupe ; desserrez ensuite l'écrou d'un quart de tour et fermez le robinet.

Corrosion. La vis fixant la rondelle sous une tige de robinet est-elle corrodée ? Pour la desserrer, enduisez-la de plusieurs gouttes d'huile à action pénétrante, puis tapotez-la avec un marteau pour que l'huile atteigne les filets. Laissez agir 10 minutes : vous devriez ensuite pouvoir ôter la vis.

Coincement. Pour décoincer une poignée de robinet, faites d'abord couler du cola sur la tige. Tapotez ensuite la poignée avec le manche d'un marteau.

Remplacement d'une cartouche usée

À PRÉVOIR :

Cartouche identique à la cartouche d'origine

Joints toriques identiques aux joints d'origine (si ceux-ci sont en mauvais état)

Tournevis Phillips

Pince multiprise ou pince-étau

Pince à bec effilé

Petit tournevis à pointe plate

1 En général, un robinet à cartouche goutte parce que la cartouche est usée. Toutefois, une fuite d'eau à la base du robinet est vraisemblablement attribuable à l'usure des joints toriques. Avant d'amorcer la réparation, fermez le robinet d'arrêt (sous l'évier) ou le robinet de sectionnement. Retirez ensuite le capuchon du levier, puis la vis qui fixe le levier sur la tige, de façon à accéder à la cartouche et aux joints.

2 Dévissez l'écrou axial. Si votre robinet présente plutôt un anneau de retenue, vous devrez peut-être le soulever, selon le modèle du robinet.

Goutte à goutte. Si un robinet à deux poignées goutte, fermez un des robinets d'arrêt et laissez l'autre ouvert. Si le robinet continue de goutter, rouvrez le robinet d'arrêt et fermez l'autre. (Le coulage se fait le plus souvent du côté gauche, relié au tuyau d'amenée de l'eau chaude.)

Pour éviter d'érafler les robinets, recouvrez les mâchoires de votre clé à tuyau de ruban séparateur, de ruban tout usage ou de bouts de doigts enlevés à un vieux gant de cuir.

Évitez le syndrome de la « pièce en trop ». Alignez les pièces des robinets et des autres accessoires dans l'ordre du désassemblage. Remettez-les en place dans l'ordre inverse.

Floc, floc, floc... Les robinets d'arrêt du sous-sol sont généralement dotés de rondelles. Si l'un d'eux goutte, fermez le robinet de sectionnement et ouvrez tous les robinets de la maison pour purger les conduites. Désassemblez ensuite le robinet qui goutte et remplacez la rondelle ou la garniture.

Utilisez de la graisse de plomberie pour lubrifier les joints toriques. Elle résiste à la chaleur et n'amollit pas certains caoutchoucs comme le fait la vaseline.

Si vous ne pouvez dormir à cause d'un robinet qui goutte, enfoncez le bout d'un chiffon dans le bec et l'autre bout dans le renvoi.

La rondelle d'un robinet est parfois si écrasée que sa forme originale a disparu. Examinez alors le siège. S'il est concave, posez une rondelle biseautée ; sinon, posez une rondelle plate.

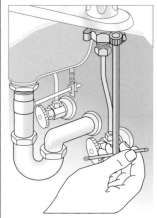

Robinet branlant. Un robinet est-il instable ? Voyez si un contre-écrou est desserré sous le dispositif ; au besoin, resserrez-le avec une clé coudée à tuyau, un outil peu coûteux.

3 Enlevez le bec et voyez si les joints toriques sont usés ou endommagés ; le cas échéant, remplacez-les par des joints identiques.

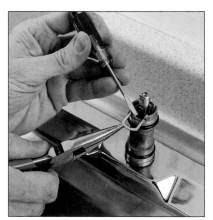

4 Déposez le circlip qui assujettit la cartouche ; sortez-le de son logement en faisant levier avec une pince à bec effilé et un petit tournevis à pointe plate.

5 Sortez la cartouche du corps du robinet avec une pince multiprise. Posez la cartouche de rechange selon les directives du fabricant. Réassemblez le robinet.

Est-ce le brise-jet ? Si l'eau coule lentement d'un robinet, voyez si le brise-jet en est la cause. Pour ce faire, dévissez-le, puis ouvrez le robinet ; si le débit d'eau est élevé, le brise-jet est probablement encrassé. Nettoyez-le ou remplacez-le.

Nettoyage au vinaigre. Il est possible de nettoyer le brise-jet de votre robinet même s'il est fixe. Versez du vinaigre blanc dans un sac à sandwich, plongez-y le bec du robinet, puis fermez le sac avec un élastique. Le brise-jet doit être complètement immergé ; faites-le tremper toute une nuit. Vous pouvez aussi désencrasser une pomme de douche de cette façon.

Technique de pointe. Utilisez un crayon pour poser chacun des petits ressorts dont sont dotés certains robinets. Coincez le ressort sur le crayon ; placez la pointe du crayon dans le logement du ressort, puis décoincez le ressort et faites-le glisser dans son logement avec un objet pointu ou le doigt.

Si la prise d'air de l'évier de cuisine fuit, c'est que des débris provenant du lave-vaisselle ou du broyeur d'ordures l'obstruent. Soulevez le couvercle en faisant levier, dévissez le mécanisme et délogez l'obstruction avec une pince à bec ou un tronçon de cintre.

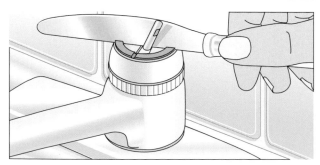

Si l'eau fuit sous le levier d'un mitigeur à bille creuse, fermez le robinet d'arrêt et enlevez la vis de pression qui assujettit le levier. Enlevez le levier pour accéder à la bague de réglage crantée ; utilisez ensuite le dos d'un couteau de cuisine pour resserrer la bague (tournez-la vers la droite). Reposez le levier, puis ouvrez le robinet d'arrêt et le mitigeur. Normalement, la fuite ne devrait plus se produire.

Nettoyage du brise-jet d'un robinet

À PRÉVOIR :

Pince multiprise aux mâchoires recouvertes de ruban adhésif (au besoin)

Vieille brosse à dents

Vinaigre

Tournevis Phillips

Pièces de rechange (au besoin)

1 On peut souvent remédier à une baisse de la pression d'eau au niveau d'un robinet de cuisine en démontant et en nettoyant le brise-jet. Dévissez le brise-jet à la main ; s'il est trop serré, utilisez une pince multiprise.

2 Désassemblez le brise-jet en alignant les pièces dans l'ordre du désassemblage. En général, un brise-jet comprend deux ou trois treillis, une crapaudine de nylon et un joint torique. Certains brise-jet ne peuvent être désassemblés ; on les remplace en entier.

3 Enlevez les sédiments avec une brosse à dents. Faites tremper les treillis dans du vinaigre pour éliminer les traces de corrosion légère. Si un treillis est trop corrodé ou endommagé, remplacez-le ou remplacez le brise-jet en entier. Reposez les pièces.

L'un et l'autre. Devez-vous remplacer un tuyau de douchette? Remplacez aussi la douchette. Cela ne coûte pas tellement plus cher, et il est beaucoup plus facile de poser les deux pièces en même temps.

Efficacité et hygiène.

Les débris et les bactéries s'accumuleront rapidement dans la douchette si elle demeure immergée dans de l'eau sale. Pour éviter que cela ne se produise, replacez-la à côté du robinet après chaque usage.

Ne réparez pas un vieux robinet si vous ne pouvez trouver facilement les pièces de rechange: remplacez-le plutôt par un robinet tout neuf. De cette façon, vous gagnerez du temps et disposerez ensuite (normalement) d'un meilleur robinet.

Pensez-y, sinon... Avant de désassembler un robinet ou un accessoire comportant beaucoup de petites pièces, bouchez la crépine avec une soucoupe placée à l'envers ou un linge à vaisselle épais. Vous empêcherez ainsi les pièces de tomber dans le tuyau de renvoi.

Pour détartrer une douchette, faites-la tremper dans une tasse de vinaigre blanc chaud durant 30 minutes après avoir bloqué sa manette en position ouverte avec un élastique. Délogez ensuite le tartre en faisant couler l'eau à pleine pression. Répétez au besoin.

La pression d'eau peut être faible à la sortie de la douchette si le tuyau est tordu ou pincé. Le cas échéant, il vous faudra peut-être démonter le tuyau pour lui redonner sa forme originale.

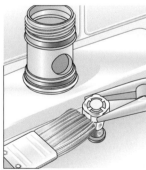

Si l'eau coule par le bec du robinet même quand vous appuyez sur la manette de la douchette, l'inverseur est fort probablement encrassé. Coupez l'eau, démontez le levier et le bec du robinet, puis sortez l'inverseur du robinet avec une pince à bec long et nettoyez-le en le badigeonnant de vinaigre.

Réparation d'une douchette

À PRÉVOIR:

Tournevis

Vieille brosse à dents

Épingle droite

Pince multiprise

Rondelle de rechange

Clé coudée à tuyau

1 Pour désencrasser la buse d'une douchette, enlevez l'ajutage et la vis de retenue. Retirez ensuite la crapaudine; nettoyez-la avec une brosse à dents et débouchez les trous avec une épingle. Si l'ajutage est fixe, remplacez la douchette.

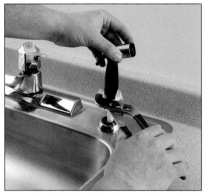

2 Si l'eau fuit à la base de la poignée de la douchette, resserrez l'écrou-raccord... modérément, pour éviter de le briser.

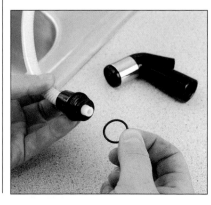

3 Si l'eau continue de fuir après que vous avez resserré l'écrou-raccord, dévissez la base de la poignée et remplacez la rondelle. Si l'eau fuit à l'autre bout du tuyau, resserrez l'autre écrou-raccord avec une clé coudée à tuyau.

À RETENIR

Caractéristiques des filtres à eau

Il existe différents types de filtres à eau. Tous n'éliminent pas les mêmes polluants et aucun n'est universel. Cernez donc vos besoins avant de passer à l'achat.

	Usages	Désavantages
À charbon	Élimine les odeurs, les saveurs désagréables, le plomb, les pesticides et les herbicides.	N'élimine pas les bactéries. Changez le filtre souvent pour éviter qu'elles se multiplient.
Distillateur	Réduit les teneurs en plomb, pesticides, herbicides, bactéries et sodium. Atténue saveurs et odeurs.	Énergivore. Un nettoyage régulier est nécessaire.
Osmoseur	Réduit beaucoup les concentrations de pesticides, herbicides et métaux. Atténue beaucoup saveurs et odeurs.	Lent. Filtre 3-4 gal. (14-18 L) d'eau par jour en entraînant des pertes trois fois supérieures.
À rayons UV	Élimine les bactéries et les autres organismes.	Ne filtre pas les métaux. Utilisation dispendieuse.

Analyse de l'eau. Il peut être coûteux de faire analyser votre eau et aucune analyse ne permet de détecter tous les contaminants. Communiquez avec le ministère de la Santé pour connaître les contaminants présents dans votre région et achetez un filtre à eau conçu pour les éliminer.

Entretien. Ne négligez pas l'entretien des filtres à eau. Remplacez l'élément filtrant ou rincez-le à contre-courant selon les directives du fabricant. Sinon, vous pourriez entretenir un milieu propice à la multiplication de bactéries pathogènes et autres microorganismes.

Date importante. Notez la date à laquelle l'élément filtrant de votre filtre à eau doit être remplacé. Un filtre sursaturé d'impuretés altère grandement l'eau potable.

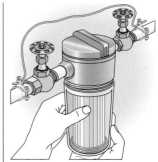

Eau ferrugineuse. Un filtre à eau raccordé à la conduite principale d'alimentation, en aval du robinet de sectionnement, peut servir à épurer une eau ferrugineuse avant qu'elle ne circule dans les conduites de la maison.

Il existe des systèmes de filtration munis d'une soupape à débitmètre intégré. Lorsque 1 300 gallons (5 850 litres) d'eau ont été filtrés (environ un an d'utilisation), la soupape coupe l'eau jusqu'à ce que l'élément filtrant soit remplacé.

Installation d'un filtre à eau sous un évier

À PRÉVOIR :

Système de filtration d'eau (carter, élément filtrant, conduites, robinet, vanne à étrier)

Lunettes de protection

Amorçoir

Perceuse à vitesse variable ou foret à redans

Huile (au besoin)

Scie-cloche (si le comptoir est recouvert de stratifié)

Clé à molette ou clé à fourches

Pince multiprise

Tournevis

1 Percez le logement du robinet (portez des lunettes de protection). Si l'évier est en inox, utilisez un foret à redans ; travaillez à petite vitesse et lubrifiez le foret avec de l'huile. Si le comptoir est recouvert de stratifié, utilisez une scie-cloche. Posez le robinet à l'aide d'une clé à molette. **Attention !** Le bord du trou sera très coupant.

2 Positionnez le système de filtration là où il sera facilement accessible : dans l'armoire qui se trouve sous l'évier par exemple ou juste en dessous, au sous-sol. Fixez le carter sur une surface solide, en vous servant des trous ou des supports de fixation, selon le modèle. Laissez suffisamment d'espace tout autour pour pouvoir installer et remplacer l'élément filtrant.

L'eau adoucie contient plus de sodium que l'eau du robinet ; elle peut être nocive pour les gens dont le régime doit être pauvre en sel. Pour parer à cet inconvénient, n'adoucissez que l'eau chaude ou bien installez des robinets distincts pour l'eau potable et l'eau de cuisson.

À 100 °C, dites-vous ? Il peut sembler logique de faire bouillir l'eau pour la purifier, mais cela peut encore l'altérer. Certes, l'ébullition élimine les bactéries, mais l'évaporation de l'eau entraîne un accroissement de la concentration des autres contaminants.

Comme un sac d'adoucisseur peut peser jusqu'à 50 lb (23 kg), vous vous épargnerez bien des efforts en installant votre adoucisseur d'eau près d'une entrée. Placez aussi une solide tablette à côté du réservoir de saumure ; vous pourrez y poser le sac d'adoucisseur pour remplir le réservoir.

À propos du plomb. Du plomb peut être présent dans les circuits de plomberie datant d'avant 1980. Communiquez avec le ministère de la Santé pour connaître les mesures à prendre. Entre-temps, ne consommez que l'eau froide, après l'avoir laissé couler quelques minutes.

Êtes-vous locataire ? Dans bien des cas, seul un plombier qualifié est autorisé à effectuer les travaux de plomberie dans les immeubles résidentiels, surtout en milieu urbain. Consultez un inspecteur des bâtiments avant d'installer un filtre à cau sous un évier ou de réparer la plomberie.

3 Posez la vanne à étrier sur le tuyau d'amenée (eau froide). Fermez le robinet d'arrêt et, au besoin, le robinet de sectionnement. Si le tuyau est rigide, posez une vanne à étrier autotaraudeuse ; suivez les directives.

! **Si le code de la plomberie interdit l'utilisation d'une vanne à étrier, faites raccorder un té au tuyau d'amenée.**

4 Reliez la vanne à étrier et le raccord *In* du filtre à l'aide d'une des conduites fournies ; reliez le raccord *Out* du filtre et le robinet en utilisant l'autre conduite. (Prenez garde de ne pas inverser les raccordements.) La vanne, le filtre et le robinet présentent généralement des raccords à compression.

5 Mettez le corps du filtre en place selon les directives du fabricant. Fermez la vanne à étrier, puis ouvrez le robinet pour relâcher la pression. (Certains filtres sont dotés d'un bouton de détente.) Installez le filtre, rouvrez la vanne à étrier et faites couler l'eau par le robinet du filtre durant cinq minutes.

Avec ou sans expérience. Même si vous n'avez jamais bricolé, n'hésitez pas à réparer une bonde à clapet ou à déboucher un renvoi. Vous pouvez le faire sans même couper l'eau auparavant.

Suintement. De l'eau peut suinter autour de l'écrou de fixation d'une bonde à clapet en cas de condensation. Essuyez toutes les pièces de métal avec un chiffon et voyez si le suintement réapparaît. Le cas échéant, démontez l'écrou, la rotule et le levier, puis remplacez les rondelles.

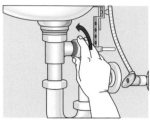

Si la tirette d'une bonde à clapet redescend toujours après que vous l'avez tirée (occasionnant ainsi la remontée du clapet, même quand il y a de l'eau dans le lavabo), resserrez l'écrou de fixation rond sous le lavabo. Tournez-le à la main, vers la droite, sans trop serrer, sinon la tirette sera ensuite difficile à actionner.

Prêt-à-porter. Portez des gants de latex jetables pendant que vous effectuez des travaux de plomberie. On en trouve de nos jours dans de nombreux centres de rénovation ; même les plombiers en portent.

Petit remontant. Si le clapet d'une bonde de lavabo ne saille pas assez haut pour que l'eau s'écoule librement, desserrez la vis de pression avec une clé ou une pince, appuyez sur le clapet et resserrez la vis.

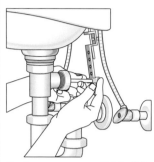

Petit remontant (bis). Si le clapet ne saille toujours pas assez haut, placez l'extrémité du levier un ou deux trous plus haut (vous devrez d'abord pincer la bride à ressort et dégager le levier). En position de fermeture, le levier doit être légèrement incliné vers l'about.

Le travail sous un lavabo n'a rien d'une partie de plaisir, mais vous pouvez le rendre moins pénible. Avant de vous allonger sur le dos, prenez le temps de dégager l'aire de travail, roulez une serviette que vous utiliserez comme appui-tête et placez tous vos outils à portée de la main sur le plancher, y compris une lampe de poche.

Ajustement de la bonde à clapet d'un lavabo

À PRÉVOIR :

Pince-étau ou pince multiprise
Vieille brosse à dents et nettoyant
Clapet ou joint (au besoin)
Tournevis court ou clé
Lampe de poche

1 En général, il suffit de soulever le clapet pour le retirer. Certains doivent toutefois être tournés d'un quart de tour vers la gauche, tandis que d'autres ne peuvent être retirés tant que la tige d'assemblage assujettie au levier est en place. Pour démonter la tige, desserrez l'écrou de fixation avec une pince-étau. Sortez ensuite la rotule de son logement et enlevez le clapet.

2 Nettoyez le clapet. Examinez le joint de caoutchouc ; remplacez-le s'il est sec ou fendillé. Reposez le clapet ou posez-en un neuf.

Étanchéité. Un clapet laisse-t-il passer l'eau ? Assurez-vous d'abord qu'aucun débris ne l'empêche de descendre assez loin dans la bonde. En l'absence de débris, démontez le clapet et remplacez les joints toriques, la rondelle ou le clapet lui-même.

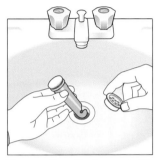

En cas de refoulement. Si l'eau refoule constamment dans votre lavabo ou votre baignoire, vous pourriez vouloir remplacer le clapet par une crépine à mailles fines.

Fuite mystère. Si un lavabo se vide alors que le clapet est bien fermé, il se peut que le joint de mastic sur lequel repose le flasque ait perdu son étanchéité. Desserrez le contre-écrou sous le lavabo, puis poussez le tuyau vers le haut pour soulever le flasque. Dévissez et retirez le flasque. Enlevez le vieux mastic, puis appliquez un cordon de mastic adhésif frais de ½ po (12 mm) de largeur et reposez le flasque.

Prenez l'habitude de nettoyer les clapets du lavabo et de la baignoire une fois par semaine pour éviter les problèmes liés à l'encrassement. La quantité de cheveux et de saleté qui peuvent s'accumuler sur la tige des clapets durant cette courte période a de quoi surprendre.

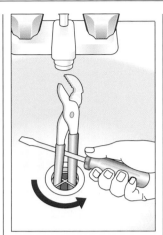

Pour remplacer une vieille crépine par une bonde à clapet, il faut d'abord la démonter. Pour ce faire, glissez l'extrémité des branches d'une pince multiprise dans la crépine et tournez la pince vers la gauche à l'aide d'un long tournevis. Si vous n'arrivez pas à enlever la crépine de cette façon, utilisez une clé à crémaillère (vendue dans les magasins de fournitures de plomberie).

Précaution. Avant de retirer le clapet de la baignoire, placez une serviette au fond de celle-ci : vous pourrez y déposer vos outils sans risquer d'en érafler la surface.

Trop ou trop peu. Le clapet de la baignoire laisse-t-il passer l'eau quand il est fermé ? La baignoire se vide-t-elle trop lentement quand il est ouvert ? Ôtez l'applique du trop-plein et nettoyez la tringlerie. Un écrou permet de modifier la longueur de la tirette ; augmentez-la si la baignoire se vide lentement, réduisez-la si le clapet laisse passer l'eau.

Trop ou trop peu (suite). Vous pouvez aussi changer la position du clapet. Pour ce faire, retirez-le, puis tournez l'écrou. Placez le clapet plus haut si le débit de vidange est insuffisant, plus bas si l'eau fuit.

3 Le clapet assure une fermeture étanche dans la mesure où le levier est correctement positionné. Au besoin, placez l'extrémité de la tige d'assemblage dans un autre trou du levier. Pour séparer la tige et le levier, pincez la bride à ressort et retirez simultanément la tige.

4 Réassemblez les pièces (inversez l'ordre de désassemblage). Si vous avez démonté la tige d'assemblage, demandez à quelqu'un de descendre le clapet dans l'about et de le tenir au niveau qui convient en position ouverte pendant que vous mettez la tige en place et resserrez l'écrou de fixation. Voyez ensuite si l'eau fuit.

5 Si le clapet laisse passer l'eau, desserrez la vis de pression de la tirette avec une pince, un tournevis court ou une clé. Appuyez sur le clapet et resserrez la vis. La tirette est parfois assujettie par une bride à ressort au lieu d'une vis de pression. Il suffit alors de pincer la bride pour dégager la tirette.

Réparation temporaire.
Si un siphon se met soudain à fuir, colmatez temporairement la fuite avec le ruban de plastique utilisé pour réparer les tuyaux d'arrosage. Par prudence, placez un seau sous le siphon.

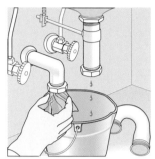

Quelle odeur ! Bouchez le tuyau de renvoi avec un chiffon quand vous remplacez un siphon d'évier. Ainsi, les odeurs provenant du circuit de drainage et d'aération ne pourront se répandre dans la pièce.

Pense-bête. Si vous avez démonté un siphon ou la tringlerie d'une bonde pour déboucher un tuyau, placez un chiffon sur les poignées du robinet pour vous rappeler de ne pas les tourner.

Double prise. Utilisez deux clés à tuyau (ou une clé à tuyau et une pince multiprise) pour resserrer un écrou-raccord qui laisse passer l'eau. Recouvrez les mâchoires des outils de ruban séparateur pour ne pas marquer le chrome de la tuyauterie. Bloquez le tuyau du bas avec une clé ; tournez l'écrou avec l'autre clé.

Les déboucheurs chimiques corrodent les siphons d'évier, de baignoire et de douche. Ne les utilisez donc qu'en dernier ressort.

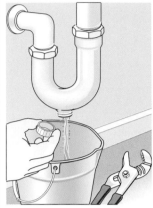

Un peu plus bas. Si vous n'arrivez pas à déboucher un renvoi avec une ventouse, écopez l'évier, placez un seau sous le siphon et retirez le bouchon du regard de nettoyage avec une clé ou une pince multiprise. Si seul un filet d'eau s'écoule du siphon, passez l'extrémité d'un cintre dans le regard pour accrocher l'obstruction. Si l'eau coule librement, l'obstruction se trouve probablement derrière le mur.

Un peu plus loin. Si l'obstruction se trouve derrière le mur, essayez de l'éliminer avec un cintre ou un dégorgeoir. Si vous n'y arrivez pas, appelez un plombier.

Si l'obstruction se trouve dans le siphon, essayez de l'en retirer avec un hameçon fixé à une ficelle. Portez des lunettes de protection et des gants de travail.

Remplacement du siphon d'un lavabo

À PRÉVOIR :

Siphon de plastique ou de métal

Récipient pour recueillir l'eau

Pince-étau ou clé à crémaillère

Pièces de rechange (au besoin)

Scie à métaux et marqueur (au besoin)

Bague de compression (écrou-raccord)

1 Pour remplacer un siphon de métal corrodé (en U ou autre) fixé sous un lavabo, retirez le bouchon du regard de nettoyage, s'il y en a un, et laissez l'eau s'écouler. Desserrez ensuite les écrous-raccords avec une pince ou une clé à crémaillère.

2 Utilisez les bagues de compression et les écrous-raccords qui sont déjà en place, ainsi que du tuyau de PVC ou de laiton. Achetez des pièces de rechange au besoin. S'il le faut, coupez l'about de rechange avec une scie à métaux.

3 Glissez les écrous-raccords sur les bouts du tuyau ; ajoutez la bague de compression (biseau vers l'extérieur). Raccordez le siphon et les tuyaux, puis serrez les écrous-raccords jusqu'à ce que vous sentiez une résistance ; resserrez-les si l'eau fuit.

Utilisez le compteur d'eau pour détecter une fuite. Fermez tous les robinets et relevez le compteur. N'ouvrez plus aucun robinet et n'actionnez aucune chasse d'eau pendant au moins une heure. Relevez ensuite le compteur une seconde fois et comparez les relevés : s'ils diffèrent, il y a probablement une fuite.

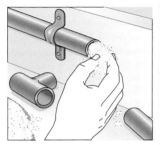

Blanc ou blé entier ? Utilisez un bouchon fait de pain pour empêcher l'eau de goutter des tuyaux pendant les travaux de soudure. Le pain se désagrégera au contact de l'eau qui circulera dans les tuyaux une fois le robinet d'arrêt rouvert.

Si l'eau gèle dans les tuyaux durant une panne d'électricité, le mieux à faire est de fermer le robinet de sectionnement et d'attendre le retour du courant. Une fois le chauffage rétabli, la chaleur ambiante fera probablement fondre la glace.

Raccord étanche. Pour empêcher l'eau de fuir d'un raccord fileté, mettez du ruban téflon ou de la pâte à joints sur le filetage mâle. Enroulez le ruban deux ou trois fois (vers la droite) sur le filetage ou bien enduisez celui-ci d'une généreuse couche de pâte à joints avant de visser le tuyau dans le raccord.

Les joies de l'hiver... L'eau a gelé dans les tuyaux ? Pas de panique ! Fermez le robinet de sectionnement et ouvrez le robinet le plus proche. À l'aide d'un sèche-cheveux, chauffez ensuite les tuyaux sur toute leur longueur à partir du robinet ouvert, au rythme de 1 pi (30 cm) par minute environ. Tenez le sèche-cheveux à environ 6 po (15 cm) des tuyaux et déplacez-le sans arrêt pour distribuer la chaleur uniformément. Cette méthode permet même de chauffer des tuyaux qui se trouvent derrière un mur.

Une vague de froid sévit-elle dans votre région ? Laissez un filet d'eau couler des robinets alimentés par les tuyaux qui traversent des espaces non chauffés. L'eau ne gèle pas quand elle circule.

Réparation temporaire d'un tuyau qui fuit

À PRÉVOIR :

Bride ou colliers ajustables

Mince plaquette de caoutchouc

Tournevis

Brasure ou colle à solvant

Mastic à l'époxyde

Gants de caoutchouc

Ruban isolant ou ruban caoutchouté

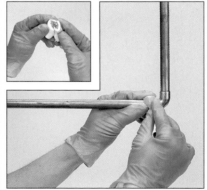

1 Pour colmater temporairement une petite fuite, posez une plaquette de caoutchouc et une bride sur le tuyau. Vous pouvez aussi fixer une plaquette de caoutchouc sur le tuyau à l'aide de colliers ajustables. Mieux vaut toutefois remplacer le tuyau.

2 Si c'est un raccord qui fuit, utilisez du mastic à l'époxyde pour une réparation temporaire (mettez des gants de caoutchouc). Tôt ou tard, vous devrez cependant refaire le joint avec de la brasure (cuivre) ou de la colle (plastique).

3 Du ruban isolant ou caoutchouté peut servir à réparer temporairement un tuyau de renvoi sans pression qui fuit, même au niveau d'un raccord. Toutefois, une réparation permanente est généralement peu coûteuse et facile à réaliser.

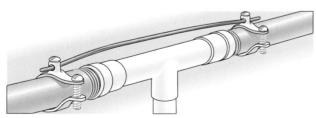

La mise à la terre du circuit électrique est-elle assurée par un fil relié à des conduites métalliques ? Préservez-la si vous placez un tuyau de plastique entre elles. Fixez des colliers de mise à la terre sur les conduites, de part et d'autre du tuyau de plastique, puis tendez un fil de cuivre entre les colliers.

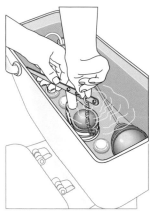

Problème courant. Vous actionnez la chasse, mais l'eau du réservoir ne s'écoule pas dans la cuvette... Voyez alors si la chaînette de levage s'est détachée du levier de déclenchement. Si c'est le cas, rattachez-la.

Toilette sifflante. Pour éliminer le sifflement qui se fait entendre quand vous actionnez la chasse, remplacez les rondelles du robinet à flotteur.

Niveau d'eau. Si l'eau s'écoule continuellement dans la toilette ou si elle fuit par le trou de la manette de chasse, vérifiez son niveau dans le réservoir. Si elle passe par-dessus le rebord du trop-plein, saisissez à deux mains le levier du flotteur et courbez-le légèrement vers le bas. Le robinet devrait se refermer plus rapidement par la suite.

La manette de chasse a-t-elle pris du jeu ? Bloquez-la d'une main et resserrez modérément le gros écrou qui s'y adapte, à l'intérieur du réservoir. Selon le modèle de la manette, vous devrez tourner l'écrou vers la gauche ou vers la droite.

Ah, le progrès ! Les fabricants de toilettes ont mis au point divers modèles de toilettes dont le volume d'eau utile est inférieur à celui des toilettes ordinaires. L'un des modèles les plus récents est doté d'un dispositif qui, lorsque la chasse est actionnée, injecte de l'air comprimé dans l'eau de façon à augmenter la vitesse et la pression d'écoulement.

La cuvette se vide-t-elle lentement ? Une obstruction peut s'être formée à la sortie du siphon. Pour l'éliminer, passez une broche dans le siphon (portez des gants).

Histoire de fantômes. L'eau s'écoule-t-elle dans la cuvette alors qu'il n'y a personne dans la salle de bains ? Sachez que ce phénomène – qui n'a rien de surnaturel – se « manifeste » généralement lorsque le robinet de chasse fuit. Pour en venir à bout, nettoyez le robinet et/ou remplacez le clapet.

Votre toilette fuit-elle ? Pour le savoir, versez suffisamment de colorant alimentaire dans le réservoir pour changer la couleur de l'eau. Si l'eau colorée passe dans la cuvette, le robinet de chasse fuit ; si elle se répand hors de la toilette, le réservoir lui-même fuit.

Remplacement d'un robinet à flotteur

À PRÉVOIR :

Grosse éponge ou vieille serviette

Clé à molette ou pince multiprise

Seau ou chiffons

Robinet à cylindre

1 Fermez le robinet d'arrêt situé sous le réservoir et actionnez la chasse. Retirez le couvercle du réservoir ; épongez l'eau. Dévissez l'écrou-raccord du tuyau d'amenée avec une clé à molette ou une pince multiprise ; ôtez le tuyau.

2 Défaites le contre-écrou qui fixe le tube d'alimentation du robinet à flotteur au fond du réservoir. Placez un seau ou des chiffons sous le réservoir pour recueillir l'eau qui pourrait s'écouler. Sortez ensuite le robinet à flotteur du réservoir.

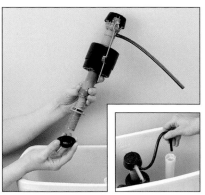

3 Posez le nouveau robinet selon les directives du fabricant. Serrez l'écrou d'un quart de tour après l'avoir vissé à la main. Fixez le tube de remplissage dans le trop-plein. Raccordez le tuyau d'amenée, rouvrez le robinet d'arrêt et voyez si l'eau fuit.

Si l'eau fuit sous la cuvette, essayez de resserrer modérément les boulons de chaque côté. S'ils ne sont pas desserrés, déboulonnez la cuvette et remplacez le joint de cire (ci-contre).

« Éconeaumies ». Dans la mesure du possible, remplacez votre vieille toilette par une toilette économe d'eau. Une famille de quatre personnes peut ainsi économiser quelque 16 000 gallons (72 000 litres) d'eau par an.

Pas de brique en guise de coupe-volume : elle se désagrégerait à la longue et les fragments provoqueraient des fuites. Utilisez plutôt une bouteille de plastique que vous aurez remplie d'eau au préalable.

Condensation. Le réservoir de la toilette peut suinter par temps chaud et humide. Pour contrer ce phénomène, vous pouvez chemiser l'intérieur du réservoir de panneaux d'isolant-mousse (vendus dans les magasins de fournitures de plomberie). Vous pouvez aussi demander à un plombier d'installer un robinet chauffant qui débitera une petite quantité d'eau chaude dans le réservoir chaque fois que la chasse sera actionnée.

Fragile ! Utilisez les outils avec précaution. La porcelaine d'une toilette se fend et s'ébrèche facilement.

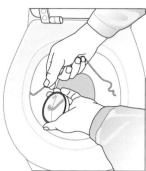

Gros plan. L'eau tourbillonne-t-elle dans la cuvette sans pour cela en ressortir rapidement ? Mettez des gants, tenez un miroir sous le rebord de la cuvette et dirigez le faisceau lumineux d'une lampe de poche sur le miroir pour inspecter les orifices. Curez les orifices obstrués à l'aide d'un cintre.

Utilisez une ventouse à entonnoir pour déboucher une toilette. Obturez l'ouverture du siphon avec l'entonnoir et assurez-vous que le bout de la ventouse est immergé, puis pompez une dizaine de fois, vigoureusement. Retirez la ventouse. S'il ne reste plus d'eau, remplissez un seau d'eau dans la baignoire et videz-le dans la cuvette pour rincer les tuyaux.

Aux grands maux... Si la ventouse ne donne pas les résultats voulus, utilisez un dégorgeoir à cuvette. Placez le coude de l'outil au fond de la cuvette. Tournez la manivelle vers la droite pour faire avancer le furet dans le siphon. Retirez le furet en tournant la manivelle dans l'autre sens lorsque vous sentez une résistance.

Remplacement du joint de cire

À PRÉVOIR :

Grosse éponge ou vieille serviette

Pince

Gros tournevis

Clé à molette

Toile de protection

Joint de cire doté d'un manchon

Pâte à calfeutrer blanche imperméable

1 Si la toilette fuit à sa base, fermez le robinet d'arrêt, videz le réservoir, ôtez le tuyau d'amenée (voir l'étape 1 à la page précédente) et épongez l'eau dans la cuvette. Dévissez les boulons du réservoir avec une pince. Enlevez le réservoir.

2 Ôtez l'abattant. Retirez ensuite les cache-boulons de la cuvette et dévissez les écrous avec une clé à molette. Mettez-vous à califourchon sur la cuvette, basculez-la de gauche à droite, puis soulevez-la au-dessus des boulons.

3 Retournez la cuvette sur une toile de protection. Enlevez le vieux joint de cire et posez le joint de rechange. Appliquez de la pâte à calfeutrer sur le pourtour de la base de la cuvette. Reboulonnez la cuvette. Reposez le réservoir et l'abattant.

Faible débit. Pour détartrer une pomme de douche, démontez-la et faites-la tremper dans du vinaigre chaud. Curez les orifices obstrués avec une broche rigide ; rincez les pièces et réassemblez-les.

Au moment de remplacer une pomme de douche, vous pourriez constater que le bout de la crosse est rond. Si c'est le cas, dévissez la crosse (vers la gauche) et remplacez-la par une crosse filetée sur ½ po (12 mm).

Retouches. La porcelaine de la baignoire est-elle écaillée ? Nettoyez les surfaces endommagées avec de l'alcool à friction et recouvrez-les de peinture à retoucher à l'époxyde.

Nettoyage délicat. Nettoyez les baignoires et les cabines de douche en fibre de verre avec un nettoyant doux qui ne les rayera pas ou un nettoyant pour salles de bains qui contient de l'EDTA (acide édétique).

Ahhhh ! Si un mitigeur a été posé dans votre cabine de douche, fixez un point de couleur autocollant ou un morceau de ruban adhésif imperméable sur le carrelage pour repérer la position correspondant à la température idéale.

Les taches de rouille sur la porcelaine disparaissent souvent quand on les frotte avec une pâte composée de crème de tartre (vendue dans les épiceries) et de peroxyde d'hydrogène. Appliquez la pâte sur une brosse, brossez doucement les taches, laissez sécher et rincez. Répétez au besoin.

Installation d'une pomme de douche

À PRÉVOIR :

Grosse clé à molette

Clé à courroie (au besoin)

Crosse (facultatif)

Ruban téflon ou pâte lubrifiante

Pomme de douche

Chiffon

1 Tournez l'ancienne pomme de douche vers la gauche avec une clé à molette ; bloquez la crosse avec une clé à courroie au besoin. La plupart des pommes de douche ont deux méplats permettant de les tourner avec une grosse clé.

2 Couvrez le filetage mâle de ruban téflon (de trois à cinq tours) ou de pâte lubrifiante. Si une rondelle est fournie, placez-la dans le raccord. Vissez la nouvelle pomme de douche. Serrez le raccord avec une clé à molette.

3 Si vous posez une douchette au lieu d'une pomme de douche, raccordez le boyau à la crosse et à la douchette. Utilisez toutes les rondelles requises.

Poids lourd. Remplissez la baignoire d'eau avant de réaliser un joint de pâte à calfeutrer sur son pourtour. L'écart entre la baignoire et le mur sera ainsi le plus large possible et le joint résistera mieux par la suite au fendillement.

Dégorgement. Le renvoi d'une douche est généralement facile à déboucher. Il suffit de dévisser la crépine (p. 169) et d'éliminer l'obstruction avec un dégorgeoir.

En cas d'échec... Poussez un tuyau d'arrosage aussi loin que possible dans le tuyau de renvoi. Tassez des chiffons dans l'ouverture de la bonde, tenez-les fermement et demandez à une autre personne d'ouvrir (à plein) et de fermer le robinet plusieurs fois pour faire céder l'obstruction. Rincez.

SÛR ET SENSÉ

➤ Une violente réaction chimique peut survenir si vous mélangez deux déboucheurs chimiques de marques différentes.

➤ Utilisez un entonnoir de plastique pour verser les déboucheurs chimiques dans les tuyaux.

➤ Étalez de la vaseline au bout de la ventouse pour accroître l'étanchéité du joint qu'elle forme avec les appareils.

Le mauvais outil. Abandonnez l'idée d'utiliser un surpresseur pour déboucher un tuyau. Bien que conçu pour ce travail, cet outil peut provoquer une fuite ou la rupture du tuyau.

N'utilisez jamais une ventouse pour déboucher un tuyau où vous venez de verser un déboucheur chimique. Toute éclaboussure pourrait causer des brûlures cutanées et des lésions oculaires graves, voire la cécité.

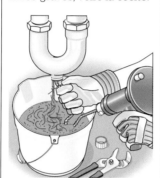

Ouache ! Le furet d'un dégorgeoir peut se couvrir d'une couche de saleté gluante quand on le fait glisser dans un tuyau. Par souci de propreté, enroulez-le dans un sac en plastique lorsque vous le retirez, puis déposez-le dans un seau.

Dégorgement d'un tuyau de renvoi

À PRÉVOIR :

Gants de caoutchouc

Pince multiprise

Dégorgeoir

Tournevis

Ventouse

Dégorgeoir à cuvette

1 Pour un lavabo, ôtez et nettoyez le siphon (p. 170). Tournez la manivelle du dégorgeoir (furet dans le tuyau) pour éliminer l'obstruction. Reposez le siphon. Si le tuyau reste bouché, utilisez un déboucheur chimique ou consultez un plombier.

2 Si la baignoire ne se vide plus, passez le furet dans la bonde ou le trop-plein et faites-le avancer dans le tuyau de renvoi. Le siphon des baignoires anciennes peut se trouver sous le plancher ou derrière un panneau d'accès.

3 Si vous ne pouvez déboucher une cuvette avec une ventouse, utilisez un dégorgeoir à cuvette. Si la manivelle devient difficile à tourner (vers la droite), retirez un peu le furet et continuez. Piquez le furet dans l'obstruction pour la faire céder.

Pour déboucher le siphon d'une baignoire fermé par une plaque fixée sur le plancher, dévissez la plaque avec une grosse clé après avoir injecté sur son pourtour de l'huile à action pénétrante. Ayez des chiffons sous la main pour pouvoir contenir tout débordement. Retirez les débris du siphon, puis sondez les deux portions du tuyau de renvoi avec un dégorgeoir afin de déceler la présence d'une obstruction.

La bonne longueur. Pour déterminer la longueur utile d'un tuyau de rechange, mesurez la distance qu'il y a entre le fond de chaque raccord. De cette façon, vous inclurez la profondeur de raccordement dans vos mesures.

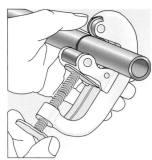

Coupe sur 360°. Utilisez un coupe-tube pour bien couper un tuyau de cuivre ou de plastique. Placez le tuyau entre la molette et les rouleaux. Serrez ensuite la poignée de façon que la molette entame légèrement la surface du tuyau. Tournez l'outil autour du tuyau; resserrez la poignée toutes les deux rotations jusqu'à ce que le tuyau soit coupé.

En duo. Utilisez une paire de clés à tuyau pour disjoindre les tuyaux et les raccords. Les deux paires de mâchoires se faisant face, placez une clé sur la pièce qui doit demeurer fixe, et l'autre clé sur la pièce que vous voulez dévisser. Orientez les clés de manière que la force s'exerce sur le dos des mâchoires.

Vous faut-il scier un tuyau entre deux raccords pour le retirer? Sciez-le de biais. Vous pourrez ensuite séparer facilement les tronçons avant de les dévisser.

Mise en forme. Cintrez le tuyau de cuivre souple avec une cintreuse. Glissez-le dans l'outil et ployez-le à l'angle voulu (90° ou moins) en l'appuyant sur un genou.

Faites couler l'eau durant 30 secondes dans les conduites en plastique nouvellement installées afin d'en chasser toutes les vapeurs de solvant.

Sécurité d'abord. Avant de braser des tuyaux près d'une surface combustible, placez, entre les tuyaux et celle-ci, une toile ignifuge ou une double épaisseur de tôle de calibre 24.

Union parfaite. Vous pouvez remplacer un tuyau de métal par un tuyau de plastique si le code du bâtiment le permet, mais assurez-vous d'unir les deux types de tuyaux avec un adaptateur conçu à cet effet. Procurez-vous des raccords diélectriques si vous devez unir des tuyaux faits de métaux dissemblables.

Raccordement de tuyaux de plastique rigide

À PRÉVOIR:

Couteau universel

Tuyaux et raccords

Marqueur

Apprêt (pour les tuyaux de PVC et de CPVC)

Colle à solvant

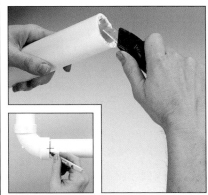

1 Ébarbez l'intérieur du tuyau du côté du bord coupé. Biseautez légèrement les bords extérieurs avec un couteau (le tuyau ne pourra ainsi érafler la paroi du raccord). Réalisez un assemblage à blanc et marquez le joint sur le tuyau et le raccord (médaillon).

2 Apprêtez le CPVC ou le PVC, attendez 15 secondes, puis appliquez de la colle à solvant sur les surfaces à unir. Il n'est pas nécessaire d'apprêter l'ABS. La colle à solvant ne doit jamais servir à raccorder des tuyaux faits de plastiques différents.

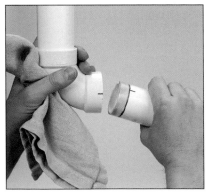

3 Emboîtez les pièces, tournez pour étaler la colle et aligner les repères – vous disposez de 60 secondes. Tenez les pièces 30 secondes. Attendez 3 minutes avant de passer au raccord suivant et 12 heures avant de faire couler de l'eau dans le tuyau.

Termes à connaître. La *graisse de plomberie* lubrifie les robinets sans altérer l'eau. Le *mastic à l'époxyde* sert à réparer les raccords qui fuient. Le *mastic adhésif* forme un joint de surface étanche sous un robinet, un évier ou une baignoire.

Avant de braser raccords et tuyaux, effectuez un assemblage à blanc sur un établi pour vous assurer que toutes les pièces s'emboîtent bien. Si l'assemblage est complexe, marquez les joints des pièces à l'aide d'un clou ; vous pourrez ainsi les aligner aisément au moment de les braser.

Mine de rien... Vous pouvez réparer temporairement un tuyau qui présente une petite fuite en brisant la mine d'un crayon dans le trou. Couvrez ensuite la réparation de trois épaisseurs de ruban isolant. Le ruban doit déborder la réparation de 3 po (7-8 cm) des deux côtés.

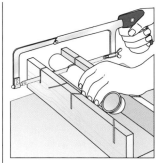

Coupe douce. Pour réaliser des coupes droites et nettes, utilisez une boîte à onglets. Bloquez le tuyau d'une main contre un côté de la boîte, placez la lame d'une scie à métaux dans la fente à 90° et sciez le tuyau.

Si la brasure épaissit, le métal est trop froid ; enlevez-la et chauffez le raccord. Si elle crépite et perle, le métal est trop chaud ; laissez celui-ci refroidir. La brasure doit fondre et couler instantanément dans le joint.

L'eau et le feu. Devez-vous braser un joint près d'un autre joint brasé ? Enroulez un chiffon humide sur ce dernier pour empêcher sa brasure de fondre.

À RETENIR

Raccords et autres accessoires

Tout tuyau change de direction en certains points d'un circuit de plomberie. D'où l'utilité des pièces énumérées ici.

Type	Usage
Bouchon	Se visse sur le bout du tuyau qu'il obture
Coude	Unit deux tuyaux rigides faits du même matériau, de façon à créer une déviation courbe
Manchon	Unit deux tuyaux de même diamètre ou de diamètres différents
Raccord-union	Unit en ligne droite des tuyaux de métal du même diamètre (raccord amovible au besoin)
Réducteur	Unit des tuyaux de diamètres différents
Tampon	Pour obturer un tuyau ou un raccord
Té	Unit trois tuyaux faits du même matériau

Raccordement de tuyaux au moyen d'un raccord à compression

À PRÉVOIR :

Alésoir

Paire d'écrous et de bagues de compression

Raccord-union fileté

Pâte à joints

Clé à molette et clé à fourches

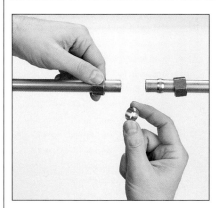

1 Ébarbez les bords coupés des tuyaux à unir : introduisez un alésoir dans chaque tuyau, appuyez-le contre le bord intérieur et faites-le tourner. Glissez un écrou, puis une bague de compression sur chacun des tuyaux.

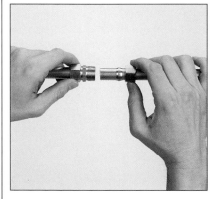

2 Tenez le raccord-union fileté contre l'extrémité d'un tuyau. Appliquez de la pâte à joints sur sa bague de compression. Glissez l'écrou par-dessus la bague et vissez-le sur le raccord-union. Raccordez l'autre tuyau de la même manière.

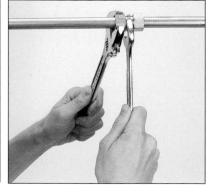

3 Placez une clé à fourches sur le raccord-union, et une clé à molette sur un écrou de compression. Serrez l'écrou (un tour). Serrez l'autre écrou de la même façon. Rouvrez le robinet d'arrêt. En cas de fuite, resserrez légèrement les écrous.

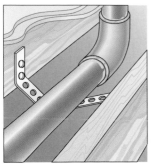

Soutien adéquat. Utilisez du feuillard pour soutenir les tuyaux disposés parallèlement aux solives. Placez-en deux tronçons sous chaque extrémité des tuyaux; fixez-les sur les côtés des solives avec des attaches présentant des têtes d'un diamètre plus élevé que celui des trous du feuillard.

Relevez les tuyaux affaissés avec des colliers et des vis de cuivre (si les tuyaux sont en cuivre), un étrier en plastique ou un 2 x 2 fixé sous deux solives parallèles.

Pour repérer la source des bruits qui émanent de tuyaux apparents, descendez au sous-sol quand l'eau circule à plein débit dans le circuit et voyez si des tuyaux vibrent contre les poteaux ou les solives.

Chut! Pour éliminer le bruit qui résulte du frottement de tuyaux sur des solives ou des lames de parquet, intercalez un morceau de caoutchouc mousse entre les surfaces en contact.

Des coups de bélier surviennent-ils quand vous fermez les robinets? Les colonnes d'air sont probablement pleines d'eau. Pour les purger, fermez le robinet de sectionnement et ouvrez tous les robinets de la maison. Au bout d'une heure, rouvrez le robinet de sectionnement et refermez les autres robinets un à un.

Autre solution. Si les coups de bélier persistent après que vous avez purgé les colonnes d'air, posez des antibéliers (étape 3, p. 179).

Ne tentez pas d'amortir les coups de bélier au moyen de colonnes d'air formées de tuyaux et de bouchons: l'eau envahirait les colonnes. Utilisez des antibéliers.

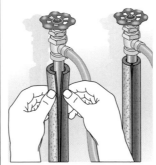

Espacez les conduites d'au moins 6 po (15 cm) pour les rendre plus accessibles, et gainez-les d'isolant pour économiser l'énergie.

Surpression. Les sifflements qui se font entendre lorsqu'il y a appel d'eau ou bien l'eau qui gicle des robinets peuvent être les signes d'une pression trop élevée. Demandez à un plombier ou à la Ville de vérifier la pression au niveau du branchement d'eau.

Baisse de pression. Si la pression excède 80 lb/po² (551 kPa) au niveau du branchement d'eau, vous devrez peut-être faire installer un réducteur de pression (sans frais dans certaines régions).

Tuyau bruyant : mesures à prendre

À PRÉVOIR :

Tournevis

Colliers (ou étriers)

Isolant pour tuyau ou caoutchouc mou

Coupe-tube

Alésoir

Té, mamelon court et adaptateur femelle

Brosse métallique ou toile émeri

Graisse décapante et applicateur

Lampe à souder au propane

Brasure

Ruban téflon

Antibélier

Pince-étau ou pince multiprise

1 Si un tuyau cogne contre la charpente quand un robinet est ouvert, faites le tour des colliers et resserrez au besoin les vis qui les assujettissent. Ajoutez un collier si cela est nécessaire. La distance minimale entre les colliers est fonction du matériau du tuyau (métal ou plastique) et de son orientation (verticale ou horizontale). En général, toutefois, il doit y avoir un collier tous les 3-4 pi (0,9-1,2 m).

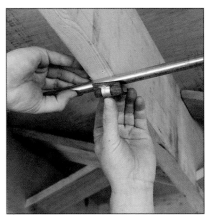

2 Si un tintement ou un cliquetis se fait entendre quand un robinet d'eau chaude est ouvert, c'est que les colliers sont trop serrés sur le tuyau. Le tuyau doit tout juste glisser dans les colliers. Desserrez les vis ou placez un morceau de caoutchouc ou de mousse entre le tuyau et les colliers afin d'amortir le bruit.

De l'eau propre. Méfiez-vous de l'intercommunication, un phénomène qui se produit quand l'eau qui devrait passer dans le circuit de drainage est aspirée dans le circuit d'alimentation. L'eau peut notamment être aspirée par un robinet ou une douchette immergés dans un appareil, ou un tuyau d'arrosage immergé dans une piscine.

Paix... Si vous faites construire une maison ou une annexe, vous pouvez exiger que les tuyaux de chute soient en fonte. L'eau des toilettes s'y écoulera moins bruyamment.

... et tranquillité. Vous pouvez aussi exiger que les tuyaux de chute en fonte soient situés loin des pièces souvent utilisées.

Pour éliminer les cognements dans un radiateur à vapeur, il faut incliner l'appareil vers le robinet. Coupez le chauffage, laissez refroidir le radiateur puis détachez-en le tuyau. Calez ensuite les pieds qui se trouvent à l'opposé du robinet et raccordez le tuyau. Ouvrez le robinet à plein.

SÛR ET SENSÉ

➤ À la fin de votre dernier séjour au chalet avant l'hiver, purgez la plomberie pour éviter que l'eau ne gèle dans les tuyaux. Fermez le robinet de sectionnement et ouvrez tous les robinets du chalet, à partir du dernier étage. Ouvrez aussi les robinets extérieurs.

➤ Avant votre départ du chalet, actionnez la chasse de toutes les toilettes et versez de l'antigel pour appareils de plomberie dans chaque siphon de cuvette et d'évier.

➤ À l'occasion de votre premier séjour au chalet après l'hiver, remplissez le chauffe-eau d'eau avant de le remettre sous tension ou de rallumer la veilleuse.

Ouvert ou fermé. L'ouverture partielle du robinet d'un radiateur provoque aussi des cognements. Fermez le robinet complètement si vous n'utilisez pas le radiateur ; ouvrez-le à plein autrement.

Remplacez le purgeur s'il fuit ou s'il est obstrué. Veillez d'abord à couper le chauffage et à purger la tuyauterie.

Purge. Si un radiateur ne chauffe pas, purgez-le pour éliminer les poches d'air. Ouvrez le purgeur (un tournevis peut être nécessaire) jusqu'à ce que tout l'air présent dans le radiateur ait été évacué et que l'eau se mette à gicler. Ayez un chiffon sous la main !

3 Si un coup de bélier survient quand un robinet est fermé, reliez le tuyau à un antibélier aussi près que possible du robinet. Coupez l'eau et purgez le circuit. Coupez le tuyau avec un coupe-tube et ébarbez les bords coupés avec un alésoir. Assemblez le té, le mamelon court et l'adaptateur femelle. Nettoyez les bouts du tuyau et l'intérieur du té avec une brosse métallique ou une toile émeri ; le métal doit briller.

4 Appliquez une mince couche de graisse décapante sur les bouts du tuyau et dans le raccord. Glissez le tuyau dans le raccord ; tournez celui-ci pour étaler la graisse ; essuyez. Chauffez l'un des joints avec une lampe à souder (flamme faible). Quand le métal est assez chaud pour faire fondre la brasure, formez un mince cordon de brasure autour du joint. Essuyez le surplus. Brasez les autres joints.

5 Enroulez du ruban téflon sur le filetage de l'antibélier. Vissez l'antibélier dans l'adaptateur femelle à l'aide d'une pince-étau.

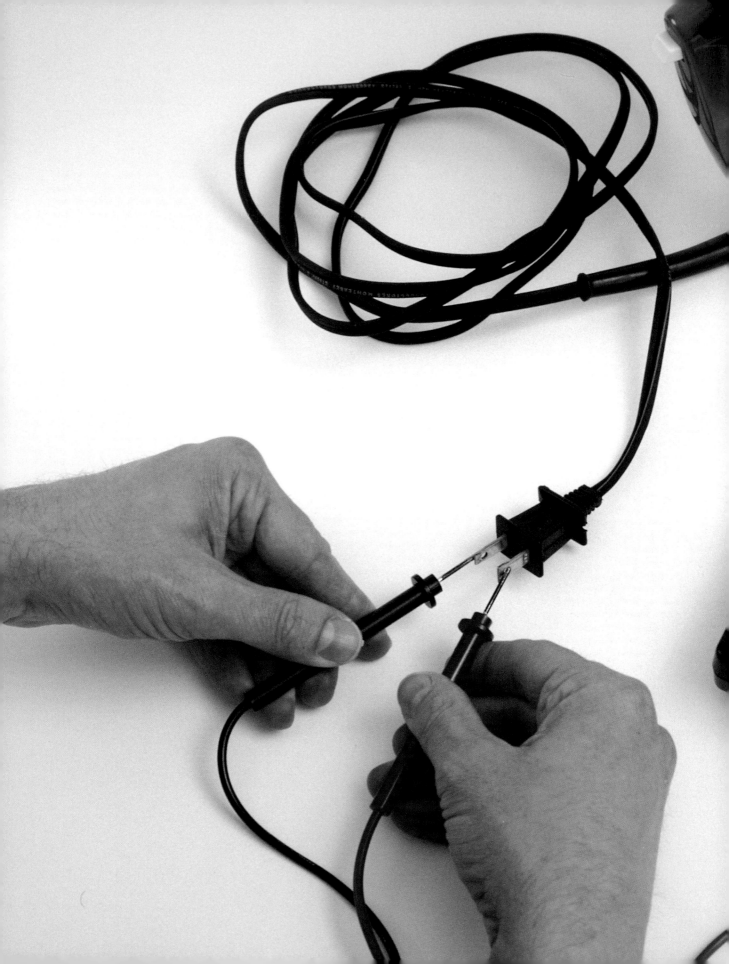

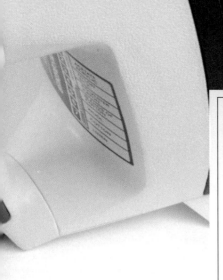

RÉPARATION ET RÉNOVATION DES CIRCUITS ÉLECTRIQUES

Degré de difficulté des travaux :   🔧 Faible   🔧🔧 Moyen   🔧🔧🔧 Élevé

Un multimètre numérique est plus précis qu'un multimètre analogique et offre une meilleure lisibilité. L'afficheur indique la résistance ou le voltage, selon l'échelle choisie ; un signal sonore retentit s'il y a continuité. Certains modèles passent automatiquement à la plage de valeurs appropriée.

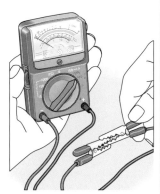

La mise à zéro d'un multimètre analogique doit précéder la vérification de la résistance d'un circuit. Sélectionnez l'échelle voulue, placez l'interrupteur à *On*, mettez les sondes en contact et tournez le cadran de façon à placer l'aiguille au-dessus du zéro.

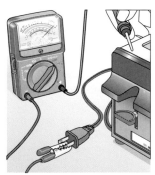

Main libre. Une pince crocodile fixée à une sonde du multimètre permet de libérer une main et de s'en servir pour régler l'appareil ou déplacer les fils durant les vérifications. Elle permet aussi de garder les doigts loin des fils sous tension.

La précision des lectures sera assurée si vous placez le multimètre sur une surface non métallique. Sélectionnez une plage de valeur qui permette de garder l'aiguille dans le tiers supérieur de l'échelle. S'il y a un miroir sous l'échelle, effectuez la lecture obliquement de façon que l'aiguille et son reflet se superposent.

Seul un multimètre peut mesurer la basse tension sous laquelle fonctionnent les sonnettes, les systèmes d'alarme et les thermostats.

Vous prolongerez la vie utile des piles d'un multimètre ou d'un vérificateur de continuité rarement utilisés (ou de tout gadget électronique) si vous les retirez de leur logement avant de ranger l'appareil.

Drôle de sensation... Si un appareil vous inflige une décharge électrique, même légère, reliez l'une des sondes d'un multimètre à une canalisation d'eau froide à l'aide d'une pince crocodile et d'un bout de fil, puis posez l'autre sonde sur la caisse de l'appareil. Si le multimètre décèle du courant, débranchez l'appareil et ne l'utilisez plus avant d'avoir trouvé la source de l'anomalie.

Utilisation d'un multimètre

À PRÉVOIR :

Multimètre

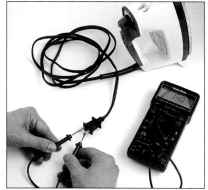

1 Pour vérifier le circuit d'un appareil, débranchez celui-ci et placez-le à *On*. Sélectionnez la plage de valeurs minimale du multimètre et posez les sondes sur la fiche. De 20 à 100 ohms : bon ; zéro : court-circuit ; valeur élevée : circuit ouvert.

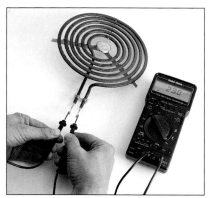

2 Pour vérifier l'état d'un élément de cuisinière, démontez celui-ci, sélectionnez la plage de valeurs minimale du multimètre et posez les sondes sur les deux bornes. L'élément est en bon état si la valeur affichée est de 20 à 100 ohms.

3 Pour mesurer la tension des piles, sélectionnez l'échelle des volts (c.c.) et une plage de valeurs excédant un peu la tension nominale des piles. Sondez les bornes. Remplacez toute pile dont la valeur est inférieure à 20 % de la tension nominale.

Branché. Le vérificateur de prise est d'un usage plus sûr qu'un vérificateur de tension. Branchez-le dans la prise ; certains voyants de couleur s'allumeront en présence de courant (les codes de couleur varient selon le modèle). Vérifiez les deux paires de fentes.

La façon la plus sûre de tenir un vérificateur de tension consiste à saisir les gaines isolantes *d'une seule main* comme s'il s'agissait de baguettes chinoises (voir l'étape 2, à droite).

SÛR ET SENSÉ

➤ Les électriciens prennent toujours des mesures de sécurité avant toute réparation. Vous seriez bien avisé d'agir comme eux.

1. Coupez toujours le courant en déclenchant le disjoncteur ou en retirant le fusible approprié au coffret de distribution.

2. Assurez-vous que le courant est coupé à l'aide d'une sonde de tension. Placez-la près de chaque fil et appuyez sur la pince ; l'ampoule ne doit pas s'allumer ni le signal sonore retentir.

Avant de vous servir d'un détecteur de tension, contrôlez sa fiabilité. Pour ce faire, utilisez-le pour vérifier une prise dans laquelle vous aurez d'abord branché une lampe pour vous assurer qu'elle est sous tension.

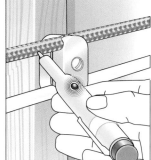

Dans une maison ancienne, voyez s'il y a des circuits de type « bouton et tube » au sous-sol. Placez un détecteur de tension près des fils et appuyez sur la pince. Si l'ampoule s'allume, les fils sont sous tension. Demandez à un électricien de les enlever.

Pour débrancher un fil relié à une borne embrochable, poussez la cosse avec la pointe d'un tournevis. Ne tirez pas sur le fil, vous risqueriez de le rompre et, avec une pince, vous pourriez écraser la cosse.

Vérifiez une rallonge en fixant la pince d'un vérificateur de continuité sur la lame large de la fiche, placez l'interrupteur à *On*, insérez la sonde dans la fente large de la prise, puis pliez et tordez la rallonge : l'ampoule doit s'allumer. Fixez ensuite la pince sur la lame étroite et insérez la sonde dans la fente étroite : l'ampoule doit encore s'allumer. Remplacez la rallonge si l'ampoule reste éteinte chaque fois.

Utilisation des détecteurs de tension

À PRÉVOIR :

Détecteur de tension

Détecteur à lampe témoin

Tournevis

1 Pour savoir si une prise est sous tension, insérez la pointe d'un détecteur de tension dans chacune des fentes étroites et appuyez sur la pince. Si un signal sonore retentit ou si l'ampoule s'allume, la prise est sous tension.

2 Vérifiez la mise à la terre d'une prise à trois fentes avec un détecteur à lampe témoin. Tenez les sondes par leur gaine isolante ; insérez-en une dans la fente ronde, l'autre dans chacune des autres fentes. La mise à la terre est correcte si l'ampoule s'allume.

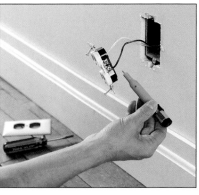

3 Pour repérer le fil thermique, fermez le circuit. Sortez la prise de la boîte, séparez les fils et remettez sous tension. Placez une sonde de tension près de chaque fil et appuyez sur la pince ; l'ampoule s'allumera quand la sonde sera près du fil thermique.

Mesures de sécurité. Au moment d'ouvrir le panneau de distribution, tenez-vous sur une surface sèche, comme un tapis de caoutchouc ou un morceau de contreplaqué. Avant de toucher au panneau, voyez s'il présente des signes d'humidité, des traces de rouille notamment ; le cas échéant, appelez un électricien. Ouvrez le panneau *d'une main* et ne touchez à aucune autre surface métallique.

Si vous travaillez seul, branchez une radio ou un aspirateur dans une prise du circuit que vous devez mettre hors tension ; l'appareil deviendra silencieux quand vous déclencherez le disjoncteur du circuit.

Un fusible a-t-il sauté? Examinez-le pour savoir pourquoi le courant a été coupé. Si le verre est trouble ou décoloré, un court-circuit s'est probablement produit. Si le verre est intact et que le ruban de métal présente une rupture nette, le circuit a subi une légère surcharge.

Les câbles d'aluminium utilisés dans les années 1960 et 1970 peuvent causer un incendie. Si les câbles raccordés au panneau de distribution de votre demeure portent l'inscription « AL » (aluminium), appelez un électricien.

Dénudage à chaud. Il existe un moyen infaillible de dénuder les fils sans risquer de les couper ni de les entamer. Chauffez la gaine isolante avec une allumette au point où voulez couper les fils. Une fois ramollie par la chaleur, la gaine pourra être enlevée en un rien de temps au moyen d'une pince.

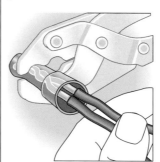

Pour unir deux fils avec une marette à sertir, épissez leurs extrémités dénudées, puis placez la marette pardessus et resserrez-la avec une pince universelle.

Pose d'agrafes. Vous éviterez de tordre les agrafes servant à fixer un câble sur une charpente de bois si vous procédez comme suit. Enfoncez légèrement la tige la plus longue pour commencer. Enfoncez ensuite les deux tiges alternativement, afin qu'elles pénètrent de façon égale dans le bois. (N'enfoncez pas trop les agrafes pour ne pas écraser la gaine du câble.)

Préparation et raccordement des fils

À PRÉVOIR :

Dénudeur de câble
Pince à dénuder
Couteau universel ou ciseaux (facultatif)
Scie à métaux
Cisailles (facultatif)
Pince universelle
Marettes
Pince à bec long
Tournevis

1 Pour dénuder un câble sous gaine non métallique, passez-le d'abord dans un dénudeur de câble ; fermez ensuite les mâchoires du dénudeur de façon que la lame perce la gaine à 8-10 po (20-25 cm) de l'extrémité du câble, puis fendez la gaine dans le sens de la longueur. Détachez la gaine fendue et l'enveloppe de papier des fils avec une pince à dénuder, un couteau universel ou des ciseaux.

2 Pour dénuder un câble à armure d'acier, incisez une spire dans le sens de la largeur avec une scie à métaux, à 6-8 po (15-20 cm) de l'extrémité du câble ; prenez soin de ne pas couper les fils. Pliez le câble plusieurs fois pour achever d'ouvrir l'armure (ou utilisez des cisailles si cela est nécessaire) ; enlevez l'armure. Au besoin, retranchez ensuite l'enveloppe de papier à l'aide d'une pince à dénuder.

Utilisez un ruban à mesurer en métal pour passer un fil derrière un mur sur une courte distance. Le trou dans le crochet permet d'attacher le fil au ruban.

Code de couleurs. Les fils thermiques sont noirs ou rouges ; les fils neutres sont blancs. (Un fil blanc raccordé à un interrupteur tripolaire est néanmoins un fil thermique, tout comme un fil blanc et noir.) Un fil vert ou un fil de cuivre dénudé sont des fils de terre.

Une rallonge porte normalement une inscription indiquant ses caractéristiques nominales, exprimées en ampères et en watts. Si cette inscription est absente, supposez une intensité de 9 ampères ou une puissance de 110 watts. Avant de brancher des appareils, additionnez leur puissance (watts).

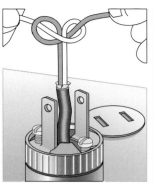

Du fil à retordre. Lorsque vous remplacez un cordon de lampe ou bien une fiche à fil plat ou à fil rond, assujettissez les fils au moyen d'un nœud d'électricien.

Faute d'espace, il arrive qu'un marteau ne puisse servir à clouer une boîte de sortie sur un poteau. Utilisez alors une serre en C pour enfoncer les clous. Appuyez la serre sur le poteau et tournez la manette pour enfoncer les clous sur un côté de la boîte.

Un bon guipage vous assure d'une connexion permanente à l'épreuve de l'eau. Utilisez du ruban isolant de vinyle et enroulez-le en spirales serrées directement du rouleau sur les fils. Ne posez pas les doigts sur la face collante. La forme de la connexion doit transparaître à travers la première épaisseur de ruban.

Pour améliorer les connexions entre les appareils électroniques, sertissez des cosses à fourche au bout des fils. Sectionnez chaque fil à ¼ po (6 mm) environ de son extrémité. Dénudez-le sur près de 1 po (2 cm) avec une pince à dénuder, puis tordez les brins pour les empêcher de se séparer. Placez le manchon de la cosse par-dessus l'extrémité dénudée et resserrez-le avec une pince.

Vous faciliterez les travaux de brasage en vous servant d'un fer-crayon sans fil au butane avec sélecteur de chaleur. La soudure à la résine protège les connexions contre la corrosion.

3 La pince universelle est dotée de plusieurs orifices calibrés servant à dénuder les fils, de même que d'une mâchoire permettant de sertir les cosses et les marettes. Pour dénuder un fil, passez-le dans l'orifice du calibre correspondant, puis incisez la gaine isolante en fermant les branches et en faisant tourner la pince autour du fil ; serrez ensuite les branches et tirez sur l'outil pour enlever la gaine isolante.

4 Dénudez sur ½ po (12 mm) l'extrémité des fils à raccorder. Si les fils sont pleins (en haut), placez-les l'un contre l'autre et vissez une marette vers la droite sur les extrémités dénudées pour couvrir tout le métal mis à nu ; ne serrez pas trop. Si les fils sont torsadés (en bas), commencez par tordre chacun d'eux vers la droite ; tordez-les ensuite ensemble vers la droite avant de visser une marette par-dessus.

5 Pour raccorder un fil à une borne à vis, dénudez-le d'abord sur ¾ po (19 mm) à son extrémité. Avec une pince à bec long, formez en boucle l'extrémité dénudée et enroulez-la vers la droite sur le fût de la vis, puis serrez la vis.

Permis. Dans certaines régions, quiconque désire installer un circuit apparent doit se procurer un permis. Bon nombre de provinces exigent qu'un électricien qualifié aménage le nouveau circuit. Une inspection peut aussi être obligatoire. Informez-vous auprès d'un inspecteur des bâtiments avant d'amorcer les travaux.

En ligne droite. Utilisez un cordeau pour indiquer la position d'un circuit apparent sur une longue surface. Faites deux marques espacées d'au moins 1 pi (30 cm) à la hauteur voulue, mesurée à partir du plancher. Tenez le bout de la ficelle du cordeau sur la première marque. Demandez à quelqu'un de dérouler la ficelle et de la placer sur la seconde marque. Tendez ensuite la ficelle et faites-la claquer délicatement contre le mur.

Vérification d'un circuit. Pour déterminer si un circuit de dérivation peut alimenter des prises supplémentaires, il faut compter 1,5 ampère par prise. Cela équivaut donc à un maximum de 13 prises pour un circuit de 20 ampères (fil de calibre 12) et de 10 prises pour un circuit de 15 ampères (fil de calibre 14). En cas de doute sur la capacité d'un circuit, mettez celui-ci hors tension et voyez ce qui est inscrit sur les câbles apparents.

Aucune prise n'est assez bien située pour alimenter un circuit apparent au rez-de-chaussée? Créez alors un nouveau circuit au sous-sol en posant un câble entre le panneau de distribution et le point de branchement du circuit apparent. Utilisez pour cela une boîte de raccordement spéciale dotée d'un serre-câble.

Calibrage. Lorsque vous aménagez un circuit apparent, utilisez toujours du fil dont le calibre est identique à celui des fils du circuit d'alimentation. Le calibre des fils et des câbles est souvent indiqué sur leur gaine; néanmoins, vous pouvez le vérifier avec une simple pince universelle. Fermez délicatement les mâchoires de la pince sur le fil et notez le calibre du plus petit trou dans lequel vous arrivez à passer le fil.

Ne surchargez pas les prises et ne faites pas courir trop de fils dans les canalisations. Les codes en vigueur spécifient les dimensions des boîtes de sortie et des canalisations des différents circuits possibles. En cas de doute, utilisez des boîtes extra-profondes et limitez à trois le nombre de fils courant dans les canalisations.

Posez les prises et les interrupteurs à des hauteurs fixes par souci de commodité et pour respecter les codes en vigueur. Normalement, les interrupteurs muraux doivent se trouver à 48 po (1,20 m) du sol (36 po [90 cm] dans une chambre d'enfant), et les prises à 12-15 po (30-38 cm) du sol (24 po [60 cm] est une hauteur commode pour les personnes âgées ou en fauteuil roulant).

Mise en place d'un circuit apparent

À PRÉVOIR :

Prises et interrupteurs

Cordeau, niveau, équerre combinée, crayon

Trousse de montage apparent (canalisations, marettes, plaques et ferrures de fixation, boîtes de sortie, notice)

Détecteur de tension

Scie à métaux (lame à dents fines)

Perceuse et forets

Vis ou boulons à gaine d'expansion

Tournevis, à pointe droite et Phillips

Fil électrique homologué

Pinces, à dénuder et à bec long

Marettes

1 Choisissez une prise mise à la terre comme source d'alimentation du circuit apparent. Marquez l'emplacement des canalisations, des prises et des interrupteurs sur le mur avec une craie ou un crayon. Mettez la prise hors tension et assurez-vous que le courant est coupé avec un détecteur de tension (p. 183). Retirez la plaque de la prise, sortez la prise de la boîte et posez la plaque de fixation sur la boîte.

2 Sciez les canalisations aux longueurs utiles avec une scie à métaux. Vissez les brides arrière sur le mur; posez au moins une bride tous les 5 pi (1,50 m). Si possible, faites pénétrer les vis dans les poteaux; sinon, utilisez des boulons à gaine d'expansion. Emboîtez un tronçon de canalisation et les brides correspondantes; vissez la plaque d'interrupteur sur le mur.

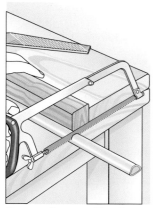

Coupez les canalisations de métal avec une scie à métaux munie d'une lame à dents fines ; ébarbez ensuite les bords à la lime. Durant la coupe, appuyez la canalisation contre un bloc vissé sur le plan de travail.

Les canalisations de métal monobloc sont plus durables et protègent mieux les fils que les canalisations de plastique. Posez-les dans les pièces très utilisées.

Coins de départ. Poussez les fils dans les canalisations monobloc à partir d'un coin. Vous pourrez ainsi progresser dans deux directions sans faire passer les fils de force au niveau des coins.

Pour dissimuler les circuits apparents dans les maisons anciennes, fixez d'abord les canalisations sur le dessus des plinthes. Peignez ensuite les canalisations de la couleur des plinthes.

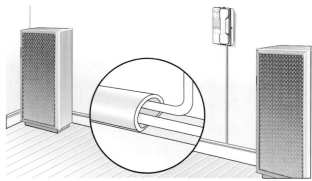

Dissimulez les fils d'enceintes acoustiques, les rallonges de téléphone et les câbles de téléviseurs dans des gaines hémisphériques conçues pour recevoir les fils basse tension. Offertes dans divers finis, ces gaines sont garnies de bandes adhésives qui simplifient leur installation.

Dans la cuisine, posez des blocs multiprises sous les armoires, reliez-les à un circuit apparent et branchez-y de petits appareils. Les blocs ainsi dissimulés ne dépareront pas votre décor ; par ailleurs, l'utilisation de cordons plus courts s'avère plus sûre et plus commode.

Intégrez les circuits apparents à votre décor s'il est trop difficile de les dissimuler. Procurez-vous des canalisations de couleur s'harmonisant ou contrastant avec la couleur de la peinture ou le papier peint et utilisez-les en guise de moulures de séparation.

3 Passez suffisamment de fil dans la canalisation pour relier la prise et la plaque d'interrupteur ; majorez la longueur utile de façon qu'un bout de fil de 6 po (15 cm) dépasse d'un côté. Utilisez les fils noirs comme fils thermiques, les fils blancs comme fils neutres et les fils verts comme fils de terre. Continuez d'installer les brides arrière, les canalisations, les prises et les interrupteurs selon votre plan.

4 Passez des fils dans chaque tronçon de canalisation supplémentaire (voir « Coins de départ », ci-dessus). Dans les coins, poussez les fils contre la plaque de fixation et mettez la canalisation coudée en place en appuyant dessus. Raccordez les fils aux prises et aux interrupteurs, mais pas à la prise de départ.

5 Pour poser un luminaire, raccordez les fils comme s'il s'agissait d'une boîte de plafonnier encastrée (p. 190). Emboîtez la plaque de fixation et la boîte du luminaire. Finalement, raccordez les fils à la prise de départ. Mettez le circuit sous tension et essayez les prises, interrupteurs et luminaires. Si tous fonctionnent, coupez de nouveau le courant et posez les plaques extérieures. Rétablissez ensuite le courant.

Positionnement. Installez les rails d'éclairage près des murs qu'ils doivent éclairer. Un écart de 2 à 4 pi (0,60-1,20 m) convient en général.

Gare aux surcharges !
Si vous branchez un rail d'éclairage dans une prise existante, assurez-vous qu'il n'en résultera pas une surcharge. Déclenchez le disjoncteur ou retirez le fusible du circuit et voyez quels luminaires ou prises sont mis hors tension. Si des prises alimentant de gros appareils ou débitant beaucoup d'électricité sont reliées au circuit, choisissez-en un autre.

Posez des rails à circuits multiples ; vous pourrez ainsi allumer divers groupes de projecteurs séparément. Choisissez des projecteurs à faisceau étroit et large pour varier l'éclairage.

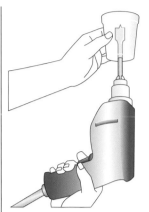

Avant de percer des trous au plafond, passez la tige du foret à travers le fond d'un verre de carton. Les débris tomberont dans le verre. Portez tout de même des lunettes de protection.

Un éclairage indirect permet d'éviter l'éblouissement que cause la réflexion de la lumière – à condition que les surfaces éclairées ne renvoient pas la lumière vers le haut, au niveau des yeux !

Et la lumière fut ! Si les faisceaux lumineux émanant d'un rail d'éclairage ne se chevauchent pas, les projecteurs sont trop espacés. Ajoutez-en.

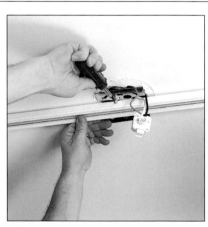

L'installation d'un rail enfichable ne requiert aucune connexion dans la boîte de plafonnier. Positionnez le cordon du rail près d'un mur où se trouve une prise. Dissimulez le cordon sous une moulure, dans une gaine ou derrière un meuble.

Posez un gradateur pour varier l'intensité de la lumière produite par un rail d'éclairage et économiser de l'énergie. Si vous voulez combiner des ampoules halogènes et des ampoules à incandescence sur un même rail, consultez d'abord un spécialiste pour vous assurer de la compatibilité des fournitures. Ne reliez pas un gradateur à des rails d'éclairage basse tension.

Pour agrandir une pièce et en accroître l'éclairage, braquez des projecteurs vers les murs. Les murs sembleront plus éloignés et la lumière sera réfléchie vers le centre de la pièce.

Création d'ambiance.
Placez des filtres colorés devant les projecteurs pour créer une ambiance particulière. N'utilisez que des filtres conçus pour cet usage.

Installation d'un rail d'éclairage

À PRÉVOIR :

Détecteur de tension

Rails d'éclairage et accessoires (adaptateur, plaque de montage, garniture, connecteurs, projecteurs, ampoules)

Marettes

Pince à dénuder

Pince à bec long

Ruban à mesurer, règle, crayon

Perceuse et forets

Vis ou boulons à gaine d'expansion

Tournevis, à pointe droite et Phillips

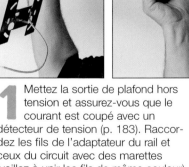

1 Mettez la sortie de plafond hors tension et assurez-vous que le courant est coupé avec un détecteur de tension (p. 183). Raccordez les fils de l'adaptateur du rail et ceux du circuit avec des marettes (veillez à unir les fils de même couleur). Tassez les fils dans la boîte de plafonnier après les avoir raccordés. Fixez la plaque de montage du rail de façon qu'elle couvre les fils.

2 Vissez temporairement le premier rail sur la plaque de montage. Utilisez une règle pour vous assurer que le rail est parallèle au mur. Immobilisez le rail ; à l'aide d'un crayon, marquez la position des trous de vis au plafond.

L'apparence d'un plafond laisse-t-elle à désirer ? Estompez les défauts en orientant les projecteurs vers les murs ou en installant des lampes suspendues plutôt que des rails d'éclairage. L'éclairage en plongée repousse le plafond dans l'ombre.

Un éclairage ascendant réalisé au moyen d'un rail d'éclairage peut mettre un plafond cathédrale en valeur. Fixez le rail sur un pan incliné ou une poutre et orientez les projecteurs vers le plafond ; la lumière réfléchie créera un éclairage d'ambiance dans toute la pièce.

Du plafond. Les luminaires encastrés vous plaisent ? Posez plutôt des projecteurs semi-encastrés, qui pivotent sur 45° et sont plus faciles à nettoyer.

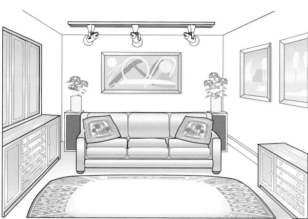

Pour élargir une pièce étroite, posez un rail d'éclairage parallèlement aux murs les plus courts ; l'éclairage des murs les plus longs ferait ressortir l'étroitesse de la pièce.

Quelle poigne ! Dévissez les ampoules encastrées avec un morceau de ruban séparateur enroulé sur le pouce et les deux doigts suivants, face collante vers l'extérieur.

Musée de quartier. Un minirail d'éclairage peut vous servir à recréer l'ambiance d'une galerie d'art à la maison. Placez des tableaux, des photos ou des bibelots sur un mur du passage et posez le rail devant de façon que les projecteurs puissent être orientés vers le bas, suivant un angle de 30°.

3 Retirez le rail, percez les trous de vis et fixez le rail au plafond avec des vis ou des boulons à gaine d'expansion.

! Lorsqu'on les pose avec un tournevis électrique, les boulons à gaine d'expansion « Zip-It » percent leur trou, puis s'aplatissent derrière le plafond.

4 Posez les connecteurs et d'autres sections de rail, au besoin. Glissez l'adaptateur dans le rail et tournez-le pour le bloquer. Fixez la garniture par-dessus le connecteur et la boîte de plafonnier.

5 Pour poser les projecteurs, glissez-les dans le rail et tournez-les. Placez les ampoules dans les projecteurs et mettez le rail sous tension. Essayez les projecteurs.

Puissance. En général, il convient de prévoir au moins 1 watt d'éclairage incandescent par pied carré (0,09 m²) dans un salon ou une chambre à coucher et le double dans la cuisine ou l'atelier. Si vous posez des lampes fluorescentes, prévoyez ½ watt par pied carré (0,09 m²) dans la cuisine et environ ⅓ watt dans les autres pièces.

Avant de remplacer l'ampoule d'un plafonnier éteint, voyez si le circuit est sous tension. Souvent, un fusible qui a sauté ou un disjoncteur déclenché est à l'origine du problème.

Quel culot... Pour dévisser une ampoule brisée, coupez le courant, placez les mâchoires d'une pince à bec effilé dans le culot, écartez les branches et tournez la pince vers la gauche.

Quel culot (bis)... Coupez le courant, puis enfoncez un tampon de papier journal dans le culot et tournez-le vers la gauche. Portez des gants de travail épais et des lunettes de protection, surtout si l'ampoule brisée se trouve dans un plafonnier.

Surchauffe. Lorsque vous ouvrez un plafonnier, voyez si la douille ou les fils ont surchauffé et remplacez-les au besoin. La puissance (en watts) des ampoules ne doit jamais excéder celle indiquée sur le plafonnier.

Substituez des marettes au ruban isolant qui recouvre les connexions anciennes. Coupez le courant. Sectionnez ensuite les fils sous ruban, dénudez-les et unissez-les avec des marettes d'une dimension correspondant à leur calibre.

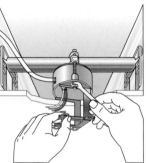

Si vous remplacez un plafonnier par un ventilateur, posez une boîte de dérivation pour ventilateurs homologuée (ACNOR ou ULC). Fixez aussi un support ajustable entre les solives.

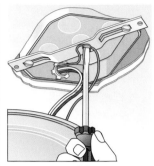

Pour mettre à la terre un plafonnier ancien, installez une nouvelle bride de fixation et reliez le fil de terre à la borne verte. Vous pouvez aussi relier le fil de terre à l'une des vis de fixation de la vieille bride (ajoutez alors une rondelle).

Mettez des ampoules longue durée dans les luminaires difficiles d'accès. Ces ampoules durent jusqu'à quatre fois plus longtemps que les ampoules ordinaires de même puissance.

Remplacement d'un plafonnier

À PRÉVOIR :

Tournevis et vis

Détecteur de tension

Bride de fixation en métal

Plafonnier

Marettes

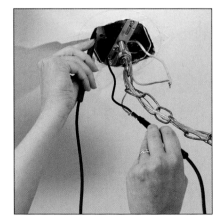

1 Mettez le circuit du plafonnier hors tension. Ôtez les vis qui fixent le plafonnier au plafond. Assurez-vous que le courant est coupé au moyen d'un détecteur de tension (p. 183). Défaites les connexions, puis retirez le plafonnier et la vieille bride de fixation.

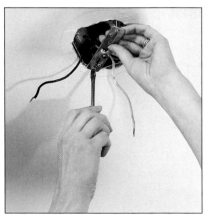

2 Posez la nouvelle bride de fixation en métal du plafonnier de rechange sur la boîte de sortie à l'aide des vis fournies. S'il y a un fil de terre dans la boîte, reliez-le à la borne de terre de la bride.

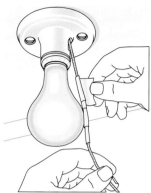

La ficelle d'une douille avec interrupteur à tirette ne brûlera pas si vous la recouvrez de ruban métallique au niveau de l'ampoule.

Les ampoules qui grillent rapidement, surtout si elles sont situées près d'une porte d'entrée, sont peut-être soumises à des vibrations excessives qui provoquent la rupture du filament. Remplacez-les par des ampoules à construction renforcée (« antichocs »).

Choisissez avec soin vos luminaires encastrés pour parer aux risques d'incendie. À moins qu'ils ne portent l'inscription IC (*insulated ceiling*), ces luminaires doivent être installés de façon à être dégagés de tout matériau d'au moins 3 po (7,5 cm) sur chaque côté et à leur sommet. Les luminaires de type IC peuvent être en contact direct avec les matériaux isolants.

À défaut de sortie de plafond, posez une lampe suspendue à chaîne au lieu d'un plafonnier fixe. Attachez la chaîne à un solide crochet vissé dans une solive et branchez la lampe dans une prise murale. Si vous posez une lampe suspendue au-dessus d'une table à manger, prévoyez un dégagement de 30 po (75 cm) au-dessus de la table.

Les luminaires profondément encastrés sont moins éblouissants que les plafonniers dans les pièces à plafond bas. Un fini noir, un déflecteur, un paralume et une lentille antireflets peuvent s'avérer utiles.

Point n'est besoin de démonter un lustre à pendeloques de cristal pour le nettoyer. Versez 2 cuillerées à thé d'alcool à friction dans 1 pte (1 litre) d'eau chaude. Accrochez ensuite un parapluie ouvert sous le lustre, couvrez les ampoules et les douilles de sacs à sandwich (fermés par des liens torsadés) et vaporisez la solution sur le lustre. Le parapluie recueillera les gouttes de solution chargées de saleté.

Des ampoules produisent une lumière vacillante ? Un nettoyage rapide pourrait corriger la situation. Frottez la base des culots avec du papier de verre fin ou de la laine d'acier fine (le métal doit briller), puis chassez la poussière et essuyez les surfaces avec un chiffon doux.

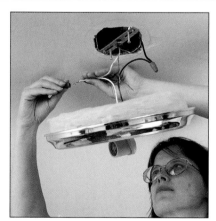

3 Branchez le plafonnier de rechange. Enroulez les bouts dénudés des fils du circuit vers la droite sur les bornes du plafonnier (le fil noir sur la borne de laiton, le fil blanc sur la borne argentée) ou raccordez-les aux fils du plafonnier avec des marettes.

 Demandez à quelqu'un de tenir le plafonnier pendant que vous le branchez.

4 Repliez les fils dans la boîte de sortie et vissez le plafonnier sur la bride de fixation.

5 Vissez l'ampoule dans la douille et mettez le globe en place ; remettez ensuite le circuit sous tension et essayez le plafonnier.

Pas si vite ! Ne vous hâtez pas de remplacer le tube d'une lampe fluorescente qui cesse subitement d'éclairer. Un tube dure plus longtemps qu'une ampoule à incandescence ; souvent, la panne ne lui est pas attribuable. Voyez le tableau de dépannage, page ci-contre.

Pour ôter un tube à contact double, tournez-le d'un quart de tour pour aligner les broches dans les fentes des douilles ; tirez ensuite le tube vers vous. Pour défaire un tube à contact simple, poussez-le vers la douille à ressort et tirez-le vers vous du côté opposé.

La lumière produite par une lampe fluorescente aura une apparence naturelle si vous choisissez les tubes en fonction de leur température couleur, mesurée en degrés Kelvin (K). Les tubes haute température (4 000 K et plus) émettent beaucoup de lumière bleue, crue et froide. Les tubes basse température émettent plus de lumière rouge ; on les dit doux ou chauds. Un tube de 3 500 K produit la lumière qui s'apparente le plus à la lumière naturelle.

Si une pièce manque de couleur, éclairez-la avec un tube au phosphore aux terres rares. Elle paraîtra plus colorée du fait que le phosphore confine le spectre chromatique aux domaines du bleu, du vert et du rouge-orange, ce qui a pour effet d'accroître le contraste des couleurs.

Dans la froidure. La plupart des lampes fluorescentes ne sont pas conçues pour fonctionner par des températures inférieures à 10 °C/50 °F. Dans une pièce non chauffée, installez une lampe fluorescente (ou un ballast) pour basses températures.

Les tubes de sécurité possèdent un revêtement de plastique conçu pour retenir les fragments de verre en cas de bris. Utilisez-les dans l'atelier et les autres pièces « à risque ». Une gaine protectrice peut aussi être placée sur les tubes ordinaires.

Ne ramassez pas à mains nues les fragments d'un tube fluorescent brisé. Le mercure présent dans les tubes fluorescents est nocif et les fragments de verre peuvent couper la peau ou y pénétrer.

À RETENIR

Quelques faits sur les lampes fluorescentes
Voici les lampes fluorescentes les plus courantes.

Lampe fluorescente à allumage rapide
Deux broches à chaque bout

Lampe fluorescente à préchauffage
Deux broches à chaque bout ; démarreurs indépendants

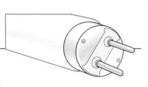

Lampe fluorescente à allumage instantané
Une broche à chaque bout

Remplacement d'une lampe fluorescente

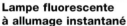

À PRÉVOIR :

Détecteur de tension

Lampe fluorescente (y compris la garniture intérieure, le tube et le diffuseur)

Câble sous gaine non métallique

Pince à dénuder et marettes

Niveau et crayon

Perceuse, forets et chevilles (si la lampe est posée sur du placoplâtre)

Tournevis et vis

Serre-câble et contre-écrou

1 Mettez le circuit de la lampe hors tension. Retirez le diffuseur, le tube et la garniture de la vieille lampe. Assurez-vous que le courant est coupé au moyen d'un détecteur de tension (p. 183). Démontez la base de la vieille lampe (vous devrez peut-être retirer des marettes et un serre-câble). Raccordez les fils d'un câble de liaison et les fils du circuit correspondant à l'aide de marettes (voir « Fils de liaison », p. 201).

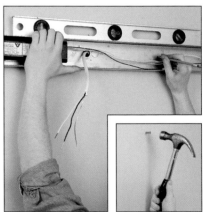

2 Débouchez l'orifice par où passeront les fils du circuit sous la base de la lampe de rechange. Débouchez également plusieurs petits orifices dans lesquels vous passerez les vis de fixation. Tenez la base de la lampe contre le mur, vérifiez son horizontalité avec un niveau, puis marquez la position des trous de vis sur le mur avec un crayon. Si vous installez la lampe sur du placoplâtre, posez des chevilles.

À RETENIR

Tableau de dépannage — lampes fluorescentes

Problème	Cause	Solution
La lumière clignote	Tube dont la vie utile s'achève	Couper le courant ; nettoyer les broches ; vérifier les connexions. Remplacer le tube au besoin.
Le tube s'allume difficilement	Démarreur défectueux (lampe ancienne) ; ballast défectueux	Remplacer le démarreur ou le ballast. Pour enlever le ballast, couper le courant, débrancher les fils et ôter les vis de fixation. Poser des pièces identiques.
La lumière vacille	Tube neuf ou basse température	Laisser le tube neuf allumé durant plusieurs heures. Installer un ballast pour basses températures.
Les bouts du tube sont noircis	Tube dont la vie utile s'achève	Remplacer le tube.
La lampe bourdonne ou vibre	Pièces ou vis mal fixés ; court-circuit au niveau du ballast	Resserrer toutes les vis. Remplacer le ballast.

Vie utile. Le fait d'allumer et d'éteindre souvent une lampe fluorescente entraîne une réduction de la durée de vie utile des tubes. N'éteignez pas si votre absence doit durer moins de 30 minutes.

Réparer ou remplacer ? La réparation d'une lampe fluorescente dont le ballast est défectueux peut s'avérer moins économique que l'achat d'une nouvelle lampe, surtout s'il s'agit d'un vieux modèle à démarreur.

Un ballast électronique est plus efficace qu'un ballast électromagnétique, et il permet d'obtenir un éclairage plus brillant et de réduire la vacillation. Procurez-vous-en un si vous devez remplacer un ballast.

Dissimulez une lampe fluorescente derrière une corniche, un bandeau ou une console pour créer un éclairage indirect. Une corniche dirige la lumière vers le plancher ; un bandeau la dirige vers le plafond ; une console la dirige dans les deux directions. Vous pouvez construire ces structures avec du contreplaqué, de larges moulures ou du placoplâtre et des 1 x 3.

3 Insérez un serre-câble dans le gros orifice et passez-y les fils du circuit. Vissez la lampe sur le mur. Vissez le contre-écrou du serre-câble.

! **La lampe doit être bien fixée. Autrement, elle pourrait vibrer une fois allumée, se défaire de ses attaches et tomber.**

4 Unissez les fils de même couleur avec des marettes. Repliez ensuite les fils contre la base, en veillant à séparer les fils noirs des fils blancs. Si la lampe possède un fil de terre, reliez-le au fil de terre du circuit à l'aide d'une marette. Autrement, reliez le fil de terre du circuit à la borne verte ou à la borne portant l'inscription GRD ; utilisez un fil de liaison si le fil est trop court.

5 Après avoir uni les fils, tirez légèrement sur les connexions pour vous assurer qu'elles sont solides. Posez la garniture intérieure, le tube et le diffuseur. Remettez le circuit sous tension et essayez la lampe. Un tube fluorescent neuf produira un éclairage vacillant au début ; si le tube clignote, il y a un mauvais contact ou bien les broches sont mal positionnées dans les douilles.

Typologie. Les fentes des prises permettent de les différencier. Les prises à deux fentes, que l'on trouve dans les maisons anciennes, ne sont pas mises à la terre. Les prises à trois fentes intègrent une fente de mise à la terre. Les prises à fentes en T ont une capacité de 20 ampères et servent à alimenter les électroménagers.

Vous risquerez moins de recevoir une décharge électrique en touchant à une prise défectueuse si vous remplacez les plaques de métal (conductrices) par des plaques de plastique (non conductrices). Coupez le courant avant d'examiner une prise défectueuse.

D'une pierre deux coups. Une rallonge de fort calibre est-elle endommagée ? Retranchez la partie endommagée et reliez les fils de la rallonge aux bornes d'une prise électrique en plastique inutilisée. En plus d'une rallonge en bon état, vous disposerez ainsi d'une source d'alimentation supplémentaire.

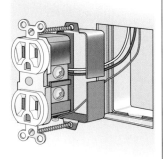

Lorsque vous refaites des murs, rallongez les boîtes de sortie des anciennes prises à l'aide de pièces spéciales afin de les placer dans le plan des nouveaux murs.

Une fiche qui joue dans les fentes d'une prise peut provoquer un incendie. En général, un tel jeu survient par suite d'un usage très fréquent ayant occasionné l'usure des fentes. Remplacez la prise par une prise dite « de qualité spécifiée pour service dur ».

Ne remplacez une prise à deux fentes par une prise à trois fentes que si vous êtes sûr que le circuit est mis à la terre. Une prise à trois fentes reliée à un circuit sans mise à la terre n'offrirait aucune protection. Consultez un électricien en cas de doute.

Zone de chaleur. Si vous entendez un crépitement, sentez une odeur de brûlé ou apercevez des étincelles quand vous allumez un appareil, ne débranchez pas le cordon et ne touchez pas à la prise. Coupez le courant au panneau de distribution. Recouvrez la fiche de l'appareil d'une serviette sèche et épaisse, puis débranchez-la. Si la défectuosité se situe dans l'interrupteur, mettez celui-ci à *Off* avec un objet en bois propre et sec.

Les bornes latérales d'un interrupteur ou d'une prise peuvent assurer un meilleur contact que les bornes autobloquantes (à l'arrière).

Remplacement d'une prise

À PRÉVOIR :

Détecteur de tension

Tournevis

Pince à bec long

Prise (identique à la prise originale quant à la position des fentes)

1 Mettez le circuit hors tension et assurez-vous que le courant est coupé au moyen d'un détecteur de tension (p. 183). Ôtez la plaque. Défaites les vis de fixation de la prise, puis sortez la prise de la boîte.

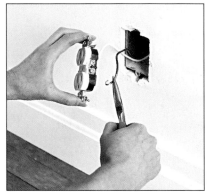

2 Branchez la nouvelle prise comme l'ancienne. Bouclez les fils d'avance avec une pince. Enroulez ensuite (vers la droite) les fils blancs sur les bornes argentées, les fils noirs sur les bornes de laiton et le fil dénudé ou vert sur la borne verte.

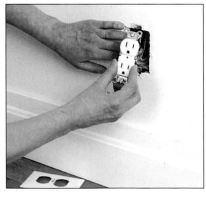

3 Placez la prise dans la boîte tout en repliant délicatement les fils, puis serrez les vis de fixation. Reposez la plaque. Remettez le circuit sous tension. Assurez-vous que la prise est bien sous tension au moyen d'un détecteur de tension.

Vie utile des ampoules.

Les ampoules à incandescence durent plus longtemps quand elles fonctionnent sous les tensions inférieures à la normale qu'un gradateur permet d'obtenir. Elles risquent en outre moins de griller quand on les allume puisque la tension « de départ » d'un gradateur est inférieure à celle d'un interrupteur ordinaire.

Il existe des gradateurs

de différente puissance. Pour savoir lequel choisir, additionnez le nombre de watts des ampoules du circuit. En général, la capacité d'un gradateur à bouton est de 600 watts, celle d'un gradateur à bascule de 300 watts. Respectez ces limites.

Technologie numérique.

Les nouveaux gradateurs sans fil ou commandés par ordinateur peuvent réduire l'intensité de l'éclairage de 50 p. 100 dans une grande partie de la pièce et de 80 p. 100 près du téléviseur, sans la modifier dans le coin lecture. Certains commandent à distance l'éclairage de toute la maison.

Les ampoules halogènes

reliées à un gradateur ont tendance à noircir. Faites-les fonctionner à puissance maximale 20 p. 100 du temps au moins pour que leur lumière demeure vive.

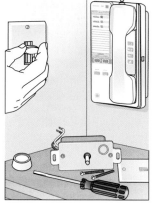

Interférences. Les gradateurs anciens peuvent interférer avec le fonctionnement d'une radio AM, d'un appareil audio ou d'un téléphone sans fil situés à proximité et provoquer un parasitage (bourdonnement ou électricité statique). Pour contrer ce phénomène, posez des gradateurs récents dotés d'un filtre « RF » ou « RFI ».

Un décor constitué d'éléments aux couleurs pâles permet d'économiser l'énergie. Plus une couleur est pâle, plus elle réfléchit la lumière et moins vous avez besoin d'éclairage.

SÛR ET SENSÉ

➤ Seules les lampes fluorescentes à ballast spécial peuvent être reliées à un gradateur.

➤ Comme une ampoule halogène chauffe beaucoup plus qu'une ampoule à incandescence, optez pour un modèle de 300 watts ou moins.

➤ Placez les lampes à ampoules halogènes loin des fenêtres. Un vent fort pourrait les renverser ou pousser un rideau sur une ampoule chaude.

Installation d'un gradateur

À PRÉVOIR :

Tournevis

Détecteur de tension

Pince à bec long et pince à dénuder (facultatif)

Marettes

Gradateur (unipolaire si l'interrupteur original possède deux bornes, tripolaire s'il en possède trois)

1 Mettez le circuit hors tension. Retirez la plaque et l'interrupteur. Assurez-vous que le courant est coupé au moyen d'un détecteur de tension (p. 183). S'il y a un second interrupteur dans la boîte, vous devrez peut-être desserrer ses vis de fixation.

2 Sortez tous les fils de la boîte. Déployez leur extrémité avec une pince ou bien dénudez-la sur une longueur totale de ½ po (12,7 mm). Unissez les fils du gradateur et les fils du circuit avec des marettes et reliez le fil de terre à la borne de terre.

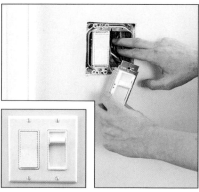

3 Placez le gradateur dans la boîte, tout en repliant délicatement les fils. Serrez les vis de fixation en vous assurant que le gradateur est bien vertical. Reposez la plaque. Mettez le bouton sur la tige au besoin et remettez le circuit sous tension.

Gardez les étiquettes !

Faites l'essai de votre nouvelle lampe à la maison pour voir si elle convient à vos besoins. Une lampe dont l'ampoule pend sous l'abat-jour peut vous éblouir quand vous êtes assis. Une lampe trop basse n'éclairera pas le haut de la pièce et l'éclairage pourra être insuffisant si l'abat-jour est étroit.

La bonne hauteur. Le bas de l'abat-jour d'une lampe de table doit se trouver juste sous le niveau des yeux.

Si une ampoule produit une lumière vacillante dans une lampe mais fonctionne bien ailleurs, nettoyez la douille de la lampe. Débranchez la lampe ; frottez l'intérieur de la douille avec du papier de verre fin ou la pointe d'un tournevis pour que le métal brille. Relevez ensuite la languette de métal au fond de la douille pour que le contact avec l'ampoule se fasse mieux.

Saisissez les ampoules

halogènes par la base. Les huiles naturelles de la peau peuvent fragiliser le verre.

C'est pourtant écrit...

Utilisez des ampoules offrant un flux lumineux (exprimé en lumens) élevé. Les valeurs nominales (watts, lumens) inscrites sur les emballages sont souvent « optimistes ». Les valeurs réelles peuvent être de 5 à 30 p. 100 moins élevées.

Époussetez fréquemment les luminaires et les ampoules. La saleté accumulée peut bloquer jusqu'à la moitié de la lumière produite par une ampoule.

Si un tube fluorescent

compact ne peut tenir dans une lampe de table standard (à cause de sa forme différente de celle d'une ampoule à incandescence), achetez une rallonge de lyre ou une lyre de plus grande dimension.

Plus de lumière. Une lampe éclairera davantage si vous utilisez un tube fluorescent circulaire. L'abat-jour peut bloquer 80 p. 100 environ de la lumière produite par une ampoule à incandescence classique ou un tube fluorescent compact.

Remplacement du cordon d'une lampe de table

À PRÉVOIR :

Tournevis
Couteau universel
Pince à bec long
Pince à dénuder
Ruban isolant
Cordon de rechange et fiche
Douille de rechange (facultatif)

1 Débranchez la lampe et retirez l'abat-jour, l'ampoule et la lyre. Enlevez l'enveloppe et la gaine isolante de la douille en appuyant sur les côtés portant l'inscription *Press*. Tirez les pièces vers le haut. Serrez les bornes de la douille au besoin. Réassemblez la lampe et essayez de l'allumer pour vous assurer que le cordon est bel et bien défectueux.

2 Desserrez les bornes et retirez la douille. Sectionnez le cordon sous le nœud d'électricien ou retirez la bride de cordon ; ôtez ensuite la base de la douille, le papillon et toutes les autres pièces. Enlevez le feutre fixé sous la base de la lampe et sectionnez le cordon au niveau de la fiche.

Limitez vos dépenses. Ne remplacez l'enveloppe, la gaine isolante et la base d'une douille que si elles sont endommagées. Autrement, n'achetez que la douille (partie filetée et interrupteur). Polissez et réutilisez les autres pièces.

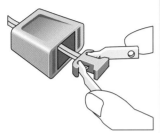

Cordon trop long. Si le cordon d'une lampe est trop long, raccourcissez-le et raccordez-le à une fiche autobloquante. Les petites pointes situées à la base des lames de la fiche perceront la gaine du cordon et fermeront le circuit. Insérez le cordon aussi loin que possible dans l'âme de la fiche.

Fini, les spaghettis ! Fixez les longs cordons de lampes sur les plinthes avec du ruban séparateur ou faites-les courir dans des gaines de plastique décoratives.

Les ampoules à trois intensités permettent de varier l'éclairage que procure une lampe de table et d'économiser l'énergie. Pour pouvoir les utiliser, vous devez remplacer la douille ordinaire de la lampe par une douille à trois contacts ; les connexions sont les mêmes (voir ci-dessous).

Pour remplacer un interrupteur logé dans un pied de lampe, dévissez l'anneau de retenue supérieur, détachez le feutre sous le pied et sortez l'interrupteur par le bas. Faites un croquis des connexions avant de débrancher les fils et reportez-vous-y au moment de brancher l'interrupteur de rechange. Essayez la lampe avant de reposer le feutre.

Enduisez un abat-jour en parchemin véritable d'huile de ricin ou d'huile de pied de bœuf une fois par année pour l'empêcher de sécher.

Les huiles de la peau peuvent tacher les abat-jour. Frottez les taches sur un abat-jour de papier avec une gomme à effacer d'artiste ou de la pâte servant à nettoyer le papier peint. Confiez un abat-jour de coton, de lin ou de soie à un nettoyeur.

SÛR ET SENSÉ

➤ Débranchez les lampes avant de les réparer ou de remplacer les ampoules.

➤ Si une lampe est défectueuse (vacillement, crépitement, étincelles), débranchez-la après avoir coupé le courant au panneau de distribution.

➤ Assurez-vous que le cordon des lampes n'est pas fendillé ni effiloché, surtout aux extrémités.

➤ Ne faites pas courir les cordons de lampes sous les tapis.

Un abat-jour est roussi ? C'est que l'ampoule est trop puissante : elle pourrait provoquer un incendie. Utilisez-en une moins puissante, jamais un abat-jour de plus grande dimension.

3 Épissez les fils du cordon de rechange et ceux du vieux cordon. Mettez du ruban isolant sur l'épissure. Faites ensuite passer le cordon de rechange dans la lampe : poussez-le dans le manchon tout en tirant le vieux cordon vers le haut. Sectionnez le cordon de rechange juste sous le ruban ; jetez le vieux cordon.

4 Séparez les fils sur 3 po (7,5 cm) à l'extrémité supérieure du cordon de rechange, puis dénudez-les sur ¾ po (2 cm). Reposez le papillon et la base de la douille. Faites un nœud d'électricien.

5 Reliez les fils aux bornes de la douille. Le fil à gaine nervurée ou le fil argenté est le fil neutre ; raccordez-le à la borne argentée. Emboîtez l'enveloppe et la gaine isolante dans la base de la douille. Posez la bride de cordon là où le cordon entre dans la base de la lampe. Recollez le feutre sous la base de la lampe.

Précautions utiles. Un circuit téléphonique ne présente dans la plupart des cas aucun risque, puisqu'il fonctionne sous une faible tension, mais le courant qui y circule peut dérégler un stimulateur cardiaque. Décrochez tous les combinés avant de travailler sur un circuit téléphonique : la tension augmente quand la sonnerie est activée et quiconque touche alors au circuit peut recevoir une décharge.

Conversion d'une prise. Pour installer un convertisseur modulaire sur une prise ancienne, ôtez le couvercle de la prise, sectionnez les fils du vieux téléphone (pas ceux du circuit d'alimentation), poussez les capuchons de couleur du convertisseur sur les bornes correspondantes du socle de la prise et posez le couvercle du convertisseur.

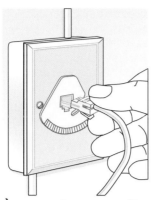

À propos des pannes. Si votre circuit téléphonique tombe en panne, branchez un téléphone qui fonctionne dans la prise d'interface (les fils du réseau pénètrent dans la maison au niveau de cette prise). Si vous entendez une tonalité, le dérangement se situe sur le circuit intérieur ; vous êtes responsable des réparations. S'il n'y a pas de tonalité, les réparations incombent à la compagnie de téléphone.

Entendez-vous des voix parasites au cours d'un appel téléphonique ? Si oui, les fils du câble relié à votre maison touchent peut-être aux fils d'autres câbles quelque part sur le réseau. Informez la compagnie de téléphone de la situation.

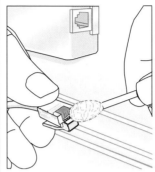

Frottez les fiches avec un tampon imbibé d'alcool dénaturé si des interférences prenant la forme d'électricité statique ou de coupures intermittentes surviennent au cours de vos appels téléphoniques.

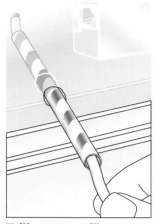

Utilisez une paille pour passer un câble téléphonique à l'horizontale à travers un mur. Procurez-vous une paille dans laquelle le câble peut glisser librement. Percez dans le mur un trou d'un diamètre légèrement supérieur à celui de la paille. Introduisez la paille dans le trou et passez le câble dedans. Ôtez la paille avant de poser une fiche au bout du câble.

Ajout d'une prise de téléphone

À PRÉVOIR :

Prise modulaire avec socle, couvercle et vis de fixation

Pince à bec long

Pince coupante

Pince à dénuder

Tournevis, à pointe plate et Phillips

Crayon

Perceuse et forets

Agrafes et agrafeuse ou marteau

Téléphone et cordon

Rallonge de téléphone (au besoin)

Boîte de dérivation téléphonique (au besoin)

Câble téléphonique (au besoin)

1 Repérez un câble téléphonique accessible près du nouveau téléphone. Détachez le câble du mur en enlevant les agrafes sur environ 1 pi (30 cm). Coupez le câble. Si vous ne pouvez détacher le câble sur la longueur voulue, ou si le nouveau téléphone se trouve à plus de 25 pi (7,5 m) du câble, passez à l'étape 4. Au besoin, débouchez les orifices du socle de la prise avec une pince à bec long.

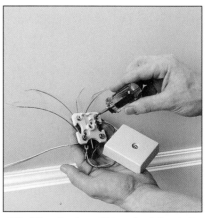

2 Dénudez les câbles d'entrée et de sortie sur 4 po (10 cm) et l'extrémité de tous les fils sur ½ po (12,7 mm). Réunissez les fils et enroulez-les une fois derrière le socle de la prise afin qu'aucune traction ne s'exerce directement sur les connexions en cours d'usage. Raccordez ensuite tous les fils de même couleur à la borne à vis de couleur correspondante qui se trouve sur le socle. Serrez les vis.

Pour passer un câble téléphonique dans deux trous verticaux percés en vis-à-vis, attachez-le au bout d'une solide ficelle et fixez une rondelle ou un écrou à l'autre bout de la ficelle. Glissez le bout de la ficelle qui est lesté dans le trou du haut, accrochez-le avec une broche par le trou du bas et tirez la ficelle vers vous. Le câble suivra.

Une fiche de téléphone est-elle brisée ? Sectionnez le cordon à 1 po (2,5 cm) environ de la fiche et dénudez l'extrémité de tous les fils sur ½ po (1 cm) à l'aide d'une pince universelle. Placez une fiche de rechange entre les mâchoires de la pince, positionnez les fils dans la fiche et fermez les mâchoires de façon à sertir la fiche.

Si la sonnerie est muette et que vous entendiez une tonalité lorsque vous décrochez le combiné, voyez si le bouton de réglage de la sonnerie a été mis à *Off* par mégarde.

Les touches du téléphone peuvent devenir poisseuses. Retirez alors le boîtier, chassez la poussière accumulée entre les touches à l'aide d'une bonbonne d'air comprimé, puis enlevez la saleté qui reste avec un tampon de mousse imbibé d'alcool dénaturé.

Revenir à la charge. Si la pile d'un téléphone sans fil ne conserve pas sa charge, faites fonctionner l'appareil jusqu'à ce qu'elle soit à plat, puis rechargez-la à bloc. Procédez ainsi au moins trois fois. Normalement, cela devrait suffire à corriger l'anomalie.

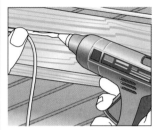

La pose d'agrafes n'est pas votre fort ? Deux solutions s'offrent à vous si vous devez installer un câble téléphonique non apparent sur un mur ou une solive : appliquer un cordon de colle thermofusible sur le support et y asseoir le câble ; utiliser des colliers autocollants.

Avant d'utiliser un télécopieur ou un modem branché sur votre seule ligne téléphonique, interrompez les services du genre « appel en attente ». Il suffit de composer un code spécial. Communiquez avec la compagnie de téléphone pour connaître ce code.

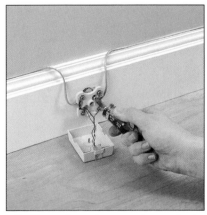

3 Placez le socle contre le mur (ou la plinthe). Marquez la position des trous de vis ; écartez le socle et percez des avant-trous au niveau des marques. Vissez le socle sur le mur, puis le couvercle sur le socle. Fixez les câbles d'entrée et de sortie sur le mur avec des agrafes. Branchez le nouveau téléphone. Au besoin, faites courir une rallonge de téléphone le long du mur.

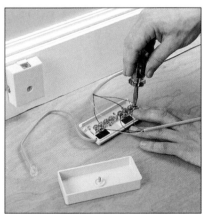

4 Posez une boîte de dérivation et une prise si vous ne pouvez relier les deux extrémités coupées du câble à une même prise, si le nouveau téléphone est à plus de 25 pi (7,5 m) de sa prise ou si vous installez plusieurs téléphones. Procédez comme à l'étape 2, mais ne raccordez que le câble d'entrée à la prise ; raccordez le câble de sortie existant et le câble des circuits supplémentaires à la boîte de dérivation.

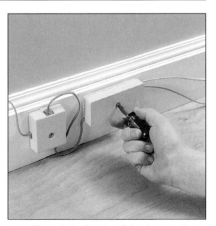

5 Fixez la boîte de dérivation sur le mur et branchez le cordon de la boîte dans la prise. Reposez le câble de sortie du circuit existant sur le mur et faites courir le nouveau câble jusqu'aux nouveaux téléphones. Posez une prise par téléphone (étape 2). **Variante :** reliez un câble à une boîte déjà posée, puis faites courir ce câble jusqu'au nouveau téléphone et posez une nouvelle prise.

Le disjoncteur de fuite de terre est un dispositif de protection contre les décharges électriques causées par un appareil ou un accessoire défectueux. Il détecte les petites variations de l'intensité du courant et peut mettre une prise hors tension en $\frac{1}{40}$ de seconde. *Note :* Plus le nombre de prises qu'un disjoncteur protège est grand, plus les petites variations normales de l'intensité du courant risquent de provoquer son déclenchement.

À RETENIR

Protection contre les fuites de terre
En vertu du Code canadien de l'électricité, seules des prises à disjoncteur de fuite de terre peuvent être installées dans les salles de bains, les cuisines et les salles de lavage récemment aménagées, ainsi que dans les boîtes de sortie extérieures. Un disjoncteur de fuite de terre intégré au panneau de distribution offre la meilleure protection.

Le disjoncteur de fuite de terre protège toutes les prises d'un circuit lorsqu'on le substitue à un disjoncteur standard au niveau du panneau de distribution. Son installation doit être confiée à un électricien.

La prise à disjoncteur de fuite de terre peut remplacer une prise standard. Suivant les connexions, elle peut protéger toutes les prises en aval.

Le disjoncteur de fuite de terre enfichable protège une seule prise (à trois fentes).

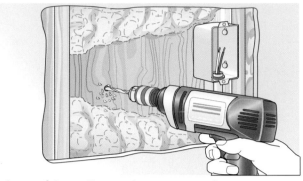

Prise extérieure. Pour repérer un espace où vous pourrez passer sans danger le câble d'une nouvelle prise extérieure, vous devrez peut-être percer le mur. Dans ce cas, coupez d'abord le courant (voir « Sûr et sensé », p. 183), puis enlevez la prise intérieure (p. 194) dont vous dériverez le circuit. Découpez une large ouverture dans le placoplâtre entre les deux poteaux qui encadreront la nouvelle prise (p. 84). Choisissez un espace libre, situé à 6 po (15 cm) au moins de la prise intérieure ; percez un trou vers l'extérieur.

À l'abri des éléments. Devez-vous encastrer une prise dans un parement de bois ? Si oui, appliquez un cordon de pâte à calfeutrer autour de la prise.

Procurez-vous un permis avant de poser une prise extérieure. Consultez un inspecteur pour connaître les règlements en vigueur dans votre région.

Pose d'une prise à disjoncteur de fuite de terre extérieure

À PRÉVOIR :

Détecteur de tension

Perceuse et forets

Câble électrique homologué

Boîte pour montage en surface, plaque, prise à disjoncteur de fuite de terre, vis, serre-câbles et marettes

Dénudeur de câble et couteau universel

Pince à bec long et tournevis

Conduit (au besoin)

Clé (au besoin)

1 Repérez une prise d'un ampérage suffisant derrière le mur extérieur. Mettez le circuit hors tension au panneau de distribution et vérifiez que le courant est coupé avec un détecteur de tension (p. 183). Déterminez la position exacte de la prise extérieure (voir « Prise extérieure », ci-dessus, et « Intérieur-extérieur », p. 201). Percez un avant-trou de l'intérieur de la maison ; achevez le perçage à l'extérieur.

2 Coupez un tronçon de câble électrique d'une longueur excédant de 18 po (45 cm) l'intervalle entre la prise intérieure et le trou percé à l'étape 1. Fixez le câble dans la boîte de la prise extérieure avec un serre-câble intérieur ; laissez environ 9 po (23 cm) de câble dépasser de la boîte. Dénudez le câble sur 8 po (20 cm), et l'extrémité des fils sur ½ po (1 cm). Vissez la boîte sur le mur.

Planification. Positionnez les prises et les interrupteurs extérieurs près des appareils qu'ils serviront à alimenter et de façon qu'ils soient facilement accessibles.

Faites un croquis des connexions avant de débrancher des fils. Une fois les travaux terminés, vous pourrez plus facilement rebrancher les fils comme ils l'étaient au départ.

Gare aux surcharges ! Assurez-vous de ne pas surcharger le circuit qui vous servira à en alimenter un autre. Un circuit de 15 ampères peut alimenter 10 prises et luminaires au maximum (13 pour un circuit de 20 ampères) ; sa capacité est de 1 800 watts. Estimez la charge actuelle du circuit et voyez si celui-ci peut supporter une charge additionnelle.

Intérieur-extérieur. Mesurez la distance entre la prise intérieure et un point de repère visible du dehors, tel que la fenêtre, puis marquez la position de la prise intérieure sur le mur extérieur pour juger de l'emplacement de la prise extérieure.

Protection souterraine. Mettez une planche de séquoia ou de bois traité sous pression par-dessus les câbles souterrains avant de les enfouir. Ainsi, personne ne pourra les sectionner par mégarde d'un coup de pelle.

Étanchéité des boîtes. En vertu du Code canadien de l'électricité, les boîtes de sortie extérieures doivent être étanches une fois les circuits mis sous tension. Au besoin, posez un couvercle étanche sur les prises qui ne sont pas conformes à cette exigence.

Éclairage toutes saisons. Dans les lampes extérieures, mettez des ampoules à l'épreuve des intempéries, qui ne se briseront pas par mauvais temps.

Essayez les disjoncteurs de fuite de terre chaque mois. Le courant doit être coupé quand vous appuyez sur le bouton *Test* et se rétablir quand vous appuyez sur le bouton *Reset*. Remplacez les disjoncteurs défectueux.

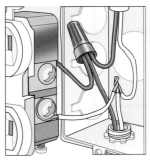

Fils de liaison. Utilisez des fils de liaison pour allonger les fils d'un circuit au besoin. Reliez-les aux bornes de l'accessoire à une extrémité ; reliez-les aux fils du circuit avec des marettes à l'autre extrémité. Veillez toujours à ce que tous les fils soient identiques.

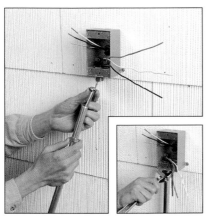

3 Si la prise extérieure doit servir à alimenter d'autres prises, passez l'autre câble électrique dans un conduit de métal et introduisez-le dans la boîte. Fixez le câble dans la boîte avec un serre-câble intérieur. Dénudez le câble et l'extrémité des fils. Raccordez le conduit à la boîte au moyen d'un raccord à compression ; serrez l'écrou avec une clé.

4 Raccordez les fils, y compris le fil de terre, aux bornes correspondantes de la prise extérieure. Si la prise doit servir à alimenter d'autres prises (comme à l'étape 3), raccordez les fils des deux câbles aux bornes. Vissez ensuite la prise dans la boîte.

5 Posez la garniture puis le couvercle. Dénudez le nouveau câble et l'extrémité des fils à l'intérieur de la maison. À l'aide de marettes, reliez les fils des câbles intérieur et extérieur à des fils de liaison (voir « Fils de liaison », ci-dessus) ; raccordez les fils de liaison à la prise intérieure. Remettez le circuit sous tension et essayez la prise. Si la prise fonctionne, réparez le placoplâtre (p. 84-85).

Pas si vite ! Avant de creuser une tranchée pour enfouir des câbles, communiquez avec le service de repérage des câbles souterrains, au numéro figurant dans les premières pages de l'annuaire du téléphone ; vous éviterez ainsi de sectionner les câbles des services publics. Communiquez aussi avec un inspecteur des bâtiments.

Divisez un long circuit d'éclairage en courts tronçons afin que l'alimentation de chaque ampoule soit optimale. La tension baisse sur une longue distance.

Utilisez un détecteur électronique de poteau pour savoir exactement où vous devez découper le logement de la boîte d'une prise électrique. Idéalement, une boîte électrique devrait toujours être fixée contre un poteau.

Haut en couleur. Dotez les lampes extérieures de lentilles de couleur pour créer des effets spectaculaires. Les lentilles vertes font ressortir les conifères et le feuillage des plantes tropicales ; les lentilles rouges, les couleurs d'automne ; les lentilles bleues, le bleu et le vert ; les lentilles ambre, le jaune, l'orange et le brun.

Une minuterie peut allumer et éteindre les lampes extérieures à heures fixes. Elle est munie d'un interrupteur prioritaire qui permet de passer en mode manuel.

Placez les câbles extérieurs situés au-dessus du sol dans des conduits de métal ou de plastique rigides unis par des raccords étanches. Fixez des manchons de plastique aux extrémités des conduits de métal pour éviter d'endommager les câbles. Selon la plupart des codes, les câbles utilisés à l'extérieur doivent être de type NMWU.

Petit raccourci. Vous créerez rapidement un nouveau circuit extérieur si vous faites passer le câble dans la cave. À partir du coffret de distribution, faites courir un câble le long d'une solive de plafond. Percez un trou dans la solive de bordure ; logez un tronçon de conduit dans le trou ; faites passer le câble à l'extérieur par le conduit. Laissez à un électricien le soin de raccorder le câble au coffret de distribution.

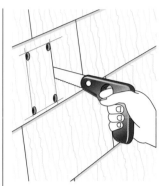

Pour découper le logement d'une prise extérieure, tracez les lignes de coupe sur le parement du mur et percez un trou de ½ po (12,7 mm) de diamètre dans chaque coin. Sciez ensuite le parement avec une scie sauteuse ou passe-partout, en allant d'un trou à l'autre.

Les prises ordinaires, à deux ou trois fentes, ne sont pas sûres à l'extérieur. Remplacez-les par des prises à disjoncteur de fuite de terre (p. 200).

Installation d'un circuit d'éclairage basse tension

À PRÉVOIR :

Ensemble d'éclairage basse tension (lampes, câble basse tension, transformateur, accessoires, notice)

Disjoncteur de fuite de terre

Tournevis

Perceuse et forets (facultatif)

Pelle (facultatif)

Paillis (facultatif)

1 Avant d'installer des lampes basse tension, planifiez le circuit. Assurez-vous de placer un disjoncteur de fuite de terre non loin de l'endroit où sera situé le transformateur. Une fois ces préparatifs terminés, placez le câble sur les contacts qui se trouvent dans le profilé, à la base de la première lampe. Appuyez sur le câble pour le bloquer. Glissez et bloquez ensuite le pieu (fermé) par-dessus le câble.

2 Déployez les pieds du pieu. Ramenez les deux bouts du câble l'un contre l'autre à la base de la lampe ; repliez le câble dans un des pieds, puis alignez-le sur les fentes ménagées de chaque côté du pieu. Refermez les pieds d'un coup sec.

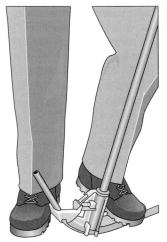

Utilisez une cintreuse pour plier un conduit de métal. La plupart des magasins de fournitures électriques offrent cet outil en location. Insérez simplement le conduit dans la forme, placez-le sur une surface dure, puis posez le pied sur l'appuie-pied et tirez le manche vers le haut. Un niveau et un indicateur d'angle intégrés donnent l'angle de cintrage.

Sous le béton. Au lieu de retirer une dalle de béton pour faire courir un câble dessous, écrasez le bout d'un conduit de métal avec un marteau, puis enfoncez le conduit dans le sol sous la dalle. Une fois le conduit passé sous la dalle, arasez-le et posez des raccords à compression aux deux bouts. Faites ensuite courir le câble dans le conduit.

Et que ça chauffe! Servez-vous de colle thermofusible pour fixer un câble basse tension sur les murs et les plafonds. Appliquez un cordon de colle de 1 po (2,5 cm) de long et de ⅛ po (3 mm) de large sur le support et assoyez-y le câble; appuyez sur le câble durant quelques secondes, le temps que la colle prenne. Répétez tous les 2 pi (60 cm).

Fixez dans du béton le conduit supportant une prise extérieure. Utilisez un bloc de béton ou un seau de plastique comme coffrage. Percez dans le fond du seau un trou par où passeront le câble et le conduit. Placez le bloc ou le seau sous la ligne de gel. Installez la prise; étayez-la. Remplissez les trous du bloc ou le seau de béton. Une fois le béton durci, recouvrez-le au besoin de terre et de gazon.

Couvrez le gazon de toiles de plastique de chaque côté des tranchées que vous creusez pour enfouir un câble. Déposez les plaques de gazon d'un côté, la terre de l'autre, ou louez une trancheuse. Un sillon de 1 po (2,5 cm) suffit.

3 Creusez un trou d'environ 8 po (20 cm) de profondeur dans lequel vous enfoncerez le pieu; en procédant ainsi, vous éviterez de briser la lampe ou le pieu au cours de la mise en terre. Poussez ensuite le pieu dans le trou en appuyant sur le dessus de la lampe. Comblez le trou avec de la terre.

4 Recouvrez le câble de paillis ou de terre ou enfouissez-le dans une tranchée peu profonde. Si vous risquez de le sectionner avec la tondeuse ou un outil, enfouissez-le dans une tranchée ayant 1 pi (30 cm) de profondeur.

5 Installez le transformateur près de la prise à disjoncteur de fuite de terre. (Si le transformateur est doté d'une cellule photoélectrique, installez-le à l'extérieur.) Si le transformateur n'est pas précâblé, raccordez le câble aux bornes basse tension. Branchez ensuite le cordon dans la prise à disjoncteur de fuite de terre. Réglez la minuterie et réglez la sensibilité de la cellule photoélectrique.

CHAUFFAGE ET CLIMATISATION

Degré de difficulté des travaux : █ Faible   ███ Moyen   ███ Élevé

Choix avisé. Confiez à un entrepreneur de confiance l'installation d'un système de climatisation central. Exigez des références avec les devis et vérifiez-les soigneusement. La réparation de défauts d'installation peut coûter très cher.

Trop... et pas assez. Évitez d'acheter un climatiseur trop puissant par rapport aux dimensions de votre maison. Il fonctionnera plus souvent et pendant de plus brèves périodes, sans déshumidifier l'air efficacement.

Le condenseur extérieur d'un climatiseur risque d'être moins efficace si vous le placez dans un abri destiné à le protéger des rayons du soleil, car vous diminuerez ainsi la circulation de l'air. Placez-le plutôt à l'ombre des arbres.

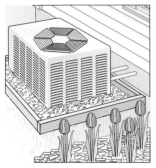

Sus à la poussière ! Pour limiter la quantité de poussière qu'aspire le ventilateur d'un climatiseur, couvrez le sol de gravier autour du condenseur extérieur et tapissez d'un paillis les massifs de fleurs voisins.

Pour une utilisation efficace de votre climatiseur, réglez le thermostat à la plus haute température que vous pouvez supporter. Réglez-le à 27 °C/80 °F si vous devez vous absenter plusieurs heures.

Par temps très chaud, mettez l'interrupteur du ventilateur à *On*. Une circulation d'air continue procure plus de fraîcheur et uniformise la température. Mettez l'interrupteur à *Auto* si la température est normale. Le ventilateur fonctionnera alors par intermittence.

Pour diriger l'air climatisé là où vous le voulez (vers le plafond par exemple), posez des déflecteurs de plastique maintenus par des aimants sur les bouches d'air situées dans le bas des murs.

Avez-vous du mal à remplacer le filtre de votre climatiseur central parce qu'il est difficile d'accès ? Sortez le filtre de son logement et posez ensuite des registres à filtre devant les bouches de reprise d'air.

Superfiltre. Substituez un filtre électrostatique au filtre standard de votre climatiseur. Ce type de filtre coûte plus cher (de 35 $ à 400 $), mais il purifie l'air beaucoup plus efficacement.

Amélioration du rendement d'un climatiseur central

À PRÉVOIR :

Sécateur (au besoin)
Petite clé à molette ou clé à douilles
Tournevis, à pointe plate et Phillips
Burette (bec télescopique ou souple)
Peigne à ailettes
Solution nettoyante pour serpentins
Nettoyeur haute pression ou tuyau d'arrosage
Aspirateur
Filtres

1 Mettez le circuit du climatiseur hors tension. Coupez les branches des arbustes et l'herbe dans un rayon de 2 pi (60 cm) autour du condenseur pour assurer la libre circulation de l'air. Le condenseur doit être placé sur un socle de béton, à une hauteur suffisante pour éviter toute infiltration d'eau.

2 Enlevez la grille du ventilateur. Les pales et le moteur sont parfois fixés sous la grille. Si le moteur est doté de godets à huile, lubrifiez-le avec l'huile recommandée après avoir retiré les bouchons de plastique. Vous pouvez utiliser de l'huile à moteur non détergente SAE 20 si l'huile recommandée n'est pas disponible.

Pour réduire l'humidité dans votre maison, faites tourner le ventilateur plus lentement afin que l'air circule moins vite autour des serpentins de l'évaporateur (consultez d'abord le fabricant). *Note :* en deçà d'une vitesse donnée, les serpentins se givreront.

Si l'eau fuit autour de l'évaporateur ou dans le logement du ventilateur, voyez si des algues obstruent la tuyauterie de vidange du condenseur. Éliminez les algues avec un jet d'eau, puis versez deux cuillerées à soupe d'eau de Javel dans la tuyauterie.

Un four produit beaucoup de chaleur et son utilisation a pour conséquence de prolonger la période de fonctionnement d'un climatiseur. De temps en temps, faites donc cuire vos aliments au four à micro-ondes ou sur le barbecue, ou commandez des mets à emporter dans un restaurant.

Durant une panne d'électricité, mettez l'interrupteur du climatiseur à *Off.* Attendez 6 minutes au moins avant de le remettre à *On* (en cas de remise en marche immédiate, le compresseur pourrait être gravement endommagé si l'appareil fonctionnait déjà depuis un certain temps au moment de la panne). Si le thermostat est de type électronique et qu'il n'intègre pas de piles de secours, veillez aussi à le reprogrammer avant de le remettre à *On.*

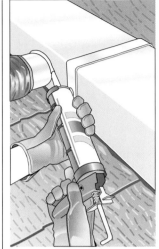

Inspectez les gaines périodiquement pour déceler les fuites d'air chaud ou froid, surtout autour des joints. Bouchez les petites ouvertures avec de la pâte à calfeutrer pour gaines. Mettez du ruban de fibre de verre sur les fentes larges, puis appliquez un enduit étanche liquide pour gaines sur le ruban.

Vous consommerez moins d'électricité pour climatiser votre maison si des stores ou des auvents interceptent la lumière solaire, idéalement sur 70 p. 100 de la hauteur des fenêtres face à l'est ou à l'ouest et sur 50 p. 100 de la hauteur des fenêtres face au nord ou au sud.

3 Au besoin, redressez les ailettes du condenseur avec un peigne à ailettes. Enduisez-les ensuite d'une solution nettoyante pour serpentins. Rincez-les sous un puissant jet d'eau avec un nettoyeur haute pression ou un tuyau d'arrosage.

4 Mettez le circuit du ventilateur hors tension. *Entraînement par courroie :* tendez la courroie pour qu'elle fléchisse d'environ ½ po (1 cm) sous une pression modérée exercée entre les poulies. *Entraînement direct :* voyez si les vis de retenue sont serrées. Remplissez les godets à huile avec l'huile recommandée ou de l'huile à moteur non détergente SAE 20. Nettoyez à l'aspirateur le logement du moteur.

5 Finalement, effectuez la révision du système de distribution d'air. Les filtres doivent être nettoyés ou remplacés régulièrement. Équilibrez la distribution de l'air en ajustant les registres des gaines ou des bouches de soufflage. Fermez les registres dans les pièces froides, ouvrez-les dans celles qui sont trop chaudes. Avant de juger des changements de température, attendez 24 heures entre les ajustements.

Puissance. Achetez un climatiseur individuel dont la puissance est proportionnée à la dimension de la pièce. Ne prenez pas un appareil plus puissant dans l'espoir de climatiser une pièce adjacente, à moins qu'il n'y ait une très grande ouverture entre les pièces. Mieux vaut poser un petit climatiseur dans chaque pièce.

Chaque printemps, assurez-vous que les joints et les coupe-bise posés autour de votre climatiseur individuel ne laissent pas passer l'air. Remplacez ceux qui sont détériorés.

À l'automne, débranchez le climatiseur, enlevez la tuyère du ventilateur et nettoyez le condenseur. Au besoin, désobstruez les trous et les tubes de drainage du plateau de dégivrage avec une broche.

En hauteur. On a l'habitude d'installer les climatiseurs sous le châssis inférieur des fenêtres ou plus bas. Pourtant, le meilleur emplacement se situe près du plafond, là où l'air chaud s'accumule. (Il est recommandé d'encastrer un climatiseur dans le mur quand on l'installe près du plafond, car le cadre d'une fenêtre ne peut supporter le poids d'un appareil appuyé sur le châssis supérieur.)

Brrrr ! Le compresseur d'un climatiseur individuel risque de subir des dommages si vous faites fonctionner l'appareil par une température inférieure à 16 °C/60 °F.

À l'ombre. Un climatiseur individuel est moins efficace quand il fonctionne en plein soleil. Si possible, installez-le du côté d'un mur ombragé ou placez-le sous un auvent.

Toujours au frais. Votre maison sera fraîche à votre retour si vous branchez votre climatiseur sur une minuterie « pour service intensif » programmée pour mettre l'appareil en marche une heure avant votre arrivée. (Une minuterie pour lampes ne convient pas.)

Humidité. Lorsque l'air est humide, faites fonctionner le ventilateur du climatiseur à *Low* pour éliminer l'humidité. Faites-le fonctionner à *High* le reste du temps.

Installation d'un climatiseur dans une fenêtre

À PRÉVOIR :

Climatiseur (caisse, châssis et accessoires fournis)

Ruban à mesurer et crayon

Niveau

Tournevis, à pointe plate et Phillips

Perceuse, forets et pointes de tournevis

1 Sortez le châssis du climatiseur de sa caisse. Fixez les joints de mousse sur la traverse supérieure et les arrêts latéraux. Fixez ensuite la traverse et les arrêts sur la caisse à l'aide des vis fournies.

 Il est plus facile et plus sûr d'installer un climatiseur, surtout s'il est lourd, avec l'aide de quelqu'un.

2 Glissez une fourrure dans le profilé qui se trouve sur un côté de la caisse, selon les directives du fabricant. Faites de même du côté opposé.

 La caisse doit être de niveau d'un bord à l'autre et légèrement inclinée vers l'extérieur (d'environ un quart de bulle dans la fiole d'un niveau).

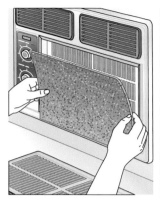

Remplacez les ampoules à incandescence (qui transforment en chaleur 90 p. 100 de l'énergie utilisée) par des tubes fluorescents, là où c'est possible, afin de limiter les frais de climatisation.

Sans un filtre bien entretenu, un climatiseur ne peut fonctionner efficacement bien longtemps. Chaque mois, nettoyez le filtre à l'aspirateur, puis lavez-le avec de l'eau savonneuse, rincez-le et laissez-le sécher.

Un ventilateur d'appoint placé près du climatiseur poussera l'air frais plus loin sans beaucoup faire augmenter votre consommation d'électricité.

Les fenêtres à jalousie sont rarement étanches et laissent passer l'air climatisé. Remplacez-les par des fenêtres à guillotine ou posez des contre-fenêtres intérieures.

Une isolation et une ventilation adéquates empêchent l'accumulation d'air chaud, mais la couleur du toit peut influer sur la climatisation d'une maison. Les couleurs sombres absorbent de 70 à 90 p. 100 de la chaleur solaire rayonnante. Pour contrer ce phénomène, posez une barrière de chaleur. Les panneaux de mousse recouverts d'aluminium sur une face peuvent bloquer 95 p. 100 de la chaleur du toit. Agrafez-les entre les chevrons, face brillante vers le toit.

La pellicule réfléchissante pour fenêtres laisse passer la lumière et réfléchit la chaleur du dehors. Garnissez-en les fenêtres orientées vers l'est ou l'ouest.

Pour économiser l'énergie, faites le tour de votre maison et fermez les portes des pièces qui n'ont pas à être climatisées. Dotez aussi les portes de bons coupe-bise.

3 Ouvrez la fenêtre et marquez le centre du rebord. Placez la caisse dans la fenêtre en prenant soin de la positionner correctement et de la centrer sur la marque. Baissez temporairement le châssis inférieur de la fenêtre derrière la traverse supérieure afin de bloquer la caisse. Fixez la caisse sur le rebord de la fenêtre à l'aide des vis fournies. Vous pouvez percer des avant-trous pour faciliter la pose des vis.

4 Tenez un support dans l'alignement de la face extérieure de l'appui de fenêtre et bien à plat contre la base de la caisse. Marquez la position du bord supérieur de l'appui de fenêtre sous le support; retirez le support. Marquez l'autre support de la même façon. Fixez ensuite une console sous chaque support, au niveau des marques, puis boulonnez solidement les supports sous la caisse.

5 Fermez le châssis inférieur de la fenêtre derrière la traverse supérieure de la caisse; fixez-y ensuite la traverse à l'aide des vis fournies. Insérez un coupe-bise entre les châssis de la fenêtre, puis bloquez ceux-ci avec les accessoires fournis. Scellez toutes les ouvertures au niveau de la traverse inférieure. Glissez délicatement le châssis du climatiseur dans la caisse. Posez la grille et les boutons.

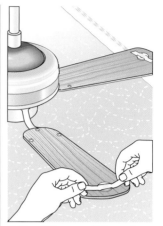

Camouflage. La garniture du ventilateur ne couvre pas entièrement la sortie de plafond ou la surface non peinte qui se trouvait sous le plafonnier ? Qu'à cela ne tienne ! Fixez un médaillon décoratif sous la garniture avant de procéder au raccordement des fils du ventilateur.

Choix d'un matériau. Les pales de bois sont-elles plus efficaces que les pales de plastique ? Des études indiquent que la composition des pales n'influe pas sur leur efficacité.

Plus les pales sont inclinées, plus elles déplacent d'air. L'inclinaison optimale est de 13° à 15°.

Nettoyez les pales de votre ventilateur de façon régulière avec un chiffon non pelucheux sec. La poussière peut les déséquilibrer.

Rééquilibrage. Si les pales continuent d'osciller après que vous les avez nettoyées, rééquilibrez-les en fixant de petits poids (rondelles, pièces de monnaie, etc.) sur chacune d'elles à l'aide de ruban-cache. Équilibrez et essayez une lame à la fois ; repositionnez les poids jusqu'à ce que vous ne perceviez plus aucune oscillation, puis collez-les.

Choisissez un ventilateur de 32 po (80 cm) pour une pièce de 64 pi^2 (5,9 m^2) ou moins, de 42 po (1,05 m) pour une pièce de 144 pi^2 (13,5 m^2) ou moins et de 52 po (1,3 m) pour une pièce de 400 pi^2 (37 m^2) ou moins.

Quatre ou cinq pales ? Les ventilateurs à cinq pales devraient être plus efficaces que les ventilateurs à quatre pales, mais le contraire est vrai : quatre pales déplacent plus d'air que cinq du fait qu'elles sont plus espacées.

Installation d'un ventilateur de plafond

À PRÉVOIR :

Escabeau

Détecteur de tension

Pince coupante

Tournevis, à pointe plate et Phillips

Ventilateur et accessoires (rondelles, écrous et vis compris)

Boîte de sortie et support (au besoin)

Marettes

Luminaire de ventilateur et accessoires (facultatif)

1 Mettez le circuit hors tension et assurez-vous que le courant est coupé à l'aide d'un détecteur de tension (p. 183). Enlevez le plafonnier.

! Pour relier le ventilateur et la lampe à des interrupteurs indépendants, vous aurez besoin d'un troisième fil dans la boîte murale. Deux fils suffiront pour une télécommande.

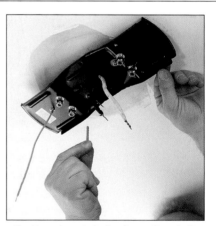

2 Examinez la boîte de sortie ; si elle est fixée sur un 2 x 4 solidement assujetti entre deux solives, vous pouvez probablement visser la plaque de montage du ventilateur directement dessus. Sinon, remplacez-la par une boîte et un support pouvant supporter le poids du ventilateur. Ici, la plaque de montage est fixée sur la boîte avec des vis de ¼ po (6 mm) prenant appui sur des rondelles plates et à ressort.

Prendre ses distances.
Des trousses de conversion vendues dans les quincailleries permettent de faire fonctionner un ventilateur de plafond à l'aide d'une télécommande.

N'utilisez pas un gradateur standard pour régler la vitesse de rotation d'un ventilateur de plafond : vous pourriez endommager le moteur. Procurez-vous une commande de vitesse pour ventilateurs.

Mmmm... Il n'est pas rare que le moteur d'un ventilateur de plafond bourdonne quand l'interrupteur mural et le ventilateur sont de marques différentes. Pour éliminer le bourdonnement, remplacez l'interrupteur mural par une commande de ventilateur silencieuse.

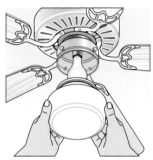

Vibrations. Le globe d'une lampe de ventilateur vibre ? Placez un élastique large sur le col du globe. L'élastique formera un joint insonorisant entre le globe et les vis de fixation.

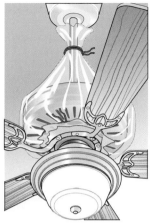

Après avoir huilé le moteur d'un ventilateur, glissez un sac de plastique sans fond par-dessus le carter, fermez-le à chaque bout et faites tourner les pales à vitesse maximale durant deux ou trois minutes pour recueillir le surplus d'huile.

Un ventilateur sert à rafraîchir les gens, pas les pièces. Ne le faites pas fonctionner là où il n'y a personne.

L'air que déplace un ventilateur de plafond procure une impression de fraîcheur même si la température est relativement élevée. Pour économiser l'énergie, réglez le thermostat de votre climatiseur à 4 °C/6 °F au-dessus du point de consigne normal et faites fonctionner un ventilateur en même temps que le climatiseur.

Sens de rotation. Les pales d'un ventilateur de plafond doivent tourner vers la gauche durant l'été et vers la droite (à vitesse minimale) durant l'hiver. La rotation vers la droite permet de repousser vers le plancher l'air chaud qui tend à s'accumuler au plafond.

Dégagements. Les pales d'un ventilateur doivent se trouver à au moins 7 pi (2,10 m) du plancher et 1 pi (30 cm) du plafond.

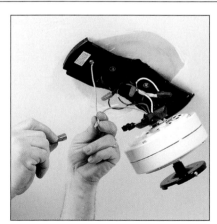

3 Suspendez le moteur au crochet de la plaque de montage. Raccordez les fils conformément aux directives du fabricant. Unissez les fils de même couleur ; le fil de terre doit être relié à la borne ou au fil de terre du ventilateur. Mieux vaut unir les fils blancs d'abord ; si vous devez défaire les connexions, séparez les fils blancs en dernier.

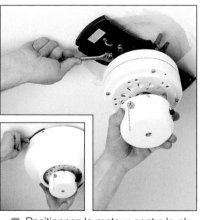

4 Positionnez le moteur contre la plaque de montage, sans tirer sur les connexions. Alignez les goujons de la plaque de montage sur les trous percés aux extrémités du support de montage du moteur. Fixez le moteur sur la plaque avec des écrous freinés prenant appui sur des rondelles plates. Installez le corps du ventilateur ; alignez ses trous de fixation sur les trous filetés de la plaque de montage. Serrez les vis à fond.

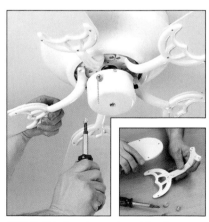

5 Solidarisez les pales et les ferrures coudées à l'aide de vis et de rondelles. Vissez ensuite les ferrures sur le moteur ; serrez les vis à fond. Si vous devez poser un luminaire et ses accessoires, unissez les fils de même couleur. Bon nombre de ventilateurs récents sont dotés d'un connecteur enfichable pour luminaire.

Pour éviter le pire... Un apport d'air adéquat est essentiel au fonctionnement sans risque de tout appareil à combustion, qu'il s'agisse d'un foyer, d'un électroménager ou d'un appareil de chauffage. Autrement, une dangereuse raréfaction de l'oxygène peut survenir. Dans le cas d'une prise d'air alimentant un appareil de chauffage, il faut généralement compter 1 po^2 (6,45 cm^2) d'apport d'air pour 1000 BTU.

Signes révélateurs. La ventilation de votre maison est-elle insuffisante ? C'est probablement le cas si, durant l'hiver, les membres de votre famille souffrent souvent d'allergies ou si des odeurs persistantes sont perceptibles. Pour améliorer la ventilation, envisagez d'installer des évents et des ventilateurs.

En parallèle. Une ventilation adéquate nécessite à la fois un évent d'entrée et un évent de sortie. Veillez à positionner ces évents de telle façon qu'ils puissent couvrir la plus grande surface possible.

Nettoyez souvent les ventilateurs d'évents pour qu'ils demeurent efficaces. Ôtez la grille et lavez les pales avec un nettoyant liquide à l'ammoniaque. Utilisez aussi un aspirateur pour enlever la saleté sur la grille et le moteur.

Manque d'air frais. Pour renouveler l'air dans une maison très isolée, vous pouvez raccorder un échangeur de chaleur air-air au générateur d'air chaud. Cet appareil assure un apport constant d'air frais filtré, préchauffé durant l'hiver, préclimatisé durant l'été.

Pour savoir si les gaz de combustion sont bien évacués de la maison, coupez le chauffage, fermez les portes et les fenêtres extérieures et faites fonctionner les ventilateurs aspirants et la sécheuse. Remettez le chauffage ; tenez ensuite une bougie allumée près du coupe-tirage de l'appareil de chauffage. Si la flamme est rabattue vers la pièce, il y a refoulement des gaz.

Le moyen le plus facile de contrer le refoulement des gaz d'un appareil de chauffage consiste à ouvrir une fenêtre au sous-sol. Une prise d'air directement de l'extérieur est toutefois une meilleure solution.

Entretien préventif. On trouve près de la base du cadre des contre-fenêtres de petits évents qu'il convient de curer périodiquement avec un nettoie-pipe afin d'éviter que de la condensation ne s'accumule entre les fenêtres.

Installation d'un évent de toiture

À PRÉVOIR :

Marteau et clou
Évent de toiture et gabarit
Scie sauteuse
Couteau à bardeaux
Pied-de-biche (au besoin)
Clous à toiture
Pistolet à calfeutrer et colle pour toitures

1 Dans le grenier, choisissez un emplacement entre les chevrons et près du faîtage, en tenant compte de la position des évents de soffite et de pignon ; enfoncez un clou à travers le toit pour marquer l'endroit où se trouvera le centre de l'évent. Sur le toit, positionnez le gabarit et marquez le périmètre de l'ouverture de l'évent. Percez un avant-trou, puis découpez l'ouverture.

2 Toujours en vous servant du gabarit comme guide, découpez autant de bardeaux qu'il faut pour pouvoir glisser la partie supérieure du solin de l'évent sous les deux rangs de bardeaux situés au-dessus du trou. Effectuez les découpes avec un couteau coudé à bardeaux.

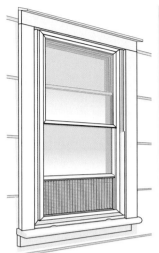

Votre sous-sol est froid ?
Installez un ou deux petits évents sur les gaines de chauffage par air pulsé qui y passent. L'air chaud circulera dans le sous-sol et le réchauffera.

Un ventilateur aspirant
peut éliminer l'humidité et la moisissure. La puissance du ventilateur doit être proportionnée aux dimensions de la pièce. L'air doit être évacué à l'extérieur et non dans le grenier.

Filtration de l'air. Vous aimez bien ouvrir une fenêtre au printemps et à l'automne, mais voilà : il vous faut alors composer avec la poussière et le pollen qui envahissent la maison. Pour remédier à cet inconvénient, posez un filtre entre le châssis inférieur et l'appui de la fenêtre. Au besoin, faites-le fabriquer sur mesure.

Un plus... Les ventilateurs aspirants de salle de bains et de cuisine éliminent efficacement l'humidité ambiante si on les laisse fonctionner suffisamment longtemps. Certains de ces ventilateurs sont dotés de capteurs qui les mettent en marche et les arrêtent automatiquement suivant le taux d'humidité ambiante.

Libre circulation. Si l'isolant posé entre les solives du grenier obstrue les vides d'air autour des évents de soffite, poussez-le à l'écart et installez des déflecteurs afin de créer un espace qui permettra à l'air de circuler à travers les évents.

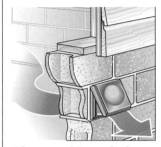

Aérez un vide sanitaire
au moyen d'un évent à ventilateur (protégé par un disjoncteur de fuite de terre) conçu pour évacuer l'air par temps chaud. Vous pouvez aussi installer un évent à commande thermostatique, qui s'ouvre par temps chaud et se ferme par temps froid.

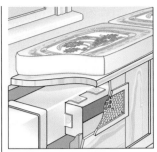

Dans un grenier habité,
aménagez des banquettes par-dessus les gaines de métal. Construisez la charpente avec du bois de construction ; réalisez la finition avec un revêtement de bois. (Rallongez les bouches d'air jusqu'à l'avant de la charpente à l'aide de manchons de métal.)

Une gaine qui fuit ou qui est brisée peut aspirer la poussière ou l'isolant du grenier et les répandre partout dans la maison. Confiez à un spécialiste le soin de repérer les fuites.

3 Tracez le pourtour de l'évent ; avec précaution, arrachez ensuite les clous contre lesquels le solin pourrait buter lorsque vous le glisserez sous les bardeaux. Élargissez le trou pour lui donner les dimensions de l'évent.

4 Glissez délicatement le solin sous les rangs de bardeaux supérieurs et par-dessus les rangs de bardeaux inférieurs. Appuyez ensuite sur l'évent pour bien l'asseoir au-dessus de l'ouverture, puis assujettissez-le avec des clous à toiture.

5 Appliquez de la colle pour toitures sur les clous et le pourtour de l'évent. Cette façon de procéder vaut pour la plupart des évents ; les modèles électriques doivent bien entendu être reliés à un circuit électrique.

Préparatifs. Avant de poser un isolant, repérez les ouvertures par où l'air peut passer autour des fils, des tuyaux et des gaines. Obturez-les avec de la pâte à calfeutrer en cartouche ou de la mousse isolante en aérosol.

Une ouverture entre les solives et la cheminée peut laisser s'échapper l'air chaud du grenier ; utilisez de la tôle pour l'obturer. Butez un bord de la tôle contre la cheminée et clouez l'autre bord sur un chevron. Couvrez les bords de la tôle de pâte à calfeutrer à la silicone à haute tenue thermique.

Valeur de l'air. Rappelez-vous que c'est l'air emprisonné dans les petits alvéoles au sein des matériaux isolants qui confère à ceux-ci leurs propriétés calorifuges. Le tassage de ces matériaux réduit leur efficacité.

La sous-face de l'isolant posé au grenier n'est pas doublée d'un pare-vapeur ? Appliquez un apprêt pare-vapeur sur les plafonds des pièces situées sous le grenier ou, si vous n'en trouvez pas, une épaisse couche de peinture.

Mise en boîte. Fabriquez une boîte avec de l'isolant rigide en polystyrène et posez-la par-dessus l'ouverture de l'échelle escamotable du grenier ou le ventilateur central. Elle empêchera l'air chaud de fuir par les interstices.

Ajoutez-vous une seconde couche de nattes isolantes au grenier ? Placez celles-ci à angle droit par rapport aux nattes en place afin de contrer les courants d'air. Les nattes du dessus ne doivent pas être doublées d'un pare-vapeur (deux pare-vapeur superposés peuvent emprisonner l'humidité ; or, un isolant saturé d'humidité perd son efficacité).

Souffrez-vous d'allergies ? Renoncez alors à poser un isolant de fibre de verre. Optez plutôt pour un isolant cellulosique ou un isolant encapsulé ; ni l'un ni l'autre n'aggraveront vos allergies. Et mettez un masque antipoussières avant de manipuler tout isolant.

L'isolant en vrac forme une aire de nidification idéale pour les mulots et les écureuils. Inspectez le grenier durant l'hiver pour vous assurer que l'isolant n'est pas infesté de rongeurs. Le cas échéant, faites appel à un exterminateur de vermine.

Isolation d'un grenier

À PRÉVOIR :

Respirateur ou masque antipoussières

Lunettes de protection

Gants

Morceau de contreplaqué de 2 pi x 8 pi (0,60 m x 2,40 m)

Ruban à mesurer et crayon

Nattes isolantes

Règle et couteau universel

Évents de soffite

Perceuse

Scie sauteuse

Tournevis

Vis à tôle en inox

1 Mesurez l'intervalle entre les solives pour déterminer la largeur des nattes isolantes qu'il vous faut acheter. Pour tailler une natte à la longueur utile, comprimez-la entre une règle et un morceau de contreplaqué, puis incisez la partie comprimée d'un bord à l'autre avec un couteau universel. Cette technique assure une coupe bien nette.

2 Placez les nattes isolantes dans les cavités qui séparent les solives. Veillez à orienter le pare-vapeur vers le bas et à l'asseoir entièrement sur le plancher ; l'isolant ne doit pas être comprimé. Vous devrez peut-être glisser les nattes sous des entretoises ou d'autres obstructions.

Fine lame. À défaut de scie électrique, coupez les panneaux d'isolant-mousse avec un couteau électrique. Si vous disposez d'une scie électrique, utilisez une lame à dents fines.

Point n'est besoin d'isoler le toit d'un grenier inhabité ou sous lequel il n'y a pas de plafond cathédrale : l'isolation du plancher est suffisante. En fait, le manque d'aération qui résulterait de la présence d'un isolant entre les chevrons pourrait être dommageable aux bardeaux et aux chevrons.

L'air chaud peut s'accumuler à l'étage supérieur d'une maison au grenier bien isolé. Pour contrer la chaleur excessive, fermez les registres des gaines d'air ou le robinet des radiateurs de l'étage supérieur.

Un isolant placé au-dessus d'un luminaire encastré peut prendre feu. Fabriquez une boîte à trois côtés avec des panneaux de fibre de verre pour gaines d'air (prévoyez un dégagement de 6 po [15 cm]) et logez-y le luminaire. Laissez le haut de la boîte ouvert.

Suivre l'air. Utilisez un bâtonnet d'encens allumé pour visualiser les courants d'air au grenier. Idéalement, l'air doit pénétrer dans le grenier par les évents de pignon ou de soffite, longer la sous-face du toit et ressortir par les évents de faîtage ou de toiture. Obturez les ouvertures inutiles ou utilisez des planches en guise de déflecteurs pour faire circuler l'air sur la plus grande surface possible.

Utilisez un balai pour pousser les nattes isolantes en fibre de verre sous l'avant-toit. Ne déchirez pas les nattes ; ne les placez pas sur les évents de soffite.

Au moment d'isoler le toit d'un grenier devant être habité, installez entre les chevrons des déflecteurs qui feront circuler l'air entre le toit et l'isolant, depuis l'évent de soffite jusqu'à l'évent de faîtage. La circulation d'air ainsi obtenue permettra d'évacuer l'humidité.

3 Les évents de soffite extérieurs aèrent le grenier, dissipant l'humidité l'hiver et l'air chaud l'été. Pour en installer un, positionnez-le d'abord sur le soffite. Marquez son pourtour, puis tracez une ligne de coupe 1 po (2,5 cm) en deçà de la marque sur tous les côtés. Percez un trou dans les quatre coins.

4 À l'aide d'une scie sauteuse, découpez le logement de l'évent en suivant la ligne de coupe.

5 Placez l'évent dans son logement et fixez-le à la charpente avec des vis à tôle en inox. Veillez à positionner l'évent de façon que l'air pénètre dans le grenier, atteigne la sous-face du toit et ressorte par l'évent de faîtage (voir « Au moment d'isoler », ci-dessus).

Régler le thermostat à une température plus basse la nuit ne procure aucune économie s'il faut chauffer la maison plus longtemps le matin. N'abaissez pas la température de chauffage de plus 6 °C/10 °F la nuit et n'y touchez pas quand il fait moins de −18 °C/0 °F dehors.

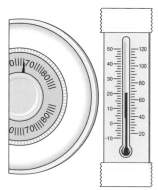

Étalonnage. Pour vérifier la précision d'un thermostat, fixez un thermomètre juste à côté, attendez environ 15 minutes, puis comparez les températures indiquées. Si vous relevez un écart de plus de 3 °C/5 °F, faites réétalonner le thermostat.

De niveau. Un thermostat doté d'un interrupteur à mercure fonctionnera mal s'il n'est pas placé à l'horizontale. Pour vérifier son horizontalité, placez un petit niveau sur les pattes de guidage du socle. Repositionnez le thermostat au besoin.

Fait-il trop chaud ? Abaissez les points de consigne de l'interrupteur du ventilateur de votre appareil de chauffage de 57 °C/135 °F et de 38 °C/100 °F à 43 °C/110 °F et à 32 °C/90 °F. *Note :* le ventilateur se mettra peut-être en marche à deux ou trois reprises à la fin de chaque cycle de l'échangeur de chaleur.

Arrière ! Les gros appareils qui dégagent de la chaleur ne doivent pas être placés près d'un thermostat. Le fonctionnement du bilame du thermostat pourrait en être perturbé.

Dans le vent. Les forts courants d'air peuvent nuire au bon fonctionnement d'un thermostat. Déplacez une bougie allumée devant les fenêtres et les portes extérieures pour vérifier leur étanchéité. Si la flamme danse, c'est que le coupebise laisse passer de l'air. *Note :* ôtez les rideaux avant d'effectuer cette vérification.

De si chaleureux invités... N'oubliez pas d'abaisser la température de chauffage de quelques degrés quand vous recevez de nombreuses personnes. La chaleur corporelle de vos invités contrebalancera la différence de température.

Remplacez-vous un thermostat ancien qui ne règle que le chauffage ? Guipez le fil rouge ; les thermostats récents ne sont alimentés que par deux fils.

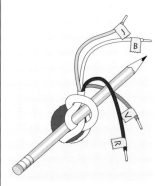

Retenez-les ! Au moment de remplacer un thermostat, nouez les fils sur un crayon pour qu'ils ne tombent pas derrière le mur.

Installation d'un thermostat éconergétique

À PRÉVOIR :

Tournevis, à pointe plate et Phillips	Thermostat
Crayon et ruban-cache	Perceuse
Pince coupante ou couteau	Pince à bec long
Niveau (thermostat mécanique)	Poinçon
Chevilles (mur creux)	Piles de secours

1 Coupez le courant. Ôtez le couvercle du thermostat en place. Retirez le bloc avant. Desserrez les bornes à vis et débranchez les fils après les avoir étiquetés en fonction du code de couleurs des bornes. Dévissez le socle.

2 Marquez la position des trous de vis du nouveau socle avec un crayon. Percez les trous avec un poinçon. Si vous posez un thermostat mécanique, veillez à le placer à l'horizontale. Logez des chevilles dans les trous de vis si le mur est creux.

3 Raccordez les fils aux bornes du socle, en suivant votre code de couleurs. Fixez ensuite le bloc avant sur le socle. Assurez-vous que les piles de secours sont en place, puis programmez le thermostat selon les directives du fabricant.

Changements de saison. Repositionnez les registres des gaines d'air d'une saison à l'autre. L'hiver, fermez ou entrebâillez les registres des gaines reliées aux pièces de l'étage supérieur et ouvrez les registres des gaines reliées aux pièces des étages inférieurs. Faites le contraire durant l'été.

Les portes fermées peuvent entraver la circulation de l'air et ainsi rendre un système de chauffage à air pulsé moins efficace. Raccourcissez les portes intérieures de 1 po (2,5 cm) dans le bas ou bien posez une grille à ce niveau afin que l'air circule même quand elles sont fermées.

Pour un air sain, sans poussière, nettoyez chaque semaine les bouches d'air au niveau des registres à l'aspirateur. Vaporisez aussi de l'huile de rétention sur le filtre à air pour arrêter la poussière à la source.

Piano, piano. Modifiez petit à petit la position des registres situés dans les gaines et les bouches d'air lorsque vous équilibrez la distribution de l'air pulsé. Laissez les températures se stabiliser 24 heures entre chaque ajustement.

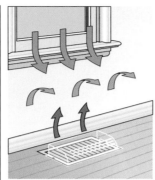

Le chaud et le froid. Des déflecteurs posés sur les bouches d'air peuvent servir à uniformiser la température dans chacune des pièces d'une maison. Même le verre le plus efficace ne peut contrer complètement le rayonnement de l'air froid au niveau d'une fenêtre. Un déflecteur fixé sur une bouche d'air sous une fenêtre peut diriger de l'air chaud sur le vitrage de façon à tempérer l'air froid.

Pour équilibrer la distribution de la chaleur produite par un système de chauffage à eau chaude, modifiez l'ouverture des robinets de secteur ou des robinets de convecteur ou de radiateur. Pour plus d'efficacité, installez des soupapes thermostatiques. Le moyen le plus simple d'équilibrer la chaleur produite par des plinthes chauffantes à eau chaude consiste à modifier l'orientation des louvres.

Certaines pièces peuvent être plus froides en raison de caractéristiques qui leur sont propres (dimension, nombre de fenêtres, orientation, etc.). Pour obtenir une température sensiblement uniforme dans toute la maison, équilibrez la distribution de l'air pulsé pièce par pièce à l'aide des registres.

Réglage des registres et des déflecteurs

1 En mode chauffage, fermez les registres des gaines reliées aux pièces qui sont trop chaudes et ouvrez les registres des gaines reliées aux pièces qui sont trop froides. Les manettes et les registres sont normalement parallèles.

2 Indiquez clairement à quel secteur correspond chaque manette (« H » pour haut par exemple). Marquez aussi la position des manettes en fonction des modes chauffage et climatisation (« É » ou « S » pour été, « H » ou « W » pour hiver par exemple).

3 Les registres des bouches d'air sont moins efficaces que les registres placés dans les gaines, mais ils donnent de bons résultats. Les déflecteurs sont aussi utiles ; dirigez l'air vers le haut en mode climatisation, vers le bas en mode chauffage.

Propreté suspecte. Si un filtre ayant servi durant trois mois ne montre aucun signe de saleté, vérifiez son ajustement. Comblez tout espace entre le filtre et la gaine avec de la pâte à calfeutrer résistant aux variations de température ou du ruban séparateur.

Si les joints des gaines de chauffage ne sont pas étanches, recouvrez-les de ruban séparateur métallique. Ce ruban résiste au feu et procure des joints étanches.

Un filtre à air durera plus longtemps si vous le nettoyez périodiquement à l'aspirateur. Après l'avoir nettoyé, placez-le devant une lampe allumée. S'il est opaque, nettoyez-le de nouveau ou remplacez-le.

Installez-vous un nouvel appareil de chauffage? Assurez-vous d'avoir assez d'espace pour pouvoir remplacer le filtre sans peine.

Position stratégique. Au moment d'aménager un système de chauffage à air pulsé dans une maison neuve, veillez à encastrer les bouches d'air dans les murs. Les bouches d'air posées sur les planchers peuvent salir les murs et tout liquide répandu risque d'y pénétrer.

Poussière. La menuiserie, la peinture, la poterie sont des passe-temps dont la pratique occasionne une accumulation de poussières dans l'air. Posez un ventilateur aspirant dans l'atelier pour éviter que ces polluants ne se répandent dans la maison par le biais des gaines d'air.

Sifflements. Le passage de l'air dans des gaines d'un diamètre insuffisant peut occasionner un sifflement. Le cas échéant, songez à remplacer les gaines par d'autres ayant au moins 6 po (15 cm) de diamètre.

Maux de moteur. Si le moteur d'un ventilateur bourdonne et ne tourne pas, essayez de tourner l'arbre à la main (coupez le courant). Si l'arbre tourne librement, assurez-vous que le moteur a été lubrifié correctement. Voyez ensuite si la courroie est assez tendue et si les boulons de montage sont serrés.

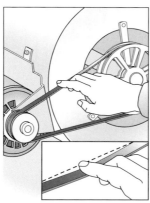

Tension de la courroie. Pour savoir si la courroie reliée au moteur d'un ventilateur est assez tendue, appuyez légèrement dessus: si elle fléchit de plus de ½ po (1 cm), elle est trop lâche. Retendez-la selon les directives du fabricant.

Installation d'un filtre haut rendement

À PRÉVOIR:

Perceuse sans fil et pointe tourne-écrou	Cisailles
Tournevis, clés et pince (au besoin)	Adaptateur en tôle (au besoin)
Gants de protection en cuir	Boîtier du filtre et média filtrant
Marqueur	Vis à tôle
Ruban à mesurer	Ruban séparateur

1 À l'aide d'une perceuse sans fil munie d'une pointe tourne-écrou, ôtez les vis à tôle qui assujettissent le plénum de reprise d'air sur le générateur d'air chaud. Desserrez les vis des gaines de reprise au besoin et enlevez le plénum.

2 Si l'espace est moins large que le boîtier du filtre, tentez de déplacer le plénum (portez des gants); si ce n'est pas possible, pratiquez une ouverture dans la tôle avec des cisailles. Au besoin, posez un adaptateur en tôle.

3 Utilisez des vis à tôle pour assujettir le boîtier du filtre. Bouchez les joints avec du ruban séparateur. Insérez le média filtrant dans le boîtier, flèche vers le ventilateur. Il faut d'habitude nettoyer le filtre ou remplacer le média deux fois par saison.

En hiver, l'humidification de l'air permet d'abaisser la température de chauffage sans provoquer d'inconfort. Lorsque l'air est sec, la zone de confort se situe généralement entre 24 °C/75 °F et 27 °C/80 °F. Une température de 21 °C/70 °F s'avère confortable si l'humidité relative est de 50 p. 100.

Avant d'acheter un petit humidificateur individuel, voyez s'il possède les caractéristiques suivantes : (1) réservoir transparent amovible (si le réservoir est opaque, il doit être muni d'un indicateur de niveau d'eau) ; (2) interrupteur marche-arrêt et hygrostat indépendants (vous n'aurez pas à ajuster le taux d'humidité chaque fois que vous ferez fonctionner l'appareil) ; (3) buse pivotant sur 360°.

Sécurité avant tout. Un humidificateur encrassé peut répandre des bactéries, des moisissures et des poussières minérales dans l'air. L'humidificateur à évaporation doté de filtres-mèches jetables est un des appareils les plus sûrs.

Détartrage. Un humidificateur dans lequel on verse régulièrement de l'eau du robinet peut s'entartrer à la longue. Si l'eau est dure, utilisez de l'eau distillée.

Pour tuer les bactéries, nettoyez le réservoir de votre humidificateur portatif une fois par semaine avec une solution composée de 1 cuillerée à soupe d'eau de Javel par litre d'eau. L'eau du réservoir peut aussi être additionnée d'un agent bactériostatique.

Une fraîche odeur se répandra dans l'air si vous versez quelques gouttes d'eau de rose, d'eau de fleurs d'oranger, d'eau de cologne ou de lotion après-rasage dans l'eau du réservoir de votre humidificateur.

Votre humidificateur fonctionne-t-il sans arrêt ? Voyez si l'air humidifié fuit par une fenêtre ouverte ou un foyer. S'il n'en est rien, l'interrupteur marche-arrêt ou l'hygrostat est probablement défectueux.

Videz toujours le réservoir d'un humidificateur inutilisé. Les bactéries peuvent proliférer dans l'eau stagnante.

SÛR ET SENSÉ

➤ Si vous souffrez d'allergies, lisez bien la notice avant de nettoyer un humidificateur.

➤ Avant de réparer un humidificateur, débranchez-le et videz-le.

Installation d'un humidificateur central

À PRÉVOIR :

Humidificateur et accessoires (tuyaux et vanne à étrier notamment)	Ruban isolant (facultatif)
Marqueur	Tournevis
Perceuse sans fil et pointe tourne-écrou	Clés ou pince
Gants de protection en cuir	Ruban séparateur
Cisailles et vis à tôle	Marettes

1 Coupez le courant de l'appareil de chauffage. Marquez la position des trous de vis sur les gaines à l'aide des gabarits fournis et percez des avant-trous. Découpez ensuite les ouvertures qui recevront l'humidificateur et l'hygrostat.

2 Installez la plaque de montage et l'humidificateur à l'aide de vis à tôle. Pour créer un joint étanche, mettez du ruban isolant sous la plaque de montage. Veillez à placer l'appareil près d'un circuit électrique et d'une conduite d'eau.

3 Installez l'hygrostat dans le plénum de reprise d'air et raccordez ses fils à un circuit conformément aux directives du fabricant. Reliez l'humidificateur à une conduite d'eau au moyen du tuyau et de la vanne à étrier fournis.

Réglage du thermostat.
L'utilisation d'un chauffe-eau dont le thermostat est réglé à 65 °C/150 °F ou plus coûte cher. Vous économiserez en abaissant la température à 55 °C/130 °F.

Calorifugeage. Enveloppez votre chauffe-eau d'une housse isolante pour éviter que la chaleur de l'eau ne se dissipe. Si l'appareil fonctionne au gaz, laissez son sommet à découvert et assurez-vous que la housse n'empêche pas l'air de circuler au niveau du brûleur ; s'il est électrique, trouez la housse devant le connecteur de serrage et les panneaux donnant accès aux éléments.

Eau chaude à volonté.
Votre chauffe-eau ne suffit pas à la demande ? Adjoignez-lui un petit chauffe-eau de 4 gal (18 L) conçu pour alimenter directement un lave-vaisselle ou une douche.

Corrosion. Une petite flaque d'eau sous un chauffe-eau peut être un signe de corrosion du réservoir. Avant de remplacer le chauffe-eau, examinez les raccords ; s'ils fuient, resserrez-les : cela pourrait régler le problème.

Inspectez l'anode sacrificielle de votre chauffe-eau chaque année. Coupez l'eau et l'électricité (ou le gaz). Desserrez ensuite le boulon de l'anode, situé sur le dessus du chauffe-eau, puis sortez l'anode du réservoir. Si l'anode est corrodée, remplacez-la.

En plaçant un miroir à main sous votre chauffe-eau à gaz, vous pourrez plus facilement allumer ou inspecter la veilleuse.

Pas d'eau chaude ?
Chauffe-eau à gaz : la veilleuse est probablement éteinte ; rallumez-la.
Chauffe-eau électrique : vérifiez les bornes du thermostat à l'aide d'un multimètre conformément aux directives du fabricant.

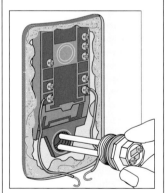

Encore sans eau chaude ?
L'élément supérieur est probablement défectueux. (Si la réserve d'eau chaude est trop vite épuisée, c'est l'élément inférieur qui fait défaut.) Coupez le courant. Vérifiez l'élément avec un multimètre (échelle RX1) ; remplacez-le si la résistance est infinie. Pour ce faire, coupez l'eau, vidangez le réservoir, ôtez la plaque d'accès, desserrez les vis de fixation, débranchez les fils et retirez l'élément.

Nettoyage d'un chauffe-eau

À PRÉVOIR :

Pince

Tuyau court, tuyau de machine à laver par exemple (facultatif)

Seau

1 Coupez l'électricité ou le gaz. Ouvrez le robinet de vidange près de la base du chauffe-eau et laissez couler l'eau dans un seau. Vous pouvez utiliser un court tuyau. S'il y a beaucoup de sédiments, vidangez le réservoir plus souvent.

2 Rincez la soupape de sûreté après avoir vidangé le réservoir. Pour ce faire, soulevez le levier et laissez couler l'eau jusqu'à ce qu'elle devienne claire. Si la soupape ne se referme pas, coupez l'eau et communiquez avec un spécialiste.

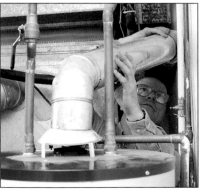

3 Inspectez le tuyau de raccordement. Comme ce tuyau évacue les gaz de combustion, il importe qu'il soit en bon état et que les joints soient étanches. Soyez prudent : le métal peut être chaud si le brûleur du chauffe-eau est allumé.

Créosote. On recommande depuis longtemps de ne brûler que du bois franc dans les poêles et les foyers, parce que la combustion du bois tendre contribue à l'accumulation de créosote. Cette recommandation ne s'applique pas aux nouveaux poêles catalytiques. Comme ils brûlent le bois à une température plus élevée, il ne se fait pas d'accumulation de créosote.

Une fois le feu bien pris, allez dehors et examinez la cheminée. S'il en sort beaucoup de fumée, le poêle est trop froid ou le bois de chauffage de piètre qualité.

Éliminez la saleté et la suie sur un poêle émaillé avec une solution de vinaigre et d'eau chaude (1:1). Retouchez la peinture avec les produits du fabricant.

Fonte. Après avoir peint un poêle non émaillé, n'allumez le premier feu que si vous pouvez ouvrir les fenêtres. Le durcissement de la peinture occasionnera un dégagement de fumée.

Nettoyez l'intérieur de votre poêle à la fin de la période de chauffage pour contrer la rouille. Utilisez un aspirateur d'atelier pour enlever la suie et la cendre. Vaporisez une mince couche de lubrifiant à la silicone dans le poêle et le tuyau de raccordement pour les protéger contre l'humidité.

Le tirage est plus faible au printemps et à l'automne, car l'air est alors plus chaud. Partant, la fumée risque davantage de s'accumuler et de s'enflammer dans la chambre de combustion. Pour éviter que cela ne se produise, allumez de petits feux durant ces saisons.

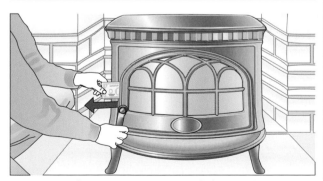

Durant la période de chauffage, vérifiez une fois par mois l'ajustement du joint de porte tout autour de la bouche du poêle. Fermez la porte sur un billet de banque alors que le poêle est froid. Tirez ensuite sur le billet ; si vous pouvez le dégager aisément, ajustez ou remplacez le joint. Si le billet est solidement retenu, l'ajustement du joint est bon.

Remplacement du joint de porte d'un poêle à bois

À PRÉVOIR :

Tournevis, ciseau ou couteau

Pâte à calfeutrer à haute tenue thermique résistant aux variations de température

Joint de porte

Couteau universel

1 Tirez délicatement sur le joint (à partir d'une extrémité ou d'une fente) pour le détacher de la porte. Grattez ensuite la pâte à calfeutrer et les fragments de joint avec un tournevis, un ciseau ou un couteau.

2 Une fois l'assise bien propre, appliquez une généreuse couche de pâte à calfeutrer à haute tenue thermique résistant aux variations de température (ou le produit recommandé par le fabricant) dans le logement du joint.

3 Assoyez fermement le joint neuf dans la pâte à calfeutrer. Si vous le taillez, ne laissez aucun jeu entre les deux extrémités. Gardez ensuite la porte fermée 24 heures pour exercer une pression constante sur le joint pendant que la pâte prend.

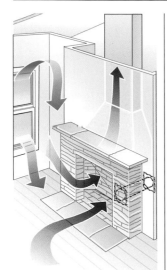

L'oxyde de carbone peut causer une intoxication dans une pièce où se trouve un foyer. Posez un détecteur d'oxyde de carbone dans la pièce. Il vous alertera en cas d'accumulation de gaz due à un refoulement d'air ou à l'obstruction de la cheminée.

Haut feu. De la fumée émane-t-elle constamment de votre foyer ? L'avaloir est peut-être situé trop haut. Placez un rang de briques réfractaires dans le foyer pour élever l'âtre et ainsi améliorer le tirage.

Un foyer refroidit souvent une pièce plutôt que de la chauffer, du fait que l'air ambiant (air chaud compris) est aspiré par le feu, puis la cheminée. Pour contrer ce phénomène, vous pouvez notamment faire de petits feux ou poser un évent extérieur sur le côté de la chambre de combustion.

Après avoir nettoyé votre foyer, laissez-y une couche de cendre de ½ po (1 cm) d'épaisseur. La cendre est un excellent isolant ; elle empêchera l'âtre d'absorber la chaleur et réfléchira celle-ci vers le haut.

Mieux vaut brûler du bois franc plutôt que du bois tendre dans un foyer. Mais il y a différents bois francs. Ainsi le peuplier est un bois franc plus mou que les autres, qui brûle rapidement et produit peu de chaleur. Si possible, utilisez des bois comme le chêne, l'orme et l'érable.

Bois gratuit. Vous pourrez souvent vous procurer sur les chantiers de construction des arbres fraîchement abattus qui fourniront un excellent bois de chauffage. La plupart des entrepreneurs vous autoriseront à prendre autant d'arbres que vous voulez sans rien payer.

Installation d'un poêle-foyer à gaz

À PRÉVOIR :

Lunettes et gants de travail

Poêle-foyer à gaz de dimension appropriée et accessoires

Aspirateur

Brosses (nettoyage des briques et de la cheminée)

Marteau et burin (réparation des fissures)

Ciment réfractaire

Pâte à joints à haute tenue thermique

Perceuse et forets

Vis à tôle

Carton ou autre matériau protecteur

Tournevis

Bûches, brûleur et « braise »

1 Nettoyez le foyer. Obturez les fissures avec du ciment réfractaire. Assurez-vous que la cheminée est en bon état. Les évents et la mitre de cheminée doivent d'abord être installés et le registre enlevé : confiez ce travail à un spécialiste. Une fois les évents souples en place, enduisez les manchons du poêle-foyer de pâte à joints à haute tenue thermique ; raccordez ensuite les évents souples aux manchons.

2 À l'aide d'une perceuse, fixez les évents sur les manchons avec des vis à tôle. Glissez le poêle-foyer dans la chambre de combustion.

 Pour déplacer le poêle-foyer, placez-le sur un carton ou une chute de tapis pour éviter de rayer le plancher ou l'âtre.

Fugue et contrepoint. Utilisez une baladeuse et une petite radio pour chasser des ratons laveurs qui nichent dans une cheminée. Fermez d'abord le registre ; allumez ensuite la baladeuse et la radio, puis descendez-les dans la cheminée. Les ratons laveurs fuiront au bout de quelques minutes.

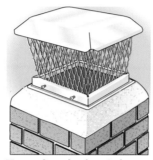

Une mitre de cheminée empêche les animaux de faire leur nid dans le conduit de fumée et retient les étincelles et la braise qui peuvent enflammer les arbres avoisinants.

Siccité du bois. Les morceaux de bois de chauffage bien secs présentent généralement des extrémités foncées et fissurées ; de plus, ils sont relativement légers et sonnent creux quand on les entrechoque. Faites toujours débiter et refendre le bois de chauffage six mois avant de l'utiliser afin qu'il sèche convenablement sous l'action du vent et du soleil.

Devez-vous laver un foyer de brique ou de pierre ? Combinez deux pains de savon Fells (au naphte) réduits en copeaux, 1½ lb (680 g) de poudre de ponce et 1½ tasse d'ammoniaque dans 3 ptes (3,5 L) d'eau chaude. Appliquez la solution avec une brosse, laissez-la agir une heure, puis frottez les surfaces avec une brosse raide et rincez-les à l'eau claire. Utilisez un nettoyant tout usage pour laver la tuile et l'ardoise.

Suie. Certains centres de rénovation vendent une éponge en caoutchouc naturel conçue pour enlever la suie sur les foyers. On l'utilise comme une gomme à effacer géante.

SÛR ET SENSÉ

➤ Gardez toujours près du foyer un extincteur chimique conçu pour éteindre les feux de cheminée.

➤ Ne brûlez pas du bois peint, teint ou traité sous pression dans un poêle à bois ou un foyer. Sa combustion occasionnerait un rejet de produits chimiques nocifs.

➤ Consultez un inspecteur des bâtiments avant d'installer un poêle-foyer. Les règlements sur l'installation de ce type d'appareil varient d'une région à l'autre.

3 Raccordez la conduite de gaz au poêle-foyer. Mieux vaut confier ce travail à un plombier qualifié (le code de la construction de votre région peut l'exiger). Si le poêle-foyer est doté d'un ventilateur ou d'une télécommande, vous devrez le relier à un circuit électrique. Une fois tous les raccordements effectués, assurez-vous que le poêle-foyer est de niveau ; serrez ou desserrez les vis de calage au besoin.

4 Utilisez un tournevis pour fixer la plaque décorative sur le poêle-foyer avec les vis fournies. Posez ensuite les autres garnitures conformément aux directives du fabricant.

5 Placez les bûches, le brûleur et la « braise » dans le poêle-foyer de la façon recommandée par le fabricant. Installez la porte vitrée et assurez-vous qu'elle est étanche ; autrement, la combustion et la ventilation ne seront pas adéquates.

RÉPARATION DES ÉLECTROMÉNAGERS ET DES APPAREILS ÉLECTRONIQUES

Degré de difficulté des travaux : Faible Moyen ▐▐▐ Élevé

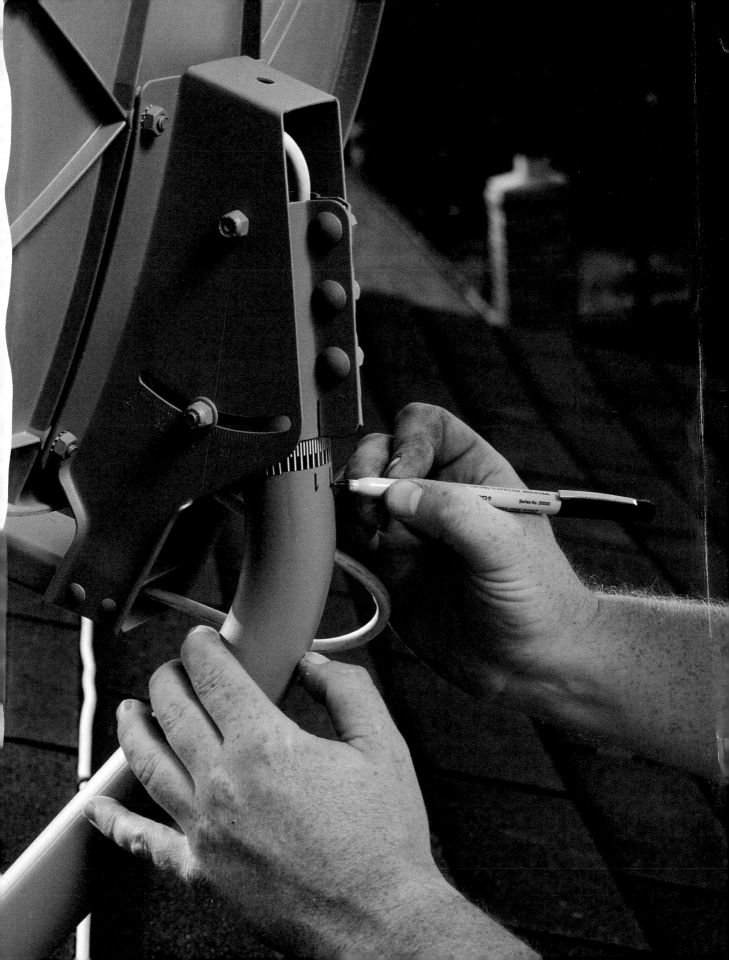

L'endroit qui convient. Placez votre nouvelle machine à laver aussi près que possible d'un robinet d'eau chaude. Prévoyez un dégagement d'au moins 4 po (10 cm) entre le panneau arrière et le mur. Finalement, réservez un circuit de 115 volts (60 Hz) au branchement de l'appareil. N'utilisez jamais de rallonge.

À lire sans faute. Ce qui ressemble à une défectuosité n'est souvent qu'une variante d'un cycle de lavage. En fait, les techniciens d'électroménagers n'auraient qu'à renvoyer leurs clients au manuel d'entretien pour régler leur « problème » dans plus d'un cas sur trois. Ces clients pourraient donc épargner temps et argent en lisant attentivement leur manuel *avant* d'appeler un technicien.

Portez des gants de caoutchouc quand vous déplacez un appareil aux surfaces lisses. Vous aurez ainsi une meilleure prise.

Si petites... Lorsque l'on démonte une machine à laver, il est facile de perdre les petites pièces. Pour éviter ce contretemps, placez vos pièces à l'intérieur d'une petite boîte de plastique ou de carton au fond de laquelle vous aurez d'abord fixé du ruban séparateur, face collante vers le haut. Le ruban retiendra toutes les pièces jusqu'au remontage !

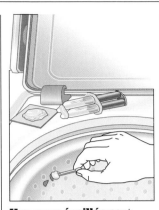

Une cuve écaillée peut rouiller à la longue. Pour éviter que des taches de rouille n'apparaissent sur vos vêtements, appliquez sans tarder une couche de vernis à ongles incolore, de pâte à calfeutrer à la silicone ou un enduit époxyde spécial sur les surfaces écaillées. Pour des retouches parfaites, étalez le produit avec le bout déchiré d'une allumette de carton.

Les vêtements ressortent déchirés de la machine à laver ? Enfilez un collant sur une main et glissez-le sur la cuve pour repérer l'aspérité. Retouchez le fini de la cuve avec un enduit époxyde.

Coups de bélier. Lorsque l'électrovanne d'une machine à laver se referme brusquement, l'eau cesse aussitôt de circuler dans les conduites et vient buter bruyamment contre l'obturateur. Pour remédier à la situation, raccordez des antibéliers aux tuyaux d'eau chaude et d'eau froide.

Nettoyage de l'électrovanne et de ses filtres

À PRÉVOIR :

Pince multiprise

Petit tournevis ou poinçon

Brosse à dents

Filtres et/ou rondelles

Tourne-écrou ou clé à douille

Ruban-cache

Multimètre

Électrovanne

Pince motoriste

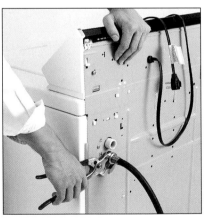

1 Fermez les robinets d'eau chaude et d'eau froide et faites fonctionner brièvement la machine à laver pour faire tomber la pression d'eau. Débranchez la machine ; desserrez ensuite tous les raccords des tuyaux avec une pince multiprise et retirez-les avec les tuyaux.

2 Sortez les filtres des entrées d'eau et des tuyaux en faisant levier sur leur pourtour avec un petit tournevis ou un poinçon. Rincez-les et enlevez les débris avec une brosse à dents. (Remplacez les filtres et rondelles détériorés.) Remettez ensuite les filtres en place en les assoyant bien avec la pointe d'un tournevis. Revissez les raccords en les serrant modérément pour ne pas abîmer les filets.

Lorsque le passage d'un cycle de lavage à un autre ne se fait pas, le programmateur de la machine à laver est généralement défectueux. Avant de remplacer cette pièce coûteuse, vérifiez la continuité du circuit de son moteur avec un multimètre. Une défectuosité du moteur peut causer le mauvais fonctionnement du programmateur. Le prix du moteur est inférieur à celui du programmateur (d'environ les deux tiers).

Pour économiser l'eau, faites prétremper les vêtements très sales plutôt que de les laver deux fois.

Certains tissus sont pelucheux (tissu-éponge, flanelle, cotons doux, etc.) tandis que d'autres retiennent la charpie (velours côtelé, tissu infroissable, etc.). Évitez de les laver ensemble.

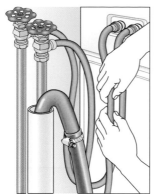

Un tuyau d'alimentation ou d'évacuation endommagé peut causer un mauvais fonctionnement de la machine à laver ou provoquer un dégât d'eau s'il vient à éclater. Examinez bien chaque tuyau tous les six mois ; un tuyau fendillé, usé ou affaibli doit être remplacé. C'est le cas aussi des tuyaux qui se pincent ou boursouflent pendant le lavage. (Coupez le tuyau de rechange exactement à la longueur utile.)

L'extrémité du tuyau d'évacuation de la machine à laver doit se trouver à environ 34 po (85 cm) du plancher, autrement l'eau de lavage risque d'être siphonnée. Pour relier le tuyau à un renvoi situé moins haut, insérez un casse-vide dans le tuyau, à 4 po (10 cm) au-dessus du niveau d'eau maximal de la cuve.

Petit geste utile. Fermez vos vêtements avant de les laver : les fermetures peuvent endommager les tissus.

Pour éliminer le détergent accumulé dans une machine à laver, versez une tasse de vinaigre dans la cuve et effectuez un cycle de lavage complet. Versez ensuite une tasse de bicarbonate de soude dans la cuve et effectuez un autre cycle de lavage complet.

N'en mettez pas trop ! Utilisez les quantités de détergent recommandées par le fabricant de la machine à laver. Tout surplus peut s'avérer nuisible.

Nettoyage du moteur. La poussière et la saleté peuvent s'accumuler sur les bobinages du moteur et réduire la circulation de l'air ; le moteur risque alors de griller. Une fois par année, débranchez la machine à laver et nettoyez les bobinages avec un aspirateur.

3 Retirez le panneau arrière suivant les instructions du guide d'utilisation. Déboulonnez l'électrovanne et débranchez les fils ; étiquetez ceux-ci avec du ruban-cache afin de faciliter leur rebranchement. Sélectionnez la plage de valeurs minimale de l'échelle des ohms d'un multimètre, puis sondez chacune des paires de bornes des solénoïdes. La résistance devrait se situer entre 100 et 1 000 ohms.

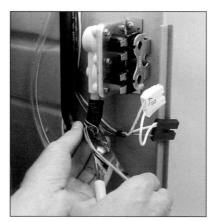

4 S'il y a une anomalie, remplacez l'électrovanne. Avec une pince motoriste, ôtez le collier et détachez le tuyau relié à l'électrovanne ; raccordez ensuite les fils à l'électrovanne de rechange et fixez celle-ci sur la plaque de montage et la carrosserie.

 On peut acheter des solénoïdes de rechange à l'unité.

5 Détachez les solénoïdes de l'électrovanne si la vérification de la résistance révèle qu'ils sont en bon état. Démontez l'électrovanne et nettoyez-la à fond sous l'eau courante avec une brosse à dents, puis remontez-la et remettez-la en place. Reposez le panneau arrière de la machine à laver et raccordez les tuyaux aux robinets et à l'électrovanne. Branchez la machine et essayez-la.

Vibrations. Répartissez la brassée uniformément dans la cuve si la machine vibre beaucoup au cours du cycle d'essorage. Si vous devez laver de gros articles, placez-en plusieurs dans la cuve afin d'équilibrer la brassée.

Ne surchargez pas la machine à laver. Autrement, elle s'usera plus vite et les vêtements en ressortiront mal lavés et froissés. Durant le cycle de lavage, les vêtements doivent circuler librement dans l'eau et non demeurer entassés au sommet de l'agitateur.

Hiiii, hiiii, hiiii. Si la machine à laver grince, c'est peut-être que les amortisseurs sont devenus lisses. Bloquez le couvercle avec du ruban adhésif, insérez la lame d'un couteau à mastic sous les coins avant et soulevez le dessus de la machine. Ôtez les ressorts des amortisseurs ; matez ensuite la sous-face des amortisseurs avec du papier de verre moyen.

Un surplus de mousse déborde de la machine à laver ? Sélectionnez la fin du cycle pour vider la cuve, puis relisez le mode d'emploi sur la boîte de détergent !

Une oreille attentive. À défaut de stéthoscope de mécanicien, utilisez un tournevis ordinaire pour repérer la source de bruits étranges au cours du cycle de lavage. Il suffit de tenir la poignée près d'une oreille et d'appuyer la pointe sur la carrosserie, près de l'endroit d'où proviennent les bruits.

Cliquetis. Posez la machine à laver sur une retaille de tapis ininflammable pour amortir les cliquetis qui se font entendre quand elle fonctionne.

SÛR ET SENSÉ

➤ Débranchez le cordon et fermez les robinets avant toute réparation.

➤ Si la température de l'eau ne correspond pas au réglage, assurez-vous que les robinets sont ouverts à plein. Voyez aussi si les filtres de l'électrovanne ou les tuyaux sont obstrués.

➤ Après chaque lavage, ouvrez le couvercle de la machine à laver afin que l'eau se trouvant dans la cuve puisse s'évaporer.

➤ Pour désobstruer un distributeur de détergent encroûté, rincez-le sous un fort jet d'eau froide.

Mise à niveau d'une machine à laver

À PRÉVOIR :

Niveau de menuisier

2 x 4 de rebut

Clé à molette

1 Mettez un niveau de menuisier sur la machine à laver (entre les côtés, puis entre l'avant et l'arrière) pour savoir dans quelle mesure vous devez modifier la position des pieds. En général, seule la hauteur des pieds avant peut être réglée.

2 Inclinez la machine vers l'arrière et calez-la sur un morceau de 2 x 4. Desserrez les contre-écrous des pieds avant avec une clé à molette. Réglez la hauteur des pieds à la main, en les tournant vers la droite ou la gauche.

3 Retirez le 2 x 4. Si la machine est de niveau, resserrez les contre-écrous ; autrement, répétez l'étape 2. Si la hauteur des pieds arrière ne se règle pas automatiquement, inclinez légèrement la machine vers l'avant, puis laissez-la retomber.

Protection mulots. Installez devant la bouche d'évacuation une grille à registre étanche. Le tuyau de la bouche d'évacuation constitue une aire de nidification idéale pour les mulots en hiver. Et une fois à l'intérieur du tuyau, ces bestioles auront tôt fait de pénétrer dans la maison.

La longueur maximale du tuyau d'évacuation d'une sécheuse est de 22 pi (6,70 m) en ligne droite, de 17 pi (5,18 m) s'il y a un coude et de 12 pi (3,60 m) s'il y a deux coudes. Réduisez ces longueurs de moitié si le tuyau est souple.

SÛR ET SENSÉ

➤ Séchez plusieurs brassées d'affilée afin de réduire vos factures d'électricité ou de gaz. Il faut plus d'énergie pour réchauffer la sécheuse lorsqu'elle est refroidie.

➤ Utilisez une bouche d'évacuation dotée d'un clapet afin de contrer les infiltrations d'air froid.

➤ N'évacuez pas l'air de la sécheuse à l'intérieur. Le surplus d'humidité pourrait altérer les boiseries et la peinture.

Accumulation de charpie. Débranchez la sécheuse; raccordez le tuyau d'un aspirateur dans l'orifice d'évacuation de l'appareil et glissez le suceur tout autour du tambour en soufflant la charpie vers l'entrée d'air. Raccordez ensuite le tuyau dans l'orifice d'aspiration et aspirez la charpie accumulée dans l'entrée d'air.

Un apport d'air frais est essentiel au bon fonctionnement d'une sécheuse. Si votre sécheuse se trouve dans un placard, laissez les portes ouvertes quand vous l'utilisez pour éviter qu'elle ne surchauffe ou bien installez des portes persiennes : elles laisseront l'air circuler même fermées.

Lavez l'intérieur du tambour de la sécheuse avec un détergent doux dilué dans de l'eau chaude pour éliminer les résidus d'assouplissant : les senseurs d'humidité fonctionneront mieux.

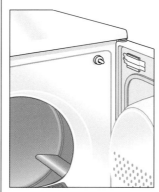

Au point mort. Votre sécheuse ne se met pas en marche après que vous avez fermé la porte ? L'interrupteur de la porte est peut-être usé. En guise de réparation temporaire, fixez un morceau de carton épais sur la porte, vis-à-vis du plongeur (pour rattraper le jeu).

Installation d'une bouche d'évacuation

À PRÉVOIR :

Marteau	Bouche d'évacuation
Perceuse et foret de ⅜ po (9,5 mm)	Tournevis et tourne-écrou
Scie sauteuse et lame à bois	Tuyau d'évacuation et accessoires
Scie passe-partout	Ruban séparateur
Pâte à calfeutrer d'extérieur	Cisailles/couteau universel

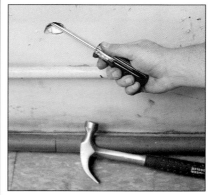

1 Trouvez le chemin le plus direct entre la sécheuse et un mur extérieur. Faites un petit trou dans le mur intérieur pour voir s'il y a des obstacles derrière ; s'il n'y en a pas, percez un avant-trou de ⅜ po (1 cm) à travers les deux murs.

2 Découpez un trou de 4¼ po (11 cm) dans le parement (scie sauteuse) et dans le placoplâtre (scie passe-partout). Insérez-y le tuyau de la bouche d'évacuation ; mettez de la pâte à calfeutrer sous le flasque ; vissez la bouche sur le parement.

3 Coupez le tuyau de la bouche d'évacuation à 2-3 po (5-7,5 cm) du mur intérieur et mettez du ruban séparateur sur le bord. Coupez le tuyau d'évacuation à la longueur utile. Raccordez-le à la sécheuse et à la bouche avec des colliers.

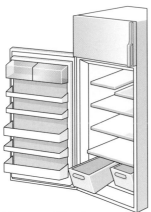

Espace utile. Au moment de choisir l'emplacement d'un nouveau réfrigérateur, prévoyez un dégagement suffisant pour ouvrir complètement la porte. L'angle d'ouverture doit être supérieur à 90°, autrement vous ne pourrez pas ouvrir les bacs à légumes. Pensez donc à laisser plusieurs centimères entre le côté charnière de la porte et le mur adjacent. Si vous rénovez la cuisine et renouvelez les électroménagers, faites-les livrer avant d'installer des armoires neuves.

La porte du réfrigérateur se refermera d'elle-même si vous placez de petits carrés de contreplaqué de ¼ po (6 mm) d'épaisseur sous chacun des pieds avant de façon à incliner légèrement l'appareil vers l'arrière. Faites toutefois preuve de mesure ; une inclinaison excessive risquerait de nuire au fonctionnement de la machine à glaçons.

Transport. Un réfrigérateur fabriqué au cours des cinq dernières années peut être transporté sur le côté ou sur le dos. Après l'avoir installé dans la maison, placez-le à la verticale durant 24 heures avant de le faire fonctionner.

Pourquoi peiner ? Le déplacement d'un gros réfrigérateur peut exiger beaucoup d'efforts. Vous vous faciliterez la tâche en plaçant un tapis à l'envers sous l'appareil. Il suffira de pousser fermement sur le réfrigérateur pour le faire glisser sur le plancher.

Époussetez les serpentins du réfrigérateur tous les trois mois. Débranchez d'abord le réfrigérateur, puis enlevez la poussière à l'aide d'un aspirateur muni d'un suceur en plastique (non conducteur).

Écaillures. Utilisez un produit époxyde pour retoucher la peinture du réfrigérateur. Lavez d'abord la surface endommagée avec de l'eau savonneuse et laissez-la sécher. Poncez-la ensuite légèrement avec du papier de verre moyen, puis effectuez la retouche.

Taches. Faites disparaître les taches et la rouille légère sur la carrosserie de votre réfrigérateur en les frottant avec de la pâte à polir faiblement abrasive (vendue dans les magasins de pièces d'automobile). L'abrasif fin que contient ce produit permet d'éliminer les défauts de surface sans érafler la peinture.

Inversion du sens d'ouverture des portes

À PRÉVOIR :

Tourne-écrou ou clé à douilles

Tournevis

1 Débranchez le réfrigérateur, sortez-en les aliments et enlevez la grille avant. Retirez les charnières de la porte du haut à l'aide d'un tourne-écrou, puis enlevez la porte. Ne modifiez pas l'ajustement des rondelles ni des cales.

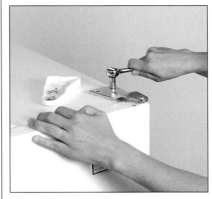

2 Pour enlever la porte du bas, soulevez la poignée tout en dégageant la fiche de la charnière centrale. Ôtez la poignée et les ferrures des charnières ; fixez-les du côté opposé. (Les vis de fixation peuvent se trouver sous des capuchons.)

3 Reposez les portes ; serrez les vis des charnières de façon qu'il n'y ait aucun jeu. Alignez les portes, puis serrez les vis de la charnière du haut d'au moins un demi-tour de plus. Au besoin, repositionnez l'opercule de la grille, puis réinstallez celle-ci.

Au lieu de remplacer un joint de porte endommagé, réparez-le. Ouvrez la porte et fixez une feuille de papier ciré sur la carrosserie, vis-à-vis la partie du joint qui est endommagée. Refermez la porte, puis appliquez un cordon de pâte à calfeutrer à la silicone sur le joint. Essuyez tout surplus. Laissez sécher une nuit.

SÛR ET SENSÉ

➤ Un réfrigérateur est plus efficace si les compartiments sont superposés (et non juxtaposés).

➤ Un réfrigérateur de 12 pi^3 (340 dm^3) répond aux besoins de deux personnes. Ajoutez 2 pi^3 (57 dm^3) par personne supplémentaire.

➤ Pour éliminer les odeurs dans le frigo, déposez une boîte de café ouverte ou un tampon d'ouate saturé d'essence de vanille sur une clayette.

➤ Si une mauvaise odeur persiste et que vous soyez sûr qu'il n'y a pas d'aliment gâté dans ou derrière le réfrigérateur, jetez un coup d'œil dans le bac de dégivrage.

Ouvrez la porte du réfrigérateur le moins possible afin de contrer la formation de condensation sur les parois intérieures. Fermez aussi les contenants remplis de liquide et laissez refroidir les liquides chauds avant de les placer au réfrigérateur.

Pour vérifier l'ajustement du joint de porte, placez une lampe de poche allumée à l'intérieur, dirigez le faisceau lumineux vers le joint, puis fermez la porte. Si vous voyez de la lumière, ajustez ou remplacez le joint.

Et sous le frigo ? Enroulez un chiffon à poussière sur une baguette. Assujettissez-le avec des élastiques, vaporisez-le de « dépoussiéreur » et glissez-le sous le réfrigérateur pour épousseter le plancher.

Nettoyez régulièrement les orifices d'écoulement du réfrigérateur et du congélateur. Curez-les avec une broche, puis rincez le tuyau d'écoulement à l'aide d'une poire à jus remplie d'eau chaude. Versez ensuite une cuillerée à thé d'eau de Javel dans le tuyau. Rincez.

L'hiver est un bon moment pour dégivrer le congélateur. Déposez les aliments dans une boîte de carton et placez celle-ci dehors jusqu'à la fin du dégivrage.

Installation d'un joint de porte

À PRÉVOIR :

Tournevis, tourne-écrou ou clé à douilles

Joint de porte

1 Desserrez les vis qui assujettissent la bande de retenue métallique (située sous le joint) de façon à pouvoir retirer le joint ; n'enlevez pas les vis ni la bande de retenue. Tirez délicatement sur le joint afin de le dégager de la bande de retenue.

2 Glissez soigneusement le bord du joint de rechange derrière le rebord de la bande de retenue métallique, dans le haut de la porte pour commencer, puis tout autour de celle-ci.

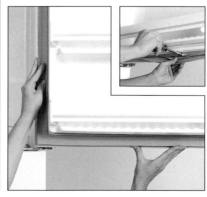

3 Lissez le joint sur toute sa longueur, en veillant à ce qu'il ne soit ni trop tendu ni trop lâche. Serrez les vis du centre de chaque côté ; serrez ensuite les autres vis, juste assez pour bloquer le joint. Serrez finalement toutes les vis à fond.

Fente, pression et fuite.
Un bras gicleur fendu peut produire un jet d'eau puissant et inégal, qui renversera la vaisselle et pourra provoquer une fuite d'eau autour de la porte. Obturez la fissure avec un peu d'adhésif époxyde. Si l'adhésif ne tient pas, remplacez le bras gicleur en entier.

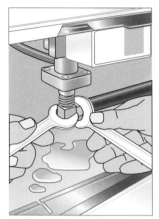

À propos des fuites. L'eau fuit sous le lave-vaisselle ? L'écrou du raccord de l'électrovanne est peut-être desserré. Pour y accéder, retirez la plaque de bordure avant après avoir coupé le courant au panneau de distribution et fermé le robinet d'arrêt de la conduite d'eau chaude. Resserrez l'écrou au besoin. Si l'eau fuit sous l'évier, c'est l'écrou du presse-étoupe du robinet d'arrêt qui peut être desserré. Resserrez-le avec une clé au besoin.

Si la cuve ne se remplit pas quand vous mettez le lave-vaisselle en marche, assurez-vous d'abord que le contact à flotteur, situé au fond de l'appareil, monte et descend librement (débloquez-le au besoin). Examinez ensuite le tuyau d'alimentation (s'il y en a un), sous l'évier. Il ne doit être ni pincé ni écrasé.

Nettoyage de la cuve. La cuve du lave-vaisselle peut s'encrasser à la longue, dégageant de mauvaises odeurs. Si c'est le cas, remplissez-la d'eau alors qu'elle est vide, puis versez-y un bol de vinaigre. Au bout d'un cycle de lavage complet, saleté et odeur disparaîtront.

Nettoyage du chrome.
Utilisez de l'huile pour bébé, du soda ou un morceau de citron pour enlever la nourriture ou le détergent séché sur le chrome du lave-vaisselle. Essuyez ensuite le chrome avec un chiffon humide, puis un chiffon sec.

Économies d'énergie. Un cycle de lavage ordinaire nécessite jusqu'à 13 gal (59 L) d'eau. Pour consommer moins d'électricité et d'eau, ne faites fonctionner le lave-vaisselle que s'il est plein et faites sécher la vaisselle à l'air libre au lieu d'utiliser le cycle de séchage.

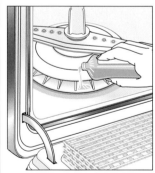

Avant les vacances. Il reste toujours de l'eau au fond du lave-vaisselle ; cette eau empêche les joints de sécher. Si vous devez vous absenter plus de deux semaines, versez un peu d'huile minérale au fond de la cuve pour ralentir l'évaporation de l'eau. Il suffira de faire fonctionner l'appareil à vide pour éliminer l'huile.

Nettoyage des bras gicleurs et des crépines

1 Retirez le bras gicleur inférieur ; selon le lave-vaisselle, vous devrez d'abord enlever la pince ou les vis qui le retiennent, dévisser une vis à la main ou encore simplement le soulever. Après avoir retiré le bras, nettoyez la crépine qui est visible.

2 Pour retirer le bras gicleur supérieur, dévissez la pince de retenue, puis la vis centrale. Dans certains lave-vaisselle, vous devrez enlever le panier et détacher une grille protectrice avant d'accéder à la vis centrale.

3 Débouchez les orifices obstrués avec un cure-dents ou un cure-pipe. Faites couler de l'eau dans les bras tout en les basculant latéralement pour déloger les débris de nourriture. Inversez l'ordre de démontage pour réinstaller les bras gicleurs.

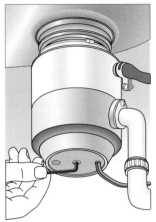

Guide d'achat. Un broyeur d'ordures peut durer quatre fois plus longtemps s'il est doté d'un moteur de ¾ ch plutôt que d'un moteur de ½ ch. Des pièces d'acier inoxydable sont plus durables que des pièces d'acier au carbone ou d'aluminium, qui peuvent rouiller ou se corroder. Idéalement, le fabricant doit fournir une clé spéciale servant à débloquer le volant.

Et le bruit ? Aucun broyeur d'ordures n'est silencieux, mais un support de montage coussiné peut amortir le bruit.

Blocage. Si le broyeur d'ordures cesse de fonctionner à l'occasion d'une utilisation intensive ou s'il ne se remet pas en marche après que vous avez débloqué le volant, laissez refroidir le moteur 15 minutes, puis appuyez sur le bouton de remise en marche. Broyez quelques glaçons dans l'appareil après avoir débloqué le volant ; les résidus seront ainsi plus faciles à éliminer.

Un déboucheur chimique peut endommager les pièces d'un broyeur d'ordures.

Y a-t-il un os ? Il est tout à fait possible de jeter les os de volaille, de bœuf ou d'agneau dans un broyeur d'ordures. En fait, les fragments d'os facilitent l'élimination des résidus et des dépôts acides d'origine végétale et animale. Par contre, les coquilles d'huîtres ou de myes doivent être mises à la poubelle car elles sont vraiment beaucoup trop dures.

Eau froide seulement. Faites couler l'eau froide et non l'eau chaude, quand vous utilisez le broyeur d'ordures. L'eau chaude ferait fondre les graisses et celles-ci se figeraient ensuite dans les tuyaux.

Pour le nez. Aimeriez-vous que le broyeur d'ordures dégage une fraîche odeur ? Jetez-y des glaçons et quelques écorces de citron, faites couler l'eau, puis mettez le moteur en marche. Vous pouvez aussi verser ½ tasse de bicarbonate de soude dans le broyeur et faire couler l'eau chaude.

Des glaçons constitués d'eau et de vinaigre peuvent aussi servir à désodoriser un broyeur d'ordures.

Réparation d'un broyeur d'ordures qui fuit

À PRÉVOIR :

Tourne-écrou, clé à douilles ou tournevis
Joints (au besoin)
Clé, clé hexagonale ou tournevis coudé
Clé hexagonale spéciale, manche de balai ou cuillère de bois

1 Si l'eau fuit au niveau du tuyau de renvoi, coupez le courant au panneau de distribution et resserrez les vis de la bride ou retirez le siphon et le tuyau de renvoi (p. 170), puis remplacez le joint.

2 Si l'eau fuit sous l'évier, resserrez les vis de fixation. Ou retirez le siphon, tournez l'anneau de montage inférieur d'un quart de tour, ôtez le broyeur et l'anneau de montage supérieur, remplacez les joints d'évier et réinstallez toutes les pièces.

3 Pour débloquer le volant, utilisez la clé hexagonale spéciale fournie par le fabricant du broyeur. Vous pouvez aussi insérer un manche de balai ou une cuillère de bois dans l'appareil. Ne placez jamais la main dans le broyeur.

Connexions durables. Au moment de remplacer un élément de surface, sertissez des cosses résistant à la chaleur au bout des fils.

Démarche méthodique. Pour savoir rapidement si un élément de four ou un thermostat est défectueux, placez un thermomètre de four au centre du four, réglez le sélecteur à *Cuisson* et le thermostat à 230 °C/450 °F. L'élément de cuisson doit devenir uniformément rouge. Réglez ensuite le sélecteur à *Grill* et le thermostat à la température maximale ; l'élément de grillage doit devenir rouge. Si aucun élément ne chauffe ou si le thermomètre révèle un écart de température de plus de 20 °C/35 °F, le thermostat ou le sélecteur est défectueux.

Si l'avertisseur d'un four électrique ne signale pas la fin des cycles de cuisson, les bras de contact sont probablement encrassés. Débranchez l'appareil et essuyez les bras avec un coton-tige imbibé d'essence minérale. Si l'avertisseur ne fonctionne pas par la suite, c'est qu'il est défectueux.

N'utilisez pas un four pour chauffer une pièce : vous risqueriez d'endommager le thermostat ou de faire brûler les éléments prématurément. Ne recouvrez pas non plus la sole de papier d'aluminium : et l'élément et le revêtement pourraient en souffrir.

Le cycle d'autonettoyage sera moins énergivore si vous le sélectionnez alors que le four est chaud.

Propreté assurée. Pour protéger un mur contre les éclaboussures de graisse, recouvrez-le d'une plaque de métal. Percez deux trous dans la plaque et accrochez-la au mur. Au besoin, utilisez de l'ammoniaque ou du savon pour laver la plaque.

Des éclaboussures ont séché dans un four à micro-ondes ? Faites bouillir une tasse d'eau dans le four pour les amollir, puis essuyez-les avec un chiffon humide.

Méfiance... Percez les fruits et les légumes à épiderme épais (tomates, pommes de terre, etc.) avant de les faire cuire dans un four à micro-ondes. Ainsi, ils ne pourront éclater.

Mamma mia ! Si une allumette n'est pas assez longue pour servir à allumer la veilleuse d'un four ou un barbecue à gaz, utilisez un spaghetti sec. Il suffit de l'enflammer à un bout !

Vérification et remplacement d'un élément de four

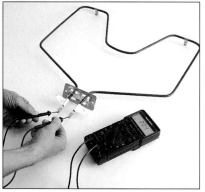

1 Coupez le courant au panneau de distribution. Dévissez le flasque de l'élément, puis tirez l'élément vers vous. Étiquetez les fils ; détachez-les des bornes. Si vous remplacez l'élément du haut retirez aussi les supports.

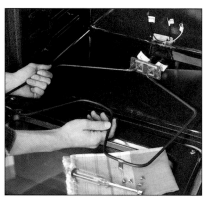

2 Sondez les deux bornes de l'élément sur l'échelle des ohms d'un multimètre (plage de valeurs minimale — RX1 dans certains cas). La résistance doit être de 15 à 30 ohms. Si aucune valeur n'est affichée, remplacez l'élément.

3 Pour réinstaller l'élément ou en installer un nouveau, raccordez les fils aux bornes, puis vissez le flasque sur la paroi du four. S'il s'agit de l'élément de grillage, reposez les supports. Rétablissez ensuite le courant au panneau de distribution.

Saveur. Les mets cuits sur un barbecue à gaz ou électrique sont aussi savoureux que ceux qui sont cuits sur charbon de bois. La saveur « barbecue » provient de la fumée qui se forme quand les jus et les gras gouttent sur une surface chaude.

Guide d'achat. Les barbecues à plusieurs brûleurs procurent une chaleur plus uniforme et des options de cuisson : par exemple, on peut saisir la viande d'un côté de la grille et faire cuire des légumes de l'autre.

Allumage. Ouvrez le couvercle du barbecue avant d'allumer les brûleurs. Autrement, une dangereuse explosion pourrait survenir. Si les brûleurs ne s'allument pas au bout de 5 secondes, fermez les robinets et laissez le gaz se dissiper.

Un barbecue se nettoie comme un four. Vaporisez un nettoyant pour four sur les surfaces intérieures, puis laissez-le agir. Rincez ensuite les surfaces à l'aide d'un tuyau d'arrosage.

SÛR ET SENSÉ

➤ Marinez les viandes au réfrigérateur pour contrer toute prolifération bactérienne.

➤ Enduisez les grilles du barbecue d'huile végétale ou d'antiadhésif pour empêcher les aliments de coller.

➤ La sauce barbecue brûle vite ; attendez que la cuisson soit presque terminée avant d'en mettre sur les aliments.

Nettoyez les briquettes en les faisant chauffer à haute température. Retournez-les auparavant ; le côté graisseux doit être placé face aux brûleurs.

Brûlures. Gardez un aloès près du barbecue. Le suc de cette plante soulage la douleur causée par une brûlure légère. Il suffit de détacher une feuille et de la frotter sur la brûlure.

En cas de feu. Utilisez une feuille de laitue mouillée pour étouffer un petit feu de graisse dans le barbecue. Éteignez les plus gros feux avec du sable.

Le réservoir de certains barbecues à gaz propane comporte un indicateur de niveau de gaz. Si le réservoir de votre barbecue en est dépourvu, achetez un indicateur autocollant chez un fournisseur de gaz. Il suffit de verser de l'eau chaude dessus pour l'activer. Un code de couleurs sert à connaître le niveau de gaz.

Entretien d'un barbecue à gaz

À PRÉVOIR :

Brosse pour venturi
Brosse métallique
Eau savonneuse
Tuyau d'arrosage muni d'un ajutage
Cure-dents ou nettoie-pipe
Pinceau
Clé

1 Si les venturis sont obstrués, récurez-les intérieurement sur toute leur longueur avec une brosse spéciale (sortez d'abord les brûleurs du barbecue). Nettoyez la surface des brûleurs et des venturis avec de l'eau savonneuse et une brosse métallique.

2 Rincez les venturis avec un tuyau d'arrosage muni d'un ajutage afin de savoir si certains orifices du brûleur sont obstrués. Le cas échéant, désobstruez-les délicatement avec un cure-dents ou un nettoie-pipe.

3 Voyez si le gaz fuit. Badigeonnez tous les raccords d'eau savonneuse. Si des bulles se forment, il y a fuite de gaz ; resserrez le(s) raccord(s) avec une clé et faites une autre vérification. Remplacez toute pièce défectueuse si la fuite persiste.

La succion est réduite ?
Le sac à poussière est probablement plein. Sinon, voyez si le tuyau est obstrué, le filtre secondaire colmaté ou l'orifice d'évacuation bouché.

Les épingles et les aiguilles ne pourront bloquer le rouleau-brosse de l'aspirateur si vous fixez un aimant plat près de l'orifice d'aspiration.

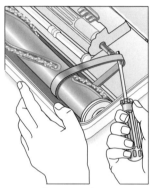

Un aspirateur n'est d'aucune utilité si la courroie d'entraînement est brisée. Il est toutefois facile de remplacer cette courroie. Débranchez l'aspirateur, retirez la semelle et sortez le rouleau-brosse du carter. Posez une courroie de rechange ; étirez-la avec un tournevis au moment de la placer sur l'arbre du moteur. Réinstallez la semelle et branchez l'aspirateur.

Des étincelles peuvent jaillir de l'interrupteur d'un aspirateur-traîneau quand on appuie dessus. Elles passent souvent inaperçues du fait que le pied de l'utilisateur couvre alors l'interrupteur. Actionnez donc l'interrupteur à la main et voyez s'il produit des étincelles. Si c'est le cas, nettoyez et resserrez les bornes.

Une passe lente d'aspirateur vaut mieux que quatre passes rapides. La poussière doit d'abord être soulevée par le rouleau-brosse, avant que l'air aspirant puisse l'entraîner.

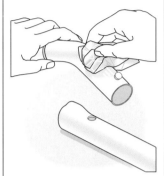

Ménagez vos efforts.
Lubrifiez les raccords qui sont difficiles à disjoindre. Frottez leurs extrémités avec du papier ciré ou enduisez-les de silicone ou d'antiadhésif de cuisine.

Filtre extérieur. Avant de nettoyer des tiroirs ou le dessus d'un bureau à l'aspirateur, fixez de l'étamine par-dessus le suceur à l'aide d'un élastique. Ainsi, l'appareil ne pourra aspirer les objets de valeur.

Coup de brosse. Une brosse pour chien est l'outil idéal pour enlever les peluches, les ficelles et les cheveux pris dans les poils d'un rouleau-brosse.

Réparation d'un tuyau d'aspirateur

À PRÉVOIR :

| Tuyau d'arrosage |
| Ruban séparateur ou ruban isolant en vinyle |
| Couteau universel |
| Pince coupante |
| Pince |
| Colle de caoutchouc |
| Pinceau à encoller ou applicateur de colle |

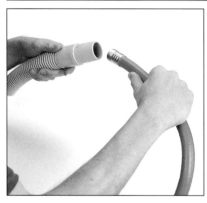

1 Si le tuyau est obstrué, raccordez-le à l'orifice d'évacuation et mettez l'aspirateur en marche ; la pression exercée par l'air pourrait faire céder l'obstruction. Si l'obstruction se trouve près d'une extrémité, poussez-la avec un tuyau d'arrosage.

2 Pour réparer rapidement une déchirure, enroulez du ruban séparateur ou du ruban isolant en vinyle sur le tuyau. Si vous voulez que la réparation soit plus durable, retranchez le tronçon endommagé. Coupez le fil de métal au besoin.

3 Retirez ensuite le collier et grattez les résidus de colle sur le raccord. Appliquez de la colle de caoutchouc sur la portion extérieure du tuyau que le collier recouvrira. Unissez le tuyau et le raccord, puis mettez le collier en place.

Avant de jeter un poêlon dont le thermorégulateur est grillé, essayez de le faire fonctionner avec le thermo-régulateur d'un wok, d'un gaufrier ou d'une mijoteuse. Les bornes et la sonde doivent être les mêmes.

Vérifications simples. Le thermorégulateur fonctionne par intermittence? Allumez l'appareil, tenez le cordon et secouez le thermorégula-teur. Si le voyant clignote, le thermorégulateur est défec-tueux; autrement, tenez le régulateur et secouez le cor-don. Si ces deux essais sont négatifs, utilisez un vérifica-teur de continuité pour véri-fier le cordon (pliez-le pour repérer les ruptures).

Utilisez une fiche pour service intensif quand vous remplacez la fiche d'un appareil chauffant. Enroulez les fils du cordon vers la droite sur les bornes des lames et serrez la bride de cordon. Si le cordon de l'appareil est endommagé, vérifiez son numéro de modèle et commandez-en un autre.

SÛR ET SENSÉ

➤ Avant de nettoyer un poêlon électrique, consultez le guide d'utili-sation. Certains appareils ne peuvent être immer-gés dans l'eau.

➤ Ne transportez jamais un poêlon contenant un liquide chaud.

➤ Utilisez de l'huile de cuisson pour restaurer le revêtement antiadhésif d'un poêlon.

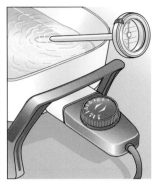

Pour contrôler la précision du thermorégulateur, versez un peu d'huile de cuisson dans l'appareil, réglez le thermostat à 180 °C/350 °F et attendez que le thermo-régulateur mette l'élément hors tension. Placez ensuite un thermomètre à graisse dans l'huile; s'il révèle un écart de température de plus de 14 °C/25 °F, débranchez l'appareil et corrigez l'éta-lonnage du thermostat en tournant la vis de réglage, sous le sélecteur.

Il ne faut pas utiliser un poêlon électrique dehors ni le chauffer sur un brûleur ou un élément électrique.

Un bouchon de liège sau-poudré de poudre à récurer servira à enlever les taches de rouille dans un wok ou un poêlon. Lavez ensuite l'inté-rieur de l'appareil avec de l'eau chaude savonneuse, séchez-le, puis appliquez-y une fine couche d'huile minérale.

Réparation des connexions d'un poêlon électrique

À PRÉVOIR:

Laine d'acier, papier de verre très fin

Tournevis

Nettoyeur de contacts

Lime pour vis platinées

Papier bond

1 Retirez le ther-morégulateur. Polissez la sonde thermique avec de la laine d'acier. Nettoyez les bornes femelles avec du papier de verre roulé sur lui-même. Frottez les broches-bornes avec de la laine d'acier; ôtez le pro-tecteur au besoin.

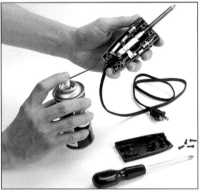

2 Raccordez le thermorégula-teur au poêlon et essayez-le. S'il vous faut le réparer ou en nettoyer l'in-térieur, démontez-le à l'aide d'un tourne-vis et vaporisez du nettoyeur de contacts sur toutes les pièces.

3 Nettoyez les contacts grillés ou piqués à l'aide d'une lime pour vis platinées. Polissez-les ensuite légèrement avec une bandelette de papier bond. Remontez le thermorégulateur, raccordez-le au poêlon et faites un essai.

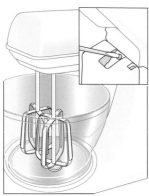

L'espace qui sépare les fouets d'un malaxeur et le fond du bol doit être d'environ ¹⁄₁₆ po (1,5 mm). Pour le vérifier, placez une pièce de 10 cents au centre du bol. Les fouets doivent presque toucher la pièce ; autrement, repositionnez-les en tournant la vis de réglage située sous le carter du moteur.

Les entrées d'air d'un appareil doivent demeurer dégagées, sinon l'air circule moins bien et le moteur surchauffe. Fragmentez les débris accumulés dans les entrées d'air avec un cure-pipe, puis enlevez ce qui en reste à l'aspirateur.

Guide d'achat. Idéalement, un mélangeur doit être muni d'un récipient de verre (le plastique se raye) et d'un couteau dévissable par la base.

Le couteau d'un mélangeur travaillera mal si les lames ne sont pas bien alignées. De plus, le moteur forcera. Vérifiez périodiquement l'alignement des lames en plaçant le couteau à l'envers sur une surface plane. Les lames et la base du couteau doivent être parallèles à la surface. Remplacez le couteau si les lames sont tordues ou émoussées.

Fini, les contorsions ! Pour nettoyer le récipient d'un mélangeur, remplissez-le partiellement d'eau chaude, ajoutez une goutte de détergent et faites fonctionner l'appareil durant 10 secondes environ. Rincez ensuite le récipient avec de l'eau, puis laissez-le sécher.

Couteau encrassé. Si le moteur d'un mélangeur ne tourne plus à plein régime, le couteau frotte peut-être sur des sédiments. Remplissez le récipient d'eau chaude et ajoutez un peu de détergent ; laissez la solution agir une nuit. Si l'anomalie persiste après ce trempage, démontez le couteau, puis nettoyez et lubrifiez bien toutes les pièces.

Démontage. Les vis du boîtier d'un mélangeur ou d'un robot culinaire sont souvent dissimulées sous les pieds ou près de ceux-ci. Elles peuvent aussi se trouver sous de petits tampons de caoutchouc fixés sous l'appareil ou même être logées dans les pieds. Il vous faudra généralement un tournevis à longue tige pour les enlever.

Baissez le volume ! Votre robot culinaire sera moins bruyant si vous le déposez sur un napperon avant de le mettre en marche.

Réparation de l'interrupteur d'un malaxeur

À PRÉVOIR :

Tournevis

Nettoyeur de contacts

Papier bond

Pince coupante diagonale

Pince universelle

Interrupteur

Marettes (facultatif)

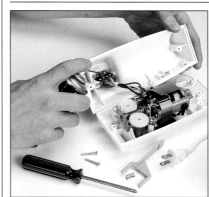

1 Débranchez le cordon. À l'aide d'un tournevis, démontez le malaxeur de façon à accéder à l'interrupteur. Vaporisez du nettoyeur de contacts dans toutes les fentes, puis laissez sécher. Remontez le malaxeur et essayez-le.

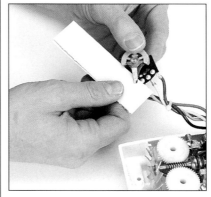

2 Si les contacts de l'interrupteur à glissière sont encrassés, nettoyez-les avec du nettoyeur de contacts, puis polissez-les avec du papier bond. Glissez ensuite le papier sous le bras de contact pour le polir aussi. Essayez le malaxeur.

3 Si le nettoyage ne donne rien, remplacez l'interrupteur. Sectionnez les fils à ras de l'interrupteur avec une pince coupante diagonale. Dénudez-les ensuite sur ½ po (12 mm) et raccordez-les à l'interrupteur de rechange avec des marettes s'il y a lieu.

En bonne position. Un radiateur doit se trouver là où vous en avez le plus besoin, mais loin des meubles et des draperies. Ne le raccordez jamais à une rallonge électrique ordinaire.

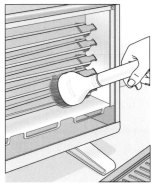

Nettoyage. En début de saison, nettoyez les éléments chauffants et le réflecteur des radiateurs avec un aspirateur muni d'une brosse. Vous éliminerez la poussière et les débris qui pourraient prendre feu.

La température sélectionnée sera atteinte plus vite si vous maintenez l'humidité relative à 50 p. 100 dans la maison. Un radiateur doit fonctionner plus longtemps pour chauffer de l'air sec.

Chaleur récupérée. Faites tourner les pales de votre ventilateur de plafond vers la gauche pour renvoyer l'air chaud vers le plancher. Sélectionnez la vitesse de rotation minimale.

L'élément chauffant convenant à un radiateur ancien n'est plus disponible ? Notez la puissance de l'appareil et apportez un tronçon de l'élément d'origine chez un marchand de pièces. Un élément de rechange peut être fabriqué sur demande.

Démontage. Les fabricants dissimulent souvent les boulons et les vis du boîtier derrière des garnitures retenues par des pinces à ressort. Pour accéder aux attaches, tirez doucement sur les garnitures.

Lubrification. Lubrifiez périodiquement l'arbre du moteur de quelques gouttes d'huile à moteur non détergente SAE 20 ; tournez les pales du ventilateur à la main pour faire pénétrer l'huile dans les paliers. Débranchez l'appareil avant d'effectuer la lubrification.

Décharge électrique. Un élément chauffant peut vous infliger une décharge électrique s'il touche au réflecteur. Le cas échéant, débranchez le radiateur, puis accrochez l'élément avec un trombone déployé et tirez-le doucement vers l'avant afin de l'éloigner du réflecteur.

Remplacement d'un élément chauffant

À PRÉVOIR :

Tournevis

Pince à bec long

Élément chauffant

1 Débranchez le radiateur et dévissez la grille. Dévissez ensuite le boîtier des éléments chauffants. Voyez si les fils sont décolorés et notez leur position pour faciliter leur rebranchement.

2 Débranchez les cosses avec une pince à bec long et détachez l'élément chauffant du support. Pour ce faire, ôtez les vis de retenue ou tournez la borne de l'élément à 90° de façon qu'elle passe dans la fente la plus large de l'isolateur.

3 Dégagez l'élément des isolateurs avec une pince. Installez l'élément de rechange ; il suffit de le loger dans les isolateurs. Étirez-le suffisamment pour le mettre en place, mais pas plus. Rebranchez tous les fils et remontez le boîtier.

Lisez la garantie avant de réparer un magnétoscope; le fabricant pourrait bien l'annuler si vous réparez l'appareil vous-même.

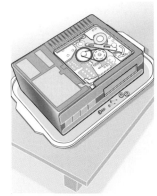

Avant de réparer un magnétoscope, déposez-le sur un plateau de plastique doté d'un rebord pour ne pas perdre de petites pièces. Mieux vaut effectuer la réparation au-dessus d'un parquet; une moquette étoufferait le bruit des pièces qui viendraient à tomber.

Défauts de conception. Ne jetez pas un magnétoscope parce qu'il a cessé de fonctionner ou qu'un de ses accessoires est devenu inutilisable. Bon nombre d'appareils peuvent être réparés à peu de frais. Communiquez avec le fabricant pour savoir si le magnétoscope présente des défauts de conception et s'il a fait l'objet de rappels afin d'avoir une idée des problèmes les plus courants.

Vidéocassette coincée? Éteignez le magnétoscope ou débranchez le cordon, puis attendez quelques minutes. Les magnétoscopes se dérèglent parfois; une mise hors tension permet de remettre le microcontrôleur à l'état initial. Si l'anomalie persiste, démontez le magnétoscope, puis actionnez le mécanisme de chargement à la main.

Ne reliez pas le téléviseur, le décodeur et le magnétoscope en même temps. Raccordez d'abord le câble de service au magnétoscope, et reliez la sortie du magnétoscope à l'entrée du téléviseur. Si le signal passe bien, intégrez le décodeur au circuit, entre le câble de service et le magnétoscope.

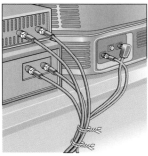

Regroupez les fils du téléviseur, du magnétoscope, du décodeur et de la chaîne stéréo avec des liens torsadés ou logez-les dans un court tronçon de tube de vinyle fendu sur le long.

Avant de placer un magnétoscope sur un téléviseur, placez des cales sous les pieds pour favoriser la dissipation de la chaleur. Découpez quatre cales de 2 po de côté (5 cm) dans du contreplaqué de ½ po (12 mm) d'épaisseur.

Rangez les vidéocassettes en position verticale après les avoir entièrement rebobinées; placez la bobine pleine du côté du point d'appui. Faites rouler chaque vidéocassette au moins une fois par année pour que le ruban ne se détériore pas.

Remplacement des courroies

À PRÉVOIR:

Tournevis et petits contenants
Pincette
Loupe
Chiffons non pelucheux ou cotons-tiges
Alcool isopropylique ou dénaturé pur à 95 p. 100
Courroies
Sonde de dentiste (facultatif)

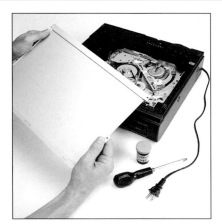

1 Si la vitesse de lecture est inférieure à la normale ou si le mécanisme de défilement ou de rebobinage ne fonctionne pas, vous devrez peut-être remplacer la courroie d'entraînement. Débranchez le magnétoscope, puis ôtez le panneau du dessous (ou le boîtier) avec un tournevis afin d'accéder aux courroies. Placez les vis que vous retirez dans de petits contenants étiquetés.

2 Pour enlever une courroie, utilisez une pincette ou les doigts; vous devrez peut-être retirer d'autres pièces pour accéder aux courroies. Examinez chaque courroie à la loupe pour repérer celles qui présentent des fissures ou des lignes d'usure.

 Enroulez du ruban adhésif sur les mâchoires de la pincette pour ne pas altérer la courroie.

La qualité du ruban influe non seulement sur le son et l'image, mais aussi sur le fonctionnement du magnétoscope. Les vidéocassettes anciennes ou de mauvaise qualité laissent dans le magnétoscope des particules qui peuvent endommager les têtes et ruiner le ruban d'autres vidéocassettes. La qualité du produit et la réputation du fabricant doivent être vos critères d'achat.

Entretien des têtes. Les rayures blanches, la neige ou l'absence d'image sont généralement des signes d'encrassement ou de défectuosité des têtes d'un magnétoscope. Nettoyez les têtes toutes les 20 heures d'utilisation ou plus souvent si vous louez beaucoup de vidéocassettes. On recommande aussi de confier le nettoyage des têtes à un spécialiste après 300 heures d'utilisation.

Programmez le magnétoscope de façon que les enregistrements s'amorcent quelques minutes avant le début des émissions et se terminent quelques minutes après la fin de celles-ci afin de ne rien manquer. Et quand vous programmez l'enregistrement d'une émission diffusée par une chaîne de télévision publique américaine, tenez compte des horaires des campagnes de financement.

Il existe trois types de cassettes de nettoyage pour magnétoscope : la cassette dont la bande s'utilise à sec (et qui use les têtes) ; la cassette à bande à humecter, qui permet de nettoyer les têtes en douceur ; et la cassette à dispositif de nettoyage magnétique, considérée comme la plus efficace et la plus sûre.

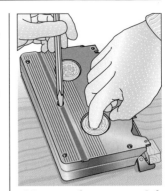

Si le magnétoscope a tiré un ruban hors de sa vidéocassette, rebobinez-le à la main s'il n'est pas endommagé. Appuyez sur la tige de déverrouillage (sur le côté du boîtier) et rabattez le couvercle frontal sous le boîtier pour le maintenir ouvert. Insérez ensuite un doigt dans la bobine réceptrice et tournez-la pour rebobiner le ruban ; si elle ne tourne pas, insérez la pointe d'un crayon dans le trou du système de frein pour dégager la pince à ressort.

SÛR ET SENSÉ

➤ Mettez des gants non pelucheux avant de rebobiner une bande vidéo. Les huiles de la peau peuvent l'endommager.

➤ Ne lubrifiez aucune pièce de caoutchouc.

➤ Placez une housse sur le magnétoscope quand il est éteint pour protéger les têtes de la poussière.

➤ Remplacez une bande vidéo dès que le son ou l'image disparaissent périodiquement.

3 Si les courroies sont étirées ou endommagées, remplacez-les toutes en même temps. Procurez-vous la trousse de pièces de rechange correspondant au modèle du magnétoscope. Au besoin, utilisez un gabarit (imprimé dans les catalogues de pièces de rechange) pour mesurer les courroies ; choisissez-les de 3 à 5 p. 100 plus courtes que les courroies originales pour compenser l'étirement.

4 Si les courroies ne sont ni étirées ni usées, nettoyez-les avec des chiffons non pelucheux ou des cotons-tiges humectés d'alcool isopropylique ou dénaturé. Ne touchez pas aux courroies avec les doigts. Utilisez une pincette ou un chiffon non pelucheux pour les saisir.

5 Réinstallez chaque courroie à l'aide d'une pincette. Une sonde de dentiste ou un outil semblable peuvent également servir à étirer une courroie qui doit se loger autour d'une poulie difficile d'accès. Remontez le magnétoscope en entier avant de le brancher pour l'essayer.

L'augmentation de la mémoire vive permet à un ordinateur de fonctionner plus rapidement. De nos jours, 8 Mo de mémoire vive représentent un minimum, 16 Mo étant la norme. Idéalement, la mémoire vive doit être de 32 Mo si l'ordinateur est doté d'un lecteur de cédéroms.

N'enlevez pas les étiquettes apposées sur les modules de mémoire. Elles permettent de différencier les modules tout en les protégeant des rayons UV.

Détail technique. Au moment d'augmenter la mémoire vive d'un ordinateur, assurez-vous de ne pas excéder la vitesse originale. Cela est particulièrement important dans le cas des compatibles IBM.

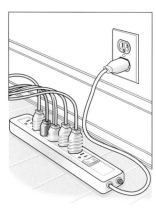

Protection adéquate. Branchez l'ordinateur, l'imprimante, les lecteurs de disquettes et les autres périphériques sur la même barre multiprise pour éliminer les différences de nature électrique au niveau du circuit de mise à la terre. Assurez-vous simplement que la barre multiprise est dotée d'un limiteur de surtension.

Disquette coincée. Vous pouvez éjecter une disquette coincée dans un lecteur (Macintosh) à l'aide d'un trombone déployé. Il suffit d'insérer le trombone dans le petit trou situé sous la fente du lecteur.

Alimentation. Plus souvent vous allumerez un ordinateur, plus vite il s'usera. La dilatation et la contraction des connexions et des composants peuvent entraîner le bris des soudures ou des courts-circuits. N'éteignez donc votre ordinateur que si vous devez vous absenter plusieurs heures.

Il est essentiel de débrancher le cordon d'un appareil électrique avant de le démonter. Dans le cas d'un ordinateur, il peut être préférable de laisser le cordon branché et de mettre l'interrupteur à *Off*. Un cordon mis à la terre contribue à éliminer l'électricité statique qui peut endommager les circuits. Mettez un bracelet antistatique avant d'ouvrir le boîtier de l'ordinateur.

Le moteur d'un aspirateur peut créer un champ magnétique susceptible d'effacer les données enregistrées sur disquettes. Rangez donc vos disquettes loin du plancher !

Augmentation de la mémoire vive

À PRÉVOIR :

Tournevis non magnétique

Bracelet antistatique

Modules de mémoire vive

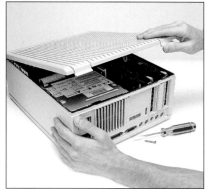

1 Débranchez l'ordinateur et tous les câbles externes. Ôtez le boîtier après avoir enlevé les attaches qui l'assujettissent. Pour augmenter la mémoire vive, il faut ajouter des modules de mémoire ou remplacer ceux en place ; renseignez-vous à ce sujet.

2 Mettez un bracelet antistatique avant d'ôter un module. En général, vous devrez écarter une pince de retenue, puis incliner le module vers l'extérieur. S'il n'y a pas de pince, saisissez le module par les bords et tirez-le vers le haut.

3 Pour installer un module, alignez le bout encoché sur le connecteur. Alignez ensuite l'autre bout, puis appuyez fermement sur le module. Ne manipulez les modules que par les bords. Réinstallez le boîtier et rebranchez l'ordinateur.

Entretien du clavier. Nettoyez les touches du clavier avec un coton-tige humecté de nettoyant pour ordinateur. Passez le coton-tige entre les touches. Recouvrez ensuite le clavier d'une housse transparente anti-poussière ne nuisant pas à l'utilisation des touches.

Nettoyage de l'écran. Les nettoie-vitres commerciaux peuvent laisser sur l'écran d'un ordinateur une pellicule qui attire la poussière. Préférez-leur un nettoyant pour écran, en tampons ou en aérosol. Vaporisez le nettoyant en aérosol sur un chiffon non pelucheux, puis essuyez l'écran avec le chiffon.

Imprimantes. Au moment de remplacer le ruban ou la cartouche d'une imprimante, nettoyez le galet de caoutchouc, ou la platine, avec un nettoyant conçu pour cet usage. Mettez une housse sur l'imprimante quand elle est inutilisée ; ses composants sont plus sensibles à la poussière que ne le sont ceux d'un ordinateur.

Bacs à papier. Achetez quelques bacs à papier supplémentaires. Vous gagnerez du temps lorsque vous passerez d'un format de papier à un autre.

Bon voyage ! Gardez votre ordinateur portatif avec vous lorsque vous voyagez en avion. Il risquerait de subir des dommages si vous le placiez avec vos bagages.

Ne jetez pas la boîte de la cartouche d'imprimante. Elle vous servira à ranger la cartouche si vous devez la retirer de l'imprimante pour effectuer une réparation.

Nettoyage d'une souris

À PRÉVOIR :

Chiffon non pelucheux propre

Alcool isopropylique

Détergent à vaisselle (facultatif)

Capuchon de plastique d'un stylo

Bonbonne d'air comprimé

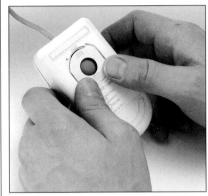

1 Éteignez l'ordinateur ou débranchez la souris. Retournez la souris et appuyez sur l'obturateur circulaire tout en le poussant vers l'avant ou, selon le modèle de la souris, en le faisant pivoter vers la gauche.

2 Retirez la boule et nettoyez-la avec un chiffon non pelucheux humecté d'alcool isopropylique. Vous pouvez aussi la faire tremper dans une solution d'eau chaude et de détergent à vaisselle. Séchez-la complètement avant de la réinstaller.

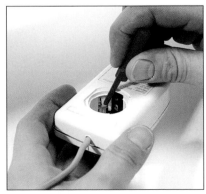

3 Grattez les galets avec le capuchon d'un stylo afin d'ôter la saleté accumulée, puis frottez-les avec un coton-tige humecté d'alcool isopropylique. Chassez la poussière du logement de la boule avec de l'air comprimé. Réassemblez.

À RETENIR

Travail à l'ordinateur et ergonomie

Voici quelques conseils qui vous permettront de limiter la fatigue et les courbatures que peut occasionner l'utilisation prolongée d'un ordinateur.

Éclairage. Utilisez un éclairage indirect ne provenant pas d'une lampe fluorescente pour prévenir la fatigue oculaire causée par les reflets. La principale source d'éclairage doit se trouver au-dessus de l'écran et derrière celui-ci.

Angle de vision. Placez l'écran entre 18 et 20 po (45-50 cm) de vos yeux ; le bord supérieur de l'écran doit se trouver juste sous le niveau des yeux.

Hauteur du clavier. Pour prévenir le syndrome du canal carpien, positionnez le clavier de façon que vos avant-bras soient parallèles au plancher et que vos coudes forment un angle de 90° quand vous travaillez. Pour plus de confort, placez une serviette roulée sous vos poignets.

Le jargon des antennes paraboliques peut être déroutant. La *température de bruit d'antenne* correspond au niveau de bruit de fond qui peut perturber le signal ; le *rendement*, au pourcentage du signal que l'antenne peut capter. Le terme *tête SHF* sert à désigner le capteur fixé au centre du réflecteur. Le *poids du réflecteur* est le poids de l'antenne.

Tenez compte de l'évolution de votre jardin au moment d'installer une antenne parabolique. Feuilles et branches bloquent les signaux des satellites.

À RETENIR

Utilisation d'une antenne parabolique

L'achat d'une antenne parabolique représente une dépense considérable. Pour obtenir la qualité d'image promise, il vous faudra tenir compte des points suivants.

Emplacement. Il ne doit y avoir ni arbres, ni feuilles, ni édifices entre l'antenne parabolique et le satellite.

Installation. Placez l'antenne là où vous pourrez enlever sans danger la neige et la glace accumulée sur le réflecteur, par exemple sur un côté de la maison, sur la terrasse ou au bout d'un poteau situé dans la cour.

Matériel. Un téléviseur ordinaire peut recevoir les signaux des satellites. Mais si vous recherchez la meilleure qualité de son et d'image, vous devrez vous procurer un téléviseur doté d'entrées RF, audio/vidéo et S-vidéo séparées, et un magnétoscope doté d'entrées RF et audio/vidéo ainsi que de câbles coaxiaux audio/vidéo et S-vidéo.

Un signal de satellite est très faible comparativement aux signaux de radio-diffusion ordinaires. Pour parer à la perte et à la dégradation des signaux, appliquez un composé diélectrique sur les connecteurs et les connexions avant le serrage.

Les antennes paraboliques peuvent capter les émissions d'une foule de chaînes. Elles ne captent toutefois pas les émissions locales ou de réseau dans toutes les régions. Pour capter ces émissions, utilisez une antenne portative ou abonnez-vous au câble (service de base).

Installation d'une antenne parabolique

À PRÉVOIR :

Antenne parabolique et récepteur numériques

Trousse d'installation et/ou supports, câbles, tire-fond, boulons, rondelles, limiteurs de surtension (câble et téléphone) et autres accessoires au besoin

Boussole, tournevis (à pointe plate et Phillips), marteau, pince, pince coupante, marqueur, niveau

Perceuse et forets

Colle pour toitures

Clé à cliquet ou clé à fourches

Prise modulaire de téléphone ou coupleur réception

Échelle (facultatif)

1 Utilisez une boussole et lisez la notice pour choisir le meilleur endroit où installer l'antenne. Sur un toit, repérez un chevron en cognant sur la couverture ou en vous servant d'un détecteur de poteaux. Positionnez le pied du tube support au-dessus du chevron. Percez ensuite les trous où vous logerez les tire-fond qui fixeront le pied au chevron. Mettez de la colle pour toitures sous le pied et dans les trous.

2 Placez le tube support presque à la verticale. Vérifiez ensuite l'horizontalité de son sommet avec un niveau, d'abord dans un sens, puis dans l'autre. Tournez la vis de réglage pour mettre le sommet du tube support de niveau, en tenant compte de la pente du toit. Au besoin, calez le pied avec des rondelles de $5/16$ po (7,5 mm) de diamètre ; appliquez ensuite de la colle pour toitures sur le pourtour du pied.

Bon à savoir. Vous pouvez relier plusieurs téléviseurs à un récepteur de signaux de satellite, mais la même émission sera transmise à tous les appareils. Pour pouvoir syntoniser différents canaux, vous devrez normalement vous procurer un récepteur spécial et coûteux.

Une tempête de neige ou de pluie verglaçante peut nuire à la réception des signaux satellites et occasionner des dommages au niveau du positionneur de l'antenne parabolique. Un filet de protection posé sur l'antenne la mettra à l'abri des rigueurs de l'hiver sans affaiblir le signal.

Une antenne parabolique passera inaperçue si vous la couvrez d'une housse lui donnant l'apparence d'un parasol ou même d'une grosse pierre.

Fidèle au poste. La télécommande du récepteur de signaux satellites ou du téléviseur sera toujours à portée de la main si vous la fixez sur le téléviseur au moyen de bandes velcro.

L'écran du téléviseur sera propre et exempt de poussière si vous le nettoyez avec une feuille d'assouplissant humectée d'alcool à friction. Évitez de vaporiser du nettoie-vitre ou de l'huile sur le téléviseur ; ces produits pourraient encrasser les composants internes.

ANTENNES
Orientation. Comme les antennes sont des dispositifs directionnels, elles doivent être orientées vers la source du signal. La plupart des antennes ont la forme d'un V ; orientez les deux pointes du V vers la source du signal.

Danger d'électrocution. Une antenne qui entre en contact avec une ligne électrique peut faire circuler dans la maison un courant assez fort pour infliger une décharge mortelle. La distance séparant une antenne de la ligne électrique la plus proche doit être au moins égale au double de la longueur de cette antenne.

La réception des émissions de télévision est-elle faible ? Reliez une antenne intérieure au téléviseur. Si la qualité de l'image s'améliore, l'antenne extérieure est défectueuse.

Réception optimale. Idéalement, le téléviseur devrait être relié à une large antenne fixée sur un haut mât. Autrement, une large antenne fixée sur un mât court est la meilleure variante.

Préamplification. Si vous disposez d'une bonne antenne et que la réception soit faible, amplifiez le signal au moyen d'un préamplificateur à deux composants. Vous devrez fixer ce dispositif au mât de l'antenne, puis le brancher dans la maison.

3 Au sol, boulonnez l'antenne parabolique sur la monture. Sur le toit, glissez la bride de la monture sur le tube support, mais ne la serrez pas. Passez le câble dans le tube support et la monture ; serrez ensuite le connecteur (certaines antennes comportent plusieurs connecteurs). Finalement, glissez la tête SHF dans l'ouverture et boulonnez-la.

4 Faites courir le câble sur un mur jusqu'au récepteur en le fixant avec des brides. L'installation d'un bloc de mise à la terre est une protection contre la foudre ; la formation de boucles d'égouttement empêche les infiltrations d'eau. Raccordez le fil de terre à la tige de mise à la terre. Effectuez les autres raccordements ; vous devez notamment relier le récepteur à un téléviseur et à la prise de téléphone.

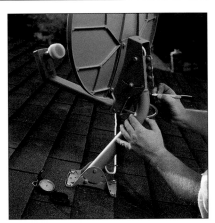

5 Utilisez l'afficheur audio-vidéo du récepteur pour trouver le signal satellite maximal ; vous aurez généralement besoin de l'aide de quelqu'un si l'antenne est installée sur le toit. Effectuez les réglages latéraux et verticaux en modifiant peu à peu la position de l'antenne ; centrez-les sur le milieu de la zone d'où provient le signal maximal. Indiquez les positions sur le tube support à l'aide d'un marqueur.

PIERRE, BRIQUE ET BÉTON

Degré de difficulté des travaux :   ⚑ Faible   ⚑⚑ Moyen   ⚑⚑⚑ Élevé

Aire connue. Comptez au moins 25 pi² (2,33 m²) de patio par personne. Une table et des chaises occupent un carré d'au moins 6 pi (1,80 m) de côté. Majorez les dimensions s'il y a d'autres meubles.

Utilisez de la farine pour tracer des repères d'excavation à peu de frais. En guise de saupoudreuse, servez-vous d'un pot à café à fond perforé, coincé dans un trait de scie au bout d'un 2 x 2 et assujetti avec une vis. Pour saupoudrer le sol de farine, cognez simplement le 2 x 2 avec un maillet.

Comblez tous les creux de l'excavation avec la même pierre concassée qui formera l'assise de l'ouvrage (damez-la). Autrement, le tassement de la terre provoquera l'affaissement du pavage au bout d'un certain temps.

Empilez la terre et les plaques de gazon sur une bâche afin de pouvoir vous en servir facilement. Un gazon recouvert de terre durant plusieurs jours risque d'étouffer.

À propos du sable. Le mauvais temps retarde l'aménagement d'un pavage ? Couvrez l'assise de sable de toiles de plastique. Vous pouvez aussi sabler et paver malgré le mauvais temps, mais par sections de 10 pi (3 m) de côté à la fois. Abritez toujours la pile de sable sous une bâche.

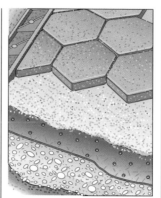

Placez une toile entre la pierre concassée et le sable pour empêcher toute herbe de pousser entre les pavés. Du feutre de 15 lb fera très bien l'affaire. Les joints de la toile doivent se chevaucher sur 6 po (15 cm). Percez de petits trous de drainage.

Laissez tomber ! Ne glissez pas les briques ou les pavés sur le sable au moment de paver : laissez-les tomber en place. Sinon, vous creuserez l'assise.

Pavés sur béton. La plupart des pavés peuvent être fixés sur une dalle de béton à l'aide d'un adhésif spécial. Informez-vous auprès du fabricant ; il vous donnera aussi des instructions détaillées. Assurez-vous que la dalle de béton est en bon état et de niveau.

Les bordures de plastique ou d'aluminium assujetties par des piquets d'acier sont idéales pour former des courbes. Les premières sont faciles à poser, mais les secondes sont plus robustes. Formez chaque courbe d'un seul tenant.

Allée de briques ou de pavés

À PRÉVOIR :

Lunettes, gants et genouillères

Piquets et cordeau

Niveau de ligne ou niveau à bulle d'air

Tuyau d'arrosage ou corde

Pelle et brouette

Pierre concassée de ½ po (12 mm) et gros sable

Plaque vibrante et scie à eau louées

Bordure d'aluminium, de plastique ou de contreplaqué

Bois pour fabriquer une règle à araser et une dame

Pavés ou briques

Maillet de caoutchouc et balai raide

1 Délimitez l'allée avec des piquets et un cordeau et les courbes avec des cordes ou des tuyaux d'arrosage ; utilisez un niveau de ligne pour fixer la profondeur. La largeur de l'allée est fonction du motif et de la dimension des pavés (ajoutez ⅛ po [3 mm] sur tous les côtés). Excavez au moins 8 po (20 cm) pour recevoir la pierre concassée (4 po [10 cm] damés), une couche de sable de 2 po (5 cm) et les pavés.

2 Étalez, nivelez et damez la pierre ; donnez ensuite à l'allée une pente de ¼ po (6 mm) au pied (30 cm). Installez la bordure, qui devra affleurer la surface de l'allée. Si l'allée serpente, utilisez des bordures d'aluminium ou de plastique ou deux bandes de contreplaqué de lauan de ¼ po (6 mm) d'épaisseur. Si elle est droite, appuyez une bordure de bois contre des piquets. Vérifiez la pente avec un niveau à bulle.

Les imperméabilisants protègent les pavés contre les taches et en rehaussent la couleur. Avant d'en appliquer un, nettoyez les pavés au besoin avec un produit à base d'acide. Imperméabilisez ensuite les pavés tous les deux à cinq ans.

Utilisez deux extracteurs fabriqués avec des cintres pour retirer un pavé d'une allée afin de le remettre de niveau. Glissez les cintres de chaque côté du pavé, tournez-les d'un quart de tour, puis soulevez le pavé.

Érosion. Retournez les blocs de patio creusés par l'eau de ruissellement ; au besoin, remettez-les de niveau avec du sable.

Il peut être difficile de remettre des pavés de niveau quand la pose est serrée. Pour vous faciliter la tâche, faites jouer les pavés de façon à les repositionner à peu près de niveau et recouvrez-les d'un court 2 x 4. Assoyez ensuite chaque pavé de niveau en frappant sur le 2 x 4 avec une masse de 3 lb (1,35 kg).

Une petite allée répond à vos besoins ? Vous pourriez construire un passage en bois. Réalisez chaque segment avec 10 planches de 2 x 6 de cèdre ou de séquoia de 14 po (35 cm) de long, réunies par-dessous avec du feuillard et des clous à toiture.

À RETENIR

Choix d'un motif

Voici quelques-uns des motifs les plus utilisés dans l'aménagement des allées et des patios.

Brique

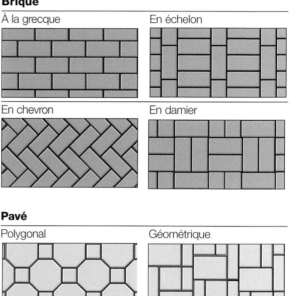

Pavé

Polygonal   Géométrique

3 Étalez et damez une couche de sable de 2 po (5 cm) d'épaisseur, puis nivelez-la avec une règle à araser entaillée d'une hauteur égale à l'épaisseur des pavés. Posez les briques ou les pavés de bordure (s'il y a lieu), à plat ou bien debout dans une tranchée.

 Posez des briques ou des pavés brisés dans la tranchée de bordure, face brisée au sol.

4 Posez les pavés ou les briques sur une petite surface à la fois, en fonction du motif choisi. Espacez-les de ⅛ po (3 mm). Utilisez un maillet de caoutchouc pour les asseoir de niveau, par rapport à la bordure et les uns par rapport aux autres. Utilisez une scie à eau à dents diamantées pour les couper au besoin. Faites les coupes à la fin de la pose ; vous pourrez ainsi réaliser aussi les derniers ajustements.

5 Une fois la pose des pavés ou des briques achevée, étalez du gros sable sur l'allée et faites-le pénétrer dans les joints en le balayant suivant un angle de 45°. Si vous avez posé une bordure temporaire, enlevez-la, remblayez le sillon et gazonnez le remblai. Arrosez l'allée chaque jour pendant un moment ; au besoin, ajoutez du sable dans les joints en procédant de la façon décrite plus haut.

Soyez réaliste quand vous commandez des dalles ; les vendeurs n'autorisent en général aucun retour. Comptez environ une tonne de dalles de 1½ po (3,75 cm) d'épaisseur pour 100 pi² (10 m²).

Traçage. Pour faire une allée, disposez directement les dalles sur le gazon, dans l'ordre voulu. Saupoudrez-les de farine, puis retirez-les. Creusez ensuite le lit de chacune en suivant les lignes de farine.

Sobre mais varié. Si vous désirez créer un dallage qui ne soit pas uniforme sans utiliser des dalles qui sont toutes de tailles diverses, optez pour le motif illustré. Utilisez des dalles de trois tailles différentes comme ici ou bien des dalles carrées de 1 pi (30 cm) de côté et des dalles rectangulaires de 2 x 3 pi (60 x 90 cm).

Point de départ. Si vous aménagez un patio avec des dalles de tailles diverses, positionnez d'abord les plus larges en les plaçant sur le périmètre de l'ouvrage. Les dalles intérieures seront ainsi plus stables.

Du papier d'aluminium peut vous servir de gabarit pour tailler une dalle de forme irrégulière. Placez le papier au-dessus de l'espace à combler et froncez les bords pour obtenir la forme voulue. Tracez ensuite le contour du gabarit sur une dalle à l'aide d'un clou.

Les chutes de grandes dimensions seront plus faciles à détacher si, avant d'effectuer la taille, vous entamez la dalle sur tous les côtés le long de la ligne de coupe à l'aide d'un ciseau à briques ou d'un ciseau à pierre et d'une massette.

Quand vous n'arrivez pas à tailler une dalle avec un ciseau à briques ou un ciseau à pierre, retournez-la et creusez-la le long de la ligne de coupe, du côté de la chute. Taillez-la ensuite.

Patio de dalles

À PRÉVOIR :

Lunettes de protection, gants et bouchons d'oreilles

Piquets et cordeau

Pelle et brouette

Pierre concassée de ½ po (12 mm) et poussière de pierre

Plaque vibrante louée

Bois pour fabriquer une bordure et une règle à araser

Ciment Portland et sable

Truelle de briqueteur

Dalles

Longue règle et niveau

Massette ou maillet de caoutchouc

Fer à joint

Mélange sec et balai raide

1 Aménagez l'assise (p. 248-249). Mélangez du ciment Portland et du sable de maçonnerie dans une proportion de 1:5 ou 1:6. Étalez 3 po (7,5 cm) de ce mélange sur la pierre, par bandes de 3 pi (1 m).

 Travaillez par petites bandes. Posez des bordures temporaires et déplacez-les à mesure que le travail avance.

2 Transportez les dalles (pliez les genoux) ou roulez-les (sur le chant, d'un coin à l'autre) jusqu'à l'endroit voulu. Laissez-les tomber sur l'assise en les espaçant sur tous les côtés d'environ ½ po (1 cm). Le cordeau de positionnement doit être placé à environ 1 po (2,5 cm) du sol et avoir une pente de ¼ po (6 mm) au pied (30 cm) à partir de la maison.

Pour travailler debout
quand vous avez à tailler plusieurs dalles, construisez une boîte de sable sur pieds. Clouez un 1 x 2 sur les chants d'un contreplaqué de 1 po (2,5 cm) d'épaisseur. Posez la boîte sur un piètement de 2 x 4 ou deux chevalets ; versez-y du sable. Le sable amortira les chocs.

Tout bien pesé... Placez les dalles de grandes dimensions sur le côté avant de les soulever, même si vous avez de l'aide. Une dalle soulevée à plat peut se casser au centre sous son propre poids.

Point d'appui. Lorsque vous devez soulever des dalles pour réparer l'assise de sable, appuyez un pied-de-biche sur un morceau de bois. Les dalles seront plus faciles à enlever et vous ne marquerez pas les dalles adjacentes.

On n'y voit que dalles. Si la perspective de transporter de lourdes dalles ne vous sourit guère, vous pouvez toujours créer un faux dallage en traçant des « joints » de dalles avec un fer à joint sur du béton fraîchement coulé et lissé. Faites auparavant un croquis du motif, car vous devrez tracer tous les joints sans hésiter, avant que le béton ne prenne. Intégrez des joints de fractionnement au motif.

À propos des taches. Utilisez une solution de détergent à vaisselle et d'eau pour éliminer les taches de nourriture sur les dalles. Appliquez la solution avec un tampon, faites-la pénétrer avec une brosse à récurer, puis rincez à l'eau claire. Si les taches ne disparaissent pas, additionnez la solution d'ammoniaque et répétez.

3 Une fois en place, chaque dalle doit tout de suite être mise de niveau. À cette fin, couchez un 2 x 4 en travers de la dalle en veillant à ce qu'il croise le cordeau. Déposez ensuite un niveau sur le 2 x 4, et une planche de rebut sur la dalle. Frappez sur la planche de rebut avec une massette jusqu'à ce que la dalle soit de niveau dans un sens et alignée sur le cordeau.

4 Après avoir positionné les dalles du premier rang, assurez-vous qu'elles sont de niveau les unes par rapport aux autres à l'aide d'un cordeau tendu de sorte qu'il les touche en leur centre. Repositionnez le cordeau de départ et effectuez la mise en place des autres dalles de la même façon que précédemment. Une fois le dallage terminé, remblayez le terrain et rétablissez la végétation aux extrémités du patio.

5 Remplissez les joints de mélange sec avec une truelle de briqueteur. Tassez ensuite le mélange avec un fer à joint, puis balayez tout surplus. Arrosez doucement le patio une fois par jour durant quelques jours à l'aide d'un tuyau d'arrosage. Laissez le mortier prendre durant plusieurs jours avant de le soumettre à une circulation intense.

Tout en souplesse. Utilisez une truelle de briqueteur à lame souple pour étaler le mortier. La lame doit ployer d'environ 1 po (2,5 cm) quand la pointe est appuyée contre une surface dure et plane.

Du solide. Les briques posées à l'extérieur doivent résister aux rigueurs du climat. Toutes les briques fabriquées au Canada appartiennent à la catégorie « très résistante » (SW). Vous n'avez pas à vous inquiéter : elles résistent très bien au gel. Les briques à résistance moyenne (MW) ou nulle (NW), vendues aux États-Unis, ne sont normalement pas offertes au Canada.

Les briques sèches absorbent l'eau du mortier à mesure qu'on les met en place. Si le mortier sèche trop vite, trempez chaque brique dans un seau d'eau, laissez-la sécher en surface, puis posez-la sur le lit de mortier. Autrement, la liaison laissera à désirer.

Le mortier préparé est facile à utiliser – mais cet avantage se reflète sur son prix. Il vous en faudra un sac de 66 lb (30 kg) pour poser 50 briques avec des joints de ⅜ po (1 cm) de large.

Pour ne pas gaspiller le mortier, n'en gâchez qu'une quantité utilisable en une heure et demie environ. Si le mortier commence à sécher, regâchez-le (ajoutez-y un peu d'eau et mélangez bien). Ne regâchez pas du mortier plus d'une fois.

Ne regâchez pas le mortier coloré qui a séché. La couleur s'en trouverait changée et contrasterait avec celle du mortier déjà posé. Jetez-le et gâchez-en d'autre.

Pour reproduire la texture et l'apparence d'un mortier ancien, préparez plusieurs échantillons de mortier en mélangeant du ciment et du sable de diverses couleurs. Façonnez les échantillons avec un fer à joint, laissez-les prendre et comparez-les au modèle. Combinez des sables de couleur au besoin.

SÛR ET SENSÉ

➤ La chaux que contient le mortier peut déshydrater la peau et ainsi causer de douloureuses gerçures. Portez des gants imperméables quand vous travaillez le mortier.

➤ Si vous vous servez d'acide chlorhydrique pour enlever le mortier séché, préparez une solution faible (1 partie d'acide pour 10 parties d'eau) dans un seau non métallique. Versez l'acide dans l'eau et non pas l'eau dans l'acide ; portez des lunettes de protection, une chemise à manches longues, des gants de caoutchouc et un respirateur conçu pour filtrer les vapeurs d'acide.

Gâchage et pose du mortier

À PRÉVOIR :

Mortier (3 parties de sable, 1 partie de ciment de maçonnerie ou mortier préparé)

Tuyau d'arrosage ou seau d'eau

Binette et pelle

Brouette, grand contreplaqué usagé ou auge

Planche à mortier (contreplaqué de 24 po [60 cm] de côté)

Truelle de briqueteur

Pierres, briques, blocs de béton, etc.

Fer à joint

Brosse dure (pour nettoyer les outils)

1 Gâchez le mortier jusqu'à ce que sa consistance soit homogène ; le mélange est prêt lorsqu'un sillon tracé dans le mortier garde sa forme. À l'aide d'une pelle, déposez le mortier en tas sur la planche à mortier. Pour ramasser le mortier, découpez-en d'abord une tranche avec la truelle ; utilisez ensuite le dos de la lame pour former un boudin ayant à peu près la longueur et la largeur de la lame.

2 Placez la truelle à plat sur la planche derrière la tranche de mortier. D'un geste rapide, glissez la lame sous le mortier. Soulevez ensuite la truellée de mortier, puis assoyez-la sur la lame en abaissant l'avant-bras et en la ramenant vers vous d'un seul mouvement sec.

Aucune erreur permise. Ne repositionnez pas une brique une fois que vous l'avez mise en place, sinon vous ruinerez la liaison.

Recommencez ! Plutôt que de repositionner une brique mal alignée, retirez-la, nettoyez-la et grattez tout le mortier qui pourrait rester. Reposez ensuite la brique dans du mortier frais.

Laisser sa marque. Pour savoir s'il est temps de façonner les joints, appuyez un pouce sur le mortier. S'il garde l'empreinte du pouce et ne colle pas à votre gant, il est prêt à être lissé.

Pour recréer les tachetures des briques anciennes, vaporisez les nouveaux parements de fertilisant hydrosoluble. Vous favoriserez ainsi la croissance des microorganismes qui donnent leur apparence aux briques anciennes.

Patinage. Un nouveau parement de brique intérieur aura un lustre satiné ancien si vous le tamponnez d'huile de lin bouillie après que le mortier a séché. Laissez pénétrer l'huile deux à trois heures, puis essuyez.

À RETENIR

Joints de mortier : finition

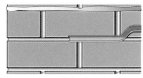

Concave. Joint le plus courant ; hydrofuge. Façonnage : fer convexe.

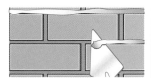

Àffleurant. Moyennement hydrofuge. Façonnage : enlever le surplus de mortier.

En V. Hydrofuge. Façonnage : fer en V ou pointe de la lame d'une truelle.

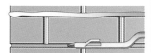

Plat en retrait. Non hydrofuge. Pour l'intérieur. Façonnage : fer à bout plat carré.

Oblique. Hydrofuge. Façonnage : enlever le mortier vers le haut en tassant.

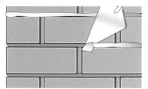

En sifflet. Non hydrofuge. Façonnage : enlever le mortier vers le bas en tassant.

3 Placez la pointe de la truelle au-dessus de l'endroit où doit commencer le lit de mortier. Tournez la truelle sur 180° tout en la soulevant et faites chuter le mortier au centre des briques en abaissant le poignet et l'avant-bras d'un mouvement sec. Inclinez légèrement la truelle et passez la pointe de la lame sur le lit de mortier pour le rainer en son centre.

4 Avant de poser une brique dans le lit de mortier, graissez l'extrémité qui sera placée contre la brique précédente. Ramassez une quantité suffisante de mortier sur le dessus de la lame. Étalez ensuite le mortier sur la brique, puis pressez-le sur les quatre bords pour assurer une bonne liaison. Le mortier prendra la forme d'un tronc de pyramide.

5 Aboutez la brique graissée et la brique précédente jusqu'à ce que l'épaisseur des joints verticaux et horizontaux excède un peu celle qu'ils devront avoir une fois finis. Tapotez la brique avec la poignée de la truelle pour la mettre de niveau et l'aligner et pour donner l'épaisseur finale au joint de mortier. Raclez le surplus de mortier avec le bord de la lame.

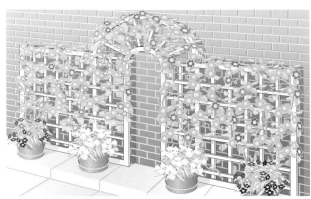

Plusieurs plantes grimpantes provoquent l'effritement des joints de mortier. Placez-les sur un treillage ou choisissez une espèce qui n'endommage pas le mortier.

Quand vous arrachez des plantes grimpantes d'un mur de briques, éliminez le plus de tiges possible, laissez sécher celles qui restent une ou deux semaines, puis nettoyez les briques avec une brosse dure et un détergent pour éliminer les débris végétaux qui tacheraient les briques en s'oxydant.

Une ombre au tableau? La moisissure prolifère à l'ombre. Elle n'endommage peut-être pas la brique, mais elle entraîne sa décoloration. Pour en venir à bout, lavez les surfaces touchées avec une brosse et une solution d'eau de Javel et d'eau (1:1). Rincez à l'eau claire une heure plus tard.

Jamais plus moussu. Une dose d'herbicide, vaporisée conformément aux directives du fabricant, éliminera même la mousse rebelle sur un mur de briques.

Si vous louez un échafaudage en vue de réparer un briquetage aux étages supérieurs de la maison, travaillez de haut en bas. Vous pourrez ainsi rapporter l'échafaudage au locateur plus rapidement et réduire les frais de location.

À l'épreuve de la chaleur. Vous devez utiliser des briques réfractaires pour chemiser intérieurement un âtre ou un foyer. Le mortier qui lie ces briques doit pouvoir supporter des températures élevées ; procurez-vous du mortier à base d'argile réfractaire.

Briques d'époque. Avant de restaurer un briquetage qui a plus de 100 ans, consultez un maçon pour être sûr d'utiliser un mortier qui, une fois sec, sera moins dur que les briques. Généralement, le mortier utilisé de nos jours devient plus dur en séchant que les briques anciennes, ce qui peut occasionner l'éclatement des arêtes.

Rejointoiement d'un mur de briques

À PRÉVOIR:

Lunettes de sécurité

Vieux tournevis

Massette

Ciseau à briques ou bédane étroit

Balai raide

Auge ou brouette

Mélange de mortier (ou ciment de maçonnerie et sable)

Eau

Truelle

Pointe de maçon

Fer à galets

Brosse

1 Après avoir mis des lunettes de sécurité, utilisez un vieux tournevis pour enlever sur une profondeur de ¾ po (2 cm) le mortier qui tient mal ou qui est mou. Servez-vous d'une massette et d'un bédane pour enlever le mortier qui est plus dur, en prenant soin de ne pas écorner les briques. Balayez les éclats et la poussière de mortier dans les joints avec un balai raide.

2 Gâchez le mortier en mélangeant d'abord à sec trois parties de ciment et une partie de sable ; ajoutez ensuite l'eau pour obtenir une pâte ferme mais non friable. Le mortier coulera s'il est trop délayé.

 Demandez à votre fournisseur de béton de vous aider à reproduire l'apparence du vieux mortier.

C'est dans le sac ! Vous effectuerez les grands travaux de rejointoiement plus vite si vous utilisez un sac à coulis au lieu d'une truelle langue-de-chat pour bourrer les joints de mortier. Ajoutez un peu plus d'eau que d'ordinaire pour rendre le mortier plus fluide.

Choix d'outils. Pour donner un profil concave à des joints de mortier qui ont été refaits, servez-vous d'un fer à joint convexe, d'un tuyau de métal ou encore du bout d'une poignée de cuillère.

Pour enlever le surplus de mortier et les gouttes de peinture sur un briquetage, frottez-les avec la face tendre (intérieure) d'une brique cassée de la couleur originale. Faites un essai sur une surface cachée d'abord.

Les gros résidus de mortier adhérant à la brique sont plus facilement enlevés une fois durcis (il suffit de les détacher d'un coup sec avec une truelle), alors que vous étaleriez le mortier sur les briques en l'essuyant quand il est encore mou.

À RETENIR
Réparation des briquetages

Dommages	Cause et travaux	Difficulté
Mortier friable, détaché, fissuré	Rejointoiement	Assez facile
Briques écaillées ou friables	Les briques sont tendres et se détériorent à force d'être exposées aux intempéries. Remplacez celles qui sont très usées.	Assez facile
Murs fissurés	Les fines fissures sont généralement sans conséquence. Les fissures diagonales le long des joints peuvent révéler un tassement du sol.	De facile à difficile, selon la cause
Baies de fenêtres et de portes hors d'équerre	Les éléments de structure situés au-dessus des ouvertures des murs se détériorent plus vite que le reste de la maçonnerie.	Difficile
Murs renflés	Les murs se renflent au gel et au dégel quand de l'eau s'infiltre par des fissures dans les joints	Difficile

3 Placez le mortier sur la truelle et bourrez-en les joints à l'aide d'une pointe de maçon. Veillez à remplir complètement les joints.

4 Passez un fer à galets sur les joints pour niveler le mortier alors qu'il est encore humide et reproduire la forme des vieux joints.

5 Passez une brosse sur les joints après que le mortier a commencé à prendre afin d'enlever les résidus et de reproduire la texture du vieux mortier.

Au sec. Empilez les blocs de béton sur une palette de bois et couvrez-les de plastique dès qu'on vous les livre. Ils se dilatent quand ils sont mouillés et se contractent en séchant, ce qui peut faire fendre les joints.

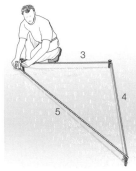

Angle droit. Pour savoir si les cordeaux forment un coin d'équerre, mesurez l'intervalle qui sépare deux points situés respectivement à 3 et 4 pi (0,90 et 1,20 m) du coin (illustration). Si l'intervalle est de 5 pi (1,50 m), le coin est d'équerre.

Une baguette-guide permet d'uniformiser la hauteur des rangs et ainsi d'éviter que l'accumulation de petites erreurs d'espacement ne cause un grave problème structurel. Pour en fabriquer une, marquez la hauteur de chaque rang sur un 1 x 2 en tenant compte de l'épaisseur du joint de mortier. Il suffit de placer la baguette près du mur pour vérifier la hauteur des rangs à mesure que le travail avance.

Les ficelles du métier. Pour protéger la ligne de craie du cordeau contre l'érosion, enduisez-la de laque en aérosol séchant rapidement. La craie résistera aux intempéries et aux balayages répétés.

Utilisez une truelle de briqueteur pour racler le surplus de mortier qui flue des joints. Mélangez brièvement le mortier raclé avec du mortier frais et réutilisez-le.

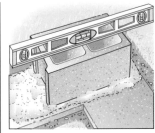

Marge de manœuvre. Centrez le niveau sur le bloc que vous posez. Vous pourrez ainsi positionner le bloc en le cognant sur les bords sans bouger le niveau.

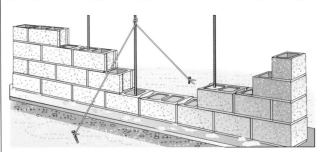

Haubanez les tiges d'armature quand vous posez les blocs du premier rang. Bouclez une corde sur les tiges et nouez-la sur deux piquets fichés dans le sol de chaque côté du mur.

Construction d'un mur de maçonnerie

À PRÉVOIR :

Niveau à bulle, niveau de ligne et niveau à eau
Cordeau à craie
Cordeau
Mélange de mortier
Blocs de béton
Auge ou brouette
Binette
Truelle de briqueteur
Tiges de renforcement et d'armature
Blocs de renforcement
Pointe de maçon

1 Reportez la position du mur sur la semelle. Marquez les coins extérieurs et tracez une ligne droite entre les marques. Avec un niveau de ligne suspendu à un cordeau tendu, voyez si la semelle est de niveau.

 Pour un parement en pierre ou brique, placez des attaches de métal dans les joints des rangs tous les 2-3 pi (60-90 cm).

2 Préparez un lit de mortier de 1 po (2,5 cm) d'épaisseur et de 4 pi (1,20 m) de long à un bout de la semelle. Enfoncez un bloc d'angle dans le mortier ; alignez le bloc sur le cordeau, mettez-le de niveau et laissez un joint de mortier de ⅜ po (1 cm).

 Orientez la partie renflée des blocs vers le haut pour que l'assise soit plus large.

L'entonnoir fait maison illustré ici permet de couler proprement le mortier dans les cavités des blocs de béton. Utilisez du contre-plaqué de ½ po (13 mm) d'épaisseur pour le fabriquer. Profilez son sommet de façon à pouvoir y appuyer le rebord du seau pendant le coulage du mortier.

Taillez les blocs de béton avec un ciseau à briques et une massette de 3 lb (1,35 kg). Frappez fort pour rainer le béton. Réduisez la force de vos coups dès que le bloc produit un son creux.

Amortir les coups. Placez le bloc à tailler sur une surface légèrement molle, comme un lit de sable ou un morceau de bois de rebut. La coupe sera plus facile à réaliser et plus franche.

Une seule technique. Construisez un mur de pierres comme un mur de briques ou de blocs de béton, en plaçant une pierre sur deux pierres, puis deux pierres sur une pierre. Le chevauchement renforcera le mur.

Pourquoi à sec ? Un mur de pierres sèches est non seulement plus facile à construire, mais aussi plus durable qu'un mur de pierres maçonnées. Le premier résiste aux cycles de gel et de dégel mieux que le second, qui se fissure à la longue, sous les intempéries.

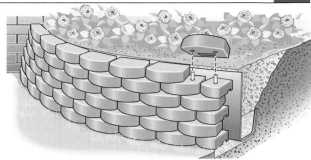

Les blocs de béton autobloquants sont plus coûteux que les blocs ordinaires, mais leur mise en place est plus rapide, l'érection d'un mur de 3 pi (90 cm) ou moins ne demandant ni semelle ni mortier. Le mur illustré ici est consolidé par des tiges de fibre de verre logées dans les blocs.

SÛR ET SENSÉ

➤ Portez des lunettes de protection lorsque vous taillez des blocs de béton. Effectuez la taille avec un marteau conçu pour frapper d'autres outils. Les éclats de métal qui pourraient se détacher de la tête d'un marteau ordinaire sont aussi dangereux que des éclats d'obus.

➤ Avant de construire un mur, informez-vous auprès de votre municipalité des codes de construction en vigueur dans votre région. Tous les murs de blocs doivent reposer sur une semelle de béton assise sous la ligne de gel.

3 Placez quelques blocs debout et graissez-en les bouts. Posez deux blocs réguliers sur le premier rang, en appuyant le bout graissé contre le bloc adjacent de manière à former un joint de ⅜ po (1 cm). Posez les premiers blocs des deuxième et troisième rangs (illustration). Faites de même au bout opposé de la semelle ; utilisez un niveau pour vous assurer que le premier rang est de niveau aux deux bouts.

4 Tendez un cordeau entre les extrémités du mur, à la hauteur du bord supérieur extérieur du premier rang. Posez chaque rang après avoir réaligné le cordeau en vous assurant qu'il est de niveau. Si des tiges d'armature verticales sont nécessaires, faites-les chevaucher sur environ 15 po (38 cm) et liez-les avec du fil de fer n° 8 ; comblez ensuite de mortier toutes les cavités que traversent les tiges.

5 Placez tous les deux rangs un treillis de renforcement sur le lit de mortier. Coiffez le mur d'un rang de blocs de renforcement ; comblez de mortier la moitié de la cavité en U, couchez deux tiges d'armature dans le mortier, puis comblez le reste de la cavité. Raclez le surplus de mortier au fur et à mesure. Façonnez les joints quand le mortier est assez dur pour conserver l'empreinte du pouce.

Un poids de moins. Plutôt que de soulever un lourd sac de ciment ou de sable et de risquer de vous blesser, glissez une pelle à neige rectangulaire dessous et traînez-le derrière vous.

Auge de fortune. En plaçant deux briques ou du bois de rebut sous les coins d'un contreplaqué de 4 x 8 pi (1,20 x 2,40 m), vous disposerez d'une « auge » peu profonde dans laquelle vous pourrez gâcher de petites quantités de béton. Nettoyez le contreplaqué aussitôt le gâchage terminé. Il suffira de le retourner pour l'utiliser de nouveau.

Commencez à couler le béton dans le coin situé à l'extrême limite du coffrage. Tassez chaque coulée contre la précédente. Ne coulez pas le béton en tas épars ; il prendrait mal.

Prise rapide. Les enfants ont hâte d'essayer leur nouvelle balançoire ? Scellez les poteaux dans du béton à prise rapide et, quelques heures plus tard, les enfants s'amuseront ferme ! Clôtures, boîtes aux lettres et poteaux de signalisation peuvent aussi être scellés dans ce béton, sans étayage.

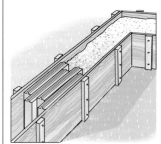

Stop ! Si vous devez interrompre un coulage, coincez des panneaux isolants dans le coffrage pour former un « barrage ». Décalez les panneaux les uns par rapport aux autres pour imprimer dans le béton des rainures qui renforceront le joint entre le béton frais et le béton durci.

Pour texturer un plancher de béton et le rendre moins glissant sous la pluie, saupoudrez le béton fraîchement coulé de sel gemme, puis incrustez les grains de sel avec un bouclier de façon qu'ils affleurent. En se dissolvant, les grains de sel laisseront de petites dépressions à la surface du béton.

Du béton a durci sur vos outils ? Chauffez-le avec une lampe à souder au propane. Comme le métal chauffe et se dilate plus vite que le béton, celui-ci devrait se détacher des outils après seulement quelques passes.

Gâchage et coulage du béton

À PRÉVOIR :

Pelle carrée et bâche	Binette et auge ou brouette
Mélangeur à béton	Grande boîte de jus vide
Pierre concassée de ½ po (12 mm), sable et ciment Portland	Planche
Mélange à béton	Tige pour agiter le béton
Eau	Règle

1 Si vous utilisez un mélangeur, mettez-le en marche, puis versez-y l'agrégat et la moitié de la quantité d'eau requise. Ajoutez ensuite le sable et le ciment à la pelle, puis juste assez d'eau pour obtenir un mélange homogène.

2 Si vous gâchez le béton à la main, mélangez les ingrédients secs. Faites ensuite un cratère et versez-y de l'eau. Avec une binette, mouillez le mélange peu à peu en le tirant d'un côté. Tirez-le ensuite du côté opposé ; au besoin, ajoutez de l'eau.

3 Vérifiez la consistance du mélange. Placez une boîte de métal sans fond sur une planche, remplissez-la de béton, agitez son contenu 25 fois et soulevez-la. Si le béton s'affaisse de plus de 3 po (7,5 cm), ajoutez du sable, puis revérifiez.

Formez les longues courbes avec des clins de 4 po (10 cm) au lieu du contreplaqué de ¼ po (6 mm) rainuré qu'on utilise d'ordinaire. Vous gagnerez du temps, car vous n'aurez ni à refendre ni à rainurer les coffrages. Vissez les clins à des piquets (1 x 4) tous les 3 pi (1 m) environ. Le haut des clins doit être au niveau de celui des autres coffrages.

Au lieu d'acheter des tubes Sonoco pour couler des piliers de béton, demandez à un marchand de tapis de vous donner de vieux cylindres de carton servant à enrouler les moquettes. Huilez-en l'intérieur pour faciliter le décoffrage.

À propos des racines. Lorsque vous creusez la tranchée dans laquelle sera coulée une semelle, utilisez une scie alternative munie d'une lame d'élagage pour sectionner les racines d'arbres résistantes. Ne coupez pas une racine plus grosse qu'un bras, sinon l'arbre pourrait mourir.

Quand vous commandez du béton qui doit être livré sur un chantier, majorez le volume estimatif d'environ 15 p. 100 et dites au fournisseur que vous l'informerez des quantités exactes le jour du coulage. Vous pourrez ainsi mesurer les coffrages et passer une commande plus réaliste.

Si le béton coule à travers les interstices des coffrages pendant que vous le nivelez, enlevez-le avec une pelle avant qu'il ne durcisse. Autrement, le décoffrage sera très laborieux.

Y a-t-il du béton en trop ? Coulez-le dans des couvercles de poubelles pour fabriquer des dalles. Huilez auparavant les couvercles pour faciliter le démoulage.

Coffrages et semelles

À PRÉVOIR :

Ruban à mesurer	Dame
Piquets de métal et ficelle	Béton
Pelle à bout carré	Fil de fer n° 8
Niveau	Règle à araser
Coffrages et piquets de bois	
Tiges d'armature	
Tournevis électrique et vis à bois galvanisées	

1 Délimitez la semelle – largeur du mur plus 4 po (10 cm) minimum – avec de la ficelle attachée à des piquets de métal. Creusez le sol à la profondeur utile, puis nivelez et damez la terre. Fichez les piquets des coffrages dans le sol.

2 Vissez un coffrage sur un piquet, mettez-le de niveau, puis vissez-le sur un autre piquet. Répétez pour les autres. Coulez le béton à mi-hauteur, damez-le avec une pelle et couchez-y deux tiges d'armature en liant les bouts avec du fil de fer n° 8.

3 Achevez le coulage du béton. Glissez un 2 x 4 sur les coffrages pour enlever le surplus de béton. Au besoin, enfoncez des tiges d'armature verticales dans le béton jusqu'au fond de la semelle, en prenant soin de les espacer également.

Balayage. Saupoudrez un plancher de béton ou de patio d'un peu de marc de café humide avant de le balayer. Le marc retiendra la poussière sur le plancher, vous évitant de la respirer.

Taches d'huile. Utilisez de la litière pour chat pour éponger les taches d'huile à moteur sur le béton. Étalez-la sur les taches, frottez-la légèrement avec une brique pour la pulvériser finement, puis balayez-la le lendemain.

Sectionnez les racines le long des dalles de béton au moins une fois durant l'été pour éviter que les dalles se soulèvent ou se fissurent. Enfoncez une bêche à une profondeur de 6-8 po (15-20 cm) le long des dalles, en veillant à ce que chaque fente chevauche la précédente.

Ça tiendra ! Avant de peindre un vieux plancher de béton, lavez-le avec du vinaigre blanc pur et laissez-le sécher complètement (il est inutile de le rincer). La peinture adhérera mieux.

Le mélange de ragréage est trop délayé si l'eau exsude quand vous le tassez dans un trou ou une fissure.

Bouche-porez les planchers de garage chaque année dans les aires de circulation intense pour contrer l'effritement du béton. Un bouche-pores maison composé d'huile de lin bouillie et de térébenthine (1:1) donne de bons résultats à un coût très raisonnable. Mettez-en deux couches à 24 heures d'intervalle.

À lire. Prenez le temps de lire les étiquettes des produits. Il s'y trouve souvent des conseils pour accélérer et faciliter les travaux.

Adhérence. Additionnez le mélange de béton d'un liant acrylique du commerce pour qu'il adhère mieux au vieux béton.

La rouille provoque la dilatation du métal des garde-corps et par conséquent l'effritement des surfaces de béton adjacentes. Par précaution, mettez de la pâte à calfeutrer à la jonction du métal et du béton.

Entretien et réparation du béton

À PRÉVOIR :

Lunettes de protection, masque anti-poussières et gants

Pâte à calfeutrer à base de ciment

Massette de maçon et burin

Béton de ragréage au latex

Truelle d'acier

Bouclier de bois

Brosse de maçon

Brosse métallique, brosse à récurer, nettoyeur haute pression ou aspirateur

Bouche-pores chimique pour béton

Massette et balai raide

Coffrage en bois

Liant au latex

1 Obturez les fissures de ⅛ po (3 mm) de profondeur ou moins avec une pâte à calfeutrer à base de ciment. Si les fissures sont plus profondes, détachez avec un burin étroit le béton qui tient mal sur les bords. Appliquez ensuite du béton de ragréage au latex dans les fissures à l'aide d'une truelle, puis lissez les réparations à la truelle ou au bouclier de bois.

2 Avec une brosse de maçon, appliquez du bouche-pores chimique pour contrer la formation de poussière. Nettoyez d'abord la dalle avec une brosse métallique, un nettoyeur haute pression ou un aspirateur ; utilisez un dégraissant au besoin. Laissez sécher. (Portez des lunettes de protection, un masque antipoussières et des gants.) Vous pouvez aussi meuler la partie faible du béton à la surface de la dalle.

Une fissure fine peut être obturée avec du mastic pour carrosserie. Mettez un gant de caoutchouc et utilisez un doigt pour appliquer le mastic dans la fissure.

Poignée coussinée. Avant d'utiliser un burin pour dégager du béton, logez sa poignée au centre d'une balle de caoutchouc mousse. À chaque coup de massette, la balle amortira les vibrations qui pourraient autrement vous causer des lésions au niveau des tendons du bras.

Pare-éclats. Avant de dégager du béton, passez la lame de votre ciseau à travers un morceau de moustiquaire pour ne pas être atteint au visage par des éclats de béton.

Il peut être coûteux de combler plusieurs gros trous avec du béton de ragréage commercial. Pour limiter les dépenses, utilisez du mortier ferme composé de ciment Portland et de sable (1:2,5). Versez le mortier dans chaque trou jusqu'à ¼ po (6 mm) du bord et comblez l'espace qui reste de béton de ragréage commercial.

Mince ! Si vous utilisez un produit de ragréage au latex pour combler un trou profond, superposez plusieurs couches minces et laissez sécher le produit après chacune. La réparation sera plus résistante.

Ayez les bords à l'œil. Vaporisez de l'eau sur les réparations faites avec un produit de ragréage au latex dès que les bords commencent à pâlir. Répétez jusqu'à la fin du délai de prise indiqué sur l'étiquette du produit.

Devez-vous obturer une longue fissure verticale ? Couvrez les trois premiers pieds (1 m) de ruban séparateur. Insérez ensuite un entonnoir dans la fissure au-dessus du ruban ; versez-y un mortier liquide composé de ciment Portland et de sable de maçonnerie (1:2). Attendez quatre heures, puis passez aux 3 pi (1 m) suivants.

Utilisez une truelle d'acier pour obtenir un fini très lisse et un bouclier de bois pour obtenir un fini rugueux.

3 Si la dalle est effritée, cassez tout le béton qui tient mal à petits coups de massette (le béton fragilisé produit un son creux quand on le cogne). Frottez la surface avec une brosse métallique, rincez-la à l'eau et laissez-la sécher. Appliquez ensuite du béton de ragréage au latex, puis lissez la réparation avec une truelle d'acier ou un bouclier de bois.

4 Pour réparer une marche, brisez le béton qui tient mal et équarrissez les bords (burin et massette). Posez un coffrage, en le mettant de niveau par rapport à la marche. Humectez le béton et appliquez un liant au latex avec une brosse. Coulez du béton de ragréage au latex dans le coffrage. Lissez la réparation avec un bouclier de bois ; passez ensuite un balai raide dessus pour rendre le béton rugueux.

5 Pour consolider un garde-corps branlant qui est scellé ou retenu par un ancrage, creusez d'abord le béton dans un rayon de 1 po (2,5 cm) autour du poteau et sur une profondeur d'environ 2 po (5 cm) à l'aide d'un burin et d'une massette. Nettoyez la surface avec un aspirateur, puis humectez-la. Comblez le trou de béton de ragréage et lissez la réparation avec une truelle ou un bouclier de bois.

Sécurité. N'utilisez que des carreaux non vernissés ou texturés et antidérapants pour finir les planchers extérieurs. La surface lustrée des carreaux vernissés est attrayante, mais elle devient glissante à l'état humide.

Sur le chant ! Pour réduire les risques de casse, entreposez les carreaux d'ardoise à la verticale durant les travaux de resurfaçage. Des carreaux d'ardoise empilés pourraient se briser sous leur propre poids.

Avant de resurfacer une dalle de béton, faites rouler un long tuyau dessus pour savoir si elle est de niveau. Voyez si la lumière passe sous le tuyau pendant que vous le roulez ; repérez les dépressions avec de la craie, puis comblez-les.

Pratico pratique. Tenez compte de la commodité d'utilisation du patio dont vous planifiez l'aménagement. Il est plus facile de glisser des chaises sur des carreaux de carrière, dont les bords sont équarris, que sur des pavés, dont les bords sont arrondis.

Bas prix, même qualité. En achetant des carreaux « de second choix », vous pourrez créer un patio original et réaliser des économies substantielles. Même si ces carreaux sont vendus à très bas prix, d'ordinaire, seule leur finition présente de légères imperfections.

Comblez-vous des dépressions avec du mortier autolissant au latex ? Progressez du centre vers l'extérieur. La réparation se lissera d'elle-même, mais vous pourrez lisser les bords à la truelle si vous le désirez.

Dissimulez les taches d'une surface de béton sous un décor de peinture pour maçonnerie. Trempez le pinceau dans la peinture de la couleur de votre choix, puis cognez le manche du pinceau contre un bâton juste au-dessus des taches.

Ragréage d'un patio

À PRÉVOIR :

Lunettes de protection et gants
Nettoyeur haute pression et dégraissant
Pâte à calfeutrer au ciment et burin
Truelle et béton de ragréage au latex
Bouclier éponge
Ruban à mesurer, ficelle et cordeau
Carreaux ou autres produits de finition
Additif au latex ou eau
Auge et binette pour gâcher le mortier
Mortier souple résistant au gel
Truelle brettée (évidements de ¼ po [6 mm] de largeur sur ⅜ po [9 mm])
Maillet de caoutchouc et longue règle
Scie à eau, grosse éponge et seau
Coulis au sable et bouclier caoutchouc

1 À l'aide d'un nettoyeur haute pression, éliminez toute trace de saleté de la dalle du patio. Enlevez les taches d'huile ou de graisse avec un dégraissant. Obturez les petites fissures avec de la pâte à calfeutrer à base de ciment ; préparez les fissures larges avec un burin et une massette, puis obturez-les avec du béton de ragréage au latex, appliqué à la truelle. Lissez les réparations avec un bouclier éponge.

2 Repérez le centre de la dalle : tendez deux ficelles entre les coins et faites une marque là où elles se croisent. À l'aide d'un cordeau, tracez une ligne parallèle à la maison et une autre perpendiculaire à la première, en passant chaque fois par le centre de la dalle. Vérifiez votre motif en posant les carreaux à sec à partir des lignes. Espacez-les de ⅜-½ po (9-12 mm) pour tenir compte des joints.

Empilez les dalles d'ardoise aux formes irrégulières selon leurs dimensions avant de les mettre en place. Répartissez d'abord également les plus larges sur la surface. Posez ensuite de la même façon des dalles de plus en plus petites. L'équilibre des dimensions sera ainsi assuré.

Pour former des joints uniformes entre les éléments des dallages, utilisez des espaceurs fabriqués avec des baguettes de bois de l'épaisseur voulue. Une fois l'élément en place, retirez le jeu d'espaceurs et utilisez-le pour l'élément suivant.

Enlèvement du coulis. Pour enlever le coulis vieilli ou taché, utilisez un clou de 10d enfoncé à travers un goujon. Il suffit ensuite de traîner la pointe du clou le long des joints. Remplacez le clou s'il vient à se tordre en cours d'utilisation.

Béton en fleurs. Si vous disposez de quelques blocs de béton inutilisés, transformez-les en jardinières de patio. Orientez les cavités vers le haut, mettez-y de la terre où vous planterez des fleurs.

Placez des bougies parfumées dans des pots de terre cuite et utilisez-les pour éclairer à peu de frais le patio ou une allée adjacente. Ne laissez jamais les bougies brûler sans surveillance.

SÛR ET SENSÉ

➤ Si vous louez une scie à eau pour tailler des pierres, effectuez toutes les coupes d'un coup, puis rapportez promptement la scie au locateur pour réduire vos frais.

➤ Si vous devez poser un garde-corps sur un patio, placez un petit bocal de verre à l'endroit où chaque poteau sera fixé au sol. Laissez prendre le ciment, puis brisez les bocaux et boulonnez les fixations des poteaux dans les empreintes laissées dans le ciment.

➤ Avant d'utiliser un nettoyeur haute pression, couvrez les prises électriques, les arbustes et les plantes de toiles de plastique assujetties par du ruban séparateur.

➤ Mettez des lunettes de protection et des vêtements imperméables avant d'utiliser un nettoyeur haute pression. Déplacez le jet d'eau constamment et dirigez-le *uniquement* vers la surface à nettoyer.

3 Délayez dans de l'eau ou un additif au latex du mortier souple d'extérieur résistant aux cycles de gel et de dégel. Étalez-le sur un quadrant à la fois, jusqu'aux lignes tracées au cordeau, puis scarifiez-le uniformément à l'aide d'une truelle brettée.

4 Assoyez les carreaux dans le lit de mortier, en les cognant chacun légèrement avec un maillet de caoutchouc. Placez une longue règle en travers des carreaux pour vous assurer qu'ils sont bien de niveau. Enlevez le surplus de mortier qui flue des joints à mesure que vous progressez vers les bords. Au besoin, tracez des lignes de coupe sur les tuiles et sciez-les avec une scie à eau.

5 Ne circulez pas sur les carreaux pendant la pose et pas avant 48 heures par la suite. Bourrez les joints de coulis au sable, en diagonale, avec un bouclier caoutchouté tenu de biais. Nettoyez les carreaux avec une éponge humide quand le coulis est pris.

⚠ Les joints résisteront aux taches si vous utilisez du coulis époxyde ou un additif.

Travail de détective. Le stucco est-il fissuré ou effrité ? En l'examinant de près à l'aide d'une loupe à fort grossissement, vous pourriez trouver des indices sur la cause des dommages. Ainsi, la présence de cristaux de sel dans la masse du stucco indique que l'humidité de l'intérieur de la maison traverse les murs (vers l'extérieur). S'il n'y a pas de cristaux, les dommages ont probablement été causés par le gel – et l'humidité – à l'extérieur.

Ne réparez pas les fissures fines. Elles sont en général sans conséquence, et la réparation est souvent plus visible que la fissure !

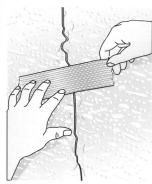

Une longue fissure dans un mur peut indiquer que le sol se tasse sous les fondations. Fixez du ruban séparateur en travers avec de l'adhésif époxyde et examinez-le tous les deux mois par la suite. Si le ruban se déchire ou se tord, la maçonnerie travaille. Faites-la inspecter par un spécialiste.

Bêtes à plumes. Réparez sans tarder le stucco qui présente des fissures larges pour parer aux dommages que peuvent causer les oiseaux : les insectes se cachent souvent dans les fissures et un pic qui a faim ne fera pas la différence entre un arbre et la maison !

Réparation rapide. Il est facile d'obturer les fissures étroites avec du stucco préparé ou de la pâte à calfeutrer pour stucco, qui permet de créer un joint souple entre les surfaces disjointes. Nettoyez la fissure. À l'aide d'un burin, détachez ensuite le stucco qui tient mal et élargissez le fond de la fissure pour que le produit d'obturation tienne mieux, puis procédez à la réparation. Si vous utilisez du stucco préparé, lissez la réparation avec un couteau à mastic.

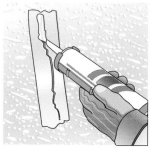

Recouvrez les fissures de ruban-cache avant de les obturer avec de la pâte à calfeutrer : vous éviterez ainsi de salir les surfaces voisines. Incisez le ruban-cache pour pouvoir injecter la pâte et ôtez-le avant que celle-ci ne prenne.

Coloration. Si le stucco de la couche de finition doit être coloré avec des pigments secs, additionnez-le de ciment blanc. Si le mur doit être peint, utilisez du ciment gris. Mélangez le stucco et les pigments à sec avant de les délayer.

Réparation du stucco

À PRÉVOIR :

Gants de travail et lunettes de protection
Burin et marteau
Latte métallique et cisailles
Balai ou aspirateur d'atelier
Brosse métallique
Tuyau d'arrosage muni d'un ajutage
Stucco préparé
Auge ou brouette
Truelle d'acier
Scarificateur ou outil semblable
Bois (pour fabriquer une règle à araser)
Bouclier de bois ou bouclier éponge
Ciment de maçonnerie, sable et eau
Pigments secs et brosse de maçon
Brosse raide à poils longs

1 Enlevez le stucco qui tient mal avec un burin et un marteau (portez des lunettes de protection). S'il y a de la latte métallique, remplacez toute partie endommagée. Éliminez les débris avec un aspirateur ou un jet d'air, puis humectez le mur avant d'appliquer la couche préliminaire. Si la base est en maçonnerie, nettoyez-la avec une brosse métallique et humectez-la avant d'appliquer le stucco.

2 Appliquez la couche préliminaire avec une truelle d'acier (en haut), en exerçant une pression suffisante pour asseoir le stucco sous les mailles et l'en faire saillir à environ ½ po (12 mm) du parement fini. Attendez 30 minutes environ, puis scarifiez le stucco (en bas) sur ⅛ po (3 mm) de profondeur. Laissez la couche préliminaire prendre durant 24 heures en l'humectant toutes les 4 à 6 heures.

Utilisation des pigments.
Lorsque vous utilisez des pigments pour reproduire la couleur d'un vieux stucco, laissez sécher complètement les échantillons avant de juger du résultat. Les couleurs peuvent pâlir de 70 p. 100 durant le séchage.

Limite de temps. Ne mélangez que la quantité de stucco que vous pensez pouvoir appliquer en une heure. Pour que le stucco demeure malléable plus longtemps, agitez-le toutes les 10 minutes. Jetez-le dès qu'il commence à prendre dans le seau.

Ajout de chaux. Lorsque vous préparez le stucco de la couche de finition, ajoutez environ 4 tasses de chaux hydratée à chaque gâchée de 4 gal (18 litres). La chaux rend le stucco plus plastique et facilite sa mise en place.

Peinture. Peignez le stucco avec de la peinture acrylique ou de la peinture d'extérieur pour maçonnerie. Appliquez un apprêt si le fabricant du produit le recommande. Attendez quatre semaines avant de peindre du stucco fraîchement appliqué.

Coins. Il vous sera plus facile de façonner un coin d'équerre si vous clouez un 1 x 2 sur le mur perpendiculaire à celui que vous recouvrez de stucco puis si vous achevez le coin en clouant le 1 x 2 sur l'autre mur.

La scarification de la couche préliminaire assure une meilleure liaison entre cette couche et les couches suivantes. Vous pouvez fabriquer un scarificateur en enfonçant des clous de 3d dans un tronçon de 1 x 2 de 1 pi (30 cm) de longueur. Cela vous coûtera moins cher que de louer ou d'acheter un scarificateur et vous mettrez beaucoup moins de temps pour scarifier le stucco en utilisant cet outil plutôt qu'une truelle.

Ne bouche-porez pas le stucco. Le bouche-pores emprisonnerait l'humidité en l'empêchant de s'évaporer. À la longue, l'humidité causerait l'effritement du stucco, qui serait alors plus difficile à réparer.

Un reste de latte métallique, à mailles de 2 po (5 cm) de côté, peut servir à fabriquer un panier cylindrique destiné au rangement d'affiches ou de dessins d'enfants. Coiffez le panier d'un couvercle de poubelle pour le stabiliser et couvrir les bords tranchants.

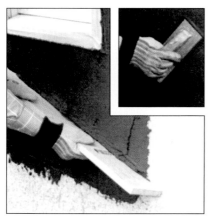

3 Appliquez la couche intermédiaire à la truelle, puis nivelez-la avec une règle à araser d'un mouvement de va-et-vient ascendant, sur toute la largeur de la réparation. Effectuez le lissage avec un bouclier de bois. Humectez la réparation régulièrement par la suite de façon qu'elle demeure humide durant deux jours et veillez à ce qu'elle ne soit pas directement exposée au soleil.

4 Pour réaliser la couche de finition, mélangez 2½ parties de ciment de maçonnerie, 3½ parties de sable et juste assez d'eau pour obtenir une pâte onctueuse. Reproduisez la couleur du vieux stucco humide en ajoutant des pigments secs au mélange ; faites d'abord un essai. Humectez la couche intermédiaire, puis appliquez la couche de finition (⅛ po [3 mm] d'épaisseur) avec une brosse de maçon.

5 Texturez la réparation en projetant du stucco à sa surface au moyen d'une brosse raide à poils longs. Faites-vous d'abord la main sur une planche de rebut. Passez ensuite une truelle d'acier sur la réparation pour aplatir les pics de manière à reproduire la texture du vieux stucco (n'exercez qu'une légère pression).

Sous la surface. Avant de réparer une allée, voyez si elle est bien drainée et si la couche de fondation est stable. Si vous ne remédiez pas aux défauts sous-jacents, vous devrez reprendre sans cesse la réparation.

Moment propice. Appliquez un enduit étanche quand le temps est sec et qu'il n'y a pas apparence de pluie, par une température supérieure à 10 °C/50 °F (jour et nuit). L'enduit séchera prématurément s'il fait trop chaud.

Nettoyage éclair. Pourquoi ne pas balayer et laver l'allée d'un seul coup avant d'appliquer un enduit étanche ? Fixez un tuyau d'arrosage au manche de votre balai-brosse et orientez l'ajutage de façon à diriger le jet d'eau devant les poils.

Pour éliminer les taches d'huile rebelles, saupoudrez-les de détergent fort en granules, mouillez-les d'eau chaude, puis frottez-les avec une brosse dure. Attendez une heure ; rincez à l'eau.

Tout surplus d'enduit étanche rendra l'asphalte glissant. Une seconde couche peut donc être nuisible.

Placez des sacs de plastique par-dessus vos bottes avant d'appliquer un enduit étanche. La plupart des enduits contiennent du goudron ou une émulsion de bitume, deux substances que vous ne pourrez enlever si elles viennent à adhérer à vos bottes.

Réduction des dépenses. Si une fissure dans l'asphalte a plus de ½ po (1 cm) de profondeur, comblez-la aux trois quarts de sable en le damant à mesure que vous le versez dans la fissure. Étalez ensuite du bitume fluide ou de l'asphalte « à froid » sur le sable.

Écaillage. La plupart des spécialistes vous déconseilleront d'appliquer un enduit étanche chaque année. L'enduit s'écaillera si vous en appliquez un trop grand nombre de couches.

Obturation des fissures d'une allée d'asphalte

À PRÉVOIR :

Balai	Pistolet à calfeutrer
Tuyau d'arrosage et ajutage	Truelle langue-de-chat
Gants de caoutchouc et gants de travail	Enduit étanche acrylique pour asphalte
Détergent et dégraissant	Balai-racloir jetable
Seau et brosse à récurer	Bouche-fissures
Apprêt (s'il y avait des taches d'huile ou de graisse)	

1 Nettoyez l'allée avec un nettoyeur haute pression ou un balai et un tuyau d'arrosage. Éliminez les taches d'huile ou de graisse avec du détergent et du dégraissant. Laissez sécher. Appliquez un apprêt sur les surfaces que vous avez détachées.

2 Bourrez les fissures de produit bouche-fissures à l'aide d'un pistolet à calfeutrer ou d'une truelle langue-de-chat. Le produit doit déborder des fissures. Arasez et lissez les réparations avec une truelle.

3 Faites pénétrer l'enduit étanche dans un sens avec les poils du balai-racloir, puis lissez-le avec le racloir (placé à 90°). Au besoin, effectuez une seconde application dans les 24 à 48 heures. Attendez deux jours avant de circuler sur l'allée.

Bouche-fissures en ruban.
Devez-vous réparer cons-
tamment la même fissure ?
Recouvrez-la d'un bouche-
fissures sous forme d'un
ruban de polypropylène
autocollant imprégné de
bitume. Nettoyez l'asphalte
autour de la fissure et
mettez le ruban en place
comme s'il s'agissait d'un
gros pansement.

À froid. Si l'asphalte « à
froid » est grumeleux, c'est
qu'il est trop froid. Transportez le sac dans la maison et
laissez le produit se réchauffer jusqu'au jour suivant
avant d'amorcer toute réparation. Placez le sac sur une
toile de plastique ou une
vieille serviette pour empêcher le produit de se répandre sur le plancher en cas
de fuite.

Les poches d'air qui se
forment dans la masse de
l'asphalte « à froid » peuvent
affaiblir la réparation. Après
avoir damé chaque couche
du produit, piquez-la avec la
pointe de la truelle pour éliminer les poches d'air.

À chaud. Pour qu'une
réparation soit plus durable,
damez chaque couche
d'asphalte « à froid », puis
chauffez-la à basse température avec un pistolet à air
chaud.

Si un trou a plus de 4 po
(10 cm) de profondeur,
mettez-y 4 po (10 cm) de
gravier, puis damez avec un
4 x 4. Couvrez d'une couche
d'asphalte « à froid », puis
damez celle-ci pour lui donner 2 po (5 cm) d'épaisseur.

Plus de prise. Un 4 x 4
servant à damer l'asphalte
« à froid » sera plus facile à
manipuler si vous vissez des
poignées de porte sur deux
faces opposées.

Saupoudrez de sable le
bouche-fissures fraîchement
appliqué pour l'empêcher
d'adhérer aux pneus.

Nettoyage. Servez-vous
d'essence minérale pour
nettoyer vos outils après le
travail. Vous arriverez parfois
à éliminer les taches de
bitume frais sur les gants et
les vêtements avec de l'eau
chaude savonneuse.

Attendez un an avant
d'appliquer un enduit étanche sur une allée où un trou
a été comblé avec de l'asphalte « à froid ».

Remplissage des trous d'une allée

À PRÉVOIR :

Gants de travail et lunettes de sécurité

Burin et massette

Dame

Asphalte « à froid » (sacs de 60 lb [27 kg])

Truelle ou pelle à main

Sable ou morceau de contreplaqué de rebut

Automobile

1 Enlevez
l'asphalte des
trous à l'aide
d'un burin et d'une
massette. Creusez
la paroi sous les
bords pour empê-
cher la réparation
de ressortir. Creu-
sez le fond des
trous sur 2-3 po
(5-7,5 cm) de
profondeur, puis
damez.

2 Comblez
chaque trou
à demi d'as-
phalte « à froid »,
puis nivelez et
damez celui-ci.
Remettez de l'as-
phalte, puis nivelez-
le et damez-le
jusqu'à ce que la
réparation saille
d'environ ½ po
(1 cm).

3 Recouvrez la
réparation de
sable ou d'un
morceau de contre-
plaqué. Passez plu-
sieurs fois dessus
en voiture pour la
damer ; ajoutez de
l'asphalte « à froid »
au besoin : la répa-
ration doit être au
niveau de l'allée ou
légèrement saillante.

PELOUSE ET JARDIN

Degré de difficulté des travaux : | Faible || Moyen ||| Élevé

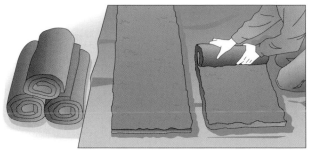

Mieux vaut poser les plaques de gazon moins de 24 heures après qu'elles ont été découpées. S'il vous faut les entreposer plus de deux jours, déroulez-les dès leur réception, placez-les à l'ombre sur un pavage ou des toiles de plastique, gazon vers le haut, et arrosez-les régulièrement.

Rapiécez-vous le gazon ?
Pour que la pièce soit bien ajustée, utilisez la plaque abîmée en guise de gabarit.

Pour distribuer uniformément la semence ou encore l'engrais, utilisez un semoir ou un épandeur. Effectuez des passes perpendiculaires. Fixez le débit à la moitié du débit recommandé, puis allez et venez sur toute la surface du terrain, dans un sens d'abord, puis dans l'autre.

Aération. L'air et l'eau circuleront davantage dans le sol si vous aérez la pelouse au printemps. Marcher sur la pelouse en chaussures à crampons vous fera faire de l'exercice, mais ce n'est pas une technique d'aération très efficace ! Pour aérer la pelouse en profondeur, louez un aérateur mécanique.

Fertilisation. Donnez de l'engrais au gazon seulement deux fois par année. Utilisez un engrais favorisant la croissance aérienne au printemps et un engrais favorisant la croissance racinaire à l'automne. Les engrais à libération progressive assurent un apport régulier en éléments nutritifs ; la surfertilisation et les engrais à libération rapide riches en azote stimulent la croissance aérienne aux dépens de la santé des racines profondes.

Placez une bordure plate entre les plates-bandes et la pelouse. La tondeuse roulera dessus et vous n'aurez pas à tailler le gazon à la main.

En additionnant l'engrais de farine, vous pourrez aisément repérer les surfaces qui n'en ont pas reçu.

Placage

À PRÉVOIR :

Gazon en plaques

Planche

Râteau ou rouleau à gazon

Sable et compost (terreautage)

Arrosoir ou arroseur

Piquet, ficelle, entonnoir et sable

Tranche-gazon

1 Posez la première plaque de gazon le long d'un bord droit. Aboutez-y la plaque suivante. Mettez une planche sur les plaques du premier rang et agenouillez-vous dessus pour poser le second rang. Formez des joints en quinconce.

2 Une fois le placage achevé, damez les plaques avec l'envers de la tête d'un râteau ou un rouleau à gazon léger. Terreautez les plaques pour combler les joints. Veillez à ce que le gazon demeure humide jusqu'à ce qu'il soit bien enraciné.

3 Courbe : nouez une ficelle à un piquet fiché dans le sol ou à l'arbre dont vous devez faire le tour. Nouez la ficelle à un entonnoir, tendez-la et tracez la courbe après avoir versé du sable dans l'entonnoir. Découpez la courbe avec un tranche-gazon.

Choisissez une semence convenant aux caractéristiques du terrain (ensoleillement, terre, etc.) et au climat qui prévaut dans votre région. Les jardineries vendent souvent des mélanges de semences préparés à la demande en fonction des besoins locaux.

Pour que les bords de la pelouse soient bien droits, taillez-les à la pose à l'aide d'un couteau à découper bien affûté et d'une moulure en bois en guise de guide. Glissez ensuite la lame du couteau sous le gazon, côté plat vers le haut, et coupez les racines. Vous obtiendrez un bon résultat avec une moulure de plastique souple lestée de pierres pour tailler un bord courbe.

Utilisez un pot à café, avec deux couvercles de plastique, en guise de semoir pour réparer les zones dénudées. Percez dans un des couvercles des trous suffisamment grands pour laisser passer la semence ; fixez le second couvercle intact sous le pot. Une fois les semis terminés, permutez les couvercles pour fermer le pot hermétiquement et ainsi assurer la conservation de la semence qui reste.

La racine du mal. Pour éliminer la racine principale d'un pissenlit, mouillez le sol autour de la plante, puis poussez les feuilles d'un côté et plongez un transplantoir ou un arrache-pissenlits verticalement dans la terre aussi près que possible de la tige. Abaissez ensuite le manche de l'outil pour arracher le pissenlit et sa racine en faisant levier.

Arrosage. Le gazon doit recevoir environ 1 po (2,5 cm) d'eau par semaine. Pour mesurer la quantité d'eau fournie, tracez une ligne à 1 po (2,5 cm) du fond de quelques vieux verres et placez ceux-ci près de l'arroseur.

Moment choisi. Arrosez le gazon tôt le matin de façon qu'il sèche avant l'aube ; un gazon qui demeure humide durant la nuit est un milieu propice aux maladies. N'effectuez aucun arrosage le midi : trop d'eau s'évaporerait avant même de pénétrer dans le sol.

Hôtes indésirables. Pour éliminer les larves du scarabée japonais qui infestent la pelouse, laissez le gazon sécher entre les arrosages durant l'été et augmentez le pH de la terre en chaulant le terrain à l'automne ou au printemps. Ainsi la pelouse sera moins invitante pour les larves, qui préfèrent une terre acide et humide.

Réparation d'une zone dénudée

À PRÉVOIR :

Binette

Engrais pour gazon

Râteau

Arrosoir

Semences de gazon

Terre végétale

Paille ou filet à mailles fines et piquets

1 Arrachez et enlevez le gazon mort, les mauvaises herbes et les débris ; la zone doit être uniformément dénudée. Ameublissez la terre sur 3 po (7,5 cm) de profondeur, en prenant soin de ne pas endommager le gazon tout autour.

2 Épandez un peu d'engrais à la volée et incorporez-le à la terre avec un râteau. Nivelez et mouillez la terre. Semez du gazon, puis recouvrez la semence d'une mince couche de terre végétale. Tassez légèrement avec la tête d'un râteau.

3 Étalez une mince couche de paille sur le sol pour protéger la semence pendant la germination. Vous pouvez aussi tendre un filet au-dessus de la zone dénudée et l'assujettir avec des piquets. Arrosez légèrement chaque jour par la suite.

Observez les mauvaises herbes pour connaître la composition du sol. Le pissenlit, la chicorée et la renoncule rampante préfèrent une terre argileuse ; la verge d'or, l'oseille et la renouée, le sable. Le mouron blanc et le chénopode blanc (chou gras) aiment les sols limoneux.

Texture. Trois éléments déterminent la texture de la terre : le sable, le limon et l'argile. Pour réaliser une analyse de texture, placez une tasse de terre dans un pot et remplissez celui-ci d'eau. Laissez les éléments se déposer en strates au fond du pot : le sable se trouvera au fond, le limon au centre et l'argile sur le dessus. L'épaisseur des strates révèle dans quelle proportion chaque élément est présent dans votre sol.

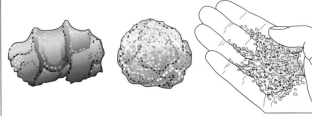

Pressez une poignée de terre humide dans une main. La terre argileuse formera une masse collante et le limon, une boule spongieuse ; la terre sablonneuse restera friable.

Les matières organiques comme le compost, le fumier et les feuilles mortes peuvent fort bien servir à corriger la texture de la terre. Elles ameublissent et allègent l'argile et favorisent la rétention des éléments nutritifs et de l'eau dans le sable. Mettez-en une bonne quantité dans les trous de plantation (jusqu'à 25 p. 100 du volume) et étalez-en 1 po (2,5 cm) sur les plates-bandes chaque année.

Potentiel hydrogène (pH). Utilisez une trousse vendue en jardinerie pour vérifier le pH (degré d'acidité ou d'alcalinité) de la terre. Si la terre est acide, chaulez-la ; si elle est alcaline, soufrez-la. Une terre lourde demande plus de chaux ou de soufre qu'une terre sablonneuse.

Si les fleurs de vos hydrangées sont bleues, la terre est acide ; si elles sont roses, la terre est alcaline.

La terre que l'on retourne en profondeur (6-12 po [15-30 cm]) devient meuble et aérée ; elle constitue alors un milieu propice à l'action des microorganismes qui décomposent la matière organique, la transformant en éléments nutritifs.

Tamis. Un simple panier de plastique conçu pour transporter les contenants de lait se prête à merveille au tamisage de la terre. La terre passe dans les ouvertures, mais pas les racines ni les pierres.

Préparation d'une plate-bande

À PRÉVOIR :

Tronçons de tuyau d'arrosage ou piquets et cordeau

Bêche

Bâche de plastique

Compost ou autre matière organique

Engrais complet

Fourche à bêcher

Pelle

Râteau

1 Délimitez la plate-bande. Formez les courbes avec un tuyau d'arrosage. Pour obtenir des bords droits, fichez des piquets dans le sol et tendez un cordeau entre eux.

❗ Si le tuyau d'arrosage est trop raide pour être courbé, exposez-le au soleil pour l'assouplir.

2 Découpez le gazon le long du cordeau ou du tuyau avec une bêche. Retirez ensuite le tuyau ou le cordeau et les piquets. Pour sectionner les racines du gazon, plongez la bêche le plus parallèlement possible au sol pour la glisser sous le gazon. Enlevez tout le gazon par plaques.

Comptez les lombrics !
Il peut être nécessaire d'amender la terre là où il se trouve moins de 6 à 10 lombrics au pied carré (0,09 m²). Faites d'abord analyser votre sol. Utilisez un engrais simple (un élément nutritif majeur) ou un engrais complet (trois éléments nutritifs majeurs : azote, phosphore, potasse), selon les résultats d'analyse.

Entretien. Planifiez-vous la création d'une vaste plate-bande ? Veillez à inclure des allées d'entretien dans votre plan. En aménageant d'un bout à l'autre de la plate-bande des rangs de briques doubles espacés de 4 pi (1,20 m), vous pourrez effectuer les travaux d'entretien sans écraser vos plantes. Placez les briques dans le sens de la longueur.

Drainage. La plupart des plantes doivent être placées dans un sol bien drainé pour protéger leurs racines du pourrissement. Pour vérifier le drainage, percez plusieurs trous de 1 pi (30 cm) de profondeur sur 2 pi (60 cm) de large dans la terre sèche ; remplissez-les d'eau et notez le délai de drainage. Un délai de 30 à 60 minutes est idéal. Pour améliorer le drainage, ajoutez de la matière organique ou créez une plate-bande surélevée.

L'eau bouillante est un herbicide efficace. Utilisez une bouilloire pour la verser sur les mauvaises herbes qui poussent dans des fissures.

Avant d'empoter une plante, placez un morceau de moustiquaire fine au-dessus du trou de drainage. Ainsi la terre ne s'échappera pas du pot.

Qui s'y frotte... Des plantes urticantes telles que le sumac vénéneux (herbe à la puce) ont-elles envahi votre jardin ? Avant d'en arracher une, glissez la main et le bras dans un sac à ordures en plastique. Une fois la plante arrachée, rabattez le sac sur elle de votre main libre, en évitant de la toucher en quelque partie que ce soit. Fermez ensuite le sac hermétiquement et mettez-le à la poubelle.

Ne travaillez pas la terre mouillée et ne marchez pas dessus, sinon elle se tassera davantage. Placez des planches ou des dalles dans les zones humides où vous devez circuler. La terre peut être travaillée si une poignée prélevée à environ 3 po (7,5 cm) de profondeur forme une motte friable.

3 Préparez la plate-bande à recevoir les semis. Pour ce faire, ramassez la terre végétale à la pelle et déposez-la sur une bâche placée à côté de la plate-bande. Incorporez ensuite du compost et de l'engrais à la terre végétale.

4 Ameublissez le lit de terre avec une fourche à bêcher sur une profondeur égale à la longueur des dents de l'outil. Brisez les mottes. Enlevez pierres, mauvaises herbes et racines.

! **Tenez-vous droit et enfoncez la fourche verticalement dans le sol avec le pied, puis reculez et abaissez le manche vers vous.**

5 Étalez une généreuse couche de compost sur la plate-bande. Retournez le compost et la terre avec une fourche de façon à bien les mélanger. À l'aide d'une pelle, étendez ensuite la terre végétale amendée. Défaites ensuite les petites mottes et nivelez la terre au râteau.

Les graines de certaines annuelles (muflier, impatiente, sauge écarlate, etc.) ont besoin de lumière pour germer. Après les avoir semées, enfoncez les légèrement dans le sol, mais ne les couvrez pas de terre.

Sédentaires. Le pavot et le pied-d'alouette font partie des annuelles qui n'aiment pas le repiquage. Semez-les à l'extérieur, sinon à l'intérieur, dans des moitiés de coquilles d'œufs propres; plantez ensuite les coquilles dans la plate-bande.

Pour semer de petites graines, mettez-les dans un plateau; faites tremper une ficelle de coton dans de l'eau et déposez-la dans le plateau. Couchez ensuite la ficelle avec les graines qui y ont adhéré dans le sol.

Avant de semer de très petites graines (pétunia, bégonia cireux, etc.), mélangez-les à un peu de sable propre. Le sable les rendra faciles à manipuler et à repérer une fois plantées.

Savoir choisir. Achetez des annuelles qui ont entre 2 et 4 po (5-10 cm) de haut. Les plantules de 6 po (15 cm) ont une tige trop longue et trop faible, et celles qui font moins de 2 po (5 cm) vont pousser lentement.

Achetez vos annuelles dans les 30 jours suivant la date à laquelle elles ont été livrées à la pépinière, en avril ou en mai d'ordinaire. Plus vous attendez, plus vous risquez d'acheter des plants malades.

Indépendantes... Plantez des annuelles qui se ressèment (cosmos, pavot de Californie, gaillarde, etc.). Un an plus tard, voyez s'il se trouve des semis spontanés près de l'endroit où vous les avez plantées. Laissez-les pousser sur place ou bien transplantez-les.

Pour accélérer le repiquage, creusez les trous avec un plantoir à bulbes. Tournez le plantoir de gauche à droite à quelques reprises de façon à creuser un trou de 2 po (5 cm) de profondeur; mettez la plantule dans le trou; secouez le plantoir pour faire tomber la terre qu'il contient autour de la tige; tassez la terre.

Ne donnez pas de fumier aux annuelles: le feuillage se développerait aux dépens des fleurs.

Semis d'annuelles à l'extérieur

À PRÉVOIR :

Fourche à bêcher

Compost ou autre matière organique

Engrais complet

Râteau

Chaux ou sable, ou piquets et cordeau

Graines d'annuelles

Étiquettes

Arrosoir ou tuyau d'arrosage

1 Préparez une nouvelle plate-bande (voir p. 272) ou retournez et ameublissez la terre d'une plate-bande déjà aménagée à l'aide d'une fourche. Amendez votre sol en y ajoutant du compost ou d'autres substances organiques. Épandez de l'engrais à la volée en respectant les quantités recommandées. Défaites la terre au râteau et nivelez-la.

2 Pour créer une mosaïque de fleurs, délimitez des zones de plantation. Tracez des formes libres en saupoudrant la terre de chaux ou de sable ou bien utilisez des piquets et un cordeau pour créer des massifs aux formes géométriques. Semez un type de graine différent dans chaque zone. Respectez les intervalles de plantation recommandés ou semez les graines à la volée.

Légère différence.
Pour planter un assortiment d'annuelles dans un bac volumineux, placez une couche de billes en mousse expansée ou un pot à fleurs (en plastique) renversé au fond du bac. Vous utiliserez moins de terre, et le bac sera ainsi moins lourd.

Donnez de l'engrais
complet pauvre en azote (5-10-10 par exemple) aux annuelles lorsque vous les plantez. Au besoin, utilisez de l'engrais liquide complet dilué à la mi-saison.

Dorlotez-les ! Repiquez les annuelles par temps nuageux ou tôt le soir afin de les protéger des rayons ardents du soleil. Arrosez-les deux heures auparavant pour que la terre colle aux racines. Mouillez de nouveau les racines après le repiquage. Vous diminuerez ainsi le choc de la transplantation.

Après avoir repiqué les annuelles, pincez le bout de chaque tige au-dessus d'une feuille ou d'un groupe de feuilles. Cela retardera la floraison, mais favorisera la croissance de tiges et de racines vigoureuses. Répétez par la suite à l'occasion pour contrer la pousse de tiges faibles.

Fleurs coupées. Maintes annuelles, dont la centaurée bleue et le zinnia, se prêtent fort bien à la création de bouquets. Coupez les tiges tôt le matin ou le soir avec un couteau bien affilé et plongez-les sans tarder dans un seau d'eau tiède. Avant de faire un bouquet, recoupez le bout des tiges de biais sous l'eau. Enlevez toutes les feuilles qui seraient immergées dans l'eau une fois le bouquet en pot.

Supprimez les fleurs fanées pour empêcher les annuelles de grener. Le jardin aura plus belle apparence et la plante produira d'autres fleurs. Ne laissez la plante grener que si vous voulez récolter les graines.

À la fin de la saison, arrachez les annuelles, puis retournez-les et secouez-les, leurs inflorescences placées dans un sac. Vous récolterez ainsi des graines que vous pourrez semer au printemps suivant. Si vous aimez les compositions mixtes, secouez les fleurs au-dessus d'une plate-bande inutilisée et couvrez les graines de terre, légèrement tassée.

Arrachez les annuelles à l'automne et compostez-les. Maladies et insectes risqueront moins de se propager et de nuire aux plantes le printemps suivant.

3 Enfoncez délicatement les graines dans le sol, puis couvrez-les d'une légère couche de terre en vous servant de l'envers d'un râteau. Une couche de terre de ⅛-¼ po (3-6 mm) convient à bon nombre de graines ; certaines petites graines ne doivent pas être couvertes de terre. Si vous ne connaissez pas la profondeur à respecter, semez les graines à une profondeur égale au double de leur diamètre.

4 Fichez dans la terre de chaque zone des étiquettes portant le nom des plantes afin de distinguer les semis des mauvaises herbes en début de croissance.

! **Utilisez des bâtonnets de sucettes glacées comme étiquettes. Inscrivez-y le nom des plantes à l'encre indélébile.**

5 Arrosez les semis. Pour ne pas les déplacer, utilisez un arrosoir muni d'une pomme produisant un jet d'eau léger ou un tuyau d'arrosage muni d'un ajutage réglé à « Fin » (*Shower*). Arrosez la terre dès qu'elle devient sèche. Si vous avez semé les graines à la volée, éclaircissez les semis en laissant entre eux les intervalles recommandés.

Vous économiserez en partageant avec un ami le coût d'achat d'une vivace coûteuse. Vous n'aurez qu'à diviser la plante pour disposer de deux beaux spécimens pour le prix d'un !

Méfiez-vous si le pot d'une vivace a l'air trop petit – les racines risquent d'être enroulées sur elles-mêmes à un point tel qu'elles ne s'étaleront pas bien dans le trou de plantation. Avant d'acheter la plante, sortez-la du pot avec précaution et examinez soigneusement les racines.

Petit prix. Achetez des vivaces en caissettes économiques de six plants. Elles atteindront la taille de plantes plus coûteuses au bout de six à huit semaines.

Les pépinières qui vendent des plantes par correspondance envoient parfois à leurs clients des vivaces à racines nues. Il s'agit de plantes en dormance dont les racines sont conservées dans de la tourbe de sphaigne humide. Déballez-les sans tarder et humectez les racines. Effectuez le repiquage dès que possible ; n'enterrez pas le collet.

Il importe de préparer le sol convenablement avant de planter des vivaces. Au besoin, amendez la terre de façon à l'enrichir, à corriger son drainage ou à modifier son pH ou sa texture. Votre objectif doit être de créer des conditions de croissance idéales compte tenu des plantes choisies.

À éviter. Ne plantez pas les vivaces acidophiles trop près des murs de fondation en ciment ou enduits de stucco. Ces murs libèrent de la chaux – une substance alcaline – dans le sol.

Choix de couleurs. Évitez de planter des vivaces pastel dans une plate-bande très ensoleillée. Les couleurs pastel ont l'air délavées sous le soleil. Optez pour des rouges, des oranges ou des jaunes francs.

Semis. Vous pouvez semer les vivaces comme les annuelles. L'œillet, l'ancolie, la rudbeckie, l'heuchère, le coréopsis, le pied-d'alouette, la digitale et la primevère sont les plus faciles à semer.

Prolifiques. L'achillée millefeuille, le silène rose et l'ancolie sont au nombre des vivaces qui se ressèment à partir des graines qu'elles produisent. Si l'apparence d'un pré sauvage vous plaît, laissez les graines germer. Sinon, compostez les ressemis spontanés ; la chaleur que dégage le compost détruira les graines.

Trop, c'est trop. Certaines vivaces, comme la mélisse et la lysimaque, produisent de vigoureuses racines qui tendent à envahir l'espace qu'occupent leurs voisines. Pour contenir leurs racines, placez ces plantes dans un pot, puis enfouissez le pot (illustration).

À RETENIR

Plantes d'ombre

Les vivaces peuvent mettre de la couleur dans les coins les plus sombres d'un jardin. Voici quelques-unes des plantes qui poussent le mieux à l'ombre. Informez-vous pour connaître les espèces bien adaptées à votre région.

Nom latin	Nom vernaculaire
Aconitum spp.	Aconit
Alchemilla mollis	Alchémille
Aquilegia spp.	Ancolie
Aruncus dioicus	Barbe-de-bouc
Astilbe	Astilbe
Bergenia cordifolia	Bergénie
Cimicifuga racemosa	Cimicaire à grappes
Convallaria majalis	Muguet
Corydalis lutea	Corydale
Dicentra spp.	Cœur-saignant
Epimedium	Épimède
Helleborus niger	Rose de Noël
H. orientalis	Ellébore d'Orient
Hosta spp.	Hosta
Macleaya cordata	Macleaya
Mertensia spp.	Mertensie
Primula spp.	Primevère

Trois, cinq, sept... Plantez les vivaces par groupes de trois si elles sont de grande taille, par groupes de cinq ou de sept autrement – évitez les nombres pairs et les alignements réguliers.

Soins de base. Donnez de l'engrais complet aux vivaces au début du printemps et de nouveau à la fin de l'automne. Chaque année, étalez une couche de compost ou de fumier bien décomposé sur le sol. Un paillis décoratif de 3 po (7,5 cm) d'épaisseur devrait recouvrir les plates-bandes toute l'année. Arrosez en profondeur mais peu souvent durant les sécheresses.

Les pierres plates font de belles étiquettes. Inscrivez-y le nom des plantes à l'encre indélébile ; ceinturez-les de terre noire.

Au frais. Évitez d'utiliser des pierres ou des cailloux décoratifs à proximité des racines de jeunes vivaces. Les plantes pâtiraient de la présence de ces matériaux qui absorbent et retiennent la chaleur. Utilisez plutôt un paillis organique.

Retranchez les fleurs fanées pour que les plantes consacrent leur énergie à la croissance des tiges et des racines. Éliminez aussi les tiges abîmées ou malades.

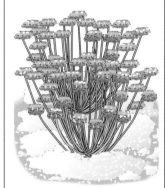

Pensez à l'hiver. La présence de tiges de vivaces non coupées comporte des avantages hors saison. En effet, les tiges retiennent les feuilles tombées des arbres et contribuent ainsi à créer un paillis hivernal. Elles ressortent aussi joliment sur fond de neige.

Division des vivaces

À PRÉVOIR :

Fourche à bêcher

Couteau ou bêche

Sécateur

Arrosoir

1 Utilisez une fourche à bêcher pour déterrer la plante. Enfoncez la fourche de biais dans la terre tout autour de la plante, à plusieurs centimètres des parties aériennes. Soulevez peu à peu et délicatement la motte de racines.

2 Déposez la plante sur une surface plane et tranchez la motte avec un couteau ; utilisez une bêche si la plante est ligneuse. Divisez la motte en petits plants, selon vos besoins. Veillez à ce que chaque petit plant soit vigoureux.

3 Retranchez les feuilles mortes ou abîmées. Éclaircissez les parties aériennes si elles sont trop touffues pour être soutenues par la nouvelle motte de racines. Plantez les divisions à la même profondeur qu'avait le plant mère et arrosez-les.

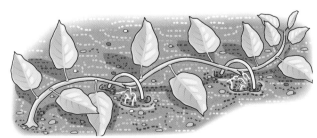

Le marcottage permet de multiplier les plantes à tiges souples. Couchez une tige sur le sol, incisez-la par-dessous, placez la partie incisée dans un trou de 2 po (5 cm) et assujettissez-la avec de la broche galvanisée. La tige s'enracinera. Il suffira de la sectionner pour obtenir un nouveau plant.

Maintes entreprises de vente par correspondance offrent des rabais aux clients qui commandent des bulbes à la mi-été. Comme les bulbes sont généralement livrés en août, vous devrez les entreposer en attendant de pouvoir les planter. Placez-les dans un sac-filet suspendu dans un endroit frais et sec ou réfrigérez-les.

Bulbes de choix. Achetez des bulbes fermes et lisses semblant lourds pour leur taille ; rejetez ceux qui sont mous, abîmés, secs, moisis ou germés.

Une terre riche et très bien drainée convient le mieux aux bulbes. Ameublissez-la sur 1 pi (30 cm) de profondeur et amendez-la avec de la matière organique. Incorporez-y de la poudre d'os ou de l'engrais (5-10-5).

À quelle profondeur ? En général, on plante un bulbe à une profondeur égale au triple de sa hauteur. Il existe des exceptions. Ainsi le bulbe du lis blanc doit être planté à seulement 1 po (2,5 cm) de profondeur.

Mieux vaut désherber vos plates-bandes à la main. En utilisant une binette ou une griffe, vous risqueriez d'abîmer les bulbes plantés peu profondément.

Dans quel sens ? Plantez les bulbes de façon à orienter leur pointe vers le haut. Assoyez-les fermement au fond du trou afin que des racines se forment.

Taches de couleur. Plantez les gros bulbes d'une même variété en groupes d'au moins cinq ou sept pour créer des taches de couleur spectaculaires. Plantez les petits bulbes en groupes de 12 ou plus. Deux douzaines de petits bulbes tiennent dans seulement 1 pi^2 (0,09 m^2).

Naturalisation. On plante couramment les bulbes de narcisse en groupes qu'on laisse se naturaliser de façon à obtenir des champs de fleurs. Choisissez une variété, éparpillez les bulbes au hasard dans un coin du jardin où ils pourront pousser librement et laissez la nature créer elle-même des colonies hautes en couleur. Les bulbes de scille, de crocus, de cyclamen et de muscari se prêtent bien à la naturalisation eux aussi.

Plaisir des sens. Plantez des bulbes de jacinthe, de lis, de tubéreuse et d'autres plantes à fleurs odoriférantes près des endroits où vous vous assoyez. Vous pourrez ainsi jouir du parfum en plus de la couleur des fleurs.

Plantation unitaire des bulbes

À PRÉVOIR :

Bêche	Poudre d'os ou engrais
Planche (appui-genoux)	Bulbes
Râteau	Arrosoir
Seau	Paillis organique
Transplantoir ou plantoir à bulbes	Étiquettes
Compost ou autre matière organique	

1 Bêchez la terre de la surface à planter sur 1 pi (30 cm) de profondeur. Amendez bien la terre avec du compost ou une autre matière organique pour assurer un bon drainage, puis défaites la terre au râteau et nivelez-la.

2 Alignez les bulbes ou bien faites-les tomber d'un seau et plantez-les où ils tombent, mais en les espaçant d'au moins 2 po (5 cm). Creusez un trou pour chacun. Agenouillez-vous sur une planche pour ne pas écraser les bulbes déjà plantés.

3 Mettez un peu de poudre d'os ou d'engrais au fond de chaque trou, puis une mince couche de terre. Placez un bulbe par trou, pointe vers le haut. Comblez ensuite le trou, tassez la terre, arrosez et paillez. Étiquetez les agencements.

Substitution. Pour ne pas abîmer les bulbes de tulipes déjà enterrés lorsque vous ajoutez des bulbes de cette plante à l'automne, plantez des bulbes de glaïeul à côté des tulipes lorsqu'elles se fanent à la fin du printemps. À l'automne, déterrez les bulbes de glaïeul, rentrez-les pour l'hiver et placez des bulbes de tulipes dans leurs trous.

Cadeau de la nature. La jonquille et le crocus produisent des caïeux que vous pouvez détacher du bulbe principal et replanter pour obtenir des sujets qui fleuriront après un an environ.

Animaux nuisibles. Placez quelques cailloux pointus dans le trou de plantation des bulbes pour repousser les rongeurs.

Après la floraison, supprimez les fleurs fanées sans tarder. Laissez toutefois le feuillage jaunir naturellement afin que le bulbe puisse refaire ses réserves d'énergie en vue de la prochaine floraison. Coupez les parties aériennes une fois qu'elles sont complètement jaunies, ce qui prend de six à huit semaines d'ordinaire.

Le feuillage jaunissant des plantes bulbeuses n'a rien d'attrayant. Plantez donc les bulbes entre des vivaces ou des annuelles buissonnantes qui auront, l'été venu, une hauteur suffisante pour dissimuler les parties aériennes jaunies.

Avant le premier gel, déterrez les bulbes fragiles, faites-les sécher durant une semaine, puis conservez-les au frais et à l'obscurité dans de la tourbe de sphaigne.

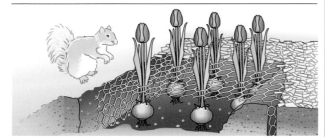

Pour empêcher les écureuils et les suisses de dévorer vos bulbes, recouvrez les plates-bandes de broche à poulet; enfoncez les bords profondément dans la terre et couvrez la broche de paillis. Vous pouvez aussi planter les bulbes par groupes dans des cages faites de broche à poulet. Les bulbes de narcisse ne demandent aucune protection.

Plantation groupée des bulbes

À PRÉVOIR :

Pelle	Arrosoir
Bâche de plastique	Paillis organique
Compost ou autre matière organique	Étiquettes
Poudre d'os ou engrais pour bulbes	
Bulbes	
Râteau	

1 Creusez un trou de plantation de 1 pi (30 cm) de profondeur. Déposez la terre sur une bâche et mélangez-la avec du compost ou une autre matière organique. Étalez une couche de terre amendée au fond du trou.

2 Mettez un peu de poudre d'os dans le trou de plantation et mélangez-la avec la terre. Placez les bulbes dans le trou, pointe vers le haut, en veillant à les espacer de 2 à 6 po (5-15 cm).

3 Comblez le trou avec le reste de la terre amendée. Émiettez les mottes de terre et nivelez la terre au râteau, tassez-la légèrement, puis arrosez. Couvrez le sol d'un paillis et identifiez les plantations avec des étiquettes.

Ensoleillement. Les rosiers doivent être exposés au soleil six heures par jour au moins. Le soleil du matin convient le mieux, car il fait évaporer la rosée, cause de maladies. Dans les régions chaudes, une ombre légère l'après-midi aura un effet favorable sur les rosiers.

Plantez les rosiers là où l'air circule bien afin de prévenir les maladies fongiques. Laissez 2 pi (60 cm) ou plus entre les plants, selon les variétés. Veillez aussi à les éloigner des autres plantes sujettes aux maladies fongiques.

Plantez des rosiers couvre-sol sur les pentes et les autres surfaces où il est difficile d'aménager un tapis végétal. Optez pour une variété vigoureuse, la 'Red Cascade' par exemple.

Le rosier *Rosa rugosa* pousse bien dans une terre saline. Plantez-le près de la mer ou dans les lieux où on utilise des fondants l'hiver.

Classiques. Outre les hybrides modernes, on peut se procurer des rosiers dits anciens, dont la culture date d'avant 1867. Les rosiers classiques (Bourbon, Damask, Alba, Gallica, etc.) donnent des fleurs odorantes et sont faciles à cultiver, mais bon nombre d'entre eux ne fleurissent qu'une fois par saison.

Arrosage. Les rosiers doivent être abondamment arrosés, surtout s'ils sont jeunes. Donnez-leur 1 po (2,5 cm) d'eau par semaine. N'arrosez pas les feuilles.

Avant de planter un rosier, creusez un trou de 18 po (45 cm) de profondeur et remplissez-le d'eau ; si la terre n'absorbe pas toute l'eau en deux heures ou moins, plantez le rosier ailleurs, amendez la terre avec du paillis et du compost ou aménagez une plate-bande surélevée.

Fertilisation. La culture des roses nécessite une fertilisation soutenue. Donnez de l'engrais aux jeunes rosiers après la floraison et une fois par mois par la suite ; donnez-en aux rosiers adultes environ un mois avant la floraison au printemps et une fois par mois par la suite. Enfouissez l'engrais au pied des rosiers et arrosez. Interrompez la fertilisation six semaines avant la fin de la floraison.

Pour stimuler la croissance des rosiers, épandez une cuillerée à soupe de sel d'Epsom au pied des plants en mai et en juin.

Tuteurage. Il est nécessaire de tuteurer un rosier à port élancé. Pour ne pas abîmer les racines, fichez un tuteur en bois dans le sol à l'arrière du trou de plantation avant de planter le rosier. Attachez ensuite lâchement la tige du rosier au tuteur avec des attaches de plastique.

Rosiers empotés. Pour planter un rosier cultivé en pot, découpez le fond du pot, puis placez le pot et la plante dans le trou de plantation. Fendez le pot de haut en bas en plusieurs endroits, retirez les morceaux et comblez le trou de terre de culture.

À RETENIR

Rosiers pour débutants

Selon Agriculture Canada et la Canadian Rose Society, les rosiers suivants sont rustiques et faciles à cultiver.

Grimpants	Couleur
'Compassion'	Abricot
'Isle Krohn Superior'	Blanc
'Sympathy'	Rouge
Floribundas	
'Europeana'	Rouge foncé
'Iceberg'	Blanc
'Sunsprite'	Jaune foncé
Hybrides de thé et grandifloras	
'Double Delight'	Abricot ou tons de rose
'Mister Lincoln'	Rouge foncé
'Pristine'	Blanc
'Touch of Class'	Tons de rose
'Tournament of Roses'	Jaune moyen
Miniatures	
'Pink Petticoat'	Rose moyen
'Rise 'n' Shine'	Jaune moyen
Buissonnants	
'Explorer'	Jaune, crème, rose et blanc
'Heritage'	Rose pâle
'Parkland'	Rouge et blanc

En douceur... Ne vous servez jamais d'un sécateur à contre-outil pour tailler les rosiers : vous écraseriez les tiges. Utilisez plutôt un sécateur à deux lames afin d'obtenir une coupe nette.

Agrémentez le patio
de rosiers miniatures et de rosiers de patio, des variétés naines qui s'empotent bien. Donnez-leur de l'engrais pour rosiers au printemps et de l'engrais liquide dilué durant la période de croissance. Arrosez-les bien.

SÛR ET SENSÉ

➤ Les débris de taille, les feuilles mortes et les mauvaises herbes peuvent transmettre des maladies aux roses. Jetez-les ou brûlez-les ; ne les compostez jamais.

➤ Mélangez 1 cuillerée à soupe de bicarbonate de soude et la même quantité d'huile horticole dans un gallon d'eau (4,5 litres), puis versez une partie de la solution dans un vaporisateur. Agitez bien et vaporisez sur les roses chaque semaine au moindre signe de moisissure ou de taches noires. Couvrez les deux faces des feuilles.

À l'horizontale. Les rosiers grimpants fleuriront davantage si vous tuteurez les tiges horizontalement.

Belles de nuit. Servez-vous de rosiers pour border la terrasse ou le patio. Des roses blanches ou de couleur pâle, qui se voient bien dans l'obscurité, sauront agrémenter vos soirées.

À propos des épines. Les rosiers à tiges épineuses produisent des fleurs qui durent de un à trois jours de plus que celles des rosiers sans épines.

Le scarabée japonais
grignote voracement les rosiers. Capturez-le à la main et noyez-le dans du kérosène ou bien vaporisez de l'huile de margousier (tirée d'un arbre d'Asie et vendue par correspondance) sur les rosiers.

Beaux et bons. En supprimant les roses fanées, vous profiterez d'une nouvelle floraison. Laissez-en néanmoins quelques-unes pour en récolter les fruits colorés à l'automne et en faire des confitures ou du thé. Vous pouvez aussi les laisser sur les plants : ils attireront les oiseaux et mettront de la couleur dans votre décor hivernal.

Plantation d'un rosier à racines nues

À PRÉVOIR :

Rosier à racines nues	Sécateur
Seau d'eau	Arrosoir
Pelle	
Bâche de plastique	
Compost ou autre matière organique	
Poudre d'os ou engrais	

1 Faites tremper les racines dans un seau d'eau pendant 24 heures. Creusez un trou de 18 po (45 cm) de largeur et de profondeur. Incorporez du compost et de l'engrais à la terre sur une bâche, puis formez-en un monticule au fond du trou.

2 Coupez les racines abîmées. Centrez le rosier sur le monticule et étalez les racines. Placez le point de greffe au ras du sol dans les régions chaudes, ou dans le sol à 1-2 po (2,5-5 cm) de profondeur dans les régions froides.

3 Versez de l'eau dans le trou et laissez la terre l'absorber. Ajoutez le tiers de la terre amendée et arrosez. Répétez deux fois pour combler le trou au ras du sol. Buttez les tiges. Effectuez le débuttage dès que les feuilles ont environ 1 po (2,5 cm) de long.

Paillis maison. Utilisez une déchiqueteuse pour transformer les branchages et les feuilles sèches en paillis. Vous pouvez aussi étaler de 5 à 10 pages de journaux mouillées sur le sol et les couvrir de terre (évitez les encres de couleur : elles contiennent des métaux).

En cherchant un peu, vous pourrez vous procurer des paillis inusités mais efficaces : déchets de houblon jetés par une brasserie, compost ayant servi de milieu de croissance dans une champignonnière, fumier provenant d'une ferme, d'un zoo, d'une écurie ou d'un parc d'engraissement.

Paillis gratuit. Les entreprises d'émondage et les municipalités qui disposent de sites de recyclage ont souvent des surplus de copeaux de bois qu'elles distribuent gratuitement.

Récupération des glands. Plutôt que de donner les glands de vos arbres aux sites de recyclage chaque automne, déchiquetez-les à l'aide d'une déchiqueteuse (portez des lunettes de protection). Les glands déchiquetés forment un beau paillis de printemps dans les plates-bandes de jonquilles et d'hémérocalles.

Utilisez-vous des journaux en guise de paillis ? Collez-en les pages bout à bout pendant l'hiver. Assemblez ainsi suffisamment de pages pour obtenir un « tapis » aussi long que la plate-bande que vous envisagez de pailler.

Vous économiserez en réservant le paillis décoratif (écorce filamentée, copeaux d'écorce, etc.) aux plates-bandes permanentes et aux massifs floraux. Dans le potager, utilisez des paillis moins coûteux (paille, fumier, feuilles ou épis de maïs déchiquetés) que vous pourrez enfouir à la fin de la saison pour enrichir la terre.

Une question de pH. Étalez un paillis de feuilles de chêne ou d'aiguilles de pin, qui acidifiera le sol en se décomposant, sous les plantes acidophiles (rhododendrons, bleuets, etc.), et un paillis neutre, composé d'écales de sarrasin ou d'épis de maïs broyés par exemple, sous les plantes ne tolérant pas un sol acide.

Allégement. Une fois étalés sur le sol, certains paillis forment à la longue une croûte qui empêche l'air et l'eau de circuler. Avant d'utiliser un paillis dense de tontes de gazon, de marc de café ou de tourbe de sphaigne, mélangez-le avec un paillis plus léger et plus poreux, composé de feuilles déchiquetées par exemple.

La sciure et les copeaux de bois frais appauvrissent les réserves d'azote du sol en se décomposant. Compostez-les six mois avant de les utiliser. Épandez de l'engrais riche en azote sur le sol au besoin.

Un paillis de copeaux de bois sent-il le vinaigre, l'ammoniaque ou le soufre ? Le bois est peut-être acide ; si c'est le cas, il acidifiera le sol en se décomposant. Ne l'utilisez qu'au pied des plantes acidophiles.

N'étalez jamais un paillis plastique sur une plate-bande permanente. Il empêcherait l'eau et l'air de circuler, retiendrait trop de chaleur l'été et asphyxierait les racines.

Calendrier. Mettez un paillis de 3 po (7,5 cm) au pied des vivaces, des arbustes et des arbres et laissez-le sur le sol toute l'année. Paillez le potager et les plates-bandes d'annuelles au printemps. Après que la terre a gelé, étalez du paillis par-dessus les bulbes et les légumes qui passent l'hiver dans le sol.

Trou de beigne. Ne paillez pas le sol trop près des tiges et des troncs des végétaux. À la longue, le paillis pourrait asphyxier les racines et fournir un milieu propice aux parasites.

À la main seulement. Ne vous servez pas d'un outil tranchant pour enlever le paillis d'hiver le printemps venu : vous risqueriez d'abîmer de jeunes pousses. Mettez des gants et effectuez le travail à la main.

Des retailles de tapis en laine ou en coton utilisées en guise de paillis empêcheront les mauvaises herbes de pousser entre les rangs d'un potager ou d'un jardin ou parmi des semis. Couvrez-les de terre pour les dissimuler.

Une toile géotextile (faite d'un tissu poreux) constitue un bon paillis au pied des arbres, des arbustes et des vivaces. Étalez-la sur une terre préparée et découpez-y autant de trous qu'il doit y avoir de plantes ; le diamètre des trous doit vous permettre d'apporter de l'engrais au niveau des racines. Couvrez la toile de paillis décoratif pour la dissimuler et la protéger contre le soleil.

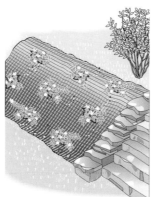

Autres usages. Étalez une toile géotextile sur les pentes végétalisées pour les protéger de l'érosion et éviter que l'eau de ruissellement ne déracine les plantes. Vous pouvez aussi en placer une derrière un muret pour limiter l'érosion.

Les mauvaises herbes ne pousseront pas dans les interstices d'une allée si vous étalez du paillis plastique ou une toile géotextile sous les pavés. Ces matériaux peuvent aussi éliminer les mauvaises herbes sous une terrasse ; couvrez-les de gravier décoratif.

SÛR ET SENSÉ

➤ Utilisez un paillis plastique pour aménager une plate-bande sur du gazon ou de l'herbe.

➤ Vous récolterez vos légumes plus tôt si vous étalez un paillis plastique sur vos planches au printemps afin de réchauffer la terre. Repiquez les plants au travers à la fin des gels.

Pose d'un paillis plastique noir

À PRÉVOIR :

Paillis plastique noir

Pierres ou briques

Transplantoir

Couteau ou ciseaux

Semis de légumes

Arrosoir

1 Étalez un paillis plastique sur une plate-bande préparée. Lestez les bords de pierres ou de briques et creusez une tranchée peu profonde tout autour. Enfouissez les bords dans la tranchée, puis délestez-les. Le paillis doit être lisse sans être trop tendu.

2 Découpez des croix dans le paillis. Les ouvertures ainsi créées vous permettront de repiquer les plants ; espacez-les en tenant compte de la taille qu'auront les légumes. Creusez les trous de plantation à l'aide d'un transplantoir.

3 Repiquez les plants par les ouvertures découpées dans le paillis ; tassez la terre à leur pied, puis arrosez-les par les ouvertures. Lissez le paillis autour des tiges : ainsi, la terre conservera sa chaleur et les mauvaises herbes ne pourront pousser.

Saveur d'antan. Les graines en vente dans la plupart des jardineries sont celles d'hybrides modernes d'abord destinés à l'agriculture. Consultez les catalogues spécialisés pour trouver des graines de légumes non issus de croisements dont la culture date d'avant 1940. Vous obtiendrez des plants faciles à cultiver, qui résistent aux maladies et donnent des légumes très savoureux.

Au chaud. Repiquez les tomates lorsque la température dépasse les 13 °C/55 °F la nuit. Bordez-les de pierres plates, qui absorberont la chaleur solaire le jour et la restitueront la nuit.

À l'ombre. Placez les légumes de grande taille (maïs, tomates, etc.) du côté nord du jardin pour ne pas qu'ils ombrent les légumes de plus petite taille.

Toute une salade ! Que faire avec les surplus de graines de diverses laitues ? Mélangez-les dans un sac et semez-les. Vous récolterez une salade « prétouillée ».

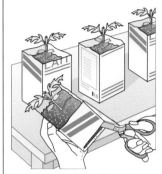

Recyclage. Vous ferez des économies en semant les graines de légumes dans des contenants de lait de 1 litre tronqués et remplis de terre d'empotage. Il suffira d'enlever les contenants à l'aide de ciseaux avant de repiquer les légumes.

Le composteur illustré sert à tuteurer les plants de tomates et à leur assurer un apport constant en éléments nutritifs. Pour le fabriquer, formez simplement un cylindre d'environ 2 pi (60 cm) de haut sur 3 pi (90 cm) de diamètre avec du treillis métallique. Remplissez-le de matières compostables ou de fumier décomposé, puis arrosez et retournez son contenu au besoin. Repiquez six plants autour du cylindre. Vous n'aurez qu'à attacher leurs tiges au treillis quand elles pousseront.

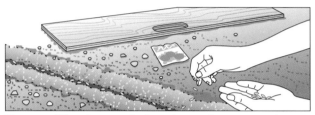

Pour accélérer les semis de petites graines, tracez chaque sillon avec un morceau de contreplaqué de 4 pi (1,20 m) de long et de ½ po (12,70 mm) d'épaisseur. Semez les graines, puis couvrez-les délicatement de terre. Découpez une fente au centre du contreplaqué afin qu'il soit facile à manipuler.

Plate-bande surélevée

À PRÉVOIR :

Piquets et cordeau
Bêche
Fourche à bêcher
Motoculteur (facultatif)
Compost ou autre matière organique
1 x 6 ou 1 x 8 en bois non traité ou traverses pour aménagement paysager
Clous ou tiges galvanisés
Marteau ou perceuse
Niveau
Engrais complet
Râteau
Tuyau d'arrosage

1 Choisissez un emplacement directement exposé au soleil six heures par jour au moins. Délimitez une plate-bande rectangulaire d'au plus 4 pi (1,20 m) de large. Placez les côtés les plus longs dans l'axe nord-sud.

 Mesurez diagonalement la distance entre les coins de la plate-bande. Les deux mesures doivent être égales.

2 Dégazonnez la plate-bande au besoin. Retournez la terre sur 12 po (30 cm) de profondeur pour améliorer le drainage. Si la plate-bande est grande, utilisez un motoculteur plutôt que des outils manuels. Enrichissez la terre de compost, de fumier décomposé ou d'une autre matière organique.

Dans un petit jardin, sachez tirer le maximum de chaque centimètre. Cultivez des végétaux poussant à la verticale, comme le haricot grimpant. Semez aussi des variétés naines. Après avoir récolté les légumes hâtifs, la laitue par exemple, semez des légumes de pleine saison, comme la courgette. Plantez des légumes à croissance rapide, radis ou autres, entre les rangs de légumes à croissance lente, comme la tomate.

Éliminez les insectes nuisibles en vaporisant un insecticide maison non toxique sur les légumes. Pour élaborer un insecticide, vous pouvez : diluer de la mélasse dans de l'eau ; combiner six gousses d'ail, deux piments rouges et deux tasses d'eau dans un mélangeur, puis filtrer la solution ; mélanger 2 oz (60 ml) de détergent à vaisselle et 1 cuillerée à soupe d'huile végétale dans 1 gal (4,5 litres) d'eau.

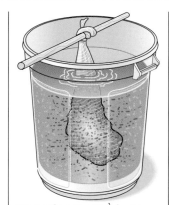

Un petit creux ? À la mi-saison, apportez un supplément d'éléments nutritifs à vos légumes. Mettez quelques pelletées de fumier décomposé dans une jambe de bas-culotte, puis fermez le haut de la jambe et macérez le fumier durant une semaine dans une poubelle remplie d'eau. Versez la macération au pied des légumes avec un arrosoir, en prenant garde de ne pas éclabousser les feuilles.

Conservez les surplus de graines dans des contenants de films 35 mm. Opaques et étanches, ces contenants conviennent bien à la conservation des graines. Les marchands de matériel photo en ont souvent de trop.

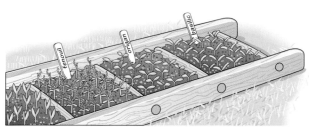

Fines herbes. Disposez-vous d'une vieille échelle en bois ? C'est l'élément de base parfait pour aménager un jardin de fines herbes. Mettez de la terre entre les échelons et semez !

3 Si le terrain est en pente, creusez une petite tranchée autour de la plate-bande et placez-y de niveau des bordures de 6-8 po (15-20 cm) de haut. Aboutez-les, puis renforcez chaque coin avec une équerre. Pour donner de l'épaisseur à la plate-bande, superposez des planches pour que leurs extrémités chevauchent. Percez un trou à chaque coin et enfoncez-y une tige qui pénètre à 6 po (15 cm) dans le sol.

4 Couvrez la plate-bande de terre végétale enrichie d'une généreuse quantité de compost. Incorporez de l'engrais à la terre. Amendez la terre le plus possible, car la culture des légumes est généralement plus intensive sur une plate-bande surélevée que dans un potager classique. Laissez 2 po (5 cm) entre la surface de la plate-bande et le dessus des bordures pour contrer l'érosion.

5 Défaites la terre et nivelez-la au râteau. Arrosez bien la plate-bande et laissez le lit se tasser. Ajoutez de la terre au besoin et râtelez de nouveau la plate-bande. Semez ou repiquez des légumes. Arrosez souvent.

◥ **La terre des plates-bandes surélevées sèche vite. Couvrez-la de paillis et arrosez souvent.**

À poils ou à plumes.
Entourez lâchement les arbustes de treillis de plastique ou de métal pour empêcher les lapins, les oiseaux et les cerfs de les grignoter. Le résultat final n'est pas très esthétique, mais c'est un truc efficace. Vous pouvez aussi étaler des cheveux au pied des arbustes, vaporiser du répulsif sur le sol ou bien placer des morceaux de savon très odorant dans une pochette fabriquée avec du treillis de plastique et les suspendre à une branche.

À propos des racines.
Assurez-vous que les arbustes que vous achetez en jardinerie ou ailleurs possèdent beaucoup de jeunes racines blanches. Ces racines absorbent l'eau et les éléments nutritifs, augmentant les chances de reprise des plants. Pour examiner la motte de racines, dépotez la plante avec précaution ou retirez la tontine.

Incisez la motte de racines avant de la placer dans le trou de plantation. Les racines produiront ainsi des rejets et la reprise de l'arbuste sera vigoureuse.

Fertilisation. Donnez de l'engrais complet équilibré (10-10-10 par exemple) aux arbustes le printemps et l'automne. Un engrais acidifiant convient aux plantes acidophiles – azalée, camélia, houx, pruche, etc.

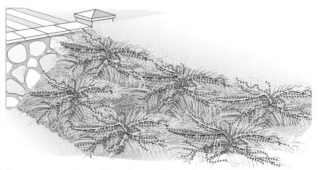

Sur une pente raide, plantez des arbustes bas étalés comme le cotonéaster, le genévrier, le raisin d'ours ou le pyracanthe. Ils s'étalent rapidement, nécessitent peu d'entretien et s'opposent efficacement à l'érosion du sol.

Gare au jute ! La tontine est-elle constituée de jute naturel ? Enlevez-en le plus possible après avoir mis l'arbuste dans le trou de plantation ; tout tissu qui dépasserait au niveau du sol fera s'évaporer l'humidité des racines. Si le jute est synthétique, enlevez-le complètement et jetez-le.

En créant une haie avec différents arbustes, vous obtiendrez une « tapisserie » végétale. Faites alterner des arbustes présentant des couleurs complémentaires, des épines-vinettes aux feuilles rouges et vertes par exemple, ou des arbustes au feuillage panaché et d'autres au feuillage uni.

Plantation d'un arbuste cultivé en pot

À PRÉVOIR :

Bêche ou pelle

Bâche de plastique

Compost ou autre matière organique

Engrais complet

Griffe sarcleuse

Gypse (facultatif)

Arbuste cultivé en pot

Ciseaux

Sécateur

Bâton ou piquet

Arrosoir

Paillis organique

1 Creusez un trou deux fois plus large que la motte de racines et d'une profondeur excédant légèrement la hauteur du pot. Déposez la terre végétale sur une bâche étalée près du trou ; compostez la terre du sous-sol. Incorporez suffisamment de compost à la terre végétale pour combler l'espace qu'occupait la terre du sous-sol qui a été enlevée. Ajoutez de l'engrais.

2 Ameublissez la paroi du trou de plantation avec une griffe sarcleuse. Ameublissez aussi légèrement le fond du lit. Si le trou est creusé dans l'argile, enfouissez la quantité recommandée de gypse au fond du trou pour améliorer le drainage autour des jeunes racines.

N'achetez pas de conifères à racines nues. L'apport d'eau des racines ne peut dans ces conditions compenser l'évaporation foliaire.

Un couvre-sol à enracinement superficiel qui tolère l'ombre peut remplacer le paillis au pied des arbustes. Une touffe de pervenches, de pachysandres ou de lycopes rafraîchira le sol autour des racines et empêchera les mauvaises herbes de pousser.

Éliminez les gourmands (pousses indésirables issues des racines ou du porte-greffe) sans tarder, car ils drainent l'énergie des arbustes. Arrachez-les avec précaution – ne les coupez pas – aussi près que possible de leur base, puis grattez ce qui en reste avec un couteau universel.

Taille. Pour qu'un arbuste pousse et demeure en santé, on doit le tailler régulièrement. Le moment propice à la taille et la technique utilisée sont fonction de l'arbuste. Le mot d'ordre est *retenue* : ne modifiez jamais le profil d'un arbuste de façon radicale. Retranchez les tiges mortes, malades ou abîmées, en prenant soin de suivre le profil de l'arbuste pour qu'il conserve une silhouette attrayante.

Transplantation. Plusieurs semaines avant de transplanter un arbuste, découpez un cercle dans le sol perpendiculairement au bout des branches les plus longues pour couper les racines horizontales et stimuler la croissance de poils absorbants. Après sa transplantation, arrosez-le régulièrement jusqu'à la reprise.

Les arbustes épineux font de bonnes haies défensives le long des allées et sous les fenêtres du rez-de-chaussée.

Dangers hivernaux. Le vent peut déshydrater les arbustes à feuilles persistantes et la neige lourde abîmer leurs branches. Arrosez abondamment ces arbustes bien avant que le sol ne gèle et vaporisez sur leur feuillage un produit qui retarde la dessiccation. Placez des écrans de jute autour de chaque arbuste ou groupe d'arbustes ; laissez les cimes à découvert. Déneigez délicatement les branches avec un balai.

Avalanche... Un arbuste doit-il être protégé contre les bordées de neige ? Assemblez à l'aide d'une paire de charnières deux panneaux de contreplaqué un peu plus hauts et plus larges que l'arbuste. Écartez ensuite les panneaux de façon à former une « tente » et positionnez-les au-dessus de l'arbuste.

3 Si possible, coupez et enlevez le pot. Autrement, extrayez-en l'arbuste avec précaution en retournant le pot de biais et en supportant le tronc. Ne tirez pas sur les tiges. Placez l'arbuste sur la bâche et examinez les racines ; démêlez celles qui sont enroulées sur elles-mêmes. Retranchez les racines qui encerclent le tronc : elles pourraient « étrangler » l'arbuste.

4 Mettez l'arbuste dans le trou et orientez vers le sol les racines qui sont retroussées. Couchez un bâton en travers du trou et assurez-vous que le collet, c'est-à-dire le point de jonction du tronc et des racines, se trouve au niveau du sol ; ajoutez de la terre au besoin pour hausser la motte de racines. Comblez le trou, tassez fermement la terre pour éliminer les poches d'air et arrosez.

5 Retranchez les pousses abîmées, malades ou faibles. Taillez en outre les tiges qui en croisent d'autres ou qui poussent vers l'intérieur. Mettez 2-3 po (5-7,5 cm) de paillis au pied de l'arbuste, en prenant soin de former une petite cuvette autour du tronc. La cuvette retiendra l'eau ; vous n'aurez qu'à la niveler après la reprise.

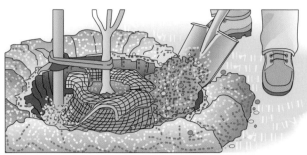

Devez-vous planter un arbre sans aide? Placez la tontine dans le trou de plantation, fichez un tuteur dans la terre juste à côté et tuteurez l'arbre près du niveau du sol. Ainsi l'arbre demeurera fixe lorsque vous comblerez le trou. Vous n'aurez qu'à retirer le tuteur une fois le trou comblé.

Aucun amendement. N'amendez pas la terre dans le trou de plantation d'un arbre, ses racines s'étendraient rapidement hors du trou et risqueraient de subir un «choc» au contact de la terre non amendée. Plantez simplement l'arbre à l'endroit voulu et laissez les racines s'adapter au sol pendant qu'elles sont jeunes.

En mouvement. Un arbre tontiné peut peser lourd. En ce cas, glissez de la corde sous l'attache qui assujettit le jute à la motte de racines, de façon à former des poignées qui vous serviront à tirer l'arbre. Vous pouvez aussi placer la tontine sur une bêche ou une bâche, puis traîner l'arbre jusqu'au trou de plantation.

Évitez d'acheter à la pépinière des arbres déjà très grands, sauf s'il vous faut combler rapidement un vide. Un arbre de petite taille ou de taille moyenne sera plus facile à transporter et à planter et il reprendra mieux.

Écorce. Un arbre dont l'écorce est entamée ou fendue se trouve exposé aux maladies. Choisissez un arbre qui présente une écorce en bon état.

Propreté et sécurité. Un arbre duquel tombent beaucoup de feuilles, de rameaux, de pétales, de gousses ou de samares ne doit jamais être planté près d'une aire fréquentée. Le ramassage des débris prend beaucoup de temps et certains débris peuvent tacher la maçonnerie ou devenir glissants une fois mouillés.

Zzzz. Plantez vos arbres en dormance (arbres caducs: début du printemps ou de l'automne; arbres persistants: fin de l'été). Les racines se développeront avant que la frondaison n'exige beaucoup d'eau et d'éléments nutritifs.

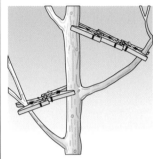

Tuteurage intérieur. Utilisez des pinces à linge à ressort pour écarter les branches de jeunes arbres fruitiers. Appariez les pinces à linge par les mâchoires, puis coincez délicatement leurs tiges écartées sur le tronc et les branches.

Plantation d'un arbre tontiné

À PRÉVOIR:

Pelle

Gypse (facultatif)

Griffe sarcleuse

Arbre

Sécateur ou ciseaux

Pince

Engrais complet

Paillis organique

Tuyau d'arrosage

Masse

Tuteurs

Fil de fer

Vieux tuyau d'arrosage coupé en tronçons de 8 po (20 cm)

Sac d'arrosage (facultatif)

1 Creusez un trou de deux à trois fois plus large que la motte de racines et d'une profondeur égale à la hauteur de la motte (réservez la terre sur une bâche). Le collet doit se trouver au niveau du sol, sauf dans les terres lourdes où il doit saillir un peu. Améliorez le drainage en enfouissant du gypse au fond du trou dans les terres lourdes. Ameublissez la paroi du trou avec une griffe sarcleuse.

2 Positionnez l'arbre au centre du trou. Assurez-vous qu'il se trouve à la bonne profondeur et qu'il est bien placé à la verticale. Au besoin, tournez-le dans le trou de façon que les branches ne touchent à aucune structure située à proximité et que la face la plus attrayante soit orientée vers le point d'observation principal.

Paillage. Étalez de 2 à 4 po (5-10 cm) de paillis organique au-dessus des racines, à 6 po (15 cm) du tronc ou plus. N'utilisez ni fumier frais, ni tontes de gazon, ni sciure (ils libèrent trop d'azote). Le gravier ne convient pas non plus (une tondeuse peut l'aspirer).

Faites vite ! Plantez les arbres à racines nues au plus tard 24 heures après les avoir achetés. Faites d'abord tremper les racines dans un seau d'eau durant au moins 12 heures, puis coupez celles qui sont abîmées.

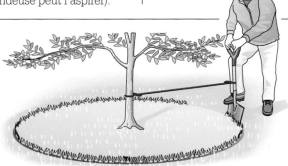

Souhaitez-vous aménager votre terrain sous un arbre à la façon d'un spécialiste ? Bouclez une corde autour du tronc de l'arbre et du manche d'une bêche, en ajustant la longueur de la corde de façon que la bêche se trouve à la limite du feuillage. Tracez un cercle sur la pelouse, puis retirez la corde et retracez le cercle en plongeant la bêche verticalement dans le sol. Dégazonnez et paillez le sol sous l'arbre. Vous devrez rafraîchir le pourtour du cercle une fois par an.

Cerfs. Des cerfs grignotent vos jeunes arbres ? Enroulez lâchement du fil de fer galvanisé autour des branches inférieures et laissez-le dépasser de 1 po (2,5 cm) au bout de chacune. Les cerfs iront rapidement se nourrir ailleurs...

Glissant ! Certains insectes montent sur le tronc des arbres fruitiers. Pour les refouler, enroulez des bandelettes de papier d'aluminium sur les troncs. Les insectes glisseront sur la surface lisse du papier d'aluminium.

Le tuteurage permet de garder les jeunes arbres fraîchement plantés bien droits jusqu'à ce que leurs racines fibreuses puissent les supporter. Le tuteur doit toutefois être enlevé au bout d'un an environ afin que le tronc puisse se développer.

Ne vous attendez pas à ce que le gazon pousse bien au pied des arbres. Si vous devez végétaliser le sol, faites-le lorsque les racines sont jeunes ; optez pour des bulbes de plantes fleurissant tôt au printemps ou un couvre-sol tolérant l'ombre.

Selon Agriculture Canada, le chêne (vert, blanc, rouge), le genévrier, le hêtre, l'érable à sucre, le sapin baumier, le platane occidental, le noyer noir et le magnolier sont les arbres qui résistent le mieux aux tempêtes.

3 Enlevez au sécateur la plus grande partie possible du jute ; retirez complètement une enveloppe synthétique. Enrichissez la terre d'engrais et comblez le trou aux trois quarts ; arrosez et laissez absorber. Achevez de combler le trou et tassez fermement la terre. Faites un cordon de terre de 3 po (7,5 cm) de hauteur en périphérie du trou pour former une cuvette. Mettez-y 3 po (7,5 cm) de paillis et arrosez.

4 Fichez deux tuteurs dans le sol à 2-3 pi (60-90 cm) du tronc (utilisez une masse). Passez du fil de fer dans deux tronçons de tuyau d'arrosage et bouclez-le au niveau du tiers inférieur de l'arbre. Nouez ensuite les fils sur les tuteurs ; laissez un peu de mou.

! **À défaut de fil de fer et de tuyau d'arrosage, utilisez un vieux cordon de lampe.**

5 Arrosez l'arbre régulièrement ; assurez-vous que l'eau atteint les racines. Si possible, procurez-vous un sac conçu pour contenir une réserve d'eau et irriguer lentement la motte de racines. Installez-le et remplissez-le d'eau jusqu'à ce qu'il déborde. Vous devrez le remplir de nouveau quand la motte de racines commencera à se dessécher, soit au bout d'une semaine environ. Ayez-y recours durant un an.

Étalez une toile de protection en plastique ou en tissu sous l'arbre ou l'arbuste que vous devez tailler. Une fois la taille terminée, vous n'aurez qu'à traîner les débris jusqu'au bac de recyclage ou de compostage.

Terre à terre. Ne tentez pas de couper une branche que vous ne pouvez atteindre facilement du sol. Si vous avez besoin d'une échelle, c'est que le travail doit être confié à un spécialiste.

Une racine peut « étrangler » un arbre si elle est enroulée à sa base. Sciez-la très près du tronc.

La sève de certains arbres – dont l'érable, le cerisier et le bouleau – coulera abondamment si vous effectuez une taille au printemps ; attendez jusqu'à la mi-été.

Longue portée. Avant de couper une branche avec un élagueur à long manche, revêtez un tablier de menuisier. Appuyez le manche dans une poche pour stabiliser l'outil ; vous aurez les mains libres pour orienter la lame et tirer sur la corde.

En retranchant le bourgeon de croissance, vous stimulerez la formation de pousses latérales et forcerez la plante à s'étoffer. Utilisez un sécateur ou les doigts pour pincer un rameau ou une tige juste au-dessus d'une feuille, d'un groupe de feuilles ou d'un bourgeon orienté vers l'extérieur.

Le rabattage consiste à couper les branches ou les tiges au niveau du sol ou de la fourche. Utilisez un sécateur ou une scie pour couper les tiges mortes, malades ou abîmées ainsi que les tiges très ramifiées qui bloquent trop la lumière.

Les enduits, tels que le goudron, n'inhibent pas la pourriture autour d'une plaie de taille. Laissez la plaie se cicatriser naturellement à l'air libre et au soleil.

Si la petite souche d'un arbre malade abattu vous résiste, recouvrez-la de plusieurs sacs à ordures fermés, puis assujettissez les sacs avec des pierres et une ficelle. Un mois plus tard, retirez les sacs et retranchez les nouvelles pousses ; remettez ensuite les sacs en place. Au bout de plusieurs mois, la souche sera morte et plus facile à arracher.

Sciage d'une branche d'arbre

À PRÉVOIR :

Scie à élaguer ou scie à archet

1 Raccourcissez d'abord la branche pour faciliter la manipulation. Entamez ensuite le tronçon qui reste à 12 po (30 cm) du tronc, par-dessous, sur un tiers de son épaisseur. Ainsi l'écorce ne sera pas arrachée si la branche casse.

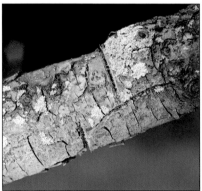

2 Sciez le tronçon de part en part à partir du dessus, à 12½ po (32 cm) du tronc. La branche s'affaissera sous son poids à mesure que vous la scierez et le premier trait de scie se fermera, facilitant la coupe.

3 Entamez le moignon par-dessous juste à côté du col (jonction de la branche et du tronc). Achevez de le couper à partir du dessus vis-à-vis le premier trait de scie ; placez la lame de biais en l'écartant du tronc pour que la coupe soit nette.

Organique/synthétique.

Tous les engrais apportent des éléments nutritifs aux plantes, mais leur action diffère selon qu'ils sont organiques ou synthétiques. Les engrais organiques sont des substances d'origine végétale ou animale. Ils libèrent leurs éléments nutritifs lentement en enrichissant la terre. Les engrais synthétiques sont des substances chimiques ; ils contiennent des éléments nutritifs concentrés que les racines assimilent directement.

Le jardin est-il trop vert,

mais peu fleuri ? Vous donnez peut-être trop d'azote aux plantes. Arrosez souvent pour l'éliminer du sol et utilisez un engrais peu azoté (5-10-10 par exemple).

L'engrais granulaire brûle

les feuilles et les fleurs. Il ne doit jamais entrer en contact avec celles-ci.

Dosage. Donnez toujours à

vos plantes la dose d'engrais recommandée. Tout surplus peut être nocif.

Donnez moins d'engrais à vos plantes si des dépôts blancs (indiquant un surplus de sels nutritifs) se forment sur les pots de terre cuite.

Les besoins des plantes

varient au chapitre de la fertilisation. En général, les plantes ligneuses et rustiques doivent recevoir de l'engrais au printemps et avant la fin de l'été ; les annuelles, au début de la saison de croissance, puis à la mi-saison.

Et les arbres ? Les bâtonnets d'engrais à libération lente permettent de donner aux arbres les éléments nutritifs dont ils ont besoin durant environ un an. Il suffit de les ficher dans le sol à la profondeur recommandée.

Effet non recherché... Les engrais granulaires peuvent absorber les vapeurs des herbicides et avoir ensuite un effet nuisible sur les plantes que vous fortifiez ainsi. Par précaution, conservez les engrais en sacs loin des herbicides. Si vous disposez de peu d'espace de rangement, placez les engrais dans des sacs de plastique bien fermés pour éviter toute contamination.

Bon pour les racines. Le phosphore favorise la croissance des racines, mais il pénètre lentement dans le sol. Veillez donc à l'épandre près des racines, en creusant la terre au besoin.

Fertilisation d'un arbre

À PRÉVOIR :

Ruban à mesurer ou règle

Engrais complet

Tarière ou barre de fer

Entonnoir

Sable ou terre

Tuyau d'arrosage

1 Mesurez le diamètre du tronc avec un ruban à mesurer (la dose d'engrais est fonction du diamètre du tronc). Prélevez et réservez la dose d'engrais recommandée par le fabricant en fonction de ces dimensions.

2 Creusez autour de l'arbre des trous de 3 po (7,5 cm) de diamètre et de 1 pi (30 cm) de profondeur espacés de 2 pi (60 cm). Amorcez le perçage à 2 pi (60 cm) du tronc ; allez jusqu'à 2 pi (60 cm) passé la limite du feuillage.

3 Versez une dose égale d'engrais dans chacun des trous à l'aide d'un entonnoir ; bouchez les trous avec du sable ou de la terre. Arrosez ensuite abondamment avec un tuyau d'arrosage de façon que les granules de fertilisant se dissolvent.

Il n'y a pas de jardin parfait. Les jardins sont des créations qui évoluent sans cesse au gré des besoins, des préférences et des inspirations. Certains problèmes ne manquent toutefois jamais de survenir et presque tous les amateurs doivent les surmonter, quelle que soit la taille de leur jardin. Fort heureusement, ces problèmes ne sont pas insolubles. Voici 21 améliorations permettant de créer un environnement paysager dans ce qui n'est au départ qu'un jardin bien ordinaire.

Aménagez un potager là où il y a le plus de soleil. Entretenez les bordures pour éviter que la terre ne s'effrite ; créez une plate-bande surélevée pour ménager vos reins pendant que vous jardinez. (5)

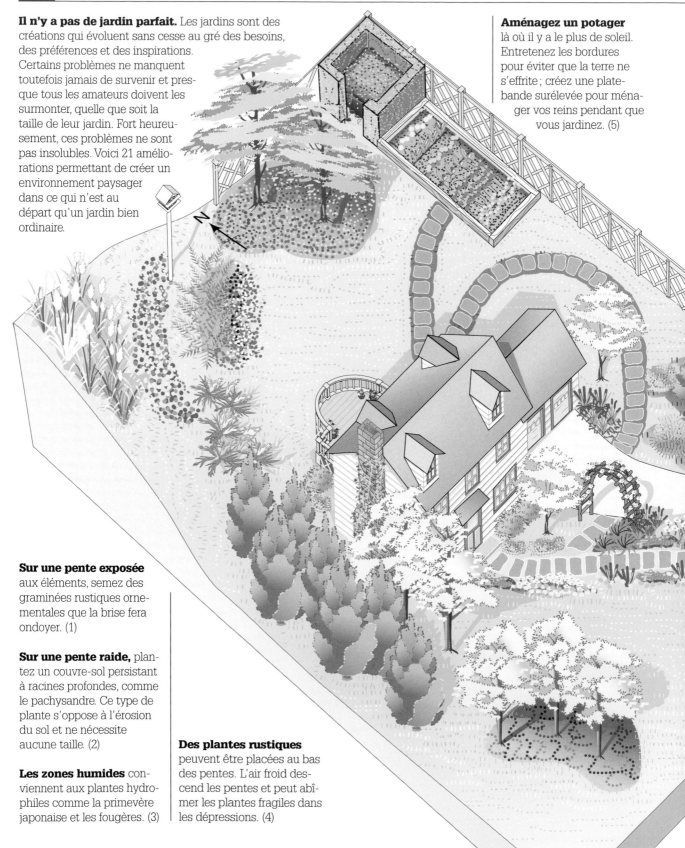

Sur une pente exposée aux éléments, semez des graminées rustiques ornementales que la brise fera ondoyer. (1)

Sur une pente raide, plantez un couvre-sol persistant à racines profondes, comme le pachysandre. Ce type de plante s'oppose à l'érosion du sol et ne nécessite aucune taille. (2)

Les zones humides conviennent aux plantes hydrophiles comme la primevère japonaise et les fougères. (3)

Des plantes rustiques peuvent être placées au bas des pentes. L'air froid descend les pentes et peut abîmer les plantes fragiles dans les dépressions. (4)

Cachez le tas de compost derrière un pan de clôture ou une haie d'arbustes persistants. (6)

Créez une échappée de vue agréable. Attirez l'attention sur un élément central, comme un banc de pierre, une sculpture ou une maison d'oiseaux. (7)

Ne semez pas de gazon sous une dense frondaison. Plantez des couvre-sol tolérant l'ombre, comme le lierre et la pervenche. Taillez les plantes grimpantes à 6 po (15 cm) des troncs. (8)

Semez du gazon résistant au piétinement dans les aires de circulation et de jeu. (10)

Parez la terrrasse de fines herbes et d'annuelles en pots durant l'été ; faites l'essai de variétés odorantes comme la nicotiane. Plantez des conifères nains dans des pots pour rendre la terrasse plus attrayante l'hiver. (11)

Plantez des conifères en quinconce pour former un coupe-vent qui protégera la maison contre les vents dominants. Un coupe-vent protège une aire égale à 10 fois sa hauteur. (12)

Intégrez une cheminée de briques au jardin en laissant une vivace grimpante s'y fixer. Choisissez une plante qui n'abîmera pas le mortier, l'hydrangée grimpante par exemple. (13)

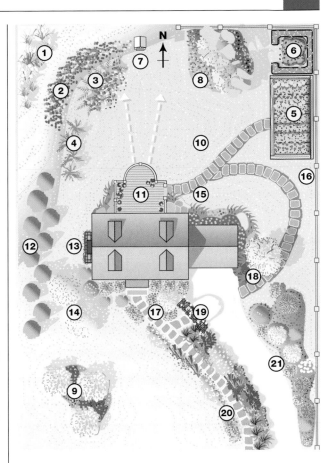

Plantez les arbres d'ombrage à 20 pi (6 m) de la façade sud-ouest de la maison. Leur feuillage ombrera et rafraîchira les pièces l'été ; l'hiver, leurs branches nues laisseront passer le soleil. (14)

Pour que les allées soient exemptes de mauvaises herbes, étalez une toile de plastique ou géotextile sur le sol, puis recouvrez-la de cailloux ou d'écorce déchiquetée. Vous pouvez aussi installer des pavés espacés chacun d'une enjambée. (15)

Une clôture est gage d'intimité. Elle doit laisser l'air circuler tout en obstruant la vue. Agrémentez-la d'un pommier ou d'un pyracanthe sur treillage. (16)

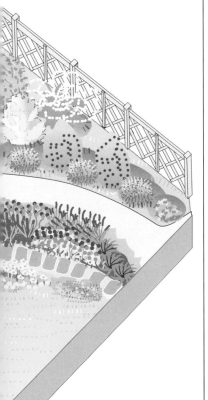

Sous les arbres d'ornement, plantez des bulbes de plantes hâtives et étalez un paillis permanent. Les fleurs coloreront la pelouse et profiteront d'un ensoleillement suffisant avant la frondaison. (9)

Plantez un petit arbre, un cornouiller par exemple, parmi les arbustes qui dissimulent les fondations. Ainsi, vous enjoliverez l'aménagement et lui donnerez de la hauteur sans obstruer les fenêtres. (17)

Étagez les plantes qui dissimulent les fondations, en prenant soin de positionner les plus hautes en arrière-plan. Plantez à l'angle des murs un arbre dont la taille adulte sera proportionnée à la maison en l'éloignant suffisamment des murs pour qu'il puisse croître. (18)

Soulignez la transition entre l'entrée et l'allée de garage au moyen d'une tonnelle. Faites y courir un rosier ou une clématite. (19)

L'allée de l'entrée sera plus invitante si vous la bordez d'un massif d'annuelles de diverses couleurs. Choisissez des plantes qui déborderont un peu du massif. (20)

Bordez l'allée de garage d'arbustes variés. Un tel aménagement nécessite peu d'entretien et atténue la « sécheresse » des lignes géométriques. (21)

SÛR ET SENSÉ

➤ Une clôture est moins coûteuse et plus facile à construire qu'un mur.

➤ Outre un air de pérennité, les arbres confèrent de la profondeur et du relief à un jardin.

Bon voisinage. Votre clôture borde-t-elle la propriété d'un voisin ? Veillez à la finir aussi bien d'un côté que de l'autre. C'est une question de politesse et ce peut être aussi une exigence du code du bâtiment. Assurez-vous en outre qu'elle se trouve en deçà des limites de votre terrain et que sa hauteur et sa conception ne contreviennent pas aux règlements en vigueur.

Gare au vent ! Les clôtures fermées font obstacle aux rafales, mais elles créent aussi de puissants courants d'air descendants du côté protégé du vent. Optez plutôt pour une clôture qui laisse filtrer un peu d'air.

Les clôtures en bois imputrescible (cyprès ou cèdre) ou en pin traité sous pression demandent peu d'entretien et sont durables.

Vous ne pouvez creuser un poteau de clôture parce que le sol est trop dur ? Creusez un trou peu profond et comblez-le d'eau ; laissez ensuite l'eau ameublir la terre. Vous finirez de creuser le trou le lendemain.

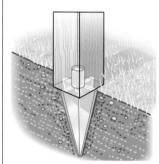

Les pieux métalliques facilitent l'installation des poteaux de clôture. Il suffit de les ficher dans le sol avec une masse et d'y fixer des poteaux déjà percés. Leur sommet doit dépasser du sol de plusieurs centimètres de façon à faciliter le drainage.

Après avoir creusé des trous sous la ligne de gel, placez au fond de ceux-ci une grande pierre plate, puis installez les poteaux et ajoutez du gravier. Vous utiliserez moins de gravier, sans pour cela compromettre le drainage ni la résistance du bois à la pourriture.

Polyvalence assurée. Au lieu de clouer les traverses d'un pan de clôture de lattes préfabriquée, calez-les dans des étriers de métal fixés aux poteaux. Il sera ainsi possible de retirer tout le pan au besoin.

Avant d'assembler les pièces d'une clôture, songez à les finir. Vous pourrez ainsi beaucoup plus facilement appliquer de la peinture, de la teinture ou un produit de préservation sur toutes les surfaces et le travail sera moins salissant.

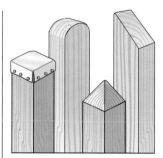

Tombe la pluie... Pour faciliter l'écoulement de l'eau de pluie, taillez le sommet des poteaux de clôture en pointe ou en biseau ou coiffez-le d'un capuchon de métal. Arrondissez aussi le sommet des planches.

Les poteaux des barrières sont soumis à rude épreuve. Pour les stabiliser, garnissez la partie qui sera enfouie de clous ordinaires 10d. Enfoncez les clous sur les quatre côtés, en quinconce, sur la moitié de leur longueur. Les clous offriront plus de prise au béton.

Clôture de lattes verticales

À PRÉVOIR :

Piquets et cordeau
Ruban à mesurer
Bêche-tarière ou tarière
Bâche et pelle
Pierre concassée
Poteaux (4 x 4 de 5 pi [1,50 m])
Niveau
Brouette et béton préparé
Dame et truelle langue-de-chat
Traverses (2 x 3 de préférence)
Tournevis électrique
Vis à bois galvanisées
Scie électrique
Lattes (1 x 3 de 3 pi [90 cm])

1 Marquez la position des poteaux d'extrémité au moyen de piquets fichés dans le sol. Tendez un cordeau entre ces piquets, à environ 2 po (5 cm) du sol. Mesurez la longueur du cordeau et divisez celle-ci en intervalles égaux de façon à fixer l'espacement des poteaux intermédiaires (8 pi [2,45 m] au maximum). Repérez le centre de chaque poteau avec des piquets.

2 Les poteaux de soutien doivent reposer sous la ligne de gel. Aux extrémités, creusez des trous d'au moins 30 po (75 cm) de profondeur et 12 po (30 cm) de diamètre. Déposez 2 po (5 cm) de pierre concassée dans les trous et insérez les poteaux, qui doivent dominer le sol d'au moins 32 po (80 cm). Tassez de la pierre concassée autour des poteaux sur 6 po (15 cm) d'épaisseur. Vérifiez l'aplomb au niveau.

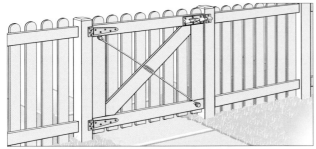

Point d'affaissement. Utilisez-vous un étrésillon diagonal pour empêcher une barrière de s'affaisser ? Fixez sa partie supérieure du côté du verrou et sa partie inférieure du côté des charnières. Si vous ajoutez un tendeur à lanterne pour plus de solidité, placez-en la partie supérieure du côté des charnières et l'autre extrémité du côté du verrou.

Espacement. Avant de poser des lattes, fixez un tasseau au bout d'une latte que vous utiliserez en guise de gabarit d'espacement. Il vous suffira d'appuyer le gabarit sur la traverse et d'y buter chaque latte. Pour espacer les traverses, servez-vous d'une planche sciée à la longueur utile.

Vérification annuelle. Un an après avoir construit une clôture, calfeutrez tous les vides entre les semelles de béton et les poteaux. Autrement, l'eau s'infiltrera dans les semelles et fera pourrir le bois. S'il y a lieu, appliquez de la peinture ou de la teinture avant que le bois ne soit mis à nu.

SÛR ET SENSÉ

➤ Servez-vous d'une bêche-tarière si vous ne devez creuser que quelques trous. Autrement, louez une tarière à moteur conçue pour être utilisée par deux personnes.

➤ Vous devez bien voir les voitures qui circulent lorsque vous quittez l'allée de garage. Ne construisez donc jamais une haute clôture près de l'extrémité de l'allée.

Des animaux attirés par les légumes du potager pourraient se faufiler sous une clôture. Pour les déjouer, creusez près de la clôture une tranchée étroite d'environ 12 po (30 cm) de profondeur. Découpez ensuite une bande de broche à poulet suffisamment longue et large pour couvrir d'un seul tenant l'intervalle entre le bas de la clôture et le fond de la tranchée. Fixez le bord supérieur sur la clôture avec des agrafes ; enterrez le bord inférieur dans la tranchée.

3 Coulez le béton dans le premier trou par couches successives ; tassez-le et vérifiez l'aplomb du poteau après chaque coulée. Faites déborder le béton du trou de façon à former un « collet » de 1 po (2,5 cm) d'épaisseur. Avec une truelle, donnez-lui une pente à partir du poteau pour l'écoulement de l'eau. Répétez l'opération dans les autres trous. Laissez durcir le béton pendant au moins deux jours.

4 Aboutez les traverses au centre des poteaux intermédiaires et arasez-les aux poteaux d'extrémité. Celles du bas doivent se trouver à environ 3 po (7,5 cm) du sol. Tendez un cordeau le long de la clôture, accrochez-y un niveau de ligne et marquez la position des traverses du bas. Vissez celles-ci aux poteaux après avoir vérifié leur horizontalité. Posez les traverses du haut ; arasez les poteaux (médaillon).

5 Positionnez une latte à ras de chaque poteau d'extrémité et au centre de chaque poteau intermédiaire ; la base des lattes doit se trouver à environ 2 po (5 cm) au-dessus du sol. Mesurez la distance qui sépare deux lattes entre des poteaux adjacents et espacez les autres lattes uniformément ; veillez à en positionner la base à 2 po (5 cm) du sol. Vérifiez l'aplomb des lattes avant de les visser aux traverses.

Signes de stress. Les plantes ont besoin d'eau quand leur feuillage se flétrit ou paraît terne et lorsque les fruits et les fleurs se développent peu. Maintes plantes s'affaissent en mi-journée si la chaleur est excessive ; ne les arrosez que si elles ne se redressent pas le soir venu.

Réserve d'eau. Formez une cuvette peu profonde avec du paillis ou de la terre à la limite du feuillage des arbres et des plantes. La cuvette retiendra l'eau de pluie.

Ayez toujours deux arrosoirs sous la main : un pour arroser les plantes, un autre pour appliquer des produits solubles comme les herbicides et les pesticides.

Utilisez un tuyau poreux ou percé pour arroser efficacement les plantes. Ce type de tuyau assure la pénétration graduelle de l'eau dans la terre. Faites-le courir au-dessus des racines ; couvrez-le de paillis pour contrer l'évaporation.

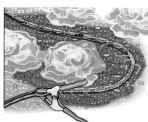

Couic ! Un tuyau percé est-il trop long ? Pour le raccourcir, pincez-le avec une serre à ressort ou une serre en C à la limite de la surface que vous devez arroser.

Réparation d'un robinet extérieur

À PRÉVOIR :

Clé à molette à ouverture large

Tournevis

Pince à bec effilé

Rondelle

Vis en laiton ou en acier inoxydable (facultatif)

Lubrifiant

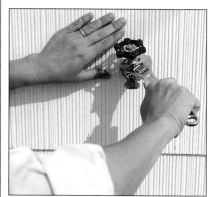

1 Avant d'enlever le robinet extérieur, fermez le robinet de sectionnement. Dévissez ensuite l'écrou presse-étoupe avec une clé, puis ouvrez le robinet extérieur. Vous devriez ainsi pouvoir ôter la poignée et la tige en même temps.

2 Retirez la vieille rondelle et la vis qui l'assujettit. Si la vis est coincée, coupez et enlevez la rondelle ; tournez ensuite la vis vers la gauche avec une pince à bec effilé.

3 Procurez-vous une rondelle de rechange identique à l'originale. Si la vis n'est plus utilisable, remplacez-la par une vis en laiton ou en acier inoxydable. Lubrifiez la vis et assujettissez la rondelle. Lubrifiez ensuite la tige et réinstallez-la.

Ça roule! Posez des déflecteurs là où le tuyau d'arrosage risque de traîner des pierres, de faucher des plantes ou de se coincer. Il suffit de ficher des goujons dans le sol et de les gainer d'un tronçon de tuyau en PVC.

Arrosage ciblé. En fixant le tuyau d'arrosage sur un vieux manche à balai de 3-4 pi (0,90-1,20 m) de long avec du ruban séparateur, vous pourrez diriger précisément le jet d'eau vers les plantes à arroser.

SÛR ET SENSÉ

➤ Arrosez les plantes adultes longtemps mais peu souvent pour forcer les racines à plonger dans la terre. Des arrosages superficiels répétés font en sorte que les racines demeurent en surface, exposées aux effets de la sécheresse.

➤ Les jeunes plantes et les semis ont un système racinaire superficiel. Arrosez-les mais peu à la fois jusqu'à ce qu'ils soient bien établis.

➤ La terre absorbe environ ¼ po (6 mm) d'eau en une heure. Aussi un débit d'arrosage faible limite-t-il les pertes dues au ruissellement.

Économie d'eau. Comme 25 p. 100 de l'eau d'arrosage s'évapore avant de toucher le sol, mieux vaut arroser les plantes par temps calme et nuageux. Dirigez les jets d'eau vers la terre et non vers les surfaces pavées.

Pour arroser les plantes au moment opportun, reliez un humidimètre au système d'arrosage automatique. Ce dispositif déclenche l'arrosage dès que le sol devient suffisamment sec.

Arroseur souterrain. Une plante est-elle avide d'eau? Percez de petits trous sur les côtés d'un bidon de plastique de 1 gal (4,5 litres) et enterrez celui-ci près des racines de la plante, en prenant soin de placer le goulot juste au-dessus du sol. Remplissez ensuite le bidon d'eau au besoin.

L'eau de cuisson des légumes et des œufs durs est riche en minéraux. Laissez-la refroidir et donnez-en aux plantes.

Avant de vous absenter pendant une longue période, arrosez vos plantes d'intérieur et recouvrez les pots de pellimoulante. Rabattez la pellimoulante lâchement sur la terre, jusqu'aux tiges.

Remplacement d'un arroseur automatique

À PRÉVOIR:

Bêche

Ruban téflon

Arroseur à raccord souple

1 Placez la minuterie à *Off* et fermez le robinet d'arrêt. Découpez le gazon autour de l'arroseur avec une bêche; conservez la plaque de gazon. Déterrez l'arroseur avec précaution pour ne pas abîmer le raccord ni la canalisation.

2 Tirez délicatement l'arroseur vers le haut et détachez-le du mamelon en le dévissant. Enlevez tout résidu de vieux ruban téflon sur les filets du mamelon; remettez ensuite du ruban téflon sur les filets.

3 Faites circuler l'eau dans la canalisation pour déloger les cailloux et la terre qui peuvent s'y trouver. Coupez l'eau et installez l'arroseur de rechange. Comblez le trou, tassez la terre avec précaution et replacez la plaque de gazon.

Ah ! le printemps ! Avant de faire démarrer votre tondeuse pour la première fois au printemps, assurez-vous qu'aucun débris n'obstrue les ouvertures du silencieux. Durant l'hiver, il n'est pas rare que les petits rongeurs mettent de la nourriture en réserve dans les systèmes d'échappement des appareils à essence.

Aride plutôt qu'humide. Ne tondez la pelouse que si la terre et le gazon sont secs. Une lourde tondeuse peut s'enliser dans la terre mouillée et y creuser des ornières difficilement réparables. En outre, le gazon mouillé se déchire sous la lame et forme des galettes qui asphyxient la pelouse et obstruent la tondeuse.

Déchiquetage. Si votre tondeuse est dotée d'une goulotte d'éjection latérale, retirez le sac de récupération et laissez les tontes tomber sur la pelouse pour enrichir la terre. Tondez simplement le gazon plus souvent, en retranchant chaque fois le tiers de la longueur des brins tout au plus.

Une lame déchiqueteuse peut être adaptée à maintes tondeuses anciennes.

Pour enlever les tontes durcies sous le châssis, arrosez-les avec un tuyau d'arrosage, puis grattez-les avec un couteau à mastic, un vieux ciseau à bois ou un autre outil résistant.

Inspectez les roues avant de tondre le gazon ; toute oscillation peut se traduire par une coupe inégale. Resserrez les boulons au besoin.

Le dessous du châssis d'une tondeuse déchiqueteuse doit demeurer propre. Enduisez-le d'antiadhésif de cuisine en aérosol pour contrer l'accumulation de tontes, au moment des changements d'huile du moteur.

Pour contrer la rouille, essuyez le châssis avec un chiffon huileux après avoir tondu le gazon. Vous appliquerez ainsi une fine couche d'huile tout en enlevant les tontes.

Utilisez une tondeuse déchiqueteuse pour économiser temps, énergie et argent. Vous n'aurez pas à ramasser les tontes : elles se décomposeront dans le gazon et enrichiront la terre, diminuant d'autant le besoin de fertilisation.

Affûtage d'une lame de tondeuse

À PRÉVOIR :

Gants de travail

2 x 4

Clé à douille

Marteau

Étau

Lime plate demi-douce

Cône d'équilibrage

Tournevis (facultatif)

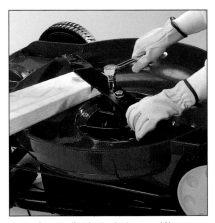

1 Avant d'enlever la lame, débranchez le câble de bougie. Coincez ensuite la lame sur un 2 x 4, saisissez-la d'une main (portez des gants) et desserrez les boulons avec une clé à douille. Si les boulons grippent, frappez la clé avec un marteau. Retirez les boulons et la lame.

2 Vérifiez l'état de la lame (et du raidisseur s'il y en a un). Si des pièces sont endommagées, procurez-vous les pièces de rechange recommandées par le fabricant. Si la lame est tordue, n'essayez pas de la redresser.

Sur les pentes, tondez le gazon obliquement plutôt que de haut en bas. C'est moins fatigant pour les bras et moins dangereux puisque la tondeuse ne peut vous échapper en descente ni se renverser sur vous à la remontée.

Aïe ! Les bords tranchants d'un châssis de tondeuse peuvent entailler l'écorce délicate de certains arbres, exposants ceux-ci aux insectes et aux maladies. Par précaution, fixez sur le châssis une moulure de protection pour voitures en guise de pare-chocs.

Variez le sens de la tonte chaque fois que vous tondez le gazon, sinon la terre se tassera, laissant des traces visibles sur la pelouse.

Mettez du ruban en vinyle de couleur sur le cordon de votre tondeuse électrique pour le rendre plus visible.

Une dernière... Réglez la garde au sol de votre tondeuse de façon à laisser 2 po (5 cm) de gazon tout au plus lorsque vous tondez la pelouse pour la dernière fois l'automne. Un gazon court est moins sensible aux maladies l'hiver et plus facile à nettoyer le printemps venu.

Avant de remiser la tondeuse pour l'hiver, retirez la bougie d'allumage, versez une cuillerée à soupe d'huile à moteur dans l'orifice et retournez le châssis pour distribuer l'huile également.

Vidangez l'essence avec une poire à jus après la dernière tonte ; faites ensuite tourner le moteur pour brûler le reste. Vous pouvez aussi laisser l'essence dans le réservoir et l'additionner d'un stabilisant, qui empêchera sa dégradation.

SÛR ET SENSÉ

➤ Pour protéger la lame de la tondeuse et vos yeux, enlevez les pierres, les branches et les autres débris qui se trouvent sur la pelouse avant de tondre.

➤ Si vous utilisez une tondeuse électrique, passez le cordon par-dessus l'épaule ou enroulez-le autour d'un coude : vous risquerez moins de le sectionner.

➤ Avant de coucher la tondeuse sur le côté pour la réparer, assurez-vous toujours que l'orifice de remplissage du réservoir d'huile est orienté vers le haut. Vous éviterez ainsi de répandre de l'huile sur le sol.

3 À l'aide d'une lime plate demi-douce, affûtez chaque tranchant le long du biseau original. Limez le métal dans un seul sens, de l'intérieur vers l'extérieur. Enlevez la même quantité de métal de chaque côté de la lame.

4 Voyez si la lame est équilibrée en la plaçant à l'horizontale sur un cône d'équilibrage (en vente dans les magasins de pièces automobiles) ou un tournevis. Effectuez la vérification d'un côté, puis retournez la lame et faites une autre vérification. Si la lame n'est pas équilibrée, limez l'extrémité la plus lourde. Évitez de limer le tranchant fraîchement affûté. Continuez de limer la lame jusqu'à ce qu'elle soit équilibrée.

5 Une fois la lame équilibrée, reposez-la, en prenant soin d'orienter les dévers vers le châssis. Ainsi posée, la lame coupera et éjectera le gazon efficacement.

SOUFFLEUSES À FEUILLES

Refroidissement. Comme les souffleuses électriques et à essence sont refroidies par air, enlevez régulièrement les débris qui obstruent les orifices du système de refroidissement. Ce geste simple permet de protéger le moteur contre une éventuelle surchauffe.

La vibration du moteur d'un outil électrique provoque le desserrement des écrous du boîtier. Pour bloquer les écrous, enduisez les boulons de vernis à ongles incolore ou d'adhésif frein-filet avant le resserrage.

Petit ajout. Devez-vous enlever des feuilles mouillées qui adhèrent à des surfaces pavées? Fixez une brosse à légumes au bout du tube de la souffleuse à feuilles. Vous pourrez soulever et déchirer les feuilles avec la brosse et du même coup chasser les débris à l'aide de la souffleuse.

Pour déplacer un tas de feuilles vers une bâche ou une brouette, dirigez d'abord le jet d'air sur les feuilles du dessus; orientez ensuite rapidement le tube de soufflage vers la base du tas.

Avant d'utiliser une souffleuse à feuilles, prenez connaissance des règlements sur le bruit. Un appareil trop bruyant pourrait vous valoir bien plus que des plaintes de la part de vos voisins...

DÉCHIQUETEUSES

Juste un coup d'œil. Vérifiez périodiquement le niveau d'essence de la déchiqueteuse quand vous l'utilisez. En cas de panne sèche, il vous faudrait désobstruer la trémie ou la goulotte et nettoyer l'aire de récupération avant de relancer le moteur.

Affûtez les couteaux de la déchiqueteuse sans tarder si le paillis devient filamenteux ou si le débit d'évacuation diminue.

Péril vert. Ne déchiquetez ni feuilles ni branches vertes ou mouillées. Elles peuvent non seulement obstruer ou bloquer la machinerie, mais aussi faire moisir le paillis.

Économies d'échelle. Les débris d'arbre que vous voudriez déchiqueter sont-ils trop peu nombreux pour que la location d'une déchiqueteuse soit rentable? Voyez si des voisins ont des matériaux à déchiqueter eux aussi. S'il y a lieu, vous pourriez partager les frais de location à plusieurs.

Souffleuse à feuilles: corde de lanceur à remplacer

À PRÉVOIR:

Tournevis Torx ou clé hexagonale	Ciseaux
Gants de travail	Tournevis
Lunettes de protection	
Corde de rechange ou ressort et accessoires	

1 Déboulonnez le boîtier. Au besoin, coupez la corde et desserrez ensuite le boulon ou la vis qui assujettit la poulie sur laquelle s'enroule la corde, dans le boîtier. Enlevez corde et poulie, en prenant bien garde de ne pas retirer le ressort.

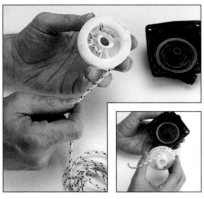

2 Notez dans quel sens la corde est enroulée, puis déroulez-la et détachez-la de la poulie. Enroulez la corde de rechange dans le même sens, en veillant à coincer l'amorce dans l'attache ou la fente. Placez la poulie sur le ressort.

3 Après avoir mis des gants et des lunettes de protection, tournez la poulie deux ou trois fois (consultez le guide d'utilisation) dans le sens où la traction est exercée sur la corde. Reposez la vis. Glissez et fixez le bout de la corde dans la poignée.

SCIES À CHAÎNE

Lancez le moteur en tirant la corde du lanceur verticalement vers le haut. Elle s'usera si vous la tirez de biais à maintes reprises.

Vice versa. Le guide-chaîne de la plupart des scies à chaîne est réversible. Pour uniformiser son usure, retournez-le toutes les 5 heures d'utilisation.

Affûtage. Les maillons-gouges produisent de la sciure quand ils sont émoussés. S'il y a lieu, affûtez-les sans tarder.

Par précaution, couvrez les maillons-gouges d'un tronçon de tuyau d'arrosage fendu sur le long avant de ranger votre scie à chaîne.

SÛR ET SENSÉ

➤ Gants, bouchons d'oreilles, bottes de chantier, lunettes de protection et casque sont de rigueur quand on utilise une scie à chaîne.

➤ Ne coupez rien au-dessus des épaules.

➤ Coupez le moteur avant de vous déplacer.

TAILLE-BORDURES À FIL

Position idéale. Lorsque vous utilisez un taille-bordures à fil, veillez à maintenir la tête de coupe à l'horizontale pour ne pas abîmer le gazon.

Point limite. Ne taillez pas le gazon jusqu'au pied des arbustes et des arbres. Le monofilament peut entailler une écorce délicate.

Si vous devez tailler le gazon au pied d'un arbre ou d'un arbuste, placez d'abord un collet en plastique épais (vendu dans les jardineries) à la base du tronc.

Net avantage. Les taille-bordures dotés d'un bouton de recharge automatique ou semi-automatique sont bien plus faciles à utiliser que les modèles à recharge manuelle. Ils permettent aussi de travailler plus vite.

Prise ferme. Disposez-vous d'un démonte-filtre ? Il vous sera utile pour débloquer, s'il le faut, la tête de coupe d'un taille-bordures au moment de remplacer le monofilament.

Rhus sp. Ne coupez jamais le sumac vénéneux (herbe à la puce), le sumac vinaigrier ni le sumac lustré avec un taille-bordures à fil. Les particules toxiques libérées par la coupe pourraient provoquer une réaction allergique si elles venaient en contact avec votre peau.

Taille-bordures : pose du monofilament

À PRÉVOIR :

Brosse

Bobine ou monofilament de rechange

1 Appuyez sur la languette de blocage située sur le côté du moyeu tout en tournant l'anneau de blocage vers la gauche. Enlevez l'anneau et examinez-le ; remplacez-le s'il est endommagé.

2 Retirez le bouton de recharge automatique. Voyez s'il est fissuré ou autrement endommagé ; remplacez-le s'il y a lieu. Éliminez les débris avec une brosse.

3 Appuyez sur la bobine et tournez-la un peu pour la dégager des languettes de blocage ; retirez-la du moyeu avec précaution. Installez une bobine prête à utiliser ou bien enroulez un monofilament de rechange dans la bobine vide et réinstallez-la.

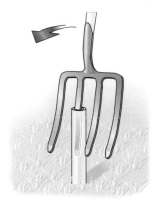

Maux de dents. Fichez un tronçon de tuyau galvanisé de 3 pi (90 cm) de long et de 1 po (2,5 cm) de diamètre dans le sol, sur 2 pi (60 cm) de profondeur environ, et servez-vous-en pour redresser les dents de votre fourche et d'autres outils.

Où l'ai-je mis ? Pour ne pas vous poser la question, appliquez de la peinture de couleur vive sur la poignée des outils. Visibilité assurée, même dans l'herbe haute !

Rangez les outils et les gants de jardinage dans une boîte aux lettres accrochée à un poteau de clôture ou au mur d'un cabanon. Ils seront à l'abri des éléments et toujours à portée de la main.

Ergonomie. Avez-vous de la difficulté à vous pencher ou à vous agenouiller ? Que cela ne vous empêche pas de jardiner ! On trouve sur le marché des transplantoirs, des binettes et des outils à désherber munis de manches extra-longs.

Pour contrer la rouille, nettoyez et huilez vos outils avant de les ranger. Il suffit de placer un seau de sable imprégné d'huile végétale près de l'aire de rangement. Plongez-y simplement la partie métallique des outils après usage ; au contact du sable, le métal sera nettoyé et huilé.

Tout confort. L'épaulement d'une pelle sera plus confortable sous le pied si vous le gainez de deux tronçons de tuyau d'arrosage.

Vous gagnerez du temps avec un plantoir « multi-trous ». Pour en fabriquer un, percez 24 trous de ½ po (1,5 cm) de profondeur dans le chant d'un contreplaqué de ¾ po (2 cm) d'épaisseur et assujetissez-y avec des vis des goujons de 1½ po (4 cm) de long. En piquant les goujons dans le sol, vous creuserez 24 trous d'un coup.

Un couteau à pamplemousse peut servir à éliminer les mauvaises herbes. Léger et facile à manipuler, il permet de travailler près des plantes fragiles. Sa lame dentelée pénètre bien dans la terre graveleuse.

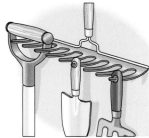

Râteau-râtelier. Sciez le manche brisé d'un vieux râteau et clouez celui-ci sur un mur, en orientant les dents vers vous. Les dents pourront recevoir des outils de dimensions variées, du transplantoir à la pelle à poignée fermée.

Remplacement d'un manche de pelle

À PRÉVOIR :

Perceuse et meule

Pointeau

Marteau

Vis à bois

Tournevis

Étau

Maillet de caoutchouc

Papier et crayon

Nouveau manche en bois franc

Scie à tronçonner

Papier carbone

Râpe à bois ou outil Surform

Bloc de bois

1 À l'aide d'une meule adaptée à une perceuse, étêtez le rivet qui assujettit le vieux manche. Délogez la tige du rivet de l'emboîture avec un pointeau et un marteau. Faites ensuite pénétrer une longue vis à bois profondément dans le tronçon de manche. Bloquez la tête de la vis dans un étau et frappez la tête de la pelle avec un maillet : vous arriverez ainsi à déboîter le tronçon de manche.

2 Enroulez une bande de papier et glissez-la dans l'emboîture. Laissez le papier se dérouler de façon qu'il épouse la paroi de l'emboîture, puis unissez-en les bouts avec du ruban adhésif. Glissez ensuite le tube de papier sur le bout conique du manche de rechange, le plus loin possible ; tracez une ligne le long du bord supérieur pour reporter sur le manche le diamètre intérieur de l'emboîture.

Un vieux râteau peut être converti en racloir en fendant simplement un tronçon de tuyau d'arrosage sur le long et en le glissant sur les dents du râteau.

Tranchants et propres.
Pour que les sécateurs, les ébrancheurs, les scies et les cisailles demeurent en bon état, affûtez-les toutes les 10 heures d'utilisation environ et nettoyez-les promptement. Désinfectez-les aussi avec de l'eau de Javel diluée si vous vous en servez pour tailler des plantes malades.

Entretien des manches.
De temps à autre, appliquez de l'huile de lin sur les manches en bois des outils afin de bouche-porer les surfaces dévernies. Un manche soumis à rude épreuve peut se fendre et éclater si l'humidité pénètre dans le bois.

Un manche est fendu ?
Appliquez de la colle jaune dans la fente, puis mettez le manche sous serre. Une fois la colle sèche, consolidez la réparation avec des vis à bois et enroulez une grosse ficelle imbibée d'adhésif époxyde par-dessus.

Pour enlever la sève sur la lame d'une scie à élaguer, utilisez du nettoyant à four. Vaporisez le nettoyant, puis frottez la lame avec une brosse à dents. Rincez la lame à l'eau, laissez-la sécher, puis lubrifiez-la.

Utilisez un tablier de menuisier pour transporter les outils de jardinage (sécateur, transplantoir, etc.), vos graines, de la ficelle, les débris de taille, etc.

Vous économiserez temps et efforts en transportant les petits outils et les fournitures de jardinage dans une soucoupe glissante d'enfant. Tirez la soucoupe jusqu'au potager : elle glissera sur le gazon sans l'abîmer.

SÛR ET SENSÉ

➤ Pour prolonger la vie utile des gants de jardinage, placez de petits morceaux de ruban séparateur ou des pièces thermocollantes sur le bout des doigts.

➤ Fixez un tronçon de gaine isolante pour tuyaux sur le manche des outils afin de prévenir les ampoules.

➤ Pour ménager votre dos, utilisez la binette comme un balai. Placez les deux pouces vers le haut ; gardez le dos droit ; glissez la lame juste sous la surface du sol ; arrachez les mauvaises herbes à mesure que vous avancez.

3 Mesurez la profondeur de l'emboîture. Mesurez la longueur correspondante entre le repère tracé au crayon sur le manche et l'extrémité du bout conique ; tracez une ligne de coupe. Bloquez le manche dans l'étau. Sciez-le avec une scie à tronçonner au niveau de la ligne de coupe.

4 Recouvrez le bout conique du manche de papier carbone, glissez-le dans l'emboîture et retirez-le sans le tourner. Le papier carbone aura noirci les aspérités : éliminez-les avec une râpe à bois ou un outil Surform. Vérifiez et corrigez l'ajustement de cette façon jusqu'à ce que le bois soit uniformément noirci.

5 Une fois le bout conique ajusté (il ne doit y avoir aucun jeu jusqu'à la ligne tracée au crayon), calez-le dans l'emboîture en frappant le bout opposé du manche sur un bloc de bois. Pour bloquer le manche dans l'emboîture, percez un avant-trou de chaque côté, un peu de biais. Posez ensuite dans les avant-trous des vis à bois à tête ronde d'une longueur légèrement inférieure au diamètre du manche.

Vous pouvez composter sans composteur. Couvrez simplement les déchets d'une bâche pour empêcher la pluie d'emporter les éléments nutritifs. Il est aussi possible d'utiliser un contenant refermable percé de trous assurant la circulation de l'air. Même un cadre fabriqué avec du plastique ondulé et des poteaux de bois fera l'affaire.

Compostez, compostez !
Jetez sans discrimination toutes matières végétales sur le tas de compost : restes de fruits et de légumes, tontes de gazon, feuilles, débris de taille, paille, coquilles de noix, fleurs fanées, etc. Compostez aussi les bouchons de liège, les peluches de vêtements, les poils d'animaux, la cendre de bois, les arêtes, etc.

Situez le tas de compost près du jardin. Vous pourrez y accéder plus facilement pour y jeter des débris ou y prendre du compost.

Les mauvaises herbes qui ont grené ne doivent pas être jetées sur le tas de compost. Elles pourraient germer et repousser une fois le compost étalé dans le jardin.

À éviter. Huiles, viandes et produits laitiers n'ont pas leur place dans le compost. Ils se décomposent trop lentement, exhalent une mauvaise odeur et attirent les animaux nuisibles. Évitez aussi les plantes malades.

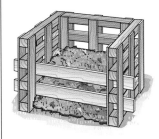

Rapido presto. Pour fabriquer un composteur en un rien de temps, assemblez verticalement trois palettes de bois avec de la broche de façon à former une boîte. De vieilles grilles de cuisinière ou de réfrigérateur feront également l'affaire. Ajoutez des planches à l'avant à mesure que le tas monte.

Plus un matériau est fin, plus il se décompose vite. Découpez les restes d'aliments ou passez-les au mélangeur. Déchiquetez les feuilles et les débris végétaux avec une déchiqueteuse ou une tondeuse, ou bien placez-les dans une poubelle et hachez-les avec un taille-bordures à fil.

Humidifiez le tas de compost avec de l'eau, les restes de café ou de thé ou l'eau de cuisson des légumes.

Composteur grillagé

À PRÉVOIR :

Branchages ou tiges de maïs

Déchets végétaux et ménagers

Arrosoir

Fumier de ferme frais ou engrais

Terre

Masse

Piquets

Grillage ou treillis métalliques

Broche ou liens torsadés

Bâche de plastique

Carton (facultatif)

Fourche

Balai

1 Étalez des branchages sur le sol à l'endroit où sera placé le composteur ; cette couche de matériaux poreuse assurera l'écoulement de l'eau et la circulation de l'air. Ajoutez une couche de déchets végétaux de 1 pi (30 cm) : feuilles mortes, tontes de gazon, débris de taille, etc. Mouillez légèrement les matériaux ; couvrez-les ensuite de 1 po (2,5 cm) de fumier ou d'engrais azoté organique et de terre.

2 À l'aide d'une masse, fichez quatre piquets dans le sol autour du tas. Tendez ensuite du grillage entre les piquets et fixez-le à ceux-ci avec de la broche ou des liens torsadés de gros calibre. Couvrez le tas d'une bâche.

 Chemisez le composteur de plusieurs morceaux de carton afin de limiter l'évaporation.

Pour favoriser la fermentation, mélangez les déchets « verts » (tontes de gazon, trèfle, fumier, pelures de légumes, etc.) et les déchets « bruns » (paille, feuilles mortes, tiges de maïs, sciure, etc.) dans une proportion de 1:3. Les premiers sont sources d'azote ; les seconds, de carbone.

Des animaux indésirables (ratons laveurs, mouffettes, cerfs, etc.) trouvent votre composteur irrésistible ? Vaporisez de l'ammoniaque ou du répulsif sur le compost. Les insectes pullulent ? Ajoutez de la terre ou des journaux déchiquetés pour assécher le compost, limitez les apports de fumier et couvrez le tas.

La fermentation fait grimper la température interne du tas de compost jusqu'à 55 °C (130 °F) environ. Si le tas est froid, retournez-le à la fourche tous les trois à cinq jours pour l'aérer, en plaçant au centre les déchets qui se trouvent sur les côtés. Ajoutez aussi du fumier ou un activateur et corrigez le taux d'humidité par un apport de terre ou d'eau.

Étalez le compost tel quel ou après l'avoir tamisé à l'aide d'un treillis à mailles fines fixé sur un cadre de bois ; ajustez le cadre du tamis à votre brouette.

Excessif. Un tas de compost ayant plus de 4 pi (1,20 m) de hauteur et de largeur est difficile à entretenir et ne peut être aéré efficacement.

L'air circulera mieux si vous fichez au centre du tas de compost un tuyau de PVC perforé.

SÛR ET SENSÉ

➤ Ne compostez jamais des excréments d'animaux : ils peuvent renfermer des organismes nuisibles. Le fumier provenant d'une ferme, d'un zoo ou d'un cirque ne présente aucun danger pour autant qu'il n'ait pas été traité avec des pesticides.

➤ Ne jetez ni feuilles ni branches vertes de laurier-rose sur le tas de compost : la sève qu'elles renferment peut causer la cécité.

➤ Un tas de compost qui sent mauvais contient trop de fumier ou est mal aéré. Retournez-le bien et ajoutez-y de la paille ou de la terre (pour chasser l'odeur), mais évitez le fumier.

3 Continuez d'ajouter des déchets végétaux au tas. Ajoutez-y aussi des déchets comme du marc de café, des pelures de légumes et de fruits ou des coquilles de noix. Idéalement, le rapport entre les matériaux riches en azote et les matériaux riches en carbone devrait être de 1:3.

4 La décomposition des déchets sera plus rapide si le tas demeure uniformément humide. Ajoutez 1 po (2,5 cm) de fumier et la même épaisseur de terre par-dessus chaque couche de déchets de 6 po (15 cm). Retournez les déchets à la fourche pour placer ceux qui se trouvent sur les côtés au centre, où la chaleur due à la fermentation est plus élevée. Trouez le tas avec un manche à balai pour l'aérer.

5 Lorsque le tas atteint le haut du composteur, cessez d'y ajouter des déchets et couvrez-le d'une bâche. Laissez ensuite fermenter ; s'il le faut, retournez et arrosez le compost. Selon les déchets utilisés et la température, la décomposition prendra plusieurs semaines ou plusieurs mois. Le compost est prêt une fois que les déchets sont devenus friables ; incorporez-en alors à la terre des plates-bandes.

SÉCURITÉ

Degré de difficulté des travaux :   Faible   Moyen   Élevé

Renforcement de la sécurité à la maison. De nos jours, les mesures de sécurité doivent être plus raffinées que jamais. Le fait de laisser une lampe allumée et d'interrompre la livraison du courrier durant les vacances ne suffit plus à déjouer des cambrioleurs d'expérience. Voici 23 conseils qui vous permettront de renforcer la sécurité tant à l'extérieur qu'à l'intérieur de votre maison.

Plein la vue. Logez un judas grand angle dans la porte d'entrée. (6)

Extérieur

À découvert. Taillez près du sol les plantes jouxtant la maison afin que les rôdeurs ne puissent se cacher derrière. Des plantes épineuses placées en des points stratégiques (une haie de rosiers bordant la maison par exemple) peuvent aussi avoir un effet dissuasif sur les malfaiteurs. Songez aussi à gravillonner les allées et le sol sous les fenêtres pour empêcher les intrus de pouvoir bénéficier d'une approche silencieuse. (1)

Protégez les fenêtres du sous-sol avec des grilles (ou des barreaux) de métal ou des dômes de plastique. Consultez d'abord les codes (bâtiment, incendies). (2)

Et les autres fenêtres ? Verrouillez les fenêtres à guillotine du rez-de-chaussée avec des serrures dotées d'une tige traversant les châssis et empêchant leur ouverture. Installez également des serrures de ce type sur les fenêtres à guillotine des étages supérieurs accessibles à partir du toit du garage, d'un hangar, etc. (3)

Verrouillez les trappes par-dessous à l'aide de traverses coulissantes. Encastrez les plaques de charnière dans le béton pour qu'on ne puisse les forcer. (4)

Doublé. En plaçant une lampe de chaque côté de la porte d'entrée, vous obtiendrez un éclairage suffisant, même si une ampoule vient à griller. Pour plus de sûreté, songez à convertir au moins une des lampes en lampe d'urgence, qui clignote quand on actionne l'interrupteur à deux reprises et qui s'allume normalement quand on actionne l'interrupteur une seule fois. Des dispositifs de conversion faciles à installer sont en vente dans la plupart des quincailleries. (5)

Posez une serrure à pêne dormant sur toutes les portes extérieures et sur les portes donnant sur le sous-sol et le garage. Si les serrures ont deux barillets, rangez toujours la clé près de la porte pour ne pas être emprisonné dans la maison en cas d'incendie. (7)

Installez des portes extérieures à âme pleine. Elles offrent une meilleure protection contre les intrus. (8)

Cibles mouvantes. Les lampes à détecteur de mouvement s'allument dès que quelqu'un s'approche de la maison et pénètre dans la zone protégée. Installez-les sur le parement extérieur de façon à éclairer les zones non visibles de la rue – cour arrière, aires latérales, coins cachés par de la végétation, etc. Placez-les suffisamment haut pour qu'on ne puisse y accéder sans échelle. (9)

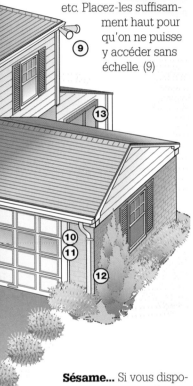

Sésame... Si vous disposez d'un ouvre-porte de garage standard, songez à le remplacer par un dispositif à code variable. Vous déjouerez ainsi les cambrioleurs qui utilisent des appareils leur permettant de trouver le code d'un ouvre-porte standard. Pour plus de sûreté, vous pouvez aussi installer un dispositif de télécommande grâce auquel il vous sera possible d'ouvrir la porte du garage et d'allumer les lampes intérieures et extérieures sans avoir à sortir de la voiture. (10)

N'oubliez pas le garage. Renforcez les panneaux d'une porte de garage en bois. Si des fenêtres sont intégrées à la porte, songez à poser des carreaux incassables. Avant de vous absenter durant une longue période, cadenassez le rail de la porte de garage ou débranchez l'ouvre-porte. Installez un ouvre-porte conçu pour assurer la remontée de la porte en cas d'obstruction. (11)

On descend ! Posez des gouttières en vinyle plutôt qu'en métal. Le vinyle cédera plus facilement sous le poids d'un grimpeur. Coupez les branches qui surplombent le toit. Placez les treillages et les tables de pique-nique loin de la maison. (12)

Verrouillez les portes panoramiques coulissantes avec des serrures à tige. Vissez les serrures sur le cadre intérieur, et le cadre de la porte dont vous ne vous servez pas au bâti. (13)

Promenades nocturnes. Installez un circuit d'éclairage basse tension le long des allées. Reliez-le à une minuterie ou à des cellules photo-électriques afin que les lampes s'allument à la tombée du jour. (14)

Intérieur
Si une odeur de gaz devient perceptible, n'utilisez aucun appareil électrique, évacuez la maison sans tarder et appelez les pompiers de l'extérieur. (15)

Pas de fumée sans feu. Installez au moins un détecteur de fumée à chaque étage – sous-sol, garage et grenier compris. Prévoyez-en un à l'extérieur de chaque chambre que plus de 40 pi (12 m) séparent. Placez-en un également dans le haut des cages d'escaliers et au bas des marches menant au sous-sol. Les détecteurs de fumée peuvent être intégrés à un système antivol central. (16)

Les systèmes antivol électroniques les plus sûrs sont reliés à une centrale de surveillance. Les systèmes autonomes permettent aussi de se protéger contre les cambriolages. Placez à l'entrée de la maison un écriteau indiquant la présence d'un système d'alarme ou d'un chien de garde. (17)

Mettez les numéros de téléphone de la police et des pompiers en mémoire (composition automatique) ou affichez-les sur un mur. (18)

Reliez les lampes et divers appareils (téléviseur, radio, climatiseur, etc.) à des minuteries afin qu'ils fonctionnent par intermittence pendant que vous n'êtes pas là. (19)

Placez des extincteurs à différents endroits dans la maison. Assurez-vous qu'il y en a un dans la cuisine, au sous-sol et dans toute pièce dotée d'un foyer. (20)

Placez vos objets de valeur dans un coffre-fort étanche à l'épreuve du feu. (21)

En cas d'incendie. Ayez une échelle de secours dans chaque chambre et dans toute pièce souvent utilisée se trouvant aux étages supérieurs. (22)

Oxyde de carbone. Installez un détecteur d'oxyde de carbone à chaque étage, sous-sol et grenier compris, ainsi que dans le garage. N'en placez toutefois pas près des appareils de combustion, générateur d'air chaud, gazinière, etc. (23)

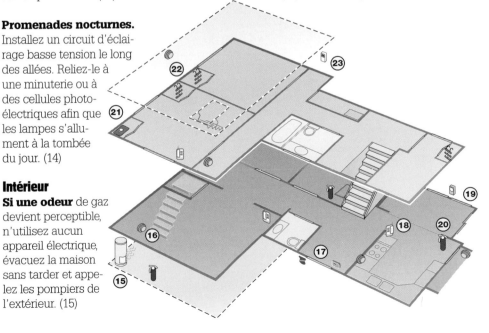

C'est écrit. Les personnes condamnées pour cambriolage affirment qu'elles seraient moins portées à pénétrer par effraction dans une maison où un écriteau indique la présence d'un chien de garde ou d'un système d'alarme. C'est le risque d'être mordu par un chien qui a l'effet dissuasif le plus marqué.

Comme si vous y étiez... Demandez à quelqu'un de tondre et d'arroser le gazon, en été, ou de déneiger les escaliers et l'allée de garage en hiver.

Soignez les apparences. Des poubelles vides trahiront votre absence. Cachez-les au sous-sol, dans un cabanon ou dans le garage. Débranchez l'ouvre-porte de garage, cadenassez la porte de garage et verrouillez la porte qui permet de passer du garage à la maison.

Faites-vous conduire à l'aéroport de façon à laisser votre voiture à la maison ; confiez à quelqu'un le soin de la déplacer certains jours. Si vous prenez votre voiture, demandez à un voisin de garer la sienne dans votre allée de garage à l'occasion.

Ne touchez à rien ! Des stores et des rideaux fermés trahiront votre absence. Avant de partir en voyage, promenez-vous un soir autour de la maison et notez quels stores sont ouverts. Laissez-les tels quels à votre départ afin que la maison ait l'air habitée.

À RETENIR

Bon voyage ! Mais avant de partir...

Dressez une liste détaillée des choses à faire. Vous éviterez ainsi d'oublier quoi que ce soit dans l'énervement du départ. Inspirez-vous de la liste suivante.

S'assurer que le four est éteint.

Confier les animaux et les plantes à quelqu'un.

Se procurer les médicaments de prescription et placer une copie des ordonnances dans les bagages.

Emporter une trousse de premiers soins, un nécessaire de couture ainsi que, s'il y a lieu, un écran solaire et des convertisseurs de tension.

Nettoyer la cuisine et la salle de bains. Jeter les ordures.

Placer les objets photosensibles à l'abri du soleil et s'assurer que la pluie ne peut pénétrer par les moustiquaires.

Ranger les clés supplémentaires dans la maison (au lieu de les laisser sous un paillasson ou une pierre) et les clés des serrures des fenêtres et des portes loin des fenêtres.

Armer le système d'alarme et brancher les minuteries.

Informer un voisin du fait que la maison sera inhabitée.

Finalement, verrouiller toutes les fenêtres et les portes, y compris les portes du garage et des cabanons.

Les minuteries à fil commandent autant de lampes et d'appareils que vous voulez depuis une unité centrale. Peu coûteuses et faciles à installer, elles fonctionnent soit de façon aléatoire, ou suivant plusieurs cycles étalés sur 24 heures. Certaines peuvent être mises en marche à partir d'un ordinateur personnel.

À chacun sa stratégie. Tirez profit des nombreux modèles de minuteries qui existent pour faire fonctionner lampes et appareils par intermittence (voir page suivante). Vous pouvez aussi vous contenter de laisser une lampe de la salle de bains allumée : c'est ce que font bien de gens quand ils sont à la maison.

N'annoncez jamais votre absence sur votre répondeur ; dites que vous êtes occupé et que vous prendrez vos messages dès que possible. Ne laissez pas non plus la cassette des messages reçus se remplir.

Baissez le volume de la sonnerie du téléphone ou réglez celle-ci à *Off*. Un cambrioleur déduira qu'il n'y a personne à la maison si un téléphone sonne et que personne ne répond.

Syntonisez un poste de radio dont la programmation est consacrée à des émissions causeries. Réglez le volume de façon qu'on puisse entendre des voix de l'extérieur, mais sans que les paroles soient intelligibles.

Sons menaçants. Enregistrez un chien qui aboie ou achetez une cassette préenregistrée. Pour que l'effet soit réaliste, reliez la chaîne stéréo à une minuterie fonctionnant en mode aléatoire.

Laissez la clé de la maison à un ami (faites-la reproduire si vous n'en avez qu'une). Laissez-lui aussi votre itinéraire et les numéros de téléphone qui lui permettront de communiquer avec vous ou vos fournisseurs de services (plombier, électricien, etc.).

Surveillance policière.

Informez la police de votre absence et du temps qu'elle durera. Donnez à l'agent qui vous répond le nom et le numéro de téléphone des personnes qui ont les clés de la maison. Certains postes assurent la surveillance des maisons en l'absence des propriétaires.

Les coffres-forts miniatures ayant l'apparence de contenants de crème à raser, de pots de fleurs ou de livres permettent de bien cacher les petits objets de valeur. Les voleurs savent qu'ils existent, mais ils n'ont pas beaucoup de temps pour différencier le vrai du faux !

On devinera que vous êtes absent si les journaux, les lettres, etc. s'accumulent. Faites suspendre toutes les livraisons ou, mieux encore, demandez à quelqu'un de passer prendre tous les jours ce qui vous aura été livré.

Éloignez les articles

coûteux des fenêtres qui donnent sur la rue. Conservez les bijoux de valeur, les billets de banque et les documents importants dans un coffret de sûreté.

Un adolescent ou un voisin de confiance peut fort bien s'occuper de votre maison pendant que vous êtes absent. En les apercevant, les cambrioleurs croiront que la maison est habitée.

Laissez fonctionner les sytèmes de chauffage, de climatisation et de ventilation pour contrer les dommages que peut causer un excès d'humidité ou de chaleur. Vous pouvez couper sans danger l'alimentation d'un chauffe-eau électrique au panneau de distribution. Modifiez les thermostats du climatiseur et du générateur d'air chaud de façon que ceux-ci fonctionnent moins souvent.

Serez-vous absent tout l'hiver ? Purgez les tuyaux et versez de l'antigel dans le renvoi des sanitaires. Si vous ne partez que quelques semaines, fermez le robinet de sectionnement ou bien le robinet d'arrêt de la toilette, du lave-vaisselle et de la machine à laver pour parer à toute fuite éventuelle.

Débranchez le grille-pain et les autres petits appareils. Ils peuvent prendre feu même s'ils sont hors tension, surtout si les orages sont fréquents.

Dotez la piscine d'un système d'alarme. Les voisins seront alertés si un enfant s'aventure dans l'eau.

1 Cette douille à cellule photo-électrique allume la lampe au crépuscule et l'éteint à l'aube. Adaptable aux lampes d'intérieur et d'extérieur, elle se visse dans toute douille d'ampoule à incandescence standard.

2 Une minuterie enfichable allume et éteint différents appareils électriques (lampes, radios, etc.) deux fois par jour. Il suffit de la brancher et d'y relier le cordon d'un appareil. Déplacez les curseurs de couleur pour fixer les points de consigne.

3 Remplacez un interrupteur mural standard par un interrupteur programmable. Tournez le bouton pour fixer les points de consigne. Un dispositif mémorise et reproduit les cycles d'éclairage quotidiens ; un autre permet de passer en mode manuel.

4 Une lampe à détecteur de mouvement s'allume dès que quelqu'un pénètre dans la zone protégée. L'orientation, l'angle de champ et la sensibilité du détecteur sont réglables. Généralement, un dispositif permet de passer en mode manuel.

Installez-vous un système antivol relié à une centrale de surveillance ? Vous pourriez faire baisser vos primes d'assurance en y intégrant des détecteurs de fumée.

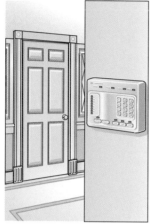

Position stratégique. Placez le tableau de commande près d'une porte très utilisée, en le dissimulant si possible. Veillez à ce qu'on ne puisse l'atteindre de dehors en cassant une vitre.

Les fausses alarmes sont généralement déclenchées par les utilisateurs. Assurez-vous de bien comprendre le fonctionnement de votre système antivol et choisissez un code simple.

Le risque de fausse alarme sera moindre si vous optez pour un clavier facile à utiliser. Procurez-vous un modèle doté de grosses touches ou de touches dont la luminosité varie quand on les a bien enfoncées.

Placez des détecteurs de mouvement près des ouvertures (portes, fenêtres, etc.) et des corridors par où un cambrioleur pourrait passer.

Les détecteurs à infrarouge sont sensibles à la lumière. Ne les placez pas dans une serre ni face à un fluorescent ou à une fenêtre ouverte.

Point faible. Le détecteur de mouvement passif à infrarouge, un dispositif largement répandu, est plus sensible aux mouvements qui traversent le faisceau qu'à ceux qui évoluent dans l'axe du faisceau. Placez-le donc sur un mur perpendiculaire aux objets de valeur que vous voulez protéger plutôt que sur un plan parallèle à ceux-ci.

Aides sonores. Procurez-vous un clavier qui déclenche un bourdonnement quand on ouvre la porte d'entrée et ne redevient silencieux qu'une fois le système antivol désarmé. Certains systèmes font même entendre un message vocal après qu'on les a désarmés.

Commode. Certains systèmes antivol installés par des spécialistes comportent une télécommande qui permet de les armer et de les désarmer à distance, d'ouvrir la porte du garage et d'allumer une lampe du porche sans sortir de sa voiture. La télécommande indique aussi s'il y a eu effraction ou incendie.

Encore plus commode. La plupart des systèmes antivol haut de gamme peuvent être armés et désarmés à partir d'un téléphone à clavier.

Installation d'un système antivol sans fil

À PRÉVOIR :

Système antivol sans fil et accessoires au choix
Crayon ou stylo
Poinçon
Tournevis
Vis et attaches de fixation murale
Pince à dénuder
Perceuse

1 En règle générale, le tableau de commande doit être installé près de la porte d'entrée principale ; respectez les directives du fabricant à ce chapitre. Placez le tableau près d'une prise de courant, à un endroit d'où vous pourrez l'entendre la nuit, loin des gros électroménagers. Si la porte ou son cadre sont vitrés, situez le tableau à bonne distance de l'entrée.

2 Dotez chaque porte et fenêtre du rez-de-chaussée, ainsi que celles des étages supérieurs qui sont accessibles du dehors, d'un capteur-émetteur. Vissez celui-ci sur le cadre, et l'interrupteur magnétique sur la porte ou le châssis (alignez l'aimant sur le capteur et laissez tout au plus ½ po [1,5 cm] entre eux). Certains systèmes sont dotés de plaques de montage séparées ; c'est le cas ici.

Un jour... Prévoyez-vous étendre un jour à d'autres parties de la maison la protection qu'offre votre système antivol ? Si oui, optez pour un système à bornes.

Une pièce à la fois. Si vous n'avez pas les moyens d'acheter un système antivol central, placez une alarme portative à infrarouge sur une table dans les pièces isolées. Un signal sonore retentira si quelqu'un entre dans une des pièces.

Certaines alarmes d'entrée portatives peuvent être suspendues à un bouton de porte ou glissées sous une porte comme un coin. Il en existe aussi en forme de tige que l'on place dans la glissière des ouvertures coulissantes. Peu puissants, ces dispositifs ne sont toutefois efficaces que s'il y a des voisins à proximité.

Pour plus de sécurité encore, installez des contacts magnétiques et des détecteurs de bris de vitre. Les premiers déclenchent l'alarme si on ouvre une porte ou une fenêtre, les seconds s'ils détectent un bruit de verre brisé.

Installez des moustiquaires de sûreté comportant des fils électriques formant un circuit fermé. Toute déchirure ouvre le circuit et déclenche une alarme.

À RETENIR

À propos des spécialistes en systèmes antivol

Après avoir dressé une liste d'installateurs de systèmes antivol, choisissez-en un en fonction des critères suivants.

Permis provincial et municipal (les règlements varient).

Employés dont les antécédents ont été contrôlés.

Membre d'une association professionnelle nationale comme la CANASA.

Assurance de responsabilité civile comportant une clause « Erreurs et omissions » et garantie écrite couvrant le matériel et la main-d'œuvre.

Entente conclue avec une entreprise offrant un service de surveillance de jour comme de nuit. Communiquez avec l'Office de la protection du consommateur pour être sûr de faire affaire avec une entreprise fiable.

Pour éviter qu'un animal ne déclenche une fausse alarme, procurez-vous des détecteurs dotés de lentilles à angle de champ réduit. Les mouvements confinés à une courte distance du sol ne pourront être détectés.

La combinaison de détecteurs de mouvement à micro-ondes et à infrarouge (passifs) permet de réduire le risque de fausse alarme. Pour que l'alarme soit déclenchée, les deux dispositifs doivent détecter un mouvement.

3 Installez des détecteurs de choc sur les portes vitrées et les grandes fenêtres, puis reliez-les aux capteurs-émetteurs. Fixez-les sur le verre avec le ruban adhésif double face fourni. Réglez les interrupteurs de tous les capteurs-émetteurs de façon qu'ils déclenchent l'alarme dès qu'il y a effraction ou après quelques minutes, selon les directives du fabricant.

4 Pour relier deux fenêtres ou plus – ou pour mieux protéger une fenêtre que vous désirez entrouvrir afin d'aérer la maison –, installez des interrupteurs externes supplémentaires selon les directives du fabricant. Reliez-les au capteur-émetteur.

5 Installez éventuellement d'autres accessoires : détecteurs de mouvement, détecteurs de fumée ou sirène extérieure (illustration). La sirène doit être inaccessible, mais placée de façon que les voisins entendent facilement le son qu'elle produit. Finalement, programmez le système antivol selon vos besoins et les directives du fabricant. Effectuez toutes les vérifications recommandées.

La serrure à pêne dormant à un barillet est actionnée par une clé à l'extérieur et un bouton à l'intérieur. La serrure à pêne dormant à deux barillets est actionnée par une clé des deux côtés ; elle offre la meilleure protection si la porte est encadrée de vitres. Son utilisation est toutefois réglementée en certains lieux, car des gens sont demeurés prisonniers de leur maison en flammes à cause de ce type de serrure.

La présence d'une serrure à pêne dormant pourrait faire baisser votre prime d'assurance-habitation. Certains assureurs consentent un rabais de 2 à 3 p. 100 aux assurés qui posent ce type de serrure sur chacune de leurs portes extérieures.

La totale. Maintes personnes négligent d'installer une serrure à pêne dormant sur les portes arrière et latérales et sur celles qui mènent au garage. Pourtant, ces portes sont les plus exposées aux effractions en raison de leur emplacement.

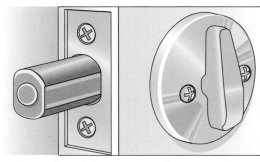

Les voleurs s'introduisent souvent dans une maison en forçant le jambage de la porte d'entrée avec un levier de façon à sortir le pêne de son logement. Le pêne de la plupart des serrures à pêne dormant saille de 1 po (2,5 cm) ou plus dans son logement une fois la porte verrouillée. Un pêne qui pénètre dans la charpente offre encore plus de résistance. Vérifiez la saillie du pêne de votre serrure ; si elle est inférieure à 1 po (2,5 cm), remplacez la serrure.

Les portes à âme creuse ne font pas de bonnes portes extérieures, car elles sont moins solides que les portes à âme pleine. Mais si vous n'avez pas les moyens de remplacer la porte d'entrée, installez au moins une serrure à pêne dormant près du bouton de porte.

Des normes permettent de classer les serrures à pêne dormant. Néanmoins, le poids de celles-ci donne une assez bonne idée de leur qualité. Choisissez une serrure renforcée en acier lourd.

Installation d'une serrure à pêne dormant

À PRÉVOIR :

Serrure à pêne dormant et gabarit
Ruban adhésif
Poinçon (ou clou)
Perceuse et foret de ⅛ po (3 mm)
Scie-cloche
Mèche plate de ⅞ po (21 mm)
Crayon
Marteau ou maillet de bois et ciseau
Bois de rebut et serre-joints
Foret à centrer (facultatif)
Tournevis Phillips
Rouge à lèvres ou crayon gras (facultatif)

1 Pliez le gabarit fourni selon les directives du fabricant et fixez-le sur la porte avec du ruban adhésif, 6 po (15 cm) environ au-dessus du centre du bouton. Marquez le centre des trous à percer (logements de la serrure et du pêne) avec un poinçon ou un clou. Retirez le gabarit.

2 Percez un trou de ⅛ po (3 mm) au niveau de la marque indiquant le centre du logement de la serrure. Percez ensuite le logement avec une scie-cloche : placez le foret-guide dans le trou, percez la porte sur la moitié de son épaisseur ou jusqu'à ce que le foret-guide l'ait traversée ; achevez le perçage du côté opposé. Percez ensuite le logement du pêne avec une mèche plate de ⅞ po (21 mm).

Un coup de pied sur la porte peut faire passer le pêne engagé dans la gâche à travers le jambage. Pour parer à cette éventualité, renforcez la gâche : retirez la moulure du cadre et placez des morceaux de bois entre le jambage et la charpente, directement sous la gâche.

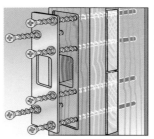

Autre solution. Installez une gâche à six vis. Les vis doivent traverser le jambage et pénétrer dans le poteau.

Et une autre... Une gâche renforcée (gâche en forme de boîte que l'on encastre dans le jambage) peut offrir un peu plus de solidité.

Insaisissable. Un boîtier pivotant recouvre le barillet d'une serrure à pêne dormant ; il empêche les voleurs d'arracher le barillet avec une clé à tuyau ou une pince-étau. Au moment d'acheter ce type de serrure, assurez-vous que le boîtier pivotant contient un renfort de métal plein : un boîtier pivotant creux est facile à écraser. Le boîtier pivotant doit aussi être biseauté de façon à offrir moins de prise.

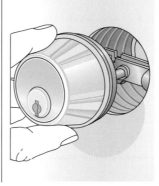

Sans clé. La porte s'est-elle déjà verrouillée derrière vous après que vous avez oublié vos clés dans la maison ? Procurez-vous une serrure numérique à pêne dormant. Son principe de fonctionnement est le même que celui d'une serrure à combinaison ; on tourne le cadran pour composer son code personnel sur un afficheur numérique. Le code peut être changé. La serrure comporte tout de même une entrée de clé.

3 Insérez le pêne dans son logement et tracez le contour de la têtière sur la porte. Retirez le pêne et découpez le contour de la têtière avec un ciseau tenu perpendiculairement au tracé, biseau vers l'intérieur. Tenez ensuite le ciseau à 45° et faites plusieurs entailles espacées de ³/₁₆ po (5 mm) pour évider le logement. À l'aide de serre-joints, fixez du bois sur les bords de la porte pour parer à tout éclatement.

4 À l'aide d'un poinçon ou d'un foret à centrer, percez des avant-trous dans lesquels vous logerez les vis de la têtière. Insérez ensuite le pêne dans son logement et vissez la têtière. Faites saillir le pêne, puis installez le barillet et la plaque de renfort de la serrure à l'aide des vis à métaux fournies. Installez le bouton-poucier, puis essayez la serrure.

5 Pour positionner la gâche, enduisez le pêne de rouge à lèvres, fermez la porte, puis faites saillir le pêne. Centrez la gâche sur la marque, puis tracez-en le contour. Percez le trou du pêne aux dimensions données par le fabricant. Découpez le logement de la gâche et de sa plaque de renfort avec un ciseau (voir étape 3). Fixez la gâche avec des vis de 3 po (7,5 cm) pour qu'elles pénètrent dans la charpente.

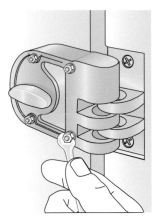

Les serrures à palastre

sont efficaces, mais elles présentent tout de même un point faible : généralement, on les assujettit avec des vis à bois ordinaires, que des coups solidement appliqués peuvent parfois faire céder. Pour corriger cette faiblesse, posez des boulons de carrosserie et des écrous à la place des vis. Profitez-en pour consolider la gâche avec des vis à tête plate pénétrant dans la charpente.

Les catégories établies par l'American National Standards Institute (ANSI) donnent une bonne idée de la solidité et de la fiabilité des serrures. Les serrures de catégorie 1 sont destinées à un usage commercial. Les serrures de catégorie 2 procurent la meilleure protection dans le cadre d'un usage résidentiel. Les serrures de catégorie 3 ne doivent pas être installées sur une porte extérieure.

La plupart des serrures

d'usage résidentiel sont des serrures encastrées. Pour les poser, vous devrez percer deux trous dans la porte : un à travers les parements, un dans le chant. On trouve deux grandes catégories de serrures encastrées : les serrures à cylindre et les serrures tubulaires. Optez pour les premières ; elles offrent la meilleure protection.

Pour plus de sûreté, dotez votre porte d'entrée en bois d'une serrure à mortaiser. Logée dans le chant de la porte, cette serrure est plus solide et plus durable qu'une serrure à cylindre. De plus, comme le pêne demi-tour et le pêne dormant sont logés dans le même boîtier, on peut les effacer ensemble en tournant le bouton intérieur. Cette serrure est toutefois coûteuse et il vaut mieux en confier l'installation à un serrurier.

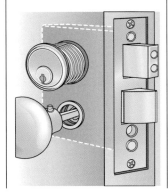

Une seule clé. Pour plus de commodité, procurez-vous des serrures pouvant être actionnées avec la même clé ou demandez à un serrurier de modifier les barillets de vos serrures existantes à cet effet. À noter : les serrures doivent toutes être de la même marque.

Sur mesure. Avant d'acheter une serrure, voyez si la porte s'ouvre à droite (bouton à droite quand l'ouverture se fait vers vous) ou à gauche (bouton à gauche). Notez en outre la dimension et le poids de la serrure. Saisissez le bouton et faites jouer le mécanisme pour bien « sentir » la serrure. Cela vous aidera à choisir la serrure la mieux adaptée à la porte... et à votre main.

Installation d'une serrure à palastre à pêne dormant

À PRÉVOIR :

Serrure à palastre à pêne dormant, gabarit et vis
Ruban adhésif
Crayon
Poinçon ou clou
Perceuse et forets
Scie-cloche
Tournevis
Lunettes de protection
Deux pinces
Marteau et ciseau

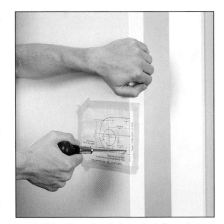

1 Pliez le gabarit fourni et fixez-le sur la porte, 6 po (15 cm) au moins au-dessus du bouton. Marquez le centre des trous à percer (logement du barillet et trous des boulons) avec un poinçon ou un clou.

 Assurez-vous que le jambage est suffisamment large pour recevoir la gâche.

2 Percez des avant-trous au niveau des marques avec un foret de ⅛ po (3 mm) (le diamètre recommandé peut être différent). Utilisez une scie-cloche de 1⅜ po (3,5 cm) pour percer le logement du barillet : percez la porte jusqu'à ce que le foret-guide l'ait traversée ; achevez ensuite le perçage du côté opposé (le logement sera ainsi plus facile à percer et le bois des parements n'éclatera pas).

Les boutons ont longtemps été la norme en ce qui concerne les serrures extérieures. Toutefois, les poignées sont davantage utilisées depuis que l'aménagement sans obstacle est en vogue. Comme il faut moins de force et de dextérité pour les tourner, elles sont une vraie bénédiction pour les personnes âgées ou handicapées. On peut aussi les actionner si on a les bras chargés de paquets !

Plus de clé. Songez-vous à installer une serrure à combinaison électrique sans clé ? Recherchez un modèle à piles plutôt qu'à fil : la porte restera verrouillée même s'il y a panne de courant.

Remplacez tous les barillets ou toutes les serrures au moins une fois par année pour protéger votre maison de façon optimale. Remplacez toutes les serrures d'une nouvelle maison avant le jour du déménagement.

Petit ajustement. Il peut arriver que le pêne demi-tour d'une porte gauchie ou bombée pénètre mal dans la gâche. Si c'est le cas, repositionnez la gâche vis-à-vis du pêne.

Lubrification. Lubrifiez toutes vos serrures extérieures tous les six mois pour assurer leur bon fonctionnement. Utilisez un lubrifiant en aérosol ou du graphite en poudre. Vous pouvez aussi frotter la mine d'un crayon au graphite n° 1 ou 2 (HB ou B) sur les deux côtés de la clé, puis insérer celle-ci dans sa serrure à quelques reprises.

Vos portes panoramiques résisteront mieux aux assauts des voleurs si vous les dotez d'une serrure conçue pour être installée sur le bord inférieur de la porte intérieure. La tige de la serrure doit pénétrer dans un trou percé dans la porte coulissante extérieure.

Toc, toc, toc ! Un judas est indispensable même si une porte est des plus sûres. Les modèles les plus récents possèdent une lentille à grand angle. Un arrêt de sûreté peut aussi être installé. Cette ferrure permet d'entrebâiller la porte pour identifier un visiteur ; elle est plus sûre qu'une chaîne de sûreté. Quelle que soit la ferrure utilisée, rappelez-vous qu'elle sera bien plus solide si les vis qui servent à l'assujettir pénètrent dans la charpente.

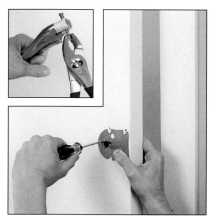

3 Fixez le barillet et la plaque de montage sur la porte avec les boulons (ou les vis) fournis. Les entailles de la barre de connexion et des boulons (ou des vis) permettent de les sectionner aisément à la longueur utile ; utilisez deux pinces pour ce faire. Enroulez du ruban adhésif sur les mâchoires d'une des pinces pour ne pas abîmer les filets. Portez des lunettes de protection.

4 Positionnez le boîtier de la serrure de façon que la barre de connexion pénètre dans le bouton-poucier, puis vissez-le. Assurez-vous que la clé tourne bien dans la serrure.

5 Placez la gâche sur le jambage et faites y pénétrer le pêne. Marquez au crayon la position des trous de vis supérieurs et inférieurs. Ouvrez la porte. Alignez la gâche sur les repères et marquez la position de tous les trous de vis avec une pointe à tracer. Percez des avant-trous ; vissez la gâche. (Si la gâche est encastrée, tracez son contour sur le jambage, puis découpez le logement en suivant l'étape 3, page 315.)

N'improvisez pas ! Avant d'installer un siège de sécurité pour enfant, lisez attentivement le manuel de l'utilisateur. Si vous avez acheté un siège d'occasion et que vous ne disposiez pas du manuel, communiquez avec le fabricant. Le siège de sécurité doit être compatible avec la banquette de la voiture et, surtout, avec les ceintures de sécurité. Dans certains cas, il faut utiliser une ceinture ou une attache spéciales. Renseignez-vous.

Jamais devant. Les jeunes enfants – même assis dans un siège de sécurité – ne doivent jamais prendre place sur le siège avant d'une voiture. En cas d'accident, ils risqueront moins d'être blessés s'ils se trouvent sur la banquette arrière. Le devant du siège de sécurité d'un nourrisson doit faire face à la banquette arrière ; il vous faudra retourner le siège ou vous en procurer un autre lorsque l'enfant aura grandi.

Les coussins gonflables de première génération se gonflent avec tant de force qu'ils peuvent blesser les enfants et les adultes de petite taille. Pour prévenir les blessures quand vous prenez place sur le siège du passager, reculez ce dernier à fond, bouclez la ceinture de sécurité et appuyez bien les épaules contre le dossier.

Les doigts à l'œil. La position classique des mains sur le volant – une à 10 heures, l'autre à 14 heures – peut être dangereuse s'il y a un coussin gonflable devant le siège du conducteur. Pour éviter de recevoir les pouces dans les yeux au cas où le sac se gonflerait, placez plutôt une main à 9 heures et l'autre à 15 heures.

N'y touchez pas ! Pour des raisons de sécurité évidente, vous ne devez pas tenir un téléphone cellulaire en même temps que vous conduisez une voiture. En utilisant un porte-téléphone, vous pourrez garder les deux mains sur le volant. Ici, un bras souple permet d'orienter le téléphone.

1 Un harnais de baudrier est idéal pour les enfants qui sont trop vieux pour prendre place dans un siège de sécurité ou sur un siège d'appoint coussiné de même que pour les adultes de petite taille. Le harnais place le baudrier en travers du torse, loin de la tête et du cou, ce qui donne un ajustement plus sûr et confortable. Il suffit de glisser le harnais sur le baudrier pour l'ajuster.

2 Des dispositifs de verrouillage à l'épreuve des enfants semblables à celui qui est illustré ici sont livrés en série dans la plupart des nouvelles voitures dotées de portes arrière, ainsi que dans les minifourgonnettes à portes coulissantes latérales. Il suffit d'actionner un interrupteur pour que les portes soient automatiquement verrouillées de l'intérieur une fois qu'elles sont fermées. Un enfant ne peut alors les ouvrir.

3 Remplacez les feux de marche arrière par des ampoules halogènes et un avertisseur émettant un signal sonore lorsque le levier de vitesse est en position de marche arrière.

En cas d'urgence. Ayez toujours des câbles d'appoint, des torches de détresse, une lampe de poche, un pneu de secours et un cric dans la voiture. Il est aussi utile de disposer d'un petit compresseur d'air ou d'un obturateur en aérosol de façon à pouvoir réparer temporairement une crevaison. Un câble de remorquage, une pelle et un appui-cric sont aussi nécessaires si vous devez circuler hors route. En présence de neige ou de glace, emportez des chaînes d'adhérence ainsi que du sable, du sel ou de la litière pour chat.

Sous pression. Chaque fois que la température baisse de 5 °C (10 °F), la pression des pneus chute de 1 ou 2 lb au pouce carré (7-14 kPa). Vérifiez la pression des pneus au moins une fois par mois (les pneus étant froids).

De nombreuses clés en croix sont difficiles à utiliser du fait que leurs poignées sont trop courtes. En plaçant un tronçon de tuyau de 3 pi (90 cm) de long sur une poignée, vous vous faciliterez le desserrage des écrous.

Pneu de secours. Au moins une fois par année, assurez-vous que le pneu de secours est en bon état et bien gonflé. Si vous venez à l'utiliser, ne dépassez pas la limite de vitesse ni la distance indiquées sur le flanc. Faites réparer le pneu crevé dès que possible.

Chhhhaud ! Devez-vous effectuer une petite réparation sous le capot alors que le moteur est chaud ? Mettez d'abord des gants de cuisinier. Vous risqueriez autrement de subir de douloureuses brûlures.

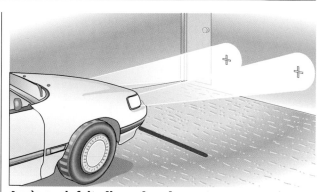

Après avoir fait aligner les phares, tracez une croix au centre des faisceaux (de route et de croisement) sur le mur arrière du garage. Marquez aussi la position de la voiture sur le sol. Il vous suffira d'utiliser ces repères pour vérifier régulièrement l'alignement des phares.

Tombe la pluie... Enduisez le pare-brise d'un liquide à base de polymères formant une pellicule invisible sur laquelle l'eau de pluie perle et glisse. Vous obtiendrez le même effet si vous essuyez le pare-brise avec un chiffon humide saupoudré de bicarbonate de soude.

Double avantage. De nombreux postes de police proposent des services antivol gratuits, comme le burinage des vitres de voitures. Certains assureurs accordent un rabais aux assurés qui se prévalent de ces services ; informez-vous à ce sujet.

4 Un bloque-volant à clé empêche les voleurs de tourner les roues lorsque la voiture est stationnée. Il suffit de l'ajuster au volant et de le verrouiller. Pour une protection maximale, installez-le derrière le volant, comme ici, en plaçant la serrure face au pare-brise.

5 Un bouchon à clé protégera votre réservoir d'essence contre le siphonnage et le vandalisme. Il existe des modèles à vis ou à crans, de diverses dimensions. Ayez le bouchon d'origine sous la main au moment d'acheter un bouchon verrouillable afin de choisir un modèle compatible avec celui de votre voiture.

6 Les écrous antivol compliquent la tâche des voleurs de pneus. On les pose à la place des écrous ordinaires ; ils ne peuvent être desserrés qu'à l'aide d'un adaptateur spécial (assurez-vous de garder celui-ci à portée de la main, dans le coffre ou le compartiment à gants par exemple). Il suffit de poser un seul écrou antivol sur chaque roue.

L'odeur de la fumée ne vous réveillera pas. Ne vous fiez pas à votre odorat; posez des détecteurs de fumée.

Double détection. Les détecteurs de fumée à ionisation détectent mieux les feux vifs, tandis que les détecteurs de fumée à cellule photoélectrique sont plus sensibles aux feux qui couvent et qui produisent beaucoup de fumée. Installez l'un et l'autre dans votre maison pour bénéficier d'une meilleure protection.

Installez au moins un détecteur de fumée à chaque étage de la maison, sous-sol et grenier compris. Prévoyez-en davantage si votre maison est grande. Placez-en un à l'extérieur de chacune des chambres d'un même étage que plus de 40 pi (12 m) séparent.

Pour bien fonctionner, un détecteur de fumée doit se trouver à au moins 12 po (30 cm) des murs s'il est installé au plafond et à au moins 6 po (15 cm) du plafond s'il est sur un mur.

Il est conseillé de placer un détecteur de fumée au salon (rez-de-chaussée), en haut de l'escalier intérieur principal et au bas de l'escalier du sous-sol.

À éviter. N'installez pas un détecteur de fumée près d'une douche : la vapeur pourrait déclencher une fausse alarme. Évitez aussi les sources de courant d'air, qui risqueraient d'éloigner la fumée du détecteur.

Éteignez périodiquement une allumette ou une bougie près des détecteurs de fumée afin de vérifier leur sensibilité aux feux lents. Le délai d'alarme doit être d'environ 30 secondes.

Remplacez les piles des détecteurs de fumée deux fois par année. Effectuez le remplacement en même temps que vous avancez ou reculez l'heure pour passer à l'heure avancée ou normale.

Fermez la porte de la chambre où vous dormez pour être mieux protégé contre la chaleur et la fumée en cas de feu. Si vous devez évacuer la maison durant un incendie, fermez les portes derrière vous pour ralentir la progression des flammes.

Placez une lampe de poche dans chaque chambre pour faciliter une éventuelle évacuation de la maison la nuit.

La classification des extincteurs reflète les types de feux qu'ils éteignent. À la maison, mieux vaut avoir un extincteur de classe ABC.

Installation d'un détecteur de fumée (120 volts)

À PRÉVOIR :

Détecteur de fumée (120 volts) et piles de secours

Détecteur à lampe témoin

Fournitures pour montage apparent (canalisations, boîte de plafonnier, brides arrière, etc.)

Fil homologué

Pince à dénuder et marettes

Ruban isolant (s'il y a lieu)

Tournevis et vis

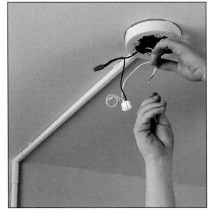

1 Choisissez l'emplacement du détecteur de fumée, puis mettez le circuit hors tension au panneau. Voyez si le courant est coupé avec un détecteur à lampe témoin (p. 183). Raccordez le détecteur à un circuit apparent (p. 186-187) ou à une boîte électrique sans interrupteur (consultez un électricien). Raccordez par couleurs les fils de la prise modulaire du détecteur à ceux du circuit avec des marettes.

2 Pliez les fils et placez-les dans la boîte de plafonnier, les noirs d'un côté, les blancs de l'autre. Certaines prises modulaires ont un troisième fil pour relier plusieurs détecteurs : si c'est votre cas, passez à l'étape 4. Autrement, guipez-le et placez-le dans la boîte. Le fil de terre peut être guipé et placé tel quel dans la boîte : la plupart des détecteurs n'ont pas à être mis à la terre. Vissez la plaque de montage.

Éteignez les feux d'origine électrique avec un extincteur à poudre. Ayez-en toujours un sous la main dans la cuisine, au sous-sol et dans l'atelier.

Devez-vous éteindre un feu avec un extincteur ? En pareil cas, placez-vous entre le feu et une issue. Si vous n'arrivez pas à éteindre les flammes en moins de deux minutes, fermez la porte de la pièce où le feu a pris, sortez de la maison et appelez les pompiers.

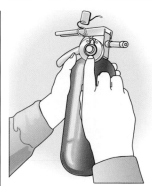

Les extincteurs domestiques sont dotés pour la plupart d'un bouton d'essai ou d'un manomètre permettant de contrôler la pression dans le réservoir. Lorsque la pression devient trop faible, il s'avère généralement plus économique de remplacer l'extincteur plutôt que de le faire remettre sous pression.

La porte menant au sous-sol devrait être en bois massif ou en acier. Ce type de porte ralentit mieux la propagation du feu.

Effet pervers. La serrure à pêne dormant à deux barillets – que l'on actionne avec une clé de l'intérieur *et* de l'extérieur – peut empêcher quiconque n'a pas sa clé de sortir de la maison. Cachez une clé près de la porte et informez toute la maisonnée de l'endroit où elle se trouve. La même précaution vaut pour les serrures de fenêtres.

Examinez les rallonges électriques périodiquement. Une rallonge peut causer un incendie si elle est usée ou surchargée ou si elle court sous un tapis ou par-dessus un radiateur.

Le papier d'emballage et l'arbre de Noël doivent être mis à la poubelle. Ne les brûlez pas dans un foyer. Leur combustion est rapide et peut s'accompagner de dangereuses étincelles.

Utilisez de la mousse isolante en aérosol pour boucher les trous par lesquels passent les gaines et les tuyaux. La mousse ralentira la propagation des flammes en cas d'incendie et bloquera les courants d'air durant l'hiver.

Faites installer un chemisage dans une vieille cheminée fissurée. Advenant un feu de cheminée, les flammes pourraient se propager à l'intérieur de la maison par les fissures.

3 Certains détecteurs présentent un joint de mousse. Appliquez-le sur la plaque de montage ; les ergots de montage doivent être alignés sur les fentes du joint. Installez la pile de secours et emboîtez la prise modulaire dans le dos du détecteur.

4 Fixez le détecteur sur la plaque de montage en le tournant vers la droite. Pour relier plusieurs détecteurs, vous devez raccorder une troisième paire de fils à la prise modulaire (étape 1). Faites ressortir ces fils de la boîte de plafonnier de façon à prolonger le circuit jusqu'à l'emplacement du détecteur suivant (débouchez l'orifice de sortie s'il y a lieu). Installez tout détecteur supplémentaire comme le premier.

5 Mettez le circuit sous tension ; un bip doit se faire entendre et un témoin lumineux clignoter si le détecteur fonctionne bien. Essayez le détecteur tous les mois en appuyant fermement sur le bouton d'essai (certaines municipalités exigent que ce type de détecteur soit relié à une caserne de pompiers).

Avant d'acheter un détecteur d'oxyde de carbone, assurez-vous qu'il est homologué par l'ACNOR, qu'il possède un bouton de réenclenchement et qu'il ne donnera pas l'alarme à une concentration de CO acceptable (15 parties par million), sauf si elle persiste depuis 30 jours. Optez pour un détecteur enfichable plutôt qu'à piles.

Si le brûleur d'un générateur d'air chaud à gaz présente une flamme jaune, la combustion du gaz est incomplète. L'appareil libère probablement de l'oxyde de carbone dans l'air ; faites-le régler par un technicien.

Choix sensé. Optez pour un revêtement de sol en bois, en céramique ou en vinyle de préférence à une moquette. Les moquettes de fibres autres que la laine, le coton ou le nylon libèrent beaucoup de composés organiques volatils. Avant d'en installer une, déroulez-la hors de la maison pour la faire aérer quelques jours.

Nouvel air. Un objet qui « sent le neuf » libère probablement des vapeurs nocives. Ouvrez les fenêtres pour les évacuer.

Radon. Ne vous fiez pas aux résultats d'un test effectué chez un voisin pour connaître la concentration de radon dans votre maison. Seul un test réalisé dans votre maison vous permettra d'être fixé à ce sujet.

Plomb. Si de la peinture au plomb a été appliquée sur une fenêtre, de la poussière de plomb s'accumulera sur l'appui ou sera dispersée dans la maison par les courants d'air. De la peinture au plomb entrait dans la fabrication de nombreux ministores en vinyle importés avant le 1er juillet 1996. Les radiateurs peints peuvent aussi être une source de poussière de plomb.

La vieille peinture qui s'écaille sur un mur peut être une source de poussière de plomb ; couvrez le mur de placoplâtre ou de stucco. De la gomme-laque peut servir à isoler une couche de vieille peinture en bon état.

Pour économiser, ne posez un filtre que sur les robinets servant à satisfaire vos besoins en eau potable. La plus grande partie de l'eau consommée dans une maison n'est pas bue.

Des trousses servant à détecter le plomb sont en vente dans les quincailleries. Si vous en utilisez une, vérifiez chaque couche de peinture, jusqu'au support.

L'eau du robinet a un goût de chlore ? Remplissez-en un contenant et placez celui-ci ouvert au réfrigérateur. Le jour suivant, le chlore se sera en grande partie évaporé.

Conservez l'essence à l'extérieur, loin de la maison, dans un contenant fermé. Les vapeurs d'essence tendent à s'accumuler au niveau du sol, où elles risquent de s'enflammer.

Les filtres à huile usagés sont recyclables. Communiquez avec le service de recyclage de votre région pour avoir plus de détails.

Peinture au latex. Mélangez la vieille peinture au latex avec de la litière pour chat ou de la sciure et laissez le bidon ouvert. Une fois le mélange sec, mettez le bidon à la poubelle.

Ne conservez jamais les pesticides près des aliments ni dans des contenants de nourriture. Ne les placez pas dans un endroit sujet aux inondations où ils pourraient polluer l'environnement.

À RETENIR

Propre et écologique

Pour être moins exposé aux produits de nettoyage dangereux, utilisez des substituts moins toxiques.

Au lieu de :	Utilisez :
Dégraissant	Pâte de bicarbonate de soude
Désodorisant	Petite quantité de vinaigre ou de jus de citron placée dans un endroit chaud
Détachant	Pâte d'amidon de maïs
Détergent	Savon ordinaire ou détergent sans phosphate
Eau de Javel	Borax
Nettoyant pour tapis	1 part de borax et 2 de semoule de maïs ou de bicarbonate de soude. Saupoudrer sur les taches ; laisser agir 1 heure
Nettoyant pour vitres	2 c. à soupe de vinaigre dans 1 pte (1 litre) d'eau
Nettoyant tout usage	1 c. à thé de savon liquide, 1 c. à thé de borax et ¼ tasse de vinaigre dans 1 pte (1 litre) d'eau chaude
Poli-meubles	Huile d'amande ou d'olive sur les surfaces finies à l'huile

Un pesticide a été répandu sur le sol ? Saupoudrez-le de sciure, de vermiculite ou de litière pour chat, puis balayez le tout et jetez-le dans un sac à ordures de plastique.

Écologique. Par comparaison aux pesticides chimiques, les insecticides naturels sont généralement efficaces plus longtemps et ne provoquent pas l'émergence d'insectes résistants. Utilisez un produit à base de pyrèthres ou bien introduisez des insectes prédateurs dans votre jardin.

Ne mélangez pas les nettoyants au chlore ni l'eau de Javel avec de l'ammoniaque, de l'acide ou d'autres nettoyants : leur combinaison peut donner un gaz mortel.

Moindre toxicité. Pour limiter l'usage de produits chimiques à la maison, utilisez des vaporisateurs plutôt que des aérosols, une ventouse ou un dégorgeoir au lieu d'un déboucheur chimique, des copeaux de cèdre ou des sachets d'herbes de préférence à des boules à mites et de la laine d'acier à la place d'un antirouille.

À propos de l'amiante. Les tuyaux de certaines maisons anciennes ont été isolés avec de l'amiante. Vous pouvez laisser l'isolant sur les tuyaux pour autant qu'il soit en bon état et qu'on n'y touche jamais. Autrement, faites-le enlever par un spécialiste.

Les parements d'amiante bien installés ne présentent aucun risque pour la santé. S'ils sont abîmés, utilisez de la peinture en aérosol pour isoler les fibres. Engagez un spécialiste si vous voulez enlever les parements.

Purifiez-vous l'air avec des plantes d'intérieur ? Taillez les branches inférieures à l'occasion pour améliorer l'effet de purification obtenu.

Installation d'un détecteur d'oxyde de carbone

À PRÉVOIR :

Détecteur d'oxyde de carbone

Règle, crayon et niveau

Chevilles et poinçon (mur de placoplâtre)

Tournevis et vis

Pinces de plastique

Cigarette ou bâtonnet d'encens

1 Situez le détecteur à au moins 6 po (15 cm) du plafond. Mesurez l'écart entre les ouvertures au dos de l'appareil et reportez-le sur le mur. Enfoncez les vis (avec des chevilles s'il y a lieu) jusqu'à ⅛ po (3 mm) du mur. Installez le détecteur.

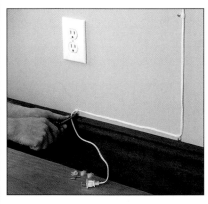

2 Fixez le cordon sur le mur à l'aide de pinces de plastique. Si possible, faites-le courir sur la plinthe. Autrement, situez le détecteur au-dessus d'un bureau ou près d'un rideau et cachez le cordon ; veillez à ce que rien n'obstrue les orifices du détecteur.

3 Appuyez sur le bouton d'essai durant 10 à 15 secondes ; un fort signal sonore doit retentir. Essayez le détecteur périodiquement par la suite, en tenant une cigarette ou un bâtonnet d'encens fumants près des orifices durant cinq minutes.

Écran végétal. Si l'application de pesticides est fréquente près de votre maison (ce peut être le cas si vous vivez près d'une ferme par exemple), songez à planter des arbres et des arbustes à frondaison dense qui formeront un coupe-vent.

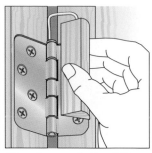

Le cordon servant à ajuster la capuche de certains manteaux de bébé peut être dangereux. S'il s'accroche à quelque chose pendant que l'enfant grimpe ou rampe, il risque de s'enrouler autour de son cou et de l'étouffer s'il tombe.

Les cordons électriques
doivent être noués ou fixés hors de la portée des enfants. On trouve sur le marché des gaines conçues pour rassembler les cordons des appareils électroniques, de même que des dispositifs permettant de raccourcir les cordons lâches. Des attaches de câble peuvent aussi servir à fixer le cordon d'une lampe sur un pied de table.

L'attrait des « bonbons ».
Conservez *tous* les médicaments dans des contenants à l'épreuve des enfants. Une petite boîte à outils fermée à clé peut fort bien servir de pharmacie ; veillez simplement à la ranger hors de portée.

Premiers pas. Un enfant qui commence à marcher tend à s'accrocher à tout ce qui se trouve à sa portée pour garder l'équilibre. Examinez votre mobilier et éliminez les articles hauts et instables : lampadaire, portemanteau, support sur pied, etc. Rangez aussi les nappes et les chemins de table qui dépassent.

Le sous-sol et le garage
peuvent être des endroits dangereux pour de jeunes enfants. Munissez les portes qui y mènent d'un ressort de rappel. Veillez aussi à installer un ouvre-porte de garage de conception récente, doté d'un dispositif assurant la remontée de la porte dès qu'un obstacle empêche sa fermeture. Rangez la télécommande de l'ouvre-porte hors de la portée des enfants.

Plus de gros bobos ! Une porte ne pourra se refermer sur les doigts d'un enfant si vous placez une serviette sur son chant supérieur. Vous pouvez aussi utiliser une butée de porte amovible à cette fin. Pour en fabriquer une, enfoncez la pointe d'un tronçon de cintre de 6 po (15 cm) au bout d'un quart-de-rond de 1 x 4 po (2,5 x 10 cm), puis pliez le tronçon de façon à former un crochet. Installez le crochet dans le haut de la charnière ; le quart-de-rond doit être positionné entre les lames de celle-ci.

1 Placez une barrière de sécurité aux deux extrémités de chaque escalier. Une bonne barrière est haute et robuste ; elle comporte des fixations résistantes et un verrouillage qu'un adulte – mais pas un enfant – peut facilement actionner. Elle s'ouvre dans les deux sens. N'utilisez pas de barrière accordéon : la tête d'un enfant peut rester coincée entre les lattes. Évitez les barrières qui s'assujettissent par simple pression.

2 Placez un treillis robuste devant les garde-corps de la terrasse, du porche et des escaliers. Assujettissez-le avec des crochets, de la ficelle ou des attaches de plastique. S'il y a un vide entre le plancher et le garde-corps, assurez-vous que le treillis le couvre ; fixez solidement le treillis au plancher.

3 De nombreux dispositifs servent à bloquer les portes. La fermeture à ventouse illustrée ici permet de bloquer une porte coulissante vitrée en position ouverte ou fermée. Une fois la porte positionnée, on tourne simplement le levier de façon à appuyer la ventouse sur le verre. On trouve aussi sur le marché des couvre-boutons et des fermetures pour portes pliantes conçus pour résister aux enfants.

Les escaliers du porche et du sous-sol présentent souvent des contremarches à claire-voie. On doit boucher les ouvertures de façon qu'un enfant ne puisse y tomber. Une planche fixée devant ou derrière chaque contremarche permet de parer facilement et à peu de frais au risque de chute.

Escalade interdite. Disposez les meubles de manière que les enfants ne puissent s'en servir pour atteindre des hauteurs dangereuses. Ainsi ne placez pas un tabouret près d'une chaise jouxtant un comptoir.

Éliminez la boucle au bout du cordon des stores ; un jeune enfant pourrait y passer la tête et se pendre. Coupez le cordon au-dessus du gland et retirez la boucle de réglage. Dotez ensuite chaque cordon d'un gland.

En hauteur. Il y a d'autres façons de rendre un cordon de store moins dangereux. Vous pouvez notamment l'enrouler sur un taquet fixé au mur ou à une moulure de fenêtre. Vous pouvez aussi le suspendre à un crochet se trouvant à une bonne hauteur ou le raccourcir au moyen d'un dispositif à compartiment ouvrant.

Gare aux brûlures ! Placez un écran devant les radiateurs, les bouches d'air encastrées dans le plancher et les autres sources de chaleur pour prévenir les brûlures que pourrait subir un enfant en les touchant. Réglez aussi le thermostat du chauffe-eau à 50 °C (120 °F) et dotez tous les robinets d'évier et de lavabo d'un mitigeur.

Et la baignoire ? Vérifiez toujours la température de l'eau avant de laisser un enfant prendre place dans une baignoire. Couvrez les robinets d'une gaine coussinée et assoyez l'enfant face au dossier de la baignoire pour l'empêcher d'ouvrir les robinets. Placez bébé dans une bouée de sécurité conçue pour le bain. Finalement, ne quittez jamais des yeux un jeune enfant qui se trouve dans une baignoire.

Un âtre surélevé doit être recouvert d'un matériau mou destiné à amortir les chutes. Procurez-vous une bordure rembourrée élastique, comme celle qui est illustrée ici, ou bien pliez une grande couverture moelleuse sur l'âtre. Retirez l'une ou l'autre si vous décidez de faire un feu et surveillez constamment bébé.

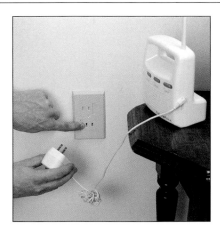

4 Il existe plusieurs types de couvre-prises électriques. Le modèle à glissière illustré ici est un bon choix lorsque des appareils sont souvent débranchés. S'ils ne le sont que rarement, utilisez plutôt le modèle qui couvre aussi les fiches ; des orifices à la base du dispositif permettent le passage des cordons. Placez des couvre-prises enfichables sur les prises peu utilisées.

5 Pour empêcher les enfants de jouer avec les boutons de la cuisinière, utilisez des couvre-boutons comme ceux-ci. Un adulte peut facilement les retirer en temps et lieu. Et pour que les enfants n'ouvrent pas la porte du four, installez un verrouillage résistant à la chaleur (illustration). Un adulte ayant lu le mode d'emploi pourra ouvrir la porte, un jeune enfant non.

6 Cette serrure à clé magnétique est l'un des dispositifs les plus sûrs qui soient pour verrouiller une armoire. Le mécanisme de verrouillage est placé dans l'armoire et ne peut être actionné qu'avec la clé magnétique, qu'il faut, bien entendu, ranger hors de la portée des enfants. D'autres fermetures d'armoire sont disponibles : loquets à ressort, liens adaptables aux boutons de portes, etc.

Même une personne qui se déplace sans fauteuil roulant peut tirer avantage d'une rampe extérieure. Si vous utilisez une canne, des béquilles ou une marchette, songez à faire installer une rampe en bois dotée de deux garde-corps. Consultez d'abord le code du bâtiment.

On peut glisser sur les carpettes, surtout si elles sont retroussées ou usées. Une personne qui utilise un dispositif d'aide à la marche peut aussi y trébucher. Ôtez-les ou dotez-les d'une base antidérapante.

L'escalier est l'un des lieux les plus dangereux dans une maison. Pour réduire le risque de chute, fixez des bandes antidérapantes sur les marches (intérieures et extérieures). Songez aussi à mettre de la peinture ou du ruban de couleur vive sur le nez de chaque marche.

Sécurité accrue. Si l'escalier présente un garde-corps unique, posez une main courante sur le mur. Le risque de chute s'en trouvera considérablement réduit. Assurez-vous de positionner la main courante à une hauteur convenable et de la fixer à une structure solide. Idéalement, une courbe à chaque extrémité de la main courante devrait servir de repère tactile au niveau des première et dernière marches.

Comme la vue baisse avec l'âge, il importe de bien éclairer les chambres, les corridors et les escaliers. Remplacez les ampoules de 60 watts par des ampoules de 75 ou de 100 watts. Veillez toutefois à ne pas dépasser la puissance recommandée par le fabricant des lampes.

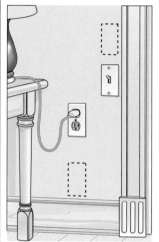

Hauteur utile. Une prise électrique placée plus haut que la normale (intervalle d'environ 24 po [60 cm] entre le centre de la prise et le plancher) est plus facile à utiliser, tout comme un interrupteur placé plus bas que la normale (intervalle d'environ 35 po [90 cm] entre le centre de l'interrupteur et le plancher). Consultez toutefois le code du bâtiment avant de modifier la position de ces accessoires électriques.

Il suffit d'un geste... Pour éviter de chercher un interrupteur de lampe à tâtons quand vous pénétrez dans une pièce sombre, installez un interrupteur mural à détecteur de mouvement. L'interrupteur mettra la lampe sous tension dès que vous entrerez dans la pièce.

Dans la nuit. Pour réduire les risques d'accident et de chute, placez des veilleuses dans les pièces où vous pourriez devoir circuler après la tombée de la nuit. Les interrupteurs muraux lumineux peuvent aussi servir de veilleuses.

Transition sensée. On est souvent bien avisé de remplacer les appareils à gaz par des appareils électriques. L'odorat s'émousse avec l'âge ; une fuite de gaz risque donc davantage de passer inaperçue.

Aide à la marche. Une personne âgée éprouve-t-elle des problèmes d'équilibre ? Pour faciliter ses déplacements dans la cuisine, installez une main courante sur le devant des comptoirs.

Rangements. Assurez-vous que l'escabeau ou le tabouret qui sert à atteindre une tablette est doté d'une barre de sécurité. Pour éviter qu'ils ne dégringolent, rangez vos objets dans des paniers ou des boîtes de plastique avant de les placer sur une tablette.

Accessibilité. Pour que les choses dont vous vous servez le plus dans la cuisine soient accessibles, rangez-les sur une tablette entre le comptoir et les armoires supérieures. Dans les armoires, les articles que vous utilisez souvent doivent aussi être à portée de la main. Ne placez pas les aliments de consommation courante dans les armoires supérieures.

Dans une maison où vivent plusieurs personnes, on sera bien avisé d'installer un interphone dans chaque pièce. Les modèles enfichables à transmission par fil sont peu coûteux.

La perte d'audition est une conséquence naturelle du vieillissement, mais il y a des moyens permettant d'en atténuer les effets à la maison. Les détecteurs de fumée combinant un avertisseur sonore et une lampe stroboscopique sont utiles à cet égard, tout comme les dispositifs qui font clignoter les lampes lorsque le téléphone sonne. Il existe aussi des sonnettes qu'on peut relier à une sonnerie placée dans chaque pièce.

Une tringle à ressort soutient-elle le rideau de douche ? Remplacez-la par une tringle vissable. Une tringle solidement vissée risque moins de tomber sur quelqu'un qui s'agripperait par réflexe au rideau en cas de chute dans la baignoire.

Au bout des doigts. Ayez une lampe et un téléphone faciles à utiliser près du lit. Le téléphone doit posséder des touches à gros chiffres ainsi qu'un dispositif permettant de mettre en mémoire les numéros souvent composés et les numéros des services d'urgence. Les personnes à mobilité réduite peuvent pour leur part se munir d'un dispositif d'alerte portatif relié au domicile d'un parent ou à une centrale de surveillance.

1 Les boutons situés sur le devant d'une cuisinière sont plus sûrs, car on n'a pas à se pencher au-dessus des éléments ni des chaudrons pour les atteindre. Optez pour des boutons faciles à tourner, présentant une échelle très lisible.

2 Dans la cabine de douche, fixez des barres d'appui aux poteaux du mur. Songez aussi à installer une cabine à plancher antidérapant ; un plancher à rebord bas, voire sans rebord, permet d'entrer et de sortir facilement de la cabine.

3 Une personne qui prend sa douche en position assise risque moins de tomber. Ici, la douche possède un siège et des barres d'appui intégrés. À défaut de siège intégré, procurez-vous un siège de douche et adjoignez-y une douchette.

4 L'installation d'un siège de toilette adapté permet de rendre la toilette plus sécuritaire à peu de frais. Les barres d'appui présentées ici peuvent être fixées sur toutes les toilettes standard. Il existe aussi des sièges surélevés à bras intégrés.

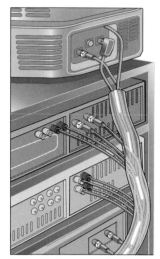

Les chiots et les chatons, qui aiment mordiller les cordons des appareils électriques, risquent de subir une décharge électrique ou des brûlures. Par précaution, réunissez les cordons dans une gaine. Pour éviter qu'un animal ne se blesse en tirant sur un cordon, dotez celui-ci d'un dispositif permettant de le raccourcir.

Élastiques et ficelles sont des « jouets » qu'un chat apprécie particulièrement. Cependant, l'animal risque de souffrir s'il les ingère ; un vétérinaire pourrait même devoir pratiquer une intervention chirurgicale pour les récupérer. Si une ficelle dépasse de la gueule de votre fidèle compagnon, retirez-la délicatement.

Indigestes... Les chats aiment mordiller les plantes d'intérieur. Pourtant, bon nombre d'entre elles peuvent les rendre malades. Si cela se produit, notez le nom scientifique de la plante et communiquez avec le centre antipoison.

Votre animal peut subir une occlusion intestinale s'il ingère une guirlande d'arbre de Noël. Placez ce type de décoration bien haut ou n'en utilisez pas !

Un instinct de grimpeur semble animer les chats en présence d'un arbre de Noël. Veillez donc à ce que la base de l'arbre soit très stable. Songez aussi à haubaner l'arbre avec des cordes fixées au mur ou au plafond.

Identification. Les chiens et les chats doivent toujours porter une plaque d'identité. Certains organismes de protection des animaux émettent des plaques et conservent les coordonnées des maîtres dans leurs dossiers de façon à pouvoir communiquer avec eux si on vient à retrouver un animal perdu. De nos jours, une micropuce codée ayant à peu près la taille d'un grain de riz peut remplacer la plaque d'identité classique ; elle doit être implantée par un vétérinaire.

Installation d'une clôture invisible

À PRÉVOIR :

Composants et accessoires de clôture invisible (module de commande, récepteur, câble, fanions de délimitation)

Tournevis, perceuse et forets

Conduit de plastique et raccord coudé

Pâte et pistolet à calfeutrer

Bêche ou tranche-gazon manuel ou à moteur (de location)

Dame

Lunettes et masque de protection

Scie circulaire et lame à maçonnerie (s'il y a lieu)

Béton de ragréage ou bouche-fissures pour asphalte (s'il y a lieu)

Pince à bec effilé

1 Fixez le module de commande sur un mur près d'une prise électrique (c.a.). Percez un trou à travers le mur extérieur ; fixez un conduit de plastique sur le mur. Le conduit doit contenir les fils à partir du trou ; coupez-le juste sous le niveau du sol. Placez un raccord coudé dans le trou, puis obturez le trou avec de la pâte à calfeutrer. Glissez le câble dans le conduit, puis dans le mur, jusqu'au module de commande.

2 Déroulez le câble sur le sol de façon à former une boucle qui cerne l'aire utile et revient au module de commande. À partir du conduit, creusez ensuite dans le sol une tranchée étroite de 3 po (8 cm) de profondeur le long du câble ; utilisez pour ce faire une bêche ou un tranche-gazon. Enfouissez le câble et tassez la terre à mesure que vous progressez.

Frileux félins. Par temps froid, un chat peut se réfugier sous l'aile ou le capot d'une voiture pour se réchauffer. Si votre chat ou les chats de vos voisins ont accès à votre voiture, cognez sur le capot ou klaxonnez avant de lancer le moteur durant l'hiver.

Par temps chaud, mieux vaut laisser un chien attaché à l'ombre à la maison plutôt que de l'emmener en voiture. En plein soleil, la température dans une voiture aux vitres remontées peut dépasser les 38 °C (100 °F) au bout de 10 minutes. Un chien laissé dans la voiture risquerait alors de subir des lésions cérébrales ou de mourir d'un coup de chaleur. Si votre chien doit rester dans la voiture, placez-le dans une cage, laissez-lui de l'eau, stationnez à l'ombre et baissez toutes les vitres.

En double. Si vous devez vous absenter, laissez deux plats d'eau à votre animal. S'il renverse un plat durant votre absence, il pourra toujours boire dans l'autre.

La déshydratation peut avoir des conséquences graves. On la reconnaît à certains signes comme la sécheresse de la gueule, l'enfoncement des yeux et l'épuisement. Pour savoir si un animal en souffre, tirez-lui délicatement la peau du dos. Un animal déshydraté a la peau flasque. Au besoin, voyez un vétérinaire.

Une niche bien conçue est assez grande pour que le chien puisse s'y coucher et s'y asseoir confortablement, mais assez petite pour conserver la chaleur corporelle de l'animal. Si vous utilisez de la paille en guise d'isolant, assurez-vous que l'animal n'y est pas allergique. Placez l'entrée à l'abri du vent et laissez un vide entre le plancher et le sol pour contrer toute infiltration d'humidité.

Épongez sans tarder toute trace d'antigel répandu par mégarde sur le sol. L'odeur et le goût sucré de l'antigel peuvent attirer un animal. Or, l'ingestion d'une petite quantité d'antigel peut causer une intoxication.

Le chocolat contient de la théobromine, une substance toxique pour les chiens. L'hyperactivité, un fort halètement, des crises, des tremblements musculaires, des vomissements et la diarrhée font partie des symptômes d'intoxication par le chocolat. Si un chien semble avoir mangé beaucoup de chocolat, emmenez-le vite chez le vétérinaire.

Un chiot risque de souffrir d'intoxication par la nicotine s'il vient à mordiller des mégots. Placez donc les cendriers hors de sa portée.

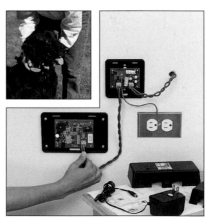

3 Si une allée de béton ou d'asphalte se trouve sur le parcours du câble, découpez-y une tranchée de 1 po (2,5 cm) de profondeur à l'aide d'une scie circulaire munie d'une lame à maçonnerie. Portez des lunettes de protection et un masque antipoussières. Logez le câble dans la tranchée. Comblez celle-ci de béton de ragréage (voir p. 260) ou de bouche-fissures pour asphalte (voir p. 266), selon le cas.

4 Pour boucler la boucle, glissez le bout du câble dans le conduit et raccordez les fils au module de commande. Les fils qui cernent l'aire utile doivent être torsadés ensemble à leur entrée et à leur sortie de la maison : autrement, ils pourraient devenir porteurs de charge là où ils courent sous la pelouse. Une fois les fils extérieurs enfouis, installez les fanions de délimitation fournis.

5 Terminez l'installation du circuit selon les directives du fabricant et branchez le module de commande. Assemblez le collier récepteur, puis vérifiez son fonctionnement. Si le collier fonctionne bien, mettez-le au cou de l'animal. Conformez-vous aux directives de dressage du fabricant avant de laisser circuler votre animal librement sur le terrain alors que le système est armé.

Bon nombre de trucs présentés dans le présent ouvrage permettent de recycler divers objets qui finiraient autrement aux ordures ou d'utiliser des produits domestiques courants de façon différente. Ces objets et ces produits sont classés ici par ordre alphabétique. Sous chaque entrée figurent les trucs de recyclage ainsi que la page et le titre (ou les premiers mots) du paragraphe correspondant.

A

Ail
➤ Utile pour déparasiter une plante d'intérieur, p. 39, « Pour déparasiter »

Album de photos
➤ Très utile pour classer les recettes de cuisine, p. 16, « Conservez vos recettes »

Alcool à friction
➤ Versé sur une feuille d'assouplissant, permet de dépoussiérer et de nettoyer sans peine un écran de téléviseur, p. 245, « L'écran du téléviseur »

Aloès
➤ À garder près du barbecue à gaz pour soulager une éventuelle brûlure légère, p. 235, « Brûlures »

Ammoniaque
➤ À verser, quelques gouttes à la fois, dans le bac à poubelle pour repousser les ratons laveurs, p. 39, « Halte-là ! »
➤ Versée dans un plat, aide à chasser les écureuils nichés dans une cheminée, p. 39, « Si un écureuil »
➤ Vaporisée sur le compost, repousse les animaux, p. 305, « Des animaux »

Antiadhésif
➤ Vaporisé sur le dessous du châssis de la tondeuse, empêche l'accumulation de débris de tonte, p. 298, « Le dessous du châssis »

Après-shampoing
➤ Utile pour assouplir les poils d'un pinceau, p. 67, « Pour assouplir les soies »

Arêtes
➤ À composter, p. 304, « Compostez, compostez ! »

Armoire de cuisine
➤ À transformer en rangement mural pour un bureau, p. 25, « De la cuisine au bureau »
➤ À utiliser comme rangement dans les greniers, les sous-sols et les garages, p. 30, « Les vieilles armoires de cuisine »
➤ Peut servir de garde-bouteilles, p. 32, « Garde-bouteilles »

Armoire usagée
➤ On peut en faire un meuble audio-vidéo, p. 20, « Solution économique »
➤ À utiliser comme rangement dans la cuisine, p. 32, « Les armoires anciennes »

Assiette en papier
➤ Placée sur un bidon de peinture, forme un écran anti-éclaboussures, p. 122, « Vous éviterez »

Attaches de câble
➤ Utiles pour fixer le cordon d'une lampe sur un pied de table, surtout en présence de petits enfants, p. 324, « Les cordons électriques »

B

Bacon
➤ À utiliser comme appât dans un piège à souris, p. 39, « Miam ! »

Balle de tennis
➤ À transformer en poignée de tiroir (commode pour enfants), p. 21, « Poignées rigolotes »
➤ Fendue, peut être utilisée pour augmenter la fermeté de la prise sur un tournevis, p. 36, « Quelle poigne ! »
➤ Enveloppée dans du papier de verre, permet de poncer certains arrondis concaves des meubles en bois, p. 143, « Cale ronde »

Bandes Velcro
➤ Idéales pour fixer une télécommande sur un téléviseur, p. 245, « Fidèle au poste »

Bas et chaussettes
➤ Placés au haut des montants d'une échelle, empêchent de rayer le parement, p. 44, « En douceur »
➤ Chaussette tronquée : à utiliser en guise de mitaine durant les travaux de peinture, p. 66, « Mitaine de peintre »
➤ À glisser par-dessus les chaussures pour les protéger durant les travaux de peinture, p. 121, « Couvre-chaussures »

Bas-culotte
➤ Rempli de fumier et immergé dans de l'eau, donne une excellente macération pour fertiliser les légumes, p. 285, « Un petit creux ? »

Bassine à vaisselle
➤ À utiliser comme rangement sous un escalier, p. 34, « Escalier ajouré ? »

Baume pour les lèvres
➤ À substituer au ruban-cache sur les carreaux d'une fenêtre au moment de peindre, p. 116, « Vous gagnerez du temps »

Beurre d'arachide
➤ Peut servir d'appât sur un piège à souris, p. 39, « Miam ! »

Bicarbonate de soude
➤ Utile pour éteindre un feu de cuisson, p. 14, « Feux de cuisson »
➤ Idéal pour patiner des bardeaux neufs, p. 47, « Technique de patinage »
➤ Permet de désodoriser un broyeur d'ordures, p. 233, « Pour le nez »
➤ Appliqué sur un pare-brise avec un chiffon humide, fait perler et glisser la pluie, p. 319, « Tombe la pluie... »

Bidon de plastique
➤ Permet de conserver les restes de peinture et d'en voir la couleur, p. 122, « Après les travaux »
➤ Troué et enterré près d'une plante, permet d'arroser facilement celle-ci au niveau des racines, p. 297, « Arroseur souterrain »

Billes en mousse expansée

➤ Placées au fond d'un pot volumineux, permettent de réduire la quantité de terre utilisée, p. 275, « Légère différence »

Bloc de béton

➤ Peut être transformé en support de prise électrique extérieure, p. 203, « Fixez dans du béton »

➤ À utiliser comme jardinière de patio, p. 263, « Béton en fleurs »

Bloc de bois

➤ À utiliser pour obtenir le bras de levier nécessaire pour arracher un clou avec un marteau, p. 36, « Un long clou »

➤ Placé en guise de cale entre un magnétoscope et le dessus d'un téléviseur, favorise la dissipation de la chaleur, p. 240, « Avant de placer »

Bloc sanitaire pour toilette

➤ À utiliser pour repousser un chien qui creuse toujours un trou au même endroit, p. 41, « Votre chien creuse-t-il »

Blocs en bois (jouets)

➤ À transformer en poignées de tiroirs (de commode pour enfants), p. 21, « Poignées rigolotes »

Boîte aux lettres

➤ Accrochée à un poteau de clôture ou au mur d'un cabanon, sert à ranger des outils de jardinage, p. 302, « Rangez les outils »

Bottes de caoutchouc

➤ À utiliser pour former une base d'échelle antidérapante, p. 44, « De pied ferme »

Bougies et chandelles

➤ À enfoncer dans un pot de gelée de pétrole pour faire durer la flamme durant une panne d'électricité, p. 12, « Faites un vœu ! »

➤ À frotter sur le papier-cache, pour le rendre plus facile à enlever, p. 65, « Qu'à cela ne tienne ! »

➤ Utiles pour lubrifier les châssis d'une fenêtre, p. 101, « Lubrifiez les glissières »

Boules à mites

➤ Placées dans une poubelle, repoussent les mouches, p. 38, « Logement vacant »

Bouteille

➤ Bouteille de boisson gazeuse : idéale comme distributeur de sacs en plastique, p. 17, « Utilisez une bouteille »

➤ Morceau de bouteille de détergent à lessive : pour rapiécer un parement de vinyle, p. 58, « Si vous devez réparer »

➤ Bouteille de détergent à lessive : pour fabriquer un porte-pinceaux en vue de travaux réalisés à partir d'une échelle, p. 65, « Ceindre et peindre »

➤ Bouteille de détergent à vaisselle : à utiliser comme contenant pour imbiber un tampon de peinture ou de teinture, p. 66, « Jamais à sec »

➤ Bouteille de plastique : remplie d'eau, sert de coupe-volume dans la toilette, p. 173, « Pas de brique »

Brosse à dents

➤ Idéale pour appliquer un produit de finition dans des rainures, p. 144, « Une brosse à dents »

➤ À utiliser pour enlever de la sève sur la lame d'une scie à élaguer, p. 303, « Pour enlever la sève »

Brosses et pinceaux

➤ Pinceau : à utiliser pour reproduire la texture de murs ou de plafonds de plâtre anciens, p. 83, « En surface »

➤ Brosse de dessinateur ou brosse à chaussures : on peut s'en servir pour obtenir un fini rappelant le suède, p. 127, « Grenure »

➤ Pinceau usagé : utile comme pinceau à colle, p. 149, « Autre usage »

➤ Manche de tampon en mousse : pour remuer le mastic et combiner les composants de la colle époxyde, p. 149, « Recyclage des manches »

➤ Brosse pour chien : conseillée pour enlever les peluches, les ficelles et les cheveux pris dans les poils d'un rouleau-brosse, p. 236, « Coup de brosse »

➤ Brosse à légumes : fixée au bout du tube de soufflage d'une souffleuse à feuilles, permet d'enlever des feuilles mouillées adhérant à des surfaces pavées, p. 300, « Petit ajout »

C

Café

➤ Utile pour désodoriser un réfrigérateur, p. 17, « Anti-odeur »

➤ Peut servir à dissiper l'odeur d'un animal dans une pièce, p. 40, « Pour dissiper l'odeur »

➤ À utiliser pour retenir la poussière sur un plancher de béton qu'on balaie, p. 260, « Balayage »

➤ Peut servir de paillis, p. 282, « Allégement »

➤ À utiliser pour humidifier le compost, p. 304, « Humidifiez »

Carreau de céramique

➤ À coller sur un comptoir pour cacher une brûlure, p. 16, « Un carreau vernissé »

Carton

➤ Carton ondulé placé sur une plaque de cuisson : sert à recueillir un liquide qui fuit sous une voiture, p. 29, « Limiter les dégâts »

➤ À utiliser pour juger de l'effet d'une couleur avant de peindre une persienne, p. 66, « Une couleur foncée »

➤ Utile pour obturer un trou dans du placoplâtre, p. 85, « Obturation d'un trou »

➤ Boîte de carton chemisée de ruban séparateur : pour garder en ordre les petites pièces d'un appareil que l'on répare, p. 226, « Si petites... »

➤ Boîte de carton : bac idéal où conserver les aliments pendant le dégivrage du congélateur, p. 231, « L'hiver »

➤ Cylindres de carton de rouleaux de moquette : peuvent servir à couler des piliers de béton, p. 259, « Au lieu d'acheter »

Ceinture

➤ Pour suspendre une échelle horizontalement, p. 45, « Fixation ajustée »

➤ Élément d'un porte-pinceaux servant aux travaux de peinture réalisés à partir d'une échelle, p. 65, « Ceindre et peindre »

Cendre de bois

➤ À composter, p. 304, « Compostez, compostez ! »

Cendre de cigarette
➤ Élimine les cernes blancs dus à l'eau sur le bois fini, p. 141, « Cernes »

Chaise de jardin
➤ Cadre : peut être garni de planchettes de séquoia pour obtenir une chaise toute nouvelle, p. 159, « Du tissu au bois »

Cheveux
➤ Étalés au pied des arbustes, repoussent les cerfs curieux, p. 286, « À poils ou à plumes »

Chiffon
➤ Peut être utilisé pour repérer avec exactitude un bouchon de glace dans un tuyau, p. 13, « Pour repérer un bouchon de glace »
➤ Utile pour dériver un filet d'eau s'écoulant le long d'un chevron dans un grenier, p. 13, « Dérivation »
➤ Placé dans une descente pluviale, empêche les débris de tomber dans celle-ci lors du nettoyage, p. 53, « Avant de nettoyer »

Chili en poudre
➤ À utiliser pour créer une barrière servant à empêcher les fourmis charpentières de pénétrer dans une maison, p. 39, « Entrée interdite »

Cible de jeu de fléchettes
➤ Idéal comme babillard dans un garage, p. 29, « Communications ciblées »

Cintre
➤ Utile pour éliminer une obstruction dans un tuyau de renvoi d'évier, p. 170, « Un peu plus loin »
➤ À utiliser comme extracteur pour retirer un pavé d'une allée, p. 249, « Utilisez deux extracteurs »
➤ Enfoncé dans un quart-de-rond, peut servir à empêcher une porte de se refermer sur les doigts d'un enfant, p. 324, « Plus de gros bobos ! »

Cintre pour pantalons
➤ Utile pour ranger des sacs d'épicerie en papier, p. 33, « … et encore des sacs ! »

Citron
➤ Utile pour enlever la nourriture ou le détergent séchés sur le chrome d'un lave-vaisselle, p. 232, « Nettoyage du chrome »
➤ Peut servir à désodoriser un broyeur d'ordures, p. 233, « Pour le nez »

Clous
➤ Clou de 10d : enfoncé dans un goujon, peut servir à enlever du coulis entre des carreaux, p. 263, « Enlèvement du coulis »
➤ Clous de 3d : enfoncés à travers une planche, permettent de fabriquer à bon compte un scarificateur à stucco, p. 265, « La scarification »

Coin d'abattage en nylon
➤ Utile pour aligner des planches de terrasse, p. 27, « Question de symétrie »

Collier antipuces
➤ Placé dans un sac d'aspirateur, élimine les puces qui peuvent s'y trouver, p. 40, « Pour limiter »

Colorant alimentaire
➤ Utile pour repérer la source d'une fuite dans une toilette, p. 172, « Votre toilette fuit-elle ? »

Contenant de boisson gazeuse
➤ Utile pour ranger du papier d'aluminium, du papier ciré et de la pellimoulante sous un évier, p. 32, « Rangez les rouleaux »

Contenant de film 35 mm
➤ Utile pour conserver les surplus de graines, p. 285, « Conservez les surplus »

Contenant de lait
➤ Peut servir de bac à semis, p. 284, « Recyclage »

Contenant de serviettes humides
➤ On peut y faire tremper un pinceau servant à finir le bois, p. 145, « Trempage »

Contreplaqué
➤ Peut servir à tracer des sillons dans un jardin avant la plantation, p. 284, « Pour accélérer les semis »
➤ Garni de goujons, permet de creuser sans effort une série uniforme de trous de semis, p. 302, « Vous gagnerez du temps »

Coquilles de noix
➤ À composter, p. 304, « Compostez, compostez ! »

Coquilles d'œuf
➤ À utiliser comme bac à semis, p. 274, « Sédentaires »

Coupe-bise
➤ Fixé sous les pieds de chaises, protège un revêtement de sol contre les éraflures et les déchirures, p. 16, « Fixez du feutre »
➤ Permet d'augmenter la succion d'un aspirateur d'atelier, p. 37, « En mal d'inspiration »

Courroie abrasive
➤ Idéale pour poncer les colonnes et les pièces tournées, p. 142, « Courroies recyclées »

Couteau électrique
➤ Tranche facilement la mousse de rembourrage haute densité, p. 152, « Comme dans du beurre »
➤ Utile pour couper les panneaux d'isolant-mousse, p. 215, « Fine lame »

Couteau à pamplemousse
➤ À utiliser pour éliminer les mauvaises herbes, p. 302, « Un couteau »

Couvercle de chaudron
➤ Permet d'éteindre sans risque un petit feu de cuisson, p. 14, « Feux de cuisson »

Couvercle de pot à café
➤ Peut servir à empêcher la peinture de goutter quand on travaille le bras placé au-dessus de la tête, p. 122, « Propre dessous »

Couvercle de poubelle
➤ Peut servir de moule à dalles, p. 259, « Y a-t-il du béton en trop ? »
➤ À placer sur un panier de lattes métalliques pour former une unité de rangement, p. 265, « Un reste de latte »

Couverts
➤ À transformer en poignées de tiroirs, p. 19, « Rehaussez l'aspect »

Couverture
➤ Peut servir à couvrir une porte vitrée au-dessus de laquelle on travaille à partir d'une échelle, p. 44, « Avant de dresser »
➤ Placée sur un âtre, protège les enfants contre d'éventuelles blessures, p. 325, « Un âtre surélevé »

Craie
➤ Placée dans un coffre à outils, empêche les outils de rouiller, p. 36, « Antirouille »
➤ Utile comme substitut à de la peinture pour retoucher un carreau de plafond blanc, p. 122, « Retouche à sec »

Crayon
➤ Peut être utilisé pour réparer temporairement un tuyau qui présente une petite fuite, p. 177, « Mine de rien... »
➤ À insérer dans le trou du système de frein d'une vidéocassette pour le dégager, p. 241, « Si le magnétoscope a tiré »

Crème à raser
➤ Utile pour désembuer un miroir de salle de bains, p. 23, « Désembuage »

Crème de tartre
➤ Enlève les taches de rouille sur la porcelaine, p. 174, « Les taches de rouille »

Cuillère
➤ Utile pour profiler un joint de mortier, p. 255, « Choix d'outils »

Débris de taille
➤ À composter, p. 304, « Compostez, compostez ! »

Décapsuleur
➤ Idéal pour élargir une fissure étroite dans un mur de plâtre avant de la réparer, p. 82, « En largeur »

Dentelle
➤ Peut être utilisée pour peindre un mur suivant la technique de la peinture au chiffon, p. 128, « Question de goût »

Dentifrice
➤ Permet d'effacer des éraflures sur un carreau de fenêtre, p. 96, « Pour effacer les éraflures »
➤ À utiliser pour enlever les marques de crayon sur les murs devant être peints, p. 121, « Ah, ces artistes ! »

Détergent
➤ Détergent à vaisselle : tue les moustiques dans les flaques d'eau, p. 38, « Paradis des moustiques »
➤ Détergent à lessive : entre dans la composition d'une solution servant à éliminer les moisissures sur un toit, p. 47, « Myco... logique »
➤ Détergent à vaisselle : mélangé avec de l'eau, élimine les taches de nourriture sur les dalles, p. 251, « À propos des taches »
➤ Détergent en granules : mélangé avec de l'eau chaude, élimine les taches d'huile de l'entrée de garage, p. 266, « Pour éliminer les taches »

Dévidoir pour tuyau d'arrosage
➤ Fixé sur un mur de garage, sert à enrouler les longues rallonges électriques pour les ranger, p. 35, « Nouveau rôle »

Diffuseurs d'aérosols
➤ À conserver dans le solvant comme pièces de rechange, p. 155, « En réserve »

Dos de reliure à anneaux
➤ Fixé au mur du garage, permet de ranger divers menus articles, p. 35, « Salmigondis »

Drap
➤ Utile pour peindre un mur suivant la technique de la peinture au chiffon, p. 128, « Question de goût »

Eau de Cologne
➤ Versée dans l'eau d'un humidificateur, donne une odeur rafraîchissante, p. 219, « Une fraîche odeur »

Eau de Javel
➤ Convient pour recharger un distributeur automatique de nettoyant pour cuvette, p. 23, « Propreté à bon compte »
➤ Elle tue les tiques trouvées sur un chien, p. 40, « Bain fatal »
➤ Idéale contre les taches d'eau sur un plafond, p. 46, « Pour faire disparaître »
➤ À utiliser pour ôter la moisissure sur un mur avant de le peindre, p. 121, « Moisissure »
➤ Utilisée pour pâlir la vannerie assombrie par la moisissure, p. 155, « Si la vannerie »
➤ Fait un bon nettoyant pour les humidificateurs portatifs, p. 219, « Pour tuer les bactéries »
➤ Utile pour nettoyer les orifices d'écoulement du réfrigérateur et du congélateur, p. 231, « Nettoyez régulièrement »
➤ Enlève la moisissure sur les parements de brique extérieurs, p. 254, « Une ombre au tableau ? »

Échelle de bois
➤ Fixée à un mur d'atelier, fait office de râtelier, p. 45, « À la retraite »
➤ Placée à plat et comblée de terre, sert à aménager un jardin de fines herbes, p. 285, « Fines herbes »

Engrais
➤ À vaporiser sur des briques neuves pour recréer les tachetures des briques anciennes, p. 253, « Pour recréer les tachetures »

Éponge
➤ Utile pour reproduire la texture de murs ou de plafonds de plâtre anciens, p. 83, « En surface »
➤ Permet d'identifier un produit de finition sur un plancher dont le fini doit être restauré, p. 89, « Finition »
➤ Peut servir à l'impression de motifs, p. 125, « L'impression à l'éponge »

➤ Éponge en boule : placée sur la poignée d'un burin, amortit les vibrations durant la réparation du béton, p. 261, « Poignée coussinée »

Escabeau
➤ À transformer en unité de rangement pour les plantes et autres articles, p. 45, « Si l'espace de rangement »

Étamine
➤ Peut servir à peindre un mur suivant la technique de la peinture au chiffon, p. 128, « Question de goût »
➤ À placer au bout d'un suceur d'aspirateur quand on nettoie des tiroirs de bureau, p. 236, « Filtre extérieur »

Explorateur dentaire
➤ Utile pour enlever la teinture dans les petites rainures des meubles en bois, p. 147, « Un explorateur dentaire »

F

Farine
➤ Utile pour tracer des repères d'excavation, p. 248, « Utilisez de la farine » et p. 250, « Traçage »
➤ Mélangée avec un engrais, facilite le repérage des surfaces non fertilisées, p. 270, « En additionnant l'engrais »

Feuille d'assouplissant
➤ Humectée d'alcool à friction, permet de nettoyer facilement une télévision, p. 245, « L'écran du téléviseur »

Feuilles
➤ Broyées, elles font un bon paillis, p. 282, « Allégement »
➤ À composter, p. 304, « Compostez, compostez ! », et p. 305, « Pour favoriser »

Ficelle de coton
➤ Mouillée et trempée dans des graines, accélère les semis, p. 274, « Pour semer »

Figurines animales
➤ Elles font de jolies poignées de tiroirs de commode pour enfants, p. 21, « Poignées rigolotes »

Fleurs
➤ À composter, p. 304, « Compostez, compostez ! »

Fouet de batteur
➤ Adapté à une perceuse à vitesse variable, sert à agiter la peinture, p. 147, « Agitation »

Fourche à bêcher
➤ Utile pour assujettir une échelle, p. 44, « Bloquez la base »

Fumier
➤ À utiliser comme ingrédient de paillis pour le jardin, p. 282, « En cherchant un peu »
➤ À utiliser dans le compost, p. 305, « Pour favoriser »

Fusain et charbon de bois
➤ Fusain : dans un coffre à outils, empêche les outils de rouiller, p. 36, « Antirouille »
➤ Charbon de bois : à utiliser comme barrière pour empêcher les fourmis charpentières de pénétrer dans une maison, p. 39, « Entrée interdite »

G

Gants
➤ À placer au haut des montants d'une échelle pour ne pas rayer le parement, p. 44, « En douceur »
➤ Gants de coton : utiles pour épousseter les stores, p. 100, « Pour épousseter »
➤ Gants de jardinage en tissu : protègent les mains quand on utilise un pistolet à air chaud, p. 141, « Trop chaud »
➤ Gant de cycliste : à porter pour prévenir les ampoules quand on utilise un tournevis, p. 151, « Un gant de cycliste »

Gants de cuisinier
➤ À ranger dans la voiture en vue des petites réparations à effectuer quand le moteur est chaud, p. 319, « Chhhhaud ! »

Gazon
➤ À composter, p. 304, « Compostez, compostez ! »

Gelée de pétrole (vaseline)
➤ À utiliser pour assujettir une bougie ou une chandelle et en prolonger la vie utile durant une panne d'électricité, p. 12, « Faites un vœu ! »
➤ Élimine les cernes dus à l'eau sur le bois fini, p. 141, « Couvrez un grand cerne »

Glands
➤ Déchiquetés, ils font un bon paillis, p. 282, « Récupération des glands »

Goujons
➤ Gainés d'un tuyau de PVC, ils peuvent être transformés en déflecteurs à placer là où un tuyau d'arrosage risque de se coincer, p. 297, « Ça roule ! »
➤ Logés dans un contreplaqué, permettent de creuser une série de trous de semis, p. 302, « Vous gagnerez du temps »

Gruau
➤ Peut servir à appâter les souris, p. 39, « Miam ! »

H

Hamac
➤ Idéal pour ranger dans un garage des articles légers mais encombrants, p. 35, « Rangement astucieux »

Hameçon
➤ Utile pour retirer une obstruction d'un siphon, p. 170, « Si l'obstruction »

Herbicide
➤ Vaporisé sur un mur de briques extérieur, élimine la mousse, p. 254, « Jamais plus moussu »

Huile pour bébé
➤ Détache les fruits de bardane du poil d'un animal, p. 40, « Les fruits de bardane »
➤ Idéale pour enlever la nourriture ou le détergent séchés sur le chrome d'un lave-vaisselle, p. 232, « Nettoyage du chrome »

Huile de lin bouillie
➤ À utiliser comme substitut peu coûteux aux produits de préservation du bois vendus dans le commerce, p. 60, « L'huile de lin bouillie »
➤ À appliquer sur un nouveau parement de brique intérieur pour le patiner, p. 253, « Patinage »
➤ Additionnée de térébenthine, sert à bouche-porer le béton, p. 260, « Bouche-porez »
➤ Appliquée sur les manches en bois des outils, permet de bouche-porer les surfaces dévernies, p. 303, « Entretien des manches »

Isolant rigide
➤ À utiliser pour empêcher un réservoir de toilette de suinter par temps humide, p. 173, « Condensation »
➤ À insérer dans un coffrage quand on veut interrompre le coulage du béton, p. 258, « Stop ! »

Jeans
➤ Font de bons chiffons à lustrer, p. 145, « Taillez des chiffons »

Journaux
➤ Utiles pour envelopper les moustiquaires avant de les serrer à l'automne, p. 103, « Protection hivernale »
➤ À utiliser dans le paillis, p. 282, « Paillis maison »
➤ À utiliser pour former un tapis destiné au paillage d'une plate-bande de jardin, p. 282, « Utilisez-vous des journaux »
➤ Déchiquetés, permettent d'assécher le compost et d'en repousser les insectes, p. 305, « Des animaux »

Jujubes
➤ Pour appâter les souris, p. 39, « Miam ! »

Jute
➤ Utilisé pour peindre un mur suivant la technique de la peinture au chiffon, p. 128, « Question de goût »

Laine d'acier
➤ Utile pour enlever de la peinture sur un cadre de fenêtre , p. 64, « Le verre et l'acier »
➤ Remplace l'antirouille, p. 323, « Moindre toxicité »

Latte métallique
➤ À transformer en panier cylindrique pour former une unité de rangement, p. 265, « Un reste de latte »

Levure chimique
➤ Utile pour nettoyer un cannage prétressé, p. 157, « Cannage encrassé »

Liège
➤ Enlève les taches de rouille dans un wok ou un poêlon, p. 237, « Un bouchon de liège »
➤ À utiliser dans un compost, p. 304, « Compostez, compostez ! »

Lien torsadé
➤ À utiliser pour boucher une cartouche de pâte à calfeutrer entamée, p. 63, « ... ou lien torsadé »
➤ Permet de lier ensemble les fils d'un appareil électronique, p. 240, « Regroupez les fils »

Litière pour chat
➤ Utile pour éponger un liquide répandu dans une poubelle de cuisine, p. 17, « Une bonne idée au fond... »
➤ Peut servir à désodoriser des meubles rembourrés sentant le moisi, p. 153, « Si vos meubles »
➤ Utile pour éponger l'huile à moteur sur le béton, p. 260, « Taches d'huile »
➤ À garder dans la voiture en guise d'abrasif d'urgence (neige, glace), p. 319, « En cas d'urgence »
➤ À mélanger avec la peinture au latex qu'on désire mettre à la poubelle, p. 322, « Peinture au latex »

➤ Utile pour éponger des pesticides sur le sol, p. 323, « Un pesticide »

Lotion après-rasage
➤ Versée dans l'eau d'un humidificateur, elle donne une odeur rafraîchissante, p. 219, « Une fraîche odeur »

Lunettes de nage
➤ Protège les yeux durant les travaux effectués au-dessus de la tête, p. 85, « Essayez pour voir ! »

Miroir
➤ Permet de vérifier facilement le fonctionnement des phares et des feux arrière d'une voiture, p. 29, « Tout bien réfléchi... »
➤ Carreau-miroir : collé au plafond, permet de voir les objets rangés sur la tablette du haut dans un placard, p. 33, « Vue en plongée »
➤ Utile pour suivre l'application de pâte à calfeutrer entre la fondation et le parement d'une maison, p. 62, « Pour ménager vos genoux et votre dos »
➤ Miroir à main : permet de surveiller l'allumage d'une veilleuse de chauffe-eau et d'inspecter son fonctionnement, p. 220, « En plaçant un miroir »

Mitaines
➤ À utiliser pour couvrir le haut des montants d'une échelle afin ne pas rayer le parement, p. 44, « En douceur »

Moulure de bois
➤ Idéale à titre de guide pour tailler des bords de pelouse bien droits, p. 271, « Pour que les bords »

Moustiquaire
➤ Installée sous le plancher d'un porche ou d'une terrasse entourés de moustiquaire, empêche les insectes de passer entre les planches, p. 27, « Les moustiques »
➤ Fixée sur un ciseau, fait obstacle aux éclats de béton qui autrement pourraient voler au visage, p. 261, « Pare-éclats »

➤ Placée au-dessus du trou de drainage d'un pot à fleurs, empêche la terre de s'échapper du pot, p. 273, « Avant d'empoter »

➤ À transformer en tamis à compost, p. 305, « Étalez le compost »

Napperon
➤ Placé sous un robot culinaire, amortit le bruit et les vibrations, p. 238, « Baissez le volume ! »

Oignon
➤ Coupé en gros morceaux et placé dans un contenant rempli d'eau, combat l'odeur de la peinture fraîche, p. 122, « Si l'odeur de la peinture »

P

Paille
➤ À composter, p. 304, « Compostez, compostez ! », et p. 305, « Pour favoriser »

Paille à boire
➤ Utile pour appliquer de la pâte à calfeutrer dans les espaces très restreints, p. 63, « Une longueur d'avance »

➤ À utiliser pour gratter de la colle durcie dans les coins, p. 149, « Autre grattoir »

➤ Permet de passer un câble téléphonique à l'horizontale à travers un mur, p. 198, « Utilisez une paille »

Pain
➤ Pain de seigle : utile pour détacher un revêtement mural délicat, p. 135, « Pour ôter une tache »

➤ Empêche l'eau de goutter des tuyaux pendant les travaux de brasage, p. 171, « Blanc ou blé entier ? »

Palettes de bois
➤ À utiliser pour fabriquer un composteur, p. 304, *« Rapido presto »*

Panier (grand)
➤ Utile pour ranger des serviettes dans la salle de bains, p. 30, « Beau et utile »

Panier servant au transport du lait
➤ Utile pour tamiser la terre, p. 272, « Tamis »

Panneau de fibres dur
➤ Peut être utilisé pour nettoyer une gouttière, p. 53, « Le nettoyage des gouttières »

Papier d'aluminium
➤ Posé sur les coussins, il empêchera le chat de grimper sur le canapé, p. 41, « Grrr ! »

➤ À utiliser pour protéger les ferrures durant les travaux de peinture extérieure, p. 65, « Alumoulante »

➤ Permet de fabriquer facilement un gabarit servant à tailler une dalle de patio ou d'allée manquante, p. 250, « Du papier d'aluminium »

➤ Enroulé sur le tronc des arbres fruitiers, il refoule les insectes, p. 289, « Glissant ! »

Papier ciré
➤ Permet de lubrifier les raccords de tuyau d'aspirateur difficiles à disjoindre, p. 236, « Ménagez vos efforts »

Parapluie
➤ À utiliser pour recueillir une solution de nettoyage gouttant d'un lustre à pendeloques, p. 191, « Point n'est besoin de démonter un lustre »

Passoire
➤ Pour égoutter les restes avant de les jeter, p. 17, « Récupérez les restes »

Pataugeoire
➤ Permet de loger une portée de chiots ou de chatons naissants, p. 40, « Nouvelle génération »

Peigne
➤ Utile pour reproduire la texture de murs ou de plafonds de plâtre anciens, p. 83, « En surface »

Pelle d'enfant
➤ Permet de nettoyer une gouttière sans difficulté, p. 53, « Ramassez les débris »

Pellimoulante
➤ Utile pour calorifuger le bas d'une fenêtre qui a beaucoup travaillé, p. 104, « Sur mesure »

➤ Idéale pour couvrir le pot des plantes d'intérieur avant une absence prolongée afin de conserver l'humidité, p. 297, « Avant de vous absenter »

Peluches de vêtements
➤ À composter, p. 304, « Compostez, compostez ! »

Persiennes
➤ À transformer en pare-feu, p. 19, « Disposez devant le foyer »

➤ Utiles pour cacher de petits électroménagers sur le comptoir de la cuisine, p. 32, « Sur mesure »

Pichet (lourd)
➤ Utile pour regrouper les couverts, p. 33, « Les tiroirs »

Pièces de monnaie
➤ À fixer sur les pales d'un ventilateur de plafond afin de les rééquilibrer, p. 210, « Rééquilibrage »

Pierres plates
➤ Utiles pour constituer une bordure le long du jardin afin de faciliter le passage de la tondeuse, p. 270, « Placez une bordure »

➤ À utiliser pour étiqueter des plantes à l'extérieur, p. 277, « Les pierres plates »

➤ À placer au fond des trous de poteaux de clôture pour plus de stabilité, p. 294, « Après avoir creusé »

Pince à linge
➤ Idéale pour marquer la dernière lame de store époussetée en cas d'interruption, p. 100, « Repère »

➤ Peut servir à tenir un bouton de bois durant l'application d'un produit de finition, p. 144, « Pour finir un bouton »

➤ Utile pour assujettir un cannage prétressé dans la rainure d'un siège, p. 156, « Désassemblez »

➤ À utiliser pour étaler les branches de jeunes arbres fruitiers, p. 288, « Tuteurage intérieur »

Planches

➤ À clouer aux solives de plafond d'un sous-sol en vue d'aménager un espace de rangement pour les restes de matériaux de construction, p. 34, « Sur le long »

➤ Constituent un bon point d'appui pour un levier utilisé pour soulever des dalles, p. 251, « Point d'appui »

➤ Coupées aux dimensions utiles, peuvent servir d'espaceurs pour créer des joints de coulis uniformes entre les éléments d'un dallage, p. 263, « Pour former des joints »

➤ À transformer en gabarits pour espacer uniformément les éléments d'une clôture, p. 295, « Espacement »

Plaque de cuisson

➤ Utile pour étouffer un feu de cuisson, p. 14, « Feux de cuisson »

➤ Placée sous la voiture, permet de recueillir les fuites de liquide, p. 29, « Limiter les dégâts »

Plateau de plastique à rebord

➤ Placé sous un magnétoscope, permet de recueillir les pièces qui pourraient tomber durant une réparation, p. 240, « Avant de réparer »

Plats et moules

➤ Utiles pour étouffer un feu de cuisson, p. 14, « Feux de cuisson »

➤ Moule à roulé : placée sous la voiture, permet de recueillir les fuites de liquide, p. 29, « Limiter les dégâts »

➤ Plat rempli d'ammoniaque : chasse les écureuils d'une cheminée, p. 39, « Si un écureuil »

➤ Plat rempli d'eau : peut servir à éloigner les fourmis du plat de nourriture d'un animal de compagnie, p. 40, « Tromper la faim »

➤ Moules à tarte : placés sous les pieds d'un meuble, permettent de décaper proprement, p. 141, « Propreté assurée »

Pneu

➤ Utile pour protéger la carrosserie d'une voiture dans un garage, p. 29, « Clouez des retailles »

Poignée de porte

➤ Utile pour fabriquer une dame, p. 267, « Plus de prise »

Poignées de tiroirs

➤ À transformer en porte-serviettes, p. 22, « Affaires pendantes »

Poil d'animal

➤ À composter, p. 304, « Compostez, compostez ! »

Poire à jus

➤ On peut s'en servir pour vidanger l'essence restant dans le réservoir d'une tondeuse après la dernière tonte, p. 299, « Vidangez »

Pomme de terre

➤ Idéale pour lisser la pâte à calfeutrer, p. 63, « Des morceaux de pomme de terre »

Porte-serviettes

➤ À fixer sur une porte de chambre, p. 31, « Posez un porte-serviettes »

➤ Fixé derrière une porte d'armoire, sert à ranger des couvercles de casseroles, p. 32, « En rang d'oignons »

Pot à café

➤ Utile pour ranger des pinceaux chargés de peinture à l'huile entre deux applications, p. 67, « Nettoyage différé »

➤ Transformé en saupoudreuse à farine, sert à tracer des repères d'excavation, p. 248, « Utilisez de la farine »

➤ Peut servir de semoir pour réparer la pelouse, p. 271, « Utilisez un pot à café »

Pot à fleurs (en plastique)

➤ Placé à l'envers dans un grand pot, permet de réduire la quantité de terre utilisée, p. 275, « Légère différence »

Pot de margarine

➤ À transformer en piège à guêpes, p. 38, « Tout doux… »

Pot de verre

➤ Utile pour ranger et classer clous, vis, boulons et ferrures, p. 36, « Différence visible »

➤ Peut servir de piège à blattes, p. 39, « Dans les petits pots… »

➤ Idéal pour ranger des pinceaux chargés de peinture à l'huile entre deux applications, p. 67, « Nettoyage différé »

Poubelle

➤ À transformer en composteur, p. 304, « Vous pouvez composter »

Poudre d'os

➤ À utiliser pour empêcher les fourmis charpentières de pénétrer dans la maison, p. 39, « Entrée interdite »

Poudre à récurer

➤ Peut servir à accroître l'adhérence d'une pointe de tournevis, p. 36, « Plongez la pointe »

Pouf

➤ Utile comme siège supplémentaire au moment de recevoir de nombreuses personnes, p. 18, « Place assise »

Quart-de-rond

➤ Accroché à une charnière au moyen d'un tronçon de cintre, empêche une porte de se refermer sur les doigts d'un enfant, p. 324, « Plus de gros bobos ! »

Raclette

➤ Idéale pour enlever les résidus de savon sur les parois d'une cabine de douche, p. 23, « Après la douche »

➤ Entaillée, sert à créer un fini ligné décoratif sur un mur frais peint, p. 127, « Belles lignes »

➤ À utiliser pour enlever les résidus d'adhésif pour papier peint, p. 132, « Enlevez les résidus »

Radio portative
➤ Utile pour chasser des ratons laveurs nichés dans une cheminée, p. 223, « Fugue et contrepoint »

Râteau
➤ Privé de son manche et fixé au mur d'une remise de jardin, sert de râtelier à outils, p. 302, « Râteau-râtelier »
➤ Recouvert d'un tronçon de tuyau d'arrosage, peut être converti en racloir pour nettoyer un patio, p. 303, « Un vieux râteau »

Reliure de protège-document en plastique
➤ À utiliser pour protéger les dents d'une égoïne, p. 36, « Pour protéger les dents »

Restes de fruits
➤ Écorces d'agrumes : empêchent les chats de déterrer les jeunes plantes, p. 41, « Poser le bon zeste »
➤ À composter, p. 304, « Compostez, compostez ! »

Restes de légumes
➤ À composter, p. 304, « Compostez, compostez ! », et p. 305, « Pour favoriser »

Revêtement mural
➤ À utiliser pour couvrir corbeilles, abat-jour, cadres, stores, rayons, livres et albums de photos, p. 135, « Recyclage des chutes »
➤ À transformer en frise, p. 137, « Frise unique »

Rouleau à peindre électrique
➤ À utiliser pour décoller les revêtements muraux, p. 132, « Un rouleau à peindre »

S

Sac
➤ Sac-filet : idéal pour ranger les jouets utilisés dans une baignoire, p. 31, « En cale sèche »
➤ Sac d'épicerie en plastique : à utiliser comme doublure de bac à peinture, p. 65, « Glissez le bac »

➤ Sacs à circulaires : pour couvrir les pales d'un ventilateur de plafond durant les travaux de peinture, p. 120, « Avant de repeindre un plafond »
➤ Sac de plastique : à utiliser pour couvrir le combiné du téléphone de façon à pouvoir le saisir sans le tacher durant les travaux de peinture, p. 121, « Avec ou sans fil »
➤ Sac-filet en nylon : peut servir à nettoyer les pièces tournées après le décapage, p. 141, « Coup de filet »
➤ Sac à sandwich : pour combiner les deux composants de la colle époxyde, p. 148, « Pour combiner »
➤ Sacs de plastique : à enfiler par-dessus des bottes durant l'application d'un enduit étanche pour asphalte, p. 266, « Placez des sacs »
➤ Long sac à ordures en plastique : à utiliser pour se protéger la main et le bras au moment d'arracher une plante urticante, p. 273, « Qui s'y frotte... »
➤ Sac de plastique : utile pour récolter les graines des plantes arrachées à la fin de la saison, p. 275, « À la fin de la saison »
➤ Sac-filet : idéal pour entreposer les bulbes jusqu'à ce que l'on puisse les planter, p. 278, « Maintes entreprises »
➤ Sacs à ordures : à utiliser pour faire mourir une souche avant de l'arracher, p. 290, « Si la petite souche »

Sac à chaussures
➤ Suspendu au mur du garage, permet de ranger divers articles, p. 35, « Salmigondis »

Savon
➤ Utile pour lubrifier les châssis d'une fenêtre à guillotine, p. 101, « Lubrifiez les glissières »
➤ Repousse les cerfs, p. 286, « À poils ou à plumes »

Sciure
➤ À composter, p. 305, « Pour favoriser »
➤ Mélangée avec de la peinture au latex, permet de se débarrasser de celle-ci sans dégât, p. 322, « Peinture au latex »

➤ Utile pour éponger en toute sécurité des pesticides sur le sol, p. 323, « Un pesticide »

Seau
➤ Pour récupérer un bijou tombé dans le renvoi d'un évier, p. 13, « Perdu à tout jamais ? »
➤ Utile pour recueillir de l'eau qui s'écoule le long d'un chevron au grenier, p. 13, « Dérivation »
➤ On peut s'en servir comme support pour ranger un tuyau d'arrosage, p. 35, « Seau en hauteur »
➤ Utile comme porte-outils quand on travaille sur une échelle, p. 44, « Idée sensascensionnelle »
➤ Idéal pour ramener des débris au sol quand on nettoie une gouttière, p. 53, « Seau à la corde »

Sèche-cheveux
➤ Permet de faire fondre un bouchon de glace dans un tuyau, p. 13, « Un lent dégel », et p. 171, « Les joies de l'hiver... »
➤ À utiliser pour chauffer des surfaces par temps froid avant d'y appliquer de la pâte à calfeutrer, p. 62, « Pour une bonne adhérence »
➤ Permet d'accélérer le séchage de la pâte à joints dans de petites réparations, p. 83, « Séchage »
➤ À utiliser pour sécher une petite partie d'un mur quand on cherche la source de l'humidité dans un sous-sol, p. 92, « Pour trouver la source »

Sel
➤ Utile pour éteindre un feu de cuisson, p. 14, « Feux de cuisson »
➤ Entre dans la composition d'une solution de nettoyage pour le cannage prétressé, p. 156, « Nettoyant salin »

Sel gemme
➤ Incrusté dans du béton fraîchement coulé, donne une finition texturée, p. 258, « Pour texturer »
➤ À garder dans la voiture en guise d'abrasif d'urgence (neige, glace), p. 319, « En cas d'urgence »

Tontes
➤ Constituent un bon paillis, p. 282, « Allégement »
➤ À composter, p. 304, « Compostez, compostez ! », et p. 305, « Pour favoriser »

Treillage
➤ Fixé sur un mur de sous-sol, sert de rangement pour des objets longs et étroits, p. 28, « Treillages en trop »

Treillis
➤ Fixé sur un cadre de bois, sert à tamiser du compost, p. 305, « Étalez le compost »

Tringle à rideau
➤ Fixée au-dessus d'un appui de fenêtre, permet d'assujettir des plantes en pots, p. 30, « Une place au soleil »

Trombone
➤ Utile pour éloigner un élément chauffant du réflecteur d'un radiateur, p. 239, « Décharge électrique »
➤ Idéal pour éjecter une disquette coincée dans un lecteur (Macintosh), p. 242, « Disquette coincée »

Tube de rouleau d'essuie-tout
➤ Utile pour ranger des sacs d'épicerie en plastique, p. 33, « Des sacs... »

Tuyau
➤ Glissé sur la poignée d'une clé à molette, accroît l'effet de levier de l'outil, p. 37, « Vaincre les résistances »
➤ Tuyau de PVC : utile pour rassembler les spires d'un long cordon d'outil, p. 37, « Après avoir enroulé »
➤ Tuyau de PVC : à utiliser avec un goujon pour fabriquer un déflecteur à placer là où un tuyau d'arrosage risque de se coincer, p. 297, « Ça roule ! »
➤ Tuyau de métal : fiché dans le sol, permet de redresser les dents d'une fourche, p. 302, « Maux de dents »
➤ Tuyau de PVC : troué et fiché dans un tas de compost, permet d'améliorer la circulation de l'air, p. 305, « L'air circulera mieux »

➤ Placé sur une poignée de clé en croix, facilite le desserrage des écrous d'une roue de voiture, p. 319, « De nombreuses clés »

Tuyau d'arrosage
➤ Tronçon recouvert de papier de verre : utile pour poncer les arrondis concaves d'un meuble en bois, p. 143, « Un bon tuyau »
➤ À substituer à un dégorgeoir, p. 175, « En cas d'échec... »
➤ Fixé au manche d'un balai-brosse, facilite le lavage d'une allée, p. 266, « Nettoyage éclair »
➤ À fixer sur un manche à balai pour arroser, p. 297, « Arrosage ciblé »
➤ Tronçon fendu : sert à protéger les maillons-gouges d'une scie à chaîne, p. 301, « Par précaution »
➤ Tronçons fendus : placés sur l'épaulement d'une pelle, forment un coussin pour le pied, p. 302, « Tout confort »
➤ Tronçon fendu sur le long : utile pour convertir un vieux râteau en racloir, p. 303, « Un vieux râteau »

V

Vernis à ongles
➤ Peut servir à obturer un petit trou ou une fissure dans un carreau de fenêtre, p. 96, « Obturez temporairement »
➤ À utiliser pour colmater un petit trou ou réparer une légère déchirure dans une moustiquaire, p. 103, « Trous et déchirures »
➤ À appliquer sur une écaillure dans une cuve de machine à laver pour la dissimuler et l'empêcher de rouiller, p. 226, « Une cuve écaillée »
➤ À appliquer sur les boulons d'un outil à moteur avant le resserrage des écrous pour empêcher toute vibration, p. 300, « La vibration »

Verre
➤ À utiliser comme piège à lépismes argentés, p. 39, « Roulés dans la farine »
➤ À placer près d'un arroseur pour mesurer le débit d'eau, p. 271, « Arrosage »

Vinaigre blanc
➤ Peut être substitué à de l'assouplissant, p. 23, « Si vous manquez »
➤ Utile pour laver un animal qu'une mouffette a arrosé, p. 40, « Odeur de mouffette »
➤ Enlève les taches que des excréments d'animal ont laissées sur un parquet, p. 40, « Sans tache »
➤ Permet de nettoyer des soies durcies par de la peinture à l'huile séchée, p. 67, « Pour nettoyer des soies »
➤ Peut servir à amollir l'adhésif d'un vieux papier peint, p. 132, « Pour enlever l'adhésif... »
➤ À utiliser pour fluidifier de la colle jaune qui a séché dans un flacon, p. 148, « Pour rendre de la colle »
➤ Permet de détartrer une douchette, p. 165, « Pour détartrer »
➤ À utiliser pour détartrer une pomme de douche, p. 174, « Faible débit »
➤ Élimine le détergent accumulé dans une machine à laver, p. 227, « Pour éliminer »
➤ Permet de nettoyer et de désodoriser la cuve d'un lave-vaisselle, p. 232, « Nettoyage de la cuve »
➤ Utile pour désodoriser un broyeur d'ordures, p. 233, « Des glaçons »
➤ Peut servir à apprêter un vieux plancher de béton devant être peint, p. 260, « Ça tiendra ! »

SOURCES

Paysage et plan axonométriques, p. 292
Geoffrey Roesch

Consultants
Charles Avoles *Plomberie*
Philip Englander *Mobilier*
Gene Falks *Électricité*
Mark D. Feirer *Dans la maison; Réparations et rénovations extérieures; Réparations et rénovations intérieures; Fenêtres et portes*
Lori L. Gazzano *Peinture et papier peint*
Carl Hagstrom *Pierre, brique et béton*
Rob Muessel *Sécurité*
Evan A. Powell *Électricité; Chauffage et climatisation; Électroménagers et appareils électroniques*
Rosemary G. Rennicke *Pelouse et jardin*
Dan Shon *Chauffage et climatisation*
Don Turano *Chauffage et climatisation*
Virginia White *Peinture et papier peint*

Remerciements
M. le juge et Mme Salvatore A. Alamia
American Olean Tile Co.
Norman Cheesman, Association canadienne des systèmes
    d'alarme et de sécurité
Classic Residence par Hyatt
Marie-Hélène Dupuis, Société québécoise des roses
East Islip Paint and Wallpaper Co.
Wanda et Frank Haggerty
Erik Hansen
Homelite®/John Deere Consumer Products, Inc.
The Humane Society of the United States
The Invisible Fence Co.
Linear Corp.
Mary H. Packwood de Pet-Track
Sony Corp. of America
Catherine Steimle
Thomson Consumer Electronics/RCA
Veterans Chair Caning and Repair

Photogravure : Les industries Tri-Graphiques Inc.
Impression : Imprimerie Interglobe inc.
Reliure : Transcontinental inc.